Marie-Bernadette DUPUY

Val-Jalbert

TOME 5
Les portes du passé

Les Éditions
COUP d'œil

Couverture et conception graphique : Marjolaine Pageau et Mélodie Landry

Première édition : © 2012, Les Éditions JCL, Marie-Bernadette Dupuy
Présente édition : © 2016, Les Éditions Coup d'œil, Marie-Bernadette Dupuy
www.boutiquegoelette.com
www.facebook.com/EditionsGoelette

Dépôts légaux : 4e trimestre 2016
Bibliothèque et Archives nationales du Québec
Bibliothèque et Archives Canada

Imprimé au Canada

ISBN : 978-2-89768-238-5
(version originale : 978-2-89431-460-9)

À ma famille bien-aimée.
À tous mes lecteurs pour leur intérêt à mes histoires.
À ma belle Alicia de Desbiens.

Note de l'auteure

Et l'aventure continue… Je n'oublierai jamais ce soir d'hiver où j'ai écrit les premières lignes de *L'enfant des neiges,* un ouvrage qui devait rendre hommage au bourg de Val-Jalbert, une ancienne cité ouvrière abandonnée, près du lac Saint-Jean. C'était peu de temps après mon premier séjour au Québec.

Toujours en quête de sites historiques susceptibles de m'inspirer, j'avais visité ce lieu grandiose, chargé d'histoire et d'émotion, guidée par des amis de mon éditeur, monsieur Jean-Claude Larouche, un enfant du pays à qui j'ai décidé de dédier cette saga.

J'étais sous le charme, éblouie au gré des rues bordées de toutes ces maisons alignées et surtout au pied de la chute d'eau prodigieuse de la Ouiatchouan.

Mais ce fut devant le couvent-école, une imposante bâtisse très bien conservée, que j'ai eu une sorte de vision soudaine et fulgurante. J'avais l'impression de voir un bébé abandonné sur le perron, une petite fille qui deviendrait mon héroïne…

Une fois rentrée chez moi, en France, avec une belle moisson d'images et de documents, je songeais sans cesse à la fabuleuse cascade dont le chant sauvage m'obsédait et surtout au destin de Marie-Hermine. Oui, j'avais baptisé ainsi l'enfant des neiges. Il me manquait encore l'aide de Clément Martel et de Dany Côté, de très sympathiques Québécois, pour me procurer de nombreux renseignements et des photos anciennes. Je me suis enfin mise à l'ouvrage et, comme je l'écrivais plus haut, l'aventure a continué. Pour mon plus grand plaisir, elle continue toujours.

J'ai repris la plume pour mener à bien ce cinquième livre, très satisfaite de rester en compagnie de mes personnages, la belle et douce Hermine aux grands yeux bleus, surnommée le Rossignol de Val-Jalbert, une chanteuse au cœur tendre, amoureuse de Toshan, dont le sang indien s'est transmis depuis aux enfants nés de leur union.

Il me suffit de fermer les yeux pour apercevoir, dans le décor de l'ancienne cité ouvrière, tous ceux qui gravitent autour de mon héroïne.

Mireille, la gouvernante, Joseph Marois, le voisin irascible, Laura et Jocelyn, les parents d'Hermine, sans oublier la mystérieuse Kiona qui, au fil des pages, s'impose comme un symbole, celui du peuple montagnais, mais aussi celui des êtres exceptionnels qui ont reçu un don hors du commun.

Après *L'enfant des neiges*, *Le rossignol de Val-Jalbert*, *Les soupirs du vent* et *Les marionnettes du destin*, je vous propose à tous, mes chères lectrices et mes chers lecteurs, ce nouveau volume, en espérant qu'il saura vous plaire autant que les précédents.

J'aimerais que vous sachiez aussi que ce sont vos innombrables lettres et courriels, dont je vous suis vivement reconnaissante, qui me poussent à écrire encore et toujours, pour retrouver le Québec et le Lac-Saint-Jean sur des airs d'opéra, ou bien au gré de plusieurs intrigues palpitantes.

Mon plus cher désir ? Savoir que vous ne pourrez pas vous empêcher de tourner les pages, toutes ces pages où je partage avec vous les émois, les afflictions, les peurs et les joies de mes personnages.

M.-B. D.

1
UNE NUIT D'ÉTÉ

— Vite, grand-mère, réveille-toi! Y a le feu à la maison, t'entends?
Le feu! Grand-mère, réveille-toi, je t'en prie! Y a le feu!

Laura Chardin remua la tête dans son sommeil. Elle percevait des
mots et des cris, mais elle croyait les rêver. Ce fut une douleur à l'épaule
qui lui fit ouvrir les yeux. Quelqu'un l'avait pincée avec rudesse.

— Grand-mère! fit encore une voix empreinte de panique. Je t'en
prie, lève-toi!

Elle se redressa et, par habitude, voulut allumer sa lampe de chevet.
C'était bien inutile: une lumière dorée, presque orangée, illuminait la
chambre. Cela venait du couloir, car la porte était entrebâillée. Dans ce
rougeoiement de fin du monde, elle reconnut le visage de son petit-fils,
Mukki, qui approchait de ses quatorze ans et qui était déjà de grande
taille. Son visage au teint cuivré était encadré de cheveux noirs. Il
la fixait de son regard sombre, la bouche entrouverte, l'expression
épouvantée.

— Qu'est-ce qui se passe? rugit-elle. Mon Dieu, où est Joss?

La place de son mari, à ses côtés, était vacante.

— Grand-père s'occupe des filles! Lève-toi, par pitié! Il m'a demandé
de t'aider! Il faut faire vite!

— Mais nous sommes en été, gémit Laura. Pourquoi y aurait-il le
feu? Pourquoi, Mukki?

Elle ne parvenait pas à reprendre pied dans la réalité, à accepter
l'évidence. Cependant, le ronflement dément du brasier qui dévastait
le rez-de-chaussée, ajouté à la chaleur de fournaise qui régnait à l'étage,
eut raison de ses doutes.

— Seigneur! Mukki, explique-moi! s'écria-t-elle en bondissant enfin
du lit.

— Mais j'ai pas le temps, grand-mère! Viens, donne-moi vite la
main, on va s'enfuir par la fenêtre! Je te tiendrai. On marchera sur

le toit de la galerie. Après, s'il le faut, on sautera dans le jardin. Allez, viens !

Tous les membres de la famille Chardin-Delbeau avaient coutume d'appeler « galerie » la terrasse couverte qui s'étendait le long de la façade de la demeure. Au village de Val-Jalbert, au cœur du pays du Lac-Saint-Jean, les gens avaient surnommé « demeure » la superbe maison construite par un ancien surintendant de l'usine de pulpe[1]. Laura l'avait achetée plusieurs années auparavant et, depuis, elle n'avait eu de cesse de l'agrémenter, de la rendre plus confortable grâce à sa fortune.

— Ma maison ! cria-t-elle, les mains sur le cœur. Mukki, il faut prévenir les pompiers. Ma maison ne peut pas brûler. Et pourquoi veux-tu passer par la fenêtre ? Oh ! mon Dieu, quelle malédiction ! Je ne veux pas, non, non, je ne veux pas !

Vêtue d'une chemise de nuit en satin bleu, la ravissante Laura Chardin scrutait de ses prunelles limpides les traits de son petit-fils avec une sorte de fureur désespérée. Nul ne lui aurait donné son âge, car elle était menue, bien faite, coiffée d'un nuage de boucles d'un blond platine. Elle approchait la cinquantaine, mais, très coquette, elle évitait de le préciser lors de ses pérégrinations à Québec ou à New York.

— Et Louis ? Où est Louis ? interrogea-t-elle encore avec un air affolé. Mon petit, mon tout-petit !

— Grand-père l'a envoyé chez Jo Marois chercher du secours. Notre téléphone ne fonctionne plus. Les fils électriques ont dû brûler.

Louis Chardin avait fêté ses douze ans au mois de mai. D'ordinaire, Mukki aurait souri d'entendre sa grand-mère le qualifier de tout-petit, même s'il se faisait traiter de gringalet ou de blondinet par ses camarades du collège. D'aspect frêle et menu, Louis avait été couvé par sa mère et s'en plaignait souvent.

— Et mon argent ! s'égosilla Laura en se chaussant d'une paire d'escarpins. Mukki, je dois prendre mon argent, enfin ! Je gardais beaucoup de liquidités ici à cause de la guerre. Les banques ne sont pas si sûres en ces périodes de troubles, à ce qu'on dit. Attends, c'est dans un coffret en fer, dans l'armoire.

---

1. Le surintendant Joseph-Adolphe Lapointe quitta son poste en novembre 1926. La Compagnie de pulpe de Chicoutimi lui avait fait construire en 1919 une superbe demeure rue Saint-Georges. On peut observer les ruines de cette résidence dans le sous-bois près du couvent-école.

L'adolescent allait protester quand la porte s'enflamma. Le bois du battant se fendilla et la peinture se fissura. Des bruits effroyables éclatèrent, tout proches. L'haleine de l'incendie se répandit, étouffante et torride.

– Oh! mon Dieu! Non, mon Dieu! hurla Laura de toutes ses forces. Sors de là, Mukki, par pitié! Sors, je te rejoins. Je dois prendre mon argent, comprends-tu, je n'ai pas le choix!

– Mais on s'en fiche, de l'argent, grand-mère! Moi je ne sors pas sans toi! assura-t-il en pleurant. On va mourir tous les deux si ça continue! Me fais pas ça, pense à maman!

Les nuits d'été, Laura et son mari dormaient la fenêtre ouverte. Une moustiquaire tendue sur un cadre les protégeait des insectes. Mukki réussit à l'ôter en un temps record. Il empoigna Laura par le bras et enjamba l'appui en bois peint. Elle le suivit, effarée, en larmes elle aussi.

– C'est un désastre! Un véritable désastre! répétait-elle. J'ai cherché dans l'armoire, le coffret n'y est visiblement pas. Peut-être que Joss l'a pris?

– Peut-être! Viens donc!

À peine furent-ils sur le pan de toiture qu'un souffle dément, pareil à la déflagration du tonnerre, retentit derrière eux. Le feu emplissait la pièce qu'ils venaient de quitter.

– Par là! Venez par là, brailla aussitôt un homme, debout au milieu du jardin, qui leur faisait signe. J'ai appuyé une échelle au toit! Allez, madame Laura, du cran!

Elle reconnut leur voisin, Joseph Marois. C'était un ancien ouvrier de la pulperie, cette compagnie prospère fondée par Damasse Jalbert au début du siècle, en contrebas de la fabuleuse chute d'eau de la Ouiatchouan.

– Avance, grand-mère! ordonna Mukki qui avait repris son sang-froid. Fais attention, ne glisse surtout pas! Je te tiens!

– Mais oui, n'ayez pas peur! renchérit Joseph.

Laura n'était pas une faible femme. Elle avait eu une jeunesse difficile, semée d'embûches, qui lui avait donné un caractère bien trempé, autoritaire et énergique. Pour la première fois, elle cédait à une terreur affreuse. Ses dents claquaient, tandis qu'elle poussait des plaintes à fendre l'âme. Cela apitoya son petit-fils, qui ne l'avait jamais vue dans cet état. Il l'étreignit, plein de compassion.

– Courage, grand-mère! Je suis là avec toi.

Elle lui jeta un coup d'œil effaré avant de répondre d'un ton surpris :

— Merci, Mukki ! Tu es devenu un homme ! Un brave petit homme !

Il la guida jusqu'à l'échelle, tout en observant les environs. Onésime Lapointe, un autre voisin, accourait en pyjama, escorté de sa femme Yvette, échevelée et blottie dans un peignoir.

— Je ne vois pas mon Joss ! hoqueta Laura qui inspectait également le jardin. Mukki, où est-il ?

— J'en sais rien ! Mais Laurence et Nuttah sont dehors, là, près du massif de roses, affirma-t-il.

Sa voix chevrotait. Jamais il n'avait eu autant envie de voir ses parents surgir par magie au sein de cette nuit tragique. «Ils ne viendront pas, ils sont à Québec !» se dit-il. Les dents serrées, les mâchoires crispées, Mukki pensa très fort à sa mère. Pour lui, c'était la plus belle femme au monde et il pouvait évoquer son image instantanément : de longs cheveux d'un blond mordoré, intense, et d'immenses yeux bleus, de véritables saphirs ourlés de cils dorés. «Hermine Delbeau, la célèbre soprano, le Rossignol des neiges, le Rossignol de Val-Jalbert ! songea-t-il. Ma petite maman, ma merveilleuse maman. »

— Mukki, je ne pourrai pas descendre par cette échelle ! hurla Laura. J'ai le vertige ! Et la maison brûle, ma maison ! Seigneur, pourquoi ? Tout brûle, mes robes, mes bijoux, mes meubles ! Oh non, non !

— Grand-mère, je t'en prie, dépêche-toi ! ordonna le garçon. Tu dois descendre ! Bien sûr que tu peux ! Mets-toi à genoux au bord du toit, là, je t'aide. Pose un pied sur le deuxième barreau, je te tiens.

Onésime Lapointe s'en mêla. C'était un colosse roux et sanguin qui travaillait souvent pour la famille Chardin.

— Hâtez-vous, m'dame Laura ! cria-t-il.

Il retenait d'une poigne ferme le bas de l'échelle. Joseph Marois, lui, avait disparu. Mukki tenait la main de sa grand-mère qui s'était enfin enhardie à emprunter l'échelle. Il jeta un regard épouvanté vers les fenêtres qui surplombaient ce pan de toiture. Le feu s'amplifiait, vorace, furieux, immonde. Les plaques d'asphalte craquaient et les poutres de la charpente s'étaient enflammées.

Laura ne pensait plus qu'au salut de son petit-fils. Elle se retrouva sur la terre ferme, soutenue par Onésime. Il la força à reculer.

— V'là une bonne chose de faite, m'dame ! affirma-t-il. Quel enfer !

Les jumelles Laurence et Marie-Nuttah se précipitèrent vers leur grand-mère en sanglotant. Elles avaient hérité de leur mère,

Hermine, des traits ravissants, avec leurs cheveux châtain clair, leur teint rose et leurs yeux bleus. Elles se ressemblaient beaucoup physiquement, mais leurs caractères étaient si dissemblables qu'il était difficile de les confondre. L'une était douce et discrète, l'autre, rebelle et fantasque. La timide Laurence dessinait pendant des heures, pendant que Marie-Nuttah multipliait les escapades dans les rues désertes du village, montée sur Basile, le poney de la famille.

Pour le moment, elles n'étaient plus que des enfants épouvantées qui avaient désespérément besoin d'être rassurées.

— N'ayez pas peur, mes chéries! déclara Laura en les serrant contre elle.

— Maman, maman! s'écria Louis, qui accourait à son tour.

Il se réfugia entre Laurence et Marie-Nuttah avant d'ajouter:

— Je suis allé chez monsieur le maire. Il arrive. Mais il dit que les pompiers viendront pas, eux.

Laura observa sa belle demeure dévorée par des flammes titanesques.

— Qu'ils viennent ou non, il ne restera plus rien de notre maison! rétorqua-t-elle, le visage durci par la rage. Mais où est Joss, mon Dieu? Et Mireille?

Mukki et Onésime les rejoignirent. Une femme les suivait, l'air terrifié. Il s'agissait d'Andréa Marois, la seconde épouse de Joseph. Laura l'avait engagée comme institutrice privée durant les années de guerre. Cette vieille fille aux formes généreuses était surnommée mademoiselle Damasse. Elle avait accordé sa main à l'ancien ouvrier, de vingt ans son aîné et veuf éploré. Ils formaientdepuis leurs noces un couple uni qui veillait sur Marie, la benjamine des Marois, une frêle adolescente de treize ans.

— Oh! madame Laura, comme je vous plains! s'exclama-t-elle d'une voix tremblante. Qu'est-ce qui s'est passé?

— Je n'en sais rien, Andréa. Mais c'est un désastre! Et je suis très angoissée, mon mari a disparu. Le vôtre aussi.

— Quoi? Joseph?

— Eh bien, oui, Joseph, vous n'êtes pas bigame! tonna Laura, excédée.

— Grand-mère, je crois que grand-père est à l'intérieur. Il a dû vouloir porter secours à Mireille! déclara faiblement Mukki.

— Et Joseph, où est-il? s'inquiéta Andréa, toute frémissante.

— Il fait vraiment chaud! éructa Onésime Lapointe. Reculez donc, mesdames, y a des flammèches qui volent partout. J'vais contourner la maison, torrieux, voir ce qui se passe.

— Je vous remercie, Onésime! s'écria Laura. Ne prenez pas de risque, surtout. Vous êtes père de famille.

Elle avait parlé sans réelle bienveillance, car elle se préparait à affronter le pire. Son mari pouvait très bien être déjà mort, ainsi que Mireille, la gouvernante, qui partageait son quotidien depuis deux décennies.

— Il faut prier, mes enfants! décréta-t-elle. Laurence, Louis, toi aussi, Marie-Nuttah. Prie le grand Manitou si tu veux, mais prie!

Parmi les enfants de la maison, Marie-Nuttah était la plus obstinée à revendiquer le sang indien qui coulait dans ses veines. Elle vouait un culte à sa grand-mère paternelle, Tala, décédée accidentellement quatre ans plus tôt, et elle idolâtrait son père, Toshan, dont le métissage la ravissait.

— Papa appartient au peuple des Montagnais! disait-elle souvent. Par son père Henri Delbeau, il est un peu irlandais, mais on s'en moque. Nous sommes des Indiens, toi, Mukki, et toi aussi, Laurence.

Ses parents souriaient quand ils surprenaient ce genre de discours. En effet, si Mukki pouvait passer pour un authentique Montagnais en raison de son type racial prononcé, Marie-Nuttah déplorait ses yeux clairs et son teint trop pâle. Un jour, elle s'était même enduit la peau et la chevelure de brou de noix afin de corriger les erreurs de la nature.

— Je prie avec vous, m'dame Chardin, déclara alors Yvette, la femme d'Onésime.

— Moi aussi, renchérit Andréa. Je suis sûre que Joseph a volé au secours de monsieur Jocelyn. Nous allons les perdre tous les deux! Oh! mon Dieu, mon Dieu, sauvez-les!

— N'effrayez pas les enfants! s'offusqua Laura. Seigneur… Et Kiona? Mukki, où est Kiona?

— Grand-père l'a vue dans le jardin par la fenêtre d'une chambre. Alors, il ne s'est pas inquiété pour elle.

— Oui, c'était de notre fenêtre! précisa Laurence en reniflant. Grand-père a été tellement courageux! Il nous a dit plein de choses apaisantes pendant qu'on descendait l'escalier. Il y avait des flammes partout, c'était horrible!

Sur ces mots, elle fondit à nouveau en larmes, sous le regard compatissant de Marie-Nuttah et de Mukki. Ils se doutaient de ce qui tourmentait leur sœur.

— Mes dessins, mes peintures, tout a dû brûler, se lamenta-t-elle.

— Tu en feras d'autres, Laurence, répliqua sa grand-mère. Ne me fais pas honte à pleurnicher sur des bouts de papier, alors que ton grand-père et cette pauvre Mireille sont dans cet enfer!

Laura voulait faire front, donner l'exemple, mais elle avait l'impression que tout son être se disloquait, se vidait de sa substance. Elle habitait Val-Jalbert depuis quatorze ans environ, et la grande maison que le feu ravageait était devenue son foyer de prédilection, son havre de paix. « Sous ce toit, j'ai mis au monde mon petit Louis, après avoir retrouvé Jocelyn, mon Joss. »

Sans s'en rendre compte, elle contracta ses doigts sur l'épaule de son fils. L'enfant se plaignit tout bas. Il avait résisté à la panique jusqu'à présent, mais cette légère douleur eut pour effet de le faire éclater en sanglots.

— Je veux mon père, balbutia-t-il. Dis, maman, où est papa?

— Aie confiance, mon chéri, répliqua-t-elle, incapable de trouver comment le réconforter.

L'avenir lui apparaissait sous ses plus sinistres atours. Laura se voyait veuve et ruinée, le cœur brisé à jamais. Elle brassait ces sombres pensées lorsque la toiture s'effondra à l'intérieur des murs dans un vacarme assourdissant. Des nuées de fumée s'élevèrent vers le ciel nocturne, tandis qu'une vague de chaleur suffocante se répandait dans le jardin.

— Reculez, enfin! hurla Andréa Marois en attrapant Marie-Nuttah par la main.

Terrifiée, l'institutrice osait à peine penser à son mari. Elle refusait d'accepter sa mort, car, maintenant, cela ne faisait plus aucun doute, le corps de son époux devait se consumer sous une tonne de débris incandescents.

— Là-bas, regardez! s'exclama alors Mukki.

Le bras tendu, l'adolescent désignait un étrange cortège composé d'Onésime, de Jocelyn Chardin, de Mireille et de Joseph Marois.

— Dieu soit loué! cria Laura en se ruant vers eux. Joss, Joss, tu es vivant!

Les rescapés avaient piètre allure. Elle s'aperçut tout de suite que deux des hommes portaient la gouvernante plus qu'ils ne la soutenaient. La malheureuse septuagénaire avait le visage en sang, le crâne pratiquement dégarni, le cuir chevelu luisant.

— Oh, madame! put-elle articuler. Doux Jésus! J'ai cru ma dernière heure venue, je vous le jure.

— Je vais vous conduire à l'hôpital, madame Mireille, affirma Onésime. Et monsieur Jocelyn aussi.

Laura n'avait pas besoin de cette précision. Son mari semblait à bout de forces. Il présentait des brûlures importantes aux mains et à la poitrine; sa veste de pyjama était en partie noircie par le feu. Jocelyn Chardin, à soixante-trois ans, n'avait rien d'un vieillard; il était grand et robuste malgré sa minceur. Certes, ses cheveux, sa barbe et sa moustache viraient au gris argent, mais il se dégageait de lui une force paisible.

— Joss, mon Joss, j'ai eu si peur! souffla Laura sans oser l'approcher. Est-ce que tu souffres beaucoup?

— Je suis vivant, Mireille aussi, alors, je me moque de souffrir, rétorqua-t-il. Sans Jo, nous y restions, hein, ma brave Mireille?

La gouvernante hocha la tête, puis elle perdit connaissance.

— Seigneur, se lamenta Andréa. Pauvre dame! Emmenez-la plus loin, sur l'herbe, au frais. Ah! écoutez! Une sirène! Ce sont les pompiers.

— Et que feront-ils, à présent? protesta Laura. Il nous faudrait plutôt une ambulance, un docteur!

Joseph Marois alla s'asseoir près d'un buisson. Il toussait beaucoup. Son teint était cramoisi et ses cheveux, roussis. Sa femme se précipita vers lui.

— Dieu merci, tu es vivant, dit-elle tendrement.

— Oui, je m'en suis tiré, mais j'ai la gorge irritée par la fumée, éructa-t-il. Si seulement j'avais de l'eau à boire! Mukki, cours donc chez moi et rapporte un seau, des tasses, je ne sais pas, débrouille-toi, mon garçon.

— D'accord! Je fais vite!

Laurence et Marie-Nuttah s'étaient mises à genoux près de Mireille. À leurs yeux, la domestique faisait partie intégrante de la famille. C'était un peu leur grand-mère de secours, comme le disait parfois Hermine en riant. Louis, quant à lui, inspectait les environs. Passé le jardin bien aménagé avec ses massifs de fleurs, ses rosiers, sa barrière en planche repeinte en blanc chaque année, s'étendait un bois d'érables et de bouleaux.

« Et Kiona? Personne ne la cherche? » se disait-il. Kiona, reviens!

Un camion déboula dans l'allée de la rue Saint-Georges. C'était une ambulance. Une voiture la suivait, celle du maire du village. Laura fit signe aux infirmiers. Pourtant si soucieuse de son image, pas une seconde elle ne prêta attention à sa tenue, une jolie chemise de nuit sans manches assez décolletée.

— Vite, il y a deux blessés! s'écria-t-elle. Et les pompiers?

Ils étaient appelés du côté de Chambord, madame, répondit l'un des hommes. Et je crois qu'ils n'auraient pas pu faire grand-chose.

Laura Chardin préféra ne rien répliquer. Jocelyn était vivant, Mireille également; elle pouvait enfin se lamenter sur le drame inqualifiable qui la frappait. Sa magnifique maison avait été entièrement détruite. «Toute notre vie réduite en cendres! pensait-elle. Nos souvenirs, nos photographies, les vêtements, la vaisselle, les bibelots, les livres... Seigneur, ces livres que nous achetions à Chicoutimi, Joss et moi, avec tant de délices, pour nos longues soirées d'hiver. Et le piano! Les partitions, les meubles! Et le coffret? Mon Dieu, pourquoi n'était-il plus à sa place?»

Elle joignit les mains, debout près de son mari qu'un infirmier auscultait. Dès qu'il eut terminé, elle posa une main compatissante sur l'épaule de Jocelyn et l'interrogea tout bas:

— Joss, mon chéri, est-ce que tu as pris mon coffret? Il n'était plus dans l'armoire!

— Ma pauvre Laura, tu sais bien que tu avais décidé de mieux le cacher, il y a deux jours à peine... Dans le double fond de ta commode.

— C'est vrai!

Elle ferma les yeux une seconde. Ils étaient bel et bien ruinés. Le maire de Val-Jalbert, escorté de son fils aîné, s'approcha en levant les bras au ciel, l'air totalement ahuri.

— Mon Dieu, mais qu'est-ce qui s'est donc passé, madame Chardin? interrogea-t-il en hochant la tête. Faut dire qu'il n'a pas plu depuis un moment et que tout est sec par icitte! Quand même, quelle terrible épreuve! Jamais vous ne pourrez reconstruire, ma pauvre dame.

— Je vous remercie, je m'en serais doutée! rétorqua Laura, ivre de chagrin.

— Le feu n'a pas pris tout seul, grogna Joseph Marois. Faut une enquête!

Kiona choisit ce moment pour apparaître. Elle tenait en longe le poney Basile et le cheval offert par son père pour ses douze ans, au mois de février. Dans la clarté mouvante du brasier, la fillette semblait elle-même une personnification du feu, avec sa superbe chevelure d'un blond roux, sa peau couleur de miel sauvage et ses yeux d'ambre. Vêtue d'une chemise rouge et d'une salopette en toile beige, elle considéra tristement le navrant tableau qui avait pour cadre le jardin des Chardin.

Elle regarda l'ambulance, Mireille que l'on allongeait sur une civière, Jocelyn dont on examinait la poitrine, les femmes en larmes et Louis qui chuchotait à l'oreille de Laurence.

— Ah! Voilà Kiona! cria Marie-Nuttah.

Kiona ne bougeait plus. Elle n'aurait lâché les deux bêtes pour rien au monde, sachant qu'elles s'enfuiraient, effarouchées par l'odeur âcre de l'incendie.

— Je suis désolée! hurla-t-elle cependant.

— Comment ça, tu es désolée? s'égosilla Laura. Pourquoi?

Sans attendre de réponse, elle marcha droit sur l'enfant.

— Laisse ces animaux errer, ils n'iront pas loin, ajouta-t-elle. Et viens donc m'expliquer pourquoi tu es désolée.

— Je ne peux pas, Laura, ils ont si peur! Je leur ai dit que je les protégeais. Tu vois bien, ils sont apaisés, parce que je les tiens.

Exaspérée, Laura faillit la gifler. Mais, au prix d'un effort surhumain, elle se maîtrisa. Kiona redressa la tête, prête à se défendre.

— Ne me touche pas! avertit-elle. Je sais que tu as envie de me frapper, Laura. Je te l'ai dit, je suis désolée. Je n'ai rien pu empêcher.

— Si je comprends bien, c'est ta faute, cette tragédie? Tu as provoqué l'incendie, tu m'as tout pris? Mais avoue donc! Tu t'es vengée, hein, parce que je t'ai punie ce soir?

Kiona garda le silence un court instant, mortifiée par cette accusation qui lui paraissait profondément injuste.

— Mais non, ce n'est pas ça! Je n'aurais pas fait une chose pareille! dit-elle enfin. Là, tu exagères, je ne suis ni folle ni méchante. Je voulais dire que je n'ai pas su qu'il y avait le feu. J'aurais dû le savoir, être prévenue. Et tu ferais mieux d'accompagner mon père à l'hôpital. Il ne va pas bien du tout. Regarde-le, on l'a mis sur une civière!

— Et à qui la faute? hurla Laura d'un ton querelleur. Depuis que tu es entrée dans sa vie, il ne va jamais bien, jamais! Jamais! Tu aurais mieux fait de rester au fond des bois, au lieu de nous empoisonner l'existence.

Ces paroles odieuses atteignirent Kiona en plein cœur. Fille illégitime de Jocelyn Chardin et de Tala, la belle Indienne qui avait donné naissance à Toshan, la fillette aux cheveux d'or sombre occupait une place très spéciale dans la famille.

«Je suis la demi-sœur d'Hermine, mais aussi celle de Toshan, alors qu'ils sont mariés, tous les deux. Je suis la demi-tante de Mukki, de Laurence, de Nuttah, et mon père est leur grand-père, songeait-elle souvent dans son lit avant de dormir. Et Louis est mon demi-frère... enfin, peut-être. »

Rien n'était simple pour Kiona, qui possédait des pouvoirs mystérieux de bilocation et de voyance, tout en ayant le don de consoler par la seule force lumineuse de son extraordinaire sourire. S'ajoutaient à cela une intelligence exceptionnelle, une précocité rarissime en bien des domaines. Laura Chardin avait eu du mal à accepter l'infidélité de son époux, même si, à l'époque où il avait connu une brève liaison avec Tala, elle le croyait mort. Les premiers temps, transportée par la joie de le retrouver en vie et de reconstruire avec lui le grand amour qu'ils avaient connu par le passé, elle avait toléré Kiona. Cela ne lui coûtait pas un gros effort, car la petite habitait alors avec sa mère. Mais tout avait changé depuis la mort accidentelle de Tala, quatre ans auparavant.

Jocelyn s'était juré de veiller sur son enfant et il l'avait accueillie à Val-Jalbert. Entre eux deux s'était tissé un lien très fort. Pendant la guerre, Laura avait appris à découvrir la personnalité envoûtante de Kiona, mais il en fallait peu pour que ressurgissent ses anciens griefs.

— J'ai dit que j'étais désolée, protesta la fillette, pas que j'étais responsable de l'incendie! Et j'aurais préféré y rester, au fond des bois, avec ma vraie mère, Tala la louve. Elle était bonne, elle, généreuse, et elle m'aimait!

— Oh toi, toi! tonitrua Laura.

Mukki, qui avait rapporté de l'eau fraîche, s'interposa. Il rejoignit sa grand-mère au pas de course en entraînant Louis avec lui.

— Raconte ce qui s'est passé, Louis! lui enjoignit-il.

— Oui, parle donc si tu sais quelque chose! ordonna sa mère, déchaînée. Et vite, que je puisse aller à l'hôpital. L'ambulance vient de partir et, à cause de vous tous, je n'ai pas pu accompagner Joss! Alors? Qu'est-ce qui a provoqué l'incendie? C'est toi ou Kiona?

— J'voulais me faire à manger, des œufs au lard, confessa le garçon en baissant la tête. Tu nous avais privés de repas. J'avais faim, moi!

Dès que tout le monde a été couché, surtout Mireille, je suis descendu à la cuisine. Là, j'ai vu des flammes dans le couloir, des flammes partout. Je me suis mis à crier, et tout de suite Kiona est arrivée…

— Oui, c'est la vérité, affirma la fillette. J'ai dit à Louis de se sauver et je suis remontée prévenir mon père. Il ne me croyait pas. Pourtant, quand on est descendus, tous les deux, le feu était déjà dans le salon. Papa m'a dit d'aller dehors, qu'il remontait réveiller Mukki, Laurence et Nuttah. J'avais très peur ! Je suis allée sortir les chevaux de l'écurie et j'ai ouvert la barrière aux chiens de Toshan.

— Quel sens de la prévoyance ! ricana Laura. Tu savais que ma maison allait brûler de fond en comble, n'est-ce pas ? Tu te doutais que des escarbilles pouvaient enflammer le cabanon ou le toit du chenil ! Il fallait sauver ces pauvres bêtes, mais nous, les Chardin, nous pouvions tous rôtir en enfer !

Laura s'enivrait de sa propre violence, du sentiment infâme qu'avait fait germer en elle la perte subite de tous ses biens. Il lui fallait un coupable, quelqu'un sur qui déverser sa rage, et Kiona était tout indiquée.

— Oh ! mon Dieu ! Quelle catastrophe ! se lamenta-t-elle après son accès de fureur. Je n'ai plus rien, rien ! Et je suis en chemise de nuit ! Comment voulez-vous que je parte à Roberval ?

Elle se tordait les mains, pliée en deux. Yvette intervint.

— M'dame Chardin, je peux vous prêter ma robe du dimanche. On a quasiment la même taille, vous et moi !

Yvette Lapointe était la fille du charron de Val-Jalbert, désormais à la retraite. Dans sa jeunesse, elle avait eu très mauvaise réputation. Elle était considérée comme la pécheresse du village. Depuis son mariage, elle menait une vie paisible, veillant sur ses deux fils. Cependant, ses goûts vestimentaires n'avaient pas changé. La jeune femme raffolait de couleurs criardes et de dentelles. Elle ne craignait pas de montrer ses jambes, qu'elle avait d'ailleurs fort jolies.

— Prêtez-moi n'importe quoi, mais pas une toilette du dimanche, répliqua Laura. C'est très gentil à vous, Yvette. Si vous aviez une tenue de deuil, je préférerais…

— Moi, je ne peux pas vous aider, déplora alors Andréa Marois, qui s'était approchée à son tour. Nous ne faisons pas la même taille.

— Oui, évidemment ! J'aurais l'air de quoi ? ironisa Laura. D'un guignol !

Sur ces mots, elle fondit en larmes, une violente crise de sanglots entrecoupée de rires stridents, dignes d'une démente. Elle suffoquait, hagarde, les bras en avant. Inquiet, Mukki essaya de la consoler.

Mais, le visage crispé par le désespoir, le regard halluciné, Laura Chardin désigna Kiona d'un doigt tremblant.

— Je suis sûre que Louis voulait préparer à manger pour elle, pas pour lui. Il marcherait sur la tête si elle le lui demandait. Hein, Louis, ne dis pas le contraire ! Kiona par-ci, Kiona par-là ! Mon mari, Hermine, Toshan, toi, Mukki et Louis, mon petit, mon enfant à moi, Louis aussi ! Seigneur, je vais en mourir ! J'ai eu la bonté de t'héberger ici, toi la fille de Tala, et j'ai eu tort, je le sais maintenant. Tu n'avais qu'une idée : me prendre tout, tout !

— Grand-mère, je t'en prie, s'écria Mukki. Tu dis n'importe quoi, là ! Tu dois te calmer. Viens, je t'emmène chez les Lapointe. Yvette t'aidera à t'habiller, et Onésime te conduira à l'hôpital. Il faut prévenir maman, aussi. Et mon père.

Les jumelles rôdaient autour du groupe, terrifiées par la scène. Laurence attrapa son grand frère par le bras :

— Mukki, nous pouvons nous installer au petit paradis ? Dans la maison de Charlotte… Il y a un double des clefs chez Onésime, je crois.

— Oh oui ! renchérit le colosse à la tignasse rousse. Voilà une bonne solution ! T'es pas sotte, toi !

Joseph Marois venait vers eux. L'ancien ouvrier semblait en meilleure forme. Kiona l'interpella :

— Monsieur Joseph, est-ce que je pourrais enfermer le poney et mon cheval dans votre étable ? L'odeur du feu les terrorise ! Je voudrais aider, moi aussi ! Là, je dois les tenir !

— Qu'est-ce que tu imagines ? protesta Laura d'une voix aiguë. Je ne veux plus de toi ! Tu iras en pension le plus loin possible, et Louis aussi. En attendant, toi, Kiona, tu n'as qu'à dormir dehors, à la belle étoile, comme Tala, comme le faisaient ta mère et tes fameux ancêtres montagnais.

La fillette toisa sa belle-mère d'un œil froid. Ses traits, magnifiés par l'indignation, n'étaient plus ceux d'une enfant de douze ans.

— D'accord ! Si tu me chasses, je m'en vais, répondit-elle.

Personne n'eut le temps de la retenir. Elle sauta sur le dos de son cheval, lâcha la corde du poney et, tout de suite, l'animal partit au grand galop dans l'allée qui contournait la demeure des Chardin.

— Kiona, reviens ! hurla Mukki.

Cela ne servit à rien. Elle avait disparu dans la nuit tiède de juillet.

Québec, théâtre du Capitole, le lendemain

Hermine faisait tourner entre ses doigts le télégramme qu'un jeune homme venait de lui remettre. Elle était là, dans les coulisses, guettant le moment d'entrer en scène, et ce bout de papier grisâtre ne lui disait rien de bon. Elle le fixa de ses immenses yeux bleus, d'un air méfiant. Ses lèvres d'un rose délicat firent la moue. C'était une ravissante jeune femme, au visage de madone, à la sublime chevelure d'un blond pur.

« Des encouragements ? se demanda-t-elle. C'est un peu tard, le premier acte est commencé. »

Elle entendait la musique de l'orchestre, qui suivait les dialogues chantés des artistes. Le Capitole avait programmé *La Bohème*, de Giacomo Puccini, en après-midi, ce qui n'était pas coutumier. Mais la guerre était terminée, il fallait proposer aux Québécois des divertissements, du rêve ou des frissons.

« Ce sera bientôt à moi. Le télégramme vient de Roberval, on dirait ! Qu'est-ce qui se passe ? » se demanda-t-elle.

Elle l'ouvrit, énervée, car elle était soucieuse de donner le meilleur d'elle-même pendant la représentation. Elle aurait préféré se concentrer pour mieux endosser la personnalité de la douce Mimi qu'elle allait interpréter. De plus, il faisait sombre derrière les lourds rideaux de velours rouge.

« Si c'est maman, elle aurait dû me téléphoner à l'heure du déjeuner. Seigneur, elle ne changera jamais ! »

L'espace de quelques secondes, Hermine évoqua sa mère, la jolie et fantasque Laura Chardin aux boucles blond platine, aux yeux clairs, toujours distinguée. Puis elle s'efforça de lire le texte dans la pénombre.

Maison Val-Jalbert a brûlé. Jocelyn et Mireille à l'hôpital. Kiona s'est enfuie. Impossible de te joindre au téléphone. Dois rentrer d'urgence. Maman.

La jeune cantatrice laissa échapper un cri d'épouvante et d'incrédulité. Ses jambes se mirent à trembler. Elle eut chaud, puis très froid. Par chance, Lizzie, l'adjointe du régisseur, n'était jamais bien loin.

— Qu'est-ce que tu as, Hermine ? Doux Jésus ! Une mauvaise nouvelle ? C'est ça ? Un décès ?

Trapue et énergique, Lizzie lui saisit le poignet. Coiffée d'une toison frisée couleur poivre et sel, elle scrutait avec angoisse de son regard vert le beau visage du Rossignol de Val-Jalbert, comme la presse surnommait fidèlement Hermine Delbeau, une des plus remarquables sopranos de son époque.

— Non, personne n'est mort, du moins je l'espère ! bredouilla-t-elle en guise de réponse. Tiens, lis ! Mon Dieu ! Je ne pourrai pas chanter, j'ai la bouche sèche, je suis en état de choc !

— Ben voyons donc ! Dans trois minutes, Rodolphe va se retrouver seul et tu dois faire ton entrée, ma petite. Allons, du cran ! J'ai lu, et c'est pas rassurant, tout ça !

— Mais enfin, Lizzie, c'est abominable ! La maison a brûlé, mon père est hospitalisé, notre brave Mireille aussi et ma petite sœur se serait enfuie… Comment veux-tu que je chante en sachant ça ? Bien sûr, il n'y a pas de doublure prévue, pas de remplaçante.

— Non, et c'est pas ma faute. Les gens sont venus pour toi, pas pour une autre chanteuse. Ils ont payé leur place. Dis, la situation n'est pas facile, mais tu dois te reprendre et chanter. On n'est pas sur un plateau de cinéma, ici, on n'a pas de doublure, ça non ! Ne bouge pas, je vais te chercher un verre d'eau bien fraîche.

Hermine s'appuya d'une main à un pilier en fer qui soutenait le mécanisme des rideaux. Son cœur battait la chamade, tandis que des images de fin du monde tournaient dans sa tête. Elle voyait les flammes anéantir la belle demeure des Chardin, au bout de la rue Saint-Georges, dans le village déserté de Val-Jalbert, son cher village où elle avait grandi.

« Détruite, la maison est détruite, avec son bel escalier en bois verni, sa toiture verte, ses lustres, ses miroirs, ses tapis d'Orient, ses tentures de satin et ses meubles, se disait-elle, la gorge serrée dans un étau. Et les enfants ? Où sont-ils ? Mukki, Laurence, Marie-Nuttah, Louis, mon frère ? Et Kiona ! Pourquoi a-t-elle pris la fuite ? Qu'est-ce que ça signifie ? Elle serait responsable de quelque chose ? Non, c'est impossible ! Mon Dieu, où est-elle allée ? »

Lizzie était déjà de retour, armée d'une carafe et d'un gobelet. L'alerte quadragénaire, experte en art lyrique, écoutait d'un air inquiet les répliques du ténor, des barytons et des deux basses qui se trouvaient sur scène.

– Et voilà, le tableau s'achève. Ils ont mis le propriétaire du logement dehors. C'est bientôt à toi.

Le thème de cet opéra avait toujours plu à Hermine. C'était la deuxième fois seulement qu'elle en jouait le principal rôle féminin. L'action se déroulait à Paris, vers 1830, dans le Quartier latin, lieu de prédilection des artistes et des étudiants, qui y menaient la vie de bohème. Rodolphe était un poète sans le sou, entouré de ses amis, peintres ou philosophes. Quant à Mimi, c'était une humble et charmante couturière de santé fragile, qui connaissait une fin tragique après avoir aimé en vain le fameux Rodolphe.

– Lizzie, je t'en supplie, il faut que tu préviennes mon mari, souffla-t-elle. Il doit être dans sa loge, déjà. Dis-lui de téléphoner à ma mère et de m'attendre ensuite là, dans les coulisses.

– Et où joindra-t-il ta mère, si la maison n'est plus qu'un tas de cendres, ma pauvre petite?

– Je n'en sais rien. Toshan aura forcément une idée. Montre-lui le télégramme.

– Doux Jésus, vas-y! C'est à toi! Vite!

Hermine but encore un peu d'eau. Elle ajusta le châle en laine qui couvrait sa modeste robe. Seule sa chevelure blonde lui servait de parure, et son teint chaud était pâli par une couche de fard presque blanc. Elle devait paraître pauvre et fragile. La maquilleuse avait eu fort à faire pour dissimuler sa belle santé. Il faut dire qu'elle avait passé plusieurs semaines au bord de la Péribonka, au fond des bois, le plus souvent en plein air et au soleil. Son mari, le Métis Toshan Delbeau, possédait là-bas un vaste terrain où se dressait jadis une humble cabane en planches construite par son père, un chercheur d'or irlandais.

Au fil des ans, la cabane s'était agrandie pour être à présent une solide bâtisse en bois d'épinettes, vaste et confortable. Elle abritait durant l'hiver un couple bien particulier, Charlotte Lapointe, une ancienne protégée d'Hermine et de sa mère Laura qui vivait un amour ardent avec un Allemand, Ludwig; dès le début de la guerre, son homme s'était enfui des camps de prisonniers établis en secret sur le territoire canadien par le gouvernement britannique.

– Hermine, je t'en prie, ressaisis-toi! insista Lizzie. Tu n'as pas le choix, c'est à toi d'entrer! Tu n'as pas oublié, tu as perdu la clef de ton logement, et Rodolphe va t'aider à la chercher.

– Je sais.

La jeune soprano prit une profonde inspiration, incapable de maîtriser les frémissements de son corps. Contre son gré, elle fit un saut dans le passé de plusieurs années, et le visage d'un homme lui apparut. C'était l'instituteur Ovide Lafleur qui déclarait d'une voix douce :

— Il paraît que les artistes, même quand ils sont tristes, doivent malgré tout chanter ou jouer la comédie pour oublier ce qui les tourmente.

Elle tressaillit, assaillie par les souvenirs, en dépit des gesticulations affolées de Lizzie.

« Ovide m'avait dit ça parce que je n'avais pas envie de chanter. C'était en 1939, au tout début du conflit, et Toshan s'était engagé. Mon Dieu, je dois être forte ! La maison de maman en feu, dévastée, non, non ! Et mon cher papa, comment va-t-il ? Lui qui est devenu si émotif ! Il n'est rien arrivé aux enfants, sinon maman me l'aurait annoncé. Mais pourquoi n'a-t-elle pas téléphoné ? »

Elle ne pouvait s'empêcher de se tourmenter. Le temps se dilatait, se dispersait. Hermine aurait voulu retenir les secondes, paupières closes sur ses larges prunelles d'un bleu pur. Elle évoqua ses enfants, les aînés comme disait Toshan. D'abord Mukki qui fêterait ses quatorze ans en septembre, son merveilleux Mukki à la peau dorée et aux cheveux noirs. Le sang des Indiens montagnais avait prévalu lors de sa conception.

« Il me dépasse déjà d'une demi-tête ! Et son regard si sombre est celui d'un adulte, protecteur, attentionné. Il ressemble tellement à son père ! Et mes jumelles ? Ma tendre Laurence, ma pétulante Marie-Nuttah, elles ont eu douze ans en décembre dernier. Laurence et ses pinceaux, ses crayons, une future artiste, et Nuttah, ma rebelle, mon vif-argent ! »

— Hermine, supplia Lizzie en la secouant par le bras, va vite, Seigneur, ou c'est la catastrophe ! L'orchestre joue ton air. File !

— Accorde-moi une minute, aie pitié ! Je ne peux pas me calmer.

« Vite, vite ! se répétait la jeune femme. S'il y en a un pour qui je n'ai pas à me tracasser, c'est mon petit Constant. Il est né le lendemain du débarquement de Normandie, c'est-à-dire le 7 juin 1944, au bord de la Péribonka. Madeleine est avec lui, ici, à Québec, rue Sainte-Anne. Mon bébé, mon Constant ! L'enfant du renouveau, d'une nouvelle vie avec Toshan ! Tout blond comme moi, si rose, si potelé ! »

Elle respira profondément, sous le regard impérieux de Lizzie.

Dans sa loge tapissée de velours rouge et garnie de chaises en bois doré, Toshan Clément Delbeau, un bel homme de trente-sept ans au teint cuivré et à la chevelure noire, commençait à s'inquiéter. Il portait un costume de soirée noir, une chemise blanche et une cravate grise. Il observait d'un regard impatient les allées et venues du ténor qui interprétait le poète Rodolphe. Les déambulations de l'artiste le firent sourire d'un air moqueur, car l'homme était de forte corpulence et coiffé d'une perruque brune qui camouflait une toison grise.

« Hermine m'a souvent dit qu'elle regrettait l'absence de jeunes chanteurs d'opéra, se souvint-il. Elle a raison, il faut beaucoup de bonne volonté pour croire qu'il s'agit d'un jeune homme attirant. Il en est de même des sopranos, d'où le succès de ma petite femme, toujours svelte et gracieuse ! »

Les premiers temps de leur mariage, Toshan s'était opposé à la passion que son épouse vouait au chant lyrique. Elle désirait de toute son âme faire carrière, mais il refusait cette éventualité. Coureur des bois de sang métis, il avait connu bien des épreuves avant de la rencontrer. Cela l'avait rendu méfiant, hostile au monde du spectacle et à la société elle-même. Le couple avait frôlé la séparation. « C'est du passé, se dit Toshan qui venait de se remémorer cette époque. Hermine a un talent fantastique, exceptionnel. Et, maintenant, j'aime l'écouter et la voir jouer son rôle. »

Cependant, quelque chose n'allait pas. Sur la scène, Rodolphe s'était assis à la petite table encombrée de bouteilles et il feignait de réfléchir. L'orchestre, lui, reprenait l'air annonçant l'apparition de Mimi, la jolie couturière.

« Qu'est-ce qui se passe ? se demanda Toshan. J'ai assisté à la répétition, hier soir ; Hermine devrait arriver ! Peut-être qu'elle a eu un malaise ? Non, il n'y a aucune raison. Nous avons pris notre repas ensemble à midi. Elle était d'excellente humeur et ne paraissait pas du tout souffrante. »

Les spectateurs du parterre s'agitaient et une rumeur confuse, encore retenue, s'élevait. Fébrile, le public guettait l'entrée en scène de la merveilleuse Hermine Delbeau.

Dans une loge voisine de celle de Toshan, une jeune femme se pencha un peu, étonnée elle aussi de ce retard. Elle l'aperçut et lui adressa un sourire troublé. Il la salua poliment sans chercher à engager la conversation. Son physique peu commun captivait les femmes. Il en était conscient, mais il arborait alors une mine hautaine, indifférente. Seule Hermine comptait, il le lui avait dit et redit. Il avait même juré de ne plus jamais la tromper. C'était sur ces bases que leur couple avait pu renaître après la tourmente de la guerre.

En France, le Métis avait eu une liaison d'un mois avec Simhona, une infirmière juive, une jolie femme brune et très sensuelle. Mais elle et son fils de six ans avaient été abattus par la Gestapo sur la rive de la Dordogne. Toshan espérait de toute son âme la sauver, la conduire en Angleterre. Cet échec l'avait anéanti, et il avait jugé bon de tout avouer à Hermine. Maintenant encore, il comprenait mal sa réaction. Elle s'était montrée violente, outrée, vindicative, presque haineuse. Il ignorait que sa jeune épouse, de son côté, avait cédé à l'attrait qu'avait sur elle Ovide Lafleur, un instituteur qui l'aimait avec ferveur. Il y avait eu entre eux des baisers et des caresses, sans véritable union charnelle. Mais elle regrettait de ne pas avoir sauté le pas, en quelque sorte, puisque son mari ne s'était pas gêné pour la tromper. La naissance de leur petit Constant, le lendemain du débarquement des Alliés sur les côtes de Normandie, avait balayé les derniers nuages qui planaient sur leur passion.

Toshan fut tiré de ses méditations par quelqu'un qui toquait à une porte. Il fixa la scène, rassuré. C'était l'instant où Mimi frappait chez Rodolphe. Le décor, plongé dans un savant clair-obscur, représentait une pièce en désordre. Le battant s'ouvrit et, enfin, Hermine apparut. La lumière bleutée d'un des projecteurs, censée évoquer un rayon de lune, fit scintiller ses longs cheveux blonds.

Les deux artistes échangèrent un court dialogue, puis Mimi, épuisée d'avoir monté six étages, se mit à tousser avant de perdre à moitié connaissance. Aussitôt Rodolphe la soutint et lui donna à boire. Enfin, inquiet, il saisit dans les siennes la main de la visiteuse. Tout de suite, il entonna l'aria qui avait fait la gloire de cet opéra joué dans le monde entier.

Que cette main est froide,
Laissez-moi la réchauffer
Il fait trop sombre!
Pourquoi chercher dans l'ombre?
Mais de la lune,
Perçant la nuit brune,
En attendant que la clarté ruisselle,
Laissez, mademoiselle,

Qu'en deux mots je vous dise ce que je suis,
Et comment se passe ma vie.
Dites ?
Eh bien, voilà : je suis poète !
Quelle est ma tâche ? J'écris !
Quelle est ma vie ? Je vis !
Ma gaieté pour compagne,
Je chante, nuit et jour,
Mon hymne au dieu d'amour !

Rassuré, Toshan contemplait celle qu'il avait surnommée sa «petite femme coquillage» après leur nuit de noces, en hommage à sa chair nacrée.

«Elle est aussi très bonne actrice, songea-t-il. J'ai cru qu'elle s'évanouissait vraiment. Et comment fait-elle pour trembler ainsi, pour paraître si ébranlée?»

Il entrecroisa ses doigts, attentif aux paroles du ténor. Très vite, Hermine chanterait et, soudain, Toshan éprouva la même impatience que le public. L'air de Mimi requérait une puissance vocale sans faille et une grande subtilité. Enfin, la voix du Rossignol des neiges s'éleva.

On m'appelle Mimi !
Mais mon nom est Lucie !
Et que simple est ma vie !
Dès le matin,
Je fais des travaux d'aiguille,
Dans la soie,
Et le satin.
Je brode des lis, des roses !
J'aime toutes ces choses,
Dont le charme caresse,
Qui vous parlent amour, printemps, jeunesse,
Qui sont chimère, et songe, et fantaisie,
Ce qui pour vous s'appelle poésie !
Je suis folle !

Toshan fronça les sourcils. Hermine semblait hésiter à chanter, à incarner Mimi. Son timbre pourtant limpide restait faible, modéré, et elle butait sur certains mots. Il eut alors la certitude que son retard n'était pas un hasard, qu'elle avait sans aucun doute eu un ennui avant son entrée en scène. Mais, l'instant suivant, la jeune femme se reprit après avoir offert au public un sourire rêveur. Cette fois, la magie fut au rendez-vous.

On m'appelle Mimi!
Et pourquoi? Je ne sais!
Seule chez moi,
Je me fais la dînette... Je vais peu
À la messe, mais je prie le bon Dieu!
Je vis toujours seulette,
Entre les murs de ma chambrette,
Tout près de ce ciel où j'aspire.
Mais quand revient le soleil,
J'ai son premier sourire!
J'ai le premier baiser de l'avril vermeil!
Le premier souffle du zéphyr.

Hermine avait passé avec brio les notes les plus difficiles et les plus hautes sur les mots «avril» et «zéphyr», tout en insufflant à son personnage une douceur bouleversante. La salle entière semblait en extase.

«Oh! sa voix, sa voix! pensa Toshan qui retenait son souffle, le dos parcouru par un frisson. Quelle merveille!» Il en avait les larmes aux yeux et se félicitait de l'avoir suivie à Québec. «Je ne l'ai pas assez entendue chanter, se reprocha-t-il. Désormais, je l'accompagnerai plus souvent. L'an prochain, un contrat l'attend à Paris. Nous irons tous les deux.»

Toshan se berçait de promesses de bonheur quand Lizzie se glissa dans sa loge. Elle prit place sur une chaise et lui tendit un bout de papier en lui disant tout bas:

— Hermine veut que vous téléphoniez tout de suite à votre belle-mère! Hermine ne sait pas où la joindre, mais elle m'a certifié que vous aurez bien une idée! Allez dans mon bureau, vous serez tranquille.

Le beau Métis déchiffra le message et bredouilla un « merde! » bien senti. C'était un pittoresque vestige de son activité au sein d'un réseau de la Résistance, pendant la guerre.

— Vous pouvez le dire, souffla Lizzie. J'ai cru que votre femme allait tomber raide, tant elle était ulcérée. Et j'ai eu un mal de chien à la raisonner. Un peu plus et elle quittait le théâtre. Monsieur le directeur aurait été furieux! Il aurait fallu rembourser les places.

— Je comprends, dit-il d'un ton soucieux. Recevoir ce genre de nouvelle juste avant le spectacle, cela n'a pas dû être facile.

Il se leva sans bruit et sortit de sa démarche svelte. Lizzie le suivit dans le large couloir au décor rutilant. Toshan marchait vite, de son pas aérien, avec un léger mouvement d'épaules qui avait le don de fasciner ces dames. La quadragénaire, célibataire endurcie, n'échappait pas à la règle.

«Je ne sais plus qui a baptisé ce beau gars "le seigneur des forêts", mais il s'en tire pas mal en costume de soirée sur un parquet ciré, songea-t-elle. Dommage, il n'a plus les cheveux longs comme jadis. Doux Jésus! Si j'avais déniché un mâle de ce genre, moi, je l'aurais pas lâché d'une semelle!»

Toshan était loin de penser à son pouvoir de séduction. Il lisait encore une fois l'inquiétant télégramme. Comme Hermine, il en déduisait que leurs enfants n'étaient pas en danger, mais le sort de Kiona le tourmentait.

«Nous sommes à des heures de train de Val-Jalbert, déplora-t-il. Mais nous pouvons partir aujourd'hui… Enfin, je peux partir. Mine doit chanter demain en soirée.»

Il eut alors une pensée émue pour sa belle-mère. Laura avait tout perdu. Même s'il avait souvent dû s'opposer à cette femme bien trop extravagante à son goût, il la respectait et avait appris à l'apprécier. «La malheureuse, elle qui avait réuni tant de bibelots et de belles choses!» pensa-t-il.

Lizzie trottina pour le rattraper. Elle le guida vers son bureau, situé près des coulisses. C'était une petite pièce très encombrée. Un téléphone en bakélite noire trônait sur une table jonchée de paperasses.

— Je vous laisse seul, monsieur. Vous aurez l'occasion de réconforter votre épouse à l'entracte.

Il approuva en la remerciant. Indécis, il alluma une cigarette afin de réfléchir posément. Laura avait télégraphié du bureau de poste de Roberval. Elle se trouvait donc en ville, et sûrement dans un des meilleurs hôtels, le Château Roberval.

— De toute façon, son argent est à la banque; elle n'est pas ruinée! conclut-il tout bas.

Sans aucune certitude, il décrocha et demanda à l'opératrice d'être mis en relation avec l'établissement. L'attente fut assez longue pour un piètre résultat. Le nom de Laura Chardin ne figurait pas sur la liste des clients. Toshan opta pour l'Hôtel-Dieu. « J'aurai au moins des informations sur l'état de Jocelyn et de Mireille ! » songea-t-il.

Il dut patienter plusieurs minutes avant d'entendre la voix de sa belle-mère.

— Ah ! Toshan, Dieu soit loué ! fit-elle. Je descendais pour téléphoner au Capitole, et une sœur m'a fait signe. J'avais enfin un appel !

— Hermine a reçu votre télégramme quelques instants avant son entrée en scène, rétorqua-t-il. Pourquoi n'avez-vous pas téléphoné ce matin, à l'appartement de la rue Sainte-Anne ? Ou pendant le déjeuner !

— Je n'ai pas pu, mon gendre. Il m'était impossible de laisser Joss. Ses brûlures ne le font pas trop souffrir, mais il n'a pas un bon rythme cardiaque, et le médecin le trouve affaibli. Si vous saviez ! Mon Joss s'est conduit en héros ! Sans lui, notre Mireille était morte, en cendres, comme ma maison, mes meubles, mes livres et mon piano. Cette nigaude dort avec des bouchons dans les oreilles et elle s'était enfermée dans sa chambre. Mon mari a dû enfoncer la porte pour la tirer de la fournaise. Et, sans notre voisin, Joseph Marois, il n'aurait pas pu la sortir de là. Elle était à demi asphyxiée et refusait de les suivre. Par bonheur, ils ont pu emprunter la porte du sous-sol et se sont retrouvés dehors, stupéfaits de ne pas avoir grillé sur place !

— Et les enfants ? interrogea Toshan. Où sont-ils ?

— Au petit paradis, sous la surveillance de Mukki, mais aussi de mademoiselle Damasse, pardon, d'Andréa Marois ! Avait-elle besoin d'épouser notre Joseph ? Je vous le demande !

— Et Kiona ? Pourquoi s'est-elle enfuie ? Laura, vous savez à quel point Kiona est émotive ! Je veux des éclaircissements.

Il y eut un temps de silence à l'autre bout du fil. Toshan perçut la respiration saccadée de sa belle-mère. Anxieux, il insista :

— Dites-moi ce qui s'est vraiment passé, Laura.

— Oh ! j'étais à moitié folle de terreur et de chagrin. J'ai perdu la maîtrise de moi-même, ce qui est bien excusable. J'aurais hurlé contre n'importe qui ! Ne vous tracassez pas, Toshan, à l'heure qu'il est, je suis certaine que Kiona est sagement rentrée à Val-Jalbert et qu'elle a rejoint les enfants au petit paradis. Vous la connaissez… Vexée par mes remarques, elle a sauté sur le dos de son cheval et elle l'a lancé au galop.

— Quoi ? s'indigna-t-il. Vos remarques devaient être très déplaisantes, dans ce cas ! Laura, faites en sorte d'avoir de ses nouvelles rapidement. Je vous rappellerai plus tard. Hermine va disposer de quelques minutes entre deux tableaux. Je dois lui parler. Au revoir ! Je vous rappellerai.

— Mais, attendez ! protesta en vain Laura.

Toshan raccrocha, furieux, en maudissant intérieurement la lenteur des transports. Depuis qu'il avait voyagé en avion pendant la guerre, il rêvait de pouvoir piloter lui-même.

« Eh bien, il me reste à prévenir Hermine », se dit-il en sortant de la pièce.

Québec, appartement de la rue Sainte-Anne, même jour

Hermine était assise près d'une fenêtre, son petit Constant sur les genoux. L'enfant suçait son pouce avec un air de profonde satisfaction. De l'avis général, il avait hérité des traits, des grands yeux bleus et des cheveux de sa mère, ce qui avait enchanté Laura.

— Le sang de nos ancêtres nordiques s'est imposé, cette fois ! répétait-elle après la naissance.

Toshan, lui, était un peu démuni devant ce portrait vivant de son épouse et, bizarrement, il avait du mal à se sentir proche de son dernier-né.

— Alors, nous devons tous rentrer à Val-Jalbert ? demanda Madeleine d'une voix préoccupée.

C'était une jeune Indienne de vingt-neuf ans assez corpulente au teint cuivré. Deux longues nattes noires descendaient jusqu'au bas de son dos. Vêtue d'une robe grise à col blanc, sa tenue favorite, elle affichait ce jour-là une mine tragique. Le coup du sort qui frappait la famille Delbeau-Chardin l'affectait terriblement. Cette douce Montagnaise, cousine de Toshan, avait été la nourrice des jumelles Laurence et Marie-Nuttah. Elle était devenue une sorte de seconde mère pour elles, qui avait veillé sur leur éducation. Hermine la chérissait comme une sœur, affirmant souvent que c'était sa meilleure et sa plus fidèle amie. À présent, elle s'occupait de Constant, le benjamin.

— Je pars seul, Madeleine ! répliqua Toshan. Si Hermine rompt son contrat, elle perdra un beau paquet de dollars ! Il n'y a pas moyen de la raisonner.

— Je me moque bien de l'argent, rétorqua la jeune chanteuse. J'en gagnerai suffisamment si j'accepte le rôle qu'on m'offre à Hollywood.

Hermine avait été stupéfaite lorsqu'elle avait reçu une proposition que toute autre artiste aurait jugée inespérée. On avait songé à elle pour un second rôle dans une comédie musicale, en raison de son physique et de ses capacités vocales. Le cachet prévu l'avait stupéfiée, comparé à ce qu'elle gagnait sur scène. Mais elle hésitait encore, car cela signifierait s'absenter au moins trois mois, du début de novembre à la fin de janvier. Toute la famille était au courant, mais Laura se montrait la plus enthousiaste.

— Sans doute, mais tu n'as encore rien signé, nota son mari.

— Je vais m'en occuper! s'écria-t-elle. Toshan, je veux partir avec toi. Les enfants doivent être bouleversés. Ils sont seuls au petit paradis. Et maman? Elle a besoin de moi. Papa et Mireille sont à l'hôpital et toi tu me dis de patienter, de faire comme si de rien n'était! J'ai encore quatre représentations de *La Bohème*, dont une au Guild Opera de Montréal. Cela équivaut à rester encore deux semaines loin des miens.

— Mine, calme-toi! soupira-t-il. Je te promets que je te donnerai des nouvelles chaque jour. J'ai un train dans une heure et demie. L'été, les trajets sont aisés; je serai à Val-Jalbert demain matin très tôt. Pourquoi te tracasses-tu autant? Et puis, Mukki a presque quatorze ans, et les jumelles sont de grandes filles aussi. Tu penses bien que les Marois auront à cœur de les aider! Quant à ton père et à Mireille, ils sont hors de danger.

— Et Kiona? s'exclama la jeune femme.

Son cri fit sursauter Constant qui se mit à pleurer.

— Oh non, mon chéri, n'aie pas peur! dit Hermine tout bas. Maman est désolée, elle a des soucis, comprends-tu?

Mais l'enfant se débattit tant qu'elle dut le poser. Une fois debout sur le parquet, il trottina vers Madeleine, qui préféra le conduire dans sa chambre.

— Viens, nounou va jouer avec toi. Papa et maman ont à discuter, déclara-t-elle.

— Constant est une vraie poule mouillée, affirma Toshan. Il faudrait te montrer moins câline avec lui. Tu l'as toujours sur toi, tu le couvres de baisers, ce n'est pas bon. Quand ce n'est pas toi, c'est Madeleine.

— Il n'a que deux ans, Toshan! trancha sa femme. Il aura bien le temps de s'endurcir.

Elle se leva de son siège et s'étira. Le tissu de sa robe bleue se plaqua sur ses seins ronds et sur son ventre à peine bombé. Cela eut un effet immédiat sur son mari. Il l'enlaça et lui déclara à l'oreille :

— Nous pourrions prendre une vingtaine de minutes pour nous dire au revoir. Tu es tellement belle ! Je t'ai vue dans les bras d'un autre, sur scène, et j'avais hâte de faire valoir mes droits…

Hermine le regarda avec un air choqué. Elle s'estimait incapable de répondre au désir de Toshan, épuisée qu'elle était par sa prestation au Capitole. Surtout, elle était malade d'anxiété et de chagrin. La belle demeure de Val-Jalbert lui était très précieuse. Au fil des ans, elle s'était accoutumée à y séjourner, heureuse d'évoluer dans ce décor luxueux et harmonieux, de s'asseoir au piano ou de se prélasser sur la terrasse couverte, dans les chaises longues achetées par Laura.

— Sûrement pas ! annonça-t-elle sur le ton de la confidence pour ne pas être entendue de Madeleine. Je n'ai vraiment pas l'esprit à la bagatelle. Comment peux-tu me proposer ça ?

— Je n'ai besoin que de ton corps, répliqua-t-il avec un sourire gourmand. Allez, ne me repousse pas !

Il la saisit par la taille et l'entraîna au pas de course dans leur chambre, voisine de celle réservée à Constant et à Madeleine.

— Non et non ! souffla-t-elle. Kiona a peut-être disparu pour de bon, et toi, son demi-frère, tu oses…

Toshan la fit taire d'un rude baiser viril en retroussant sa jupe. Ses mains se glissèrent entre ses cuisses, puis sous le satin de sa petite culotte que laissaient libre ses bas en nylon, retenus par un porte-jarretelles.

— Mine, Mine ! dit-il en haletant et d'une voix feutrée, toujours à son oreille. Ma beauté, ma petite chérie !

Elle parvint à lui échapper et se précipita de l'autre côté de leur lit. Elle lui sembla plus attrayante encore avec ses joues roses et sa jolie bouche charnue entrouverte.

— Je ferai tout ce que tu veux si je pars avec toi tout à l'heure, dit-elle. Moi, Madeleine et bébé ! Nos valises seront vite bouclées, je t'assure ! Nous prendrons un taxi.

Ces mots eurent l'impact d'une douche froide sur Toshan. Déjà, il détestait ce terme de bébé qu'elle employait sans cesse pour désigner Constant.

— Ne sois pas sotte, jeta-t-il assez bas. Nous ne roulons pas sur l'or depuis la fin de la guerre. Je n'ai pas de travail et je supporte péniblement d'être à ta charge! De plus, ta mère risque de changer de train de vie après l'incendie! Il ne faudra peut-être plus compter sur ses largesses.

— Mais non! s'étonna-t-elle. Son argent est placé à la banque, et je suppose que la maison était assurée.

Il lui décocha un coup d'œil furibond. Depuis la naissance de Constant, qu'elle avait allaité plus de huit mois, Toshan éprouvait pour Hermine une passion exaltée. Jamais il n'avait été aussi jaloux, possessif et exigeant dans l'intimité. Bien que flattée par cette marque d'amour exclusif, elle avait parfois des difficultés à assumer une relation aussi ardente. Elle n'était guère disponible entre le travail de sa voix, les déplacements d'un bout à l'autre du Canada et son rôle de mère.

— Alors, tu te fiches que je parte comme ça? tempêta-t-il.

— Emmène-moi et nous serons ensemble, jour et nuit!

— Viens ici tout de suite, ordonna-t-il. Je ne peux plus renoncer, maintenant. Je te veux, et sans chantage de ta part. Je croyais qu'une épouse obéissait au bon vouloir de son mari!

Le beau Métis avait dit cela sur le ton de la plaisanterie. Cependant, Hermine ne bougea pas, vexée. Il contourna le lit, l'attrapa à bras-le-corps et la poussa dans le cabinet de toilette attenant dont il verrouilla la porte.

— Tu te souviens? susurra-t-il. La veille de mon départ pour l'Europe, à la caserne de la Citadelle? Tu étais moins farouche, parce que je m'en allais de l'autre côté de l'océan. Mine, je ne peux pas me passer de toi, de ta chair, de ton parfum.

Tout en parlant, il se plaça derrière elle et dégrafa le corsage de sa robe d'un geste expérimenté. Ses paumes se plaquèrent sur ses seins à demi nus, puis ses doigts agacèrent les mamelons à travers la soie du soutien-gorge.

— Tu es à moi, à moi! marmonna-t-il en lui mordillant la nuque.

Hermine s'abandonna. C'était inutile de résister et elle n'en avait pas vraiment l'intention. Ce genre d'étreinte imprévue, dans un endroit insolite, excitait aussi ses sens de femme. Elle prit appui sur le bord du lavabo, soumise, alanguie, devinant de quelle façon Toshan souhaitait faire l'amour. Ils procédaient ainsi dans la forêt, lors de leurs séjours au bord de la Péribonka. Cela avait un côté animal, ancestral, qui ne lui déplaisait pas. Quand il la pénétra, elle dut se mordre les lèvres pour ne pas crier de plaisir.

Lui ne perdait rien du spectacle que lui renvoyait le miroir accroché en face d'eux. Il jouissait de s'observer en pleine action, de surprendre aussi le mouvement rythmique de la poitrine et des hanches de sa femme, mouvement qu'il lui imposait par ses assauts frénétiques. Elle atteignit vite l'extase, tandis qu'il se retirait. Toshan la redressa et l'étreignit, soudain plus câlin. Elle se retourna et chercha sa bouche.

Après quelques ablutions, il regagna leur chambre et s'empara de son sac en cuir.

— Je dois me dépêcher! Pas question de rater le train! J'ai hâte de savoir le fin mot de l'histoire, en ce qui concerne Kiona. Ta mère m'a paru très gênée, comme quelqu'un qui n'a pas la conscience tranquille.

— Ah ça, je suis au courant. Tu n'arrêtes pas de me le répéter depuis que nous avons quitté le Capitole! Enfin… Tu sauras tirer les choses au clair. Je te fais confiance. Va vite!

Ce revirement surprit son mari. Il l'embrassa encore une fois.

— Ma sage et charmante petite femme coquillage, dit-il, je pars avec un délicieux souvenir. N'est-ce pas?

— Oui, j'en conviens.

Hermine l'accompagna jusqu'au vestibule. Toshan lui dédia un regard rassuré, comblé.

— Continue à éblouir les Québécois par ton talent et ta beauté, ma chérie, déclara-t-il. Je te téléphonerai dès mon arrivée à Roberval.

Elle approuva et referma la porte. Quelques secondes plus tard, elle se précipitait dans la chambre de son fils.

— Madeleine, vite, prends le strict nécessaire pour Constant et pour toi. Je prépare une petite valise de mon côté. Appelle aussi un taxi, le numéro est indiqué sur le carton, près du combiné. Nous rentrons à Val-Jalbert!

— Est-ce que mon cousin est d'accord? Il a changé d'avis? questionna la nourrice, étonnée.

— Non, mais j'en ai assez d'obéir à ses quatre volontés. Avec un peu de chance, nous ne le croiserons même pas!

— Hermine, nous ne serons jamais prêtes. Et le souper de Constant?

La jeune chanteuse consulta la pendulette qui trônait sur la cheminée d'angle.

— Nous avons une heure devant nous, Madeleine, ça suffira largement. Rien ni personne ne me retiendra ici!

2
COLÈRE ET CENDRES

Train pour Roberval, même jour

Le train roulait depuis plus d'une heure. Le petit Constant s'était endormi sur les genoux de Madeleine après avoir beaucoup pleuré, car Hermine avait oublié son ours en peluche. Déconcertée par le chagrin de son fils, la jeune femme demeurait silencieuse.

— Nous avons eu de la chance, déclara-t-elle enfin à sa compagne de voyage. Nous n'avons pas croisé Toshan, ni sur le quai de la gare ni dans le hall.

— Ne te réjouis pas trop, rétorqua l'Indienne. Mon cousin sera furieux quand il s'apercevra que tu lui as désobéi.

— Je n'ai pas à lui obéir, Madeleine. Une épouse n'est pas une esclave! Il n'en faisait qu'à sa tête, lui, en France. Je n'étais pas toujours sur ses talons à m'opposer à ses initiatives. Et j'estime que j'ai le droit d'aller soutenir mes parents dans cette effroyable épreuve.

Hermine jeta un regard déterminé par la fenêtre. Le paysage défilait, des prairies, des arbres d'un vert enchanteur, dorés par le soleil couchant.

— Le directeur du Capitole s'est montré plus indulgent que mon propre mari, ajouta-t-elle. Il annulera la représentation du milieu de semaine, et les gens qui ont déjà acheté une place pourront assister au spectacle de dimanche prochain. J'ai promis d'être de retour à temps.

— Dans ce cas, Mine, j'aurais très bien pu rester à Québec avec Constant, insinua Madeleine. Ton fils a ses habitudes là-bas, son rythme de vie. Je le promène l'après-midi après sa sieste; ensuite, je lui donne son bain et, le matin, il joue tranquillement.

— Non, je suis trop chagrinée pour le laisser et le savoir à des centaines de milles. J'avais envie de réunir tout mon petit monde. De toute façon, c'est un peu tard pour en discuter, nous sommes en route. Et je meurs de faim.

Madeleine tendit un panier à son amie, non sans afficher un air moqueur.

— Tiens, j'ai quand même emporté de quoi grignoter. Nous ne pouvons pas prendre le risque de souper au wagon-restaurant, car Toshan ira forcément. Oh! Mine, tu as tellement changé depuis que je te connais! Tu étais moins audacieuse, jadis. Tu n'aurais pas osé t'opposer ainsi à la volonté de mon cousin.

Elles se sourirent, émues, conscientes d'avoir parcouru ensemble un long chemin.

— Toi aussi, tu as changé, rétorqua Hermine. Où est-elle, la toute jeune Indienne qui ouvrait des yeux effarouchés en pénétrant dans la grande maison de Laura Chardin? Je venais d'accoucher de Laurence et de Marie-Nuttah, elles pleuraient sans arrêt et j'étais au bord du désespoir. Et Tala t'a présentée comme une possible nourrice pour mes jumelles affamées que je n'arrivais pas à allaiter. Tu osais à peine dire un mot, dans ta robe noire. Ensuite, tu ne m'as plus quittée, sauf le matin où tu as décidé de partir en traîneau pour voler au secours de ton frère Chogan!

— Oui, c'est bien ainsi que tout s'est passé, approuva Madeleine. Pour moi, à cette époque, tu étais Kanti, «celle qui chante» dans notre langue. Ensuite, j'ai usé du diminutif si cher à Toshan, Mine. C'est plus affectueux, plus doux que ton vrai prénom. Comme ça me paraît loin, tout ça! J'étais veuve depuis peu, j'avais eu une fille, ma pauvre petite que j'avais confiée aux sœurs de Notre-Dame-du-Bon-Conseil et qui est morte avant ses trois ans.

— Tu n'avais qu'un rêve, prendre le voile. Je me reproche encore, parfois, d'avoir brisé ta vocation religieuse…

— Il ne faut pas, mon amie! Je suis heureuse près de toi et de tes enfants. Et il y a ma chère petite Akali, qui a fait de moi une mère pour la seconde fois, même si elle n'est que ma fille adoptive. Dire qu'elle a déjà quinze ans!

Toutes deux se turent, attendries, en évoquant la douce et sage adolescente. Hermine l'avait sauvée d'un triste sort. Akali était pensionnaire dans un établissement du gouvernement, censé veiller sur l'éducation des enfants indiens.

— Comme c'est singulier! fit remarquer Madeleine. Si Kiona n'avait pas été emmenée dans ce pensionnat, je n'aurais pas eu le grand bonheur de connaître et d'aimer Akali. Et c'est grâce à toi, Hermine, et à monsieur Lafleur.

Ce nom eut le don de faire tressaillir la chanteuse. Elle jeta un regard inquiet vers le couloir du wagon.

— Je t'en prie, Madeleine, ne me parle pas de lui. Surtout pas devant Toshan. Maman ne s'est pas gênée et, chaque fois, cela me rendait nerveuse. Depuis la guerre, j'ai l'impression que notre couple est plus vulnérable.

— Vous êtes pourtant très amoureux!

— Oui, je l'avoue, mais je crains sans cesse un drame, confia Hermine. Nous sommes tellement heureux! Nous sommes inséparables. Je ne comprends même pas comment j'ai pu éprouver de l'attirance pour Ovide Lafleur. Seigneur, si Toshan l'apprenait!

— Mais tu n'as rien fait de mal, s'indigna son amie. Tu te sentais seule. Cet homme t'a aidée et soutenue.

Hermine hocha la tête et ferma les yeux quelques secondes, ce qui fut suffisant pour redonner consistance à des images qu'elle aurait voulu oublier.

«Rien fait de mal! se répéta-t-elle intérieurement. J'ai agi comme une femme de mauvaise vie, une dévergondée. J'étais nue dans ses bras, là-bas, à Sainte-Hedwidge. Nous n'avons pas vraiment fait l'amour, mais ce genre de jeu était bien téméraire!»

Elle se revit ivre d'un plaisir subtil sous les caresses du jeune institu-teur au regard d'un vert surprenant, celui des feuilles à peine écloses. Désespérée par l'absence interminable de Toshan, elle avait failli le tromper, le trahir. Malgré la passion qui s'était ranimée entre eux, ainsi que la naissance de Constant, elle redoutait un échec.

— Je ne supporterais pas de perdre l'estime et l'amour de Toshan, avoua-t-elle. Déjà, j'ai eu du mal à accepter son infidélité.

«Ovide me plaisait beaucoup, songea-t-elle. Par chance, nous ne l'avons pas croisé ces deux dernières années. Il a dû quitter la région. Toshan doit ignorer aussi longtemps qu'il vivra mon coup de folie pour cet homme.»

— Tu avais faim et tu ne manges pas, observa Madeleine. Sois tran-quille, je ne ferai plus allusion à monsieur Lafleur. Il m'en coûtera, car cet instituteur a toujours défendu notre peuple et il s'est dévoué pour les enfants montagnais qui vivent autour du lac Saint-Jean.

Hermine prit une tranche de pain et un carré de chocolat, un vague sourire sur ses belles lèvres roses.

— Il ferait un bon époux pour toi! lança-t-elle gentiment. Tu as décidé de rester chaste, mais tu peux revenir sur ton vœu de célibat!

— Mine, là, tu exagères! Ovide Lafleur ne mérite pas que tu le traites ainsi. Il ne s'est jamais intéressé à moi, il ne voyait que toi et tu le sais très bien. Et puis, s'il me venait l'idée de me remarier, je ne voudrais pas d'un homme amoureux d'une autre femme.

— Je plaisantais!

— Je m'en doute. Tu serais bien ennuyée si je te quittais pour convoler!

Elles échangèrent un sourire complice avant de se partager des biscuits. Cela aurait pu être un trajet ordinaire avec, au bout du voyage, la joie toute simple de retrouver les enfants, Laura, Jocelyn et Mireille. Mais Hermine comme Madeleine savaient que, dès leur arrivée sur le quai de Roberval, la tristesse et l'accablement seraient au rendez-vous.

— Tu te rends compte? ajouta la jeune chanteuse. La maison de maman a brûlé. Tout est anéanti. J'évite de trop y penser, mais cette majestueuse demeure était aussi la dépositaire de nos souvenirs, de beaucoup de choses qui m'étaient précieuses, les albums de photographies, les dessins de Laurence, les jouets que je voulais donner à Constant... Sans parler des vêtements et des livres. Mukki et les jumelles n'auront plus rien à se mettre sur le dos. Il faudra tout racheter. Heureusement, j'ai quelques économies à la Banque Canadienne Nationale de Roberval.

— Il reste sûrement de nombreux habits dans votre maison au bord de la Péribonka, assura Madeleine.

— J'espère que nous pourrons y séjourner tout l'été, comme c'était prévu. Charlotte et Ludwig ont dû s'y installer, puisque la date de la naissance approche. J'ai promis d'être là pour l'accouchement. Et j'ai hâte d'embrasser leur petite Adèle. J'aime tant notre maison au fond des bois, loin de tout!

— Moi, je suis pressée de retrouver Akali. C'était bien accommodant de sa part de passer l'été là-bas pour jouer les nounous.

— Elle est aussi douée que toi avec les tout-petits. Mais, ce qui l'intéressait le plus, c'était les cours d'anglais que Charlotte devait lui donner. Akali aime tant étudier! Tout ce qui est nouveau la passionne.

— Tu as raison, se rengorgea Madeleine. Je suis très fière d'elle.

Elles se turent un moment. Hermine songeait beaucoup à sa mère. Laura devait être désespérée.

— Pauvre maman! dit-elle tout bas. Je ferai de mon mieux pour la consoler. Et où vont-ils habiter, maintenant, papa et elle? Mukki et les jumelles sont installés au petit paradis, mais c'est provisoire.

« Et nous, Toshan, Madeleine, Constant et moi, où logerons-nous en arrivant? se demanda-t-elle en silence. Il y a quatre chambres au petit paradis! Voyons, une pour mes parents, Louis peut en occuper une avec Mukki; Laurence, Marie-Nuttah et Kiona, une autre. La dernière serait pour moi et Toshan. Mais il reste Mireille. Seigneur, je ne peux pas y croire. Quel terrible coup du sort! Mais nous n'avons pas à nous plaindre. Dieu merci, personne n'a trouvé la mort dans l'incendie. »

Hermine jeta un regard vibrant d'amour à son petit garçon qui dormait profondément. Madeleine l'avait couvert d'un plaid en laine. « L'enfant du renouveau, l'enfant de la paix, dans le monde et dans mon cœur! J'étais fascinée d'être enceinte, de porter un bébé que je sentais vigoureux, en pleine santé. »

Jamais elle n'avait oublié la mort de Victor à l'automne 1939. La perte de ce nourrisson de trois semaines l'avait blessée dans sa chair et dans son âme.

« Sans Kiona, je n'aurais pas surmonté cette épreuve, se souvint-elle, émue. Mon ange gardien a su me réconforter par ses sourires, sa douceur et sa force. Ma Kiona, où est-elle? Pourvu qu'elle soit rentrée à Val-Jalbert! »

Cinq wagons plus loin, à l'arrière du convoi, Toshan se posait exactement la même question. Il partageait le compartiment avec un autre homme plongé dans la lecture d'un quotidien français. Ils s'observaient de temps à autre, après avoir échangé un bref salut lorsqu'ils s'étaient installés. Le beau Métis patientait. À la tombée de la nuit, il irait souper. L'autre attendait d'être seul pour manger le casse-croûte qu'il avait emporté dans un cabas en cuir.

— Voulez-vous feuilleter mon journal? proposa soudain l'homme d'un ton avenant. Il vient de Paris.

— Je vous remercie, je n'ai pas l'esprit à lire, répliqua Toshan.

— Dommage! poursuivit son voisin. Les remous de l'après-guerre, au Canada ou en France, sont passionnants à étudier.

– J'ai d'autres soucis. Et je ne garde pas de très bons souvenirs de la France.

Sur ces mots, Toshan, nerveux, alluma une cigarette, sans même demander au voyageur si la fumée l'importunait. Tourmenté par la somme de difficultés qu'il devrait affronter à Roberval, il n'était pas d'humeur bavarde.

– Vous êtes bien Toshan Delbeau? interrogea alors son vis-à-vis.

– Oui, en effet. D'où me connaissez-vous?

– Je suis originaire du Lac-Saint-Jean, moi aussi. Ovide Lafleur, instituteur. Nous nous sommes souvent croisés sur le quai de Péribonka, mais vous n'avez pas dû faire attention à moi. Je rentre d'un séjour d'un an du côté de Lyon, en France, et, ma foi, je suis content de revoir quelqu'un de chez nous.

Toshan dévisagea Ovide Lafleur avec un vague sourire. C'était un homme qui devait avoir environ son âge, trente-six ou trente-sept ans. Des cheveux châtains ondulés encadraient son visage émacié, éclairé par des yeux très verts. Un collier de barbe soulignait des mâchoires énergiques.

– Enchanté, monsieur! lança-t-il par simple politesse, car les traits de l'instituteur lui demeuraient étrangers.

– J'ai eu le plaisir d'aider votre épouse pendant la guerre, ajouta Ovide. Mais elle a dû vous en parler. Nous avons pu sortir la petite Kiona de ce pensionnat du gouvernement, une école de la honte, comme disait madame Delbeau.

Le nous avait horripilé Toshan. Cependant, il n'en montra rien. La mémoire lui revenait.

– Oui, d'accord, je m'en rappelle. Monsieur Lafleur, bien sûr… Nous vous devons une fière chandelle, comme disent les Français! s'écria-t-il. Pardonnez-moi, il s'est passé tant de choses durant le conflit. Mais je me souviens, ma femme m'avait brièvement raconté dans une lettre comment elle avait retrouvé Kiona grâce à votre soutien et à votre efficacité. Je crois que vous donniez aussi des leçons aux enfants indiens, dans les réserves?

Ovide Lafleur parut soulagé. Ils échangèrent une poignée de main.

– C'est exact, le sort des petits Montagnais a toujours été une priorité pour moi. À ce propos, j'ai déjà fait publier deux articles dénonçant les ignobles traitements dont sont victimes les Indiens de tous âges. Vous qui êtes métis, je pense que cela vous tient aussi à cœur!

L'instituteur s'exprimait sur un ton véhément, le regard brillant d'une passion singulière. Cela agaça Toshan, sans qu'il pût définir pourquoi.

— J'avoue qu'adolescent le sujet me préoccupait, rétorqua-t-il. J'avais eu mon lot de brimades, mais peut-être que je le cherchais, avec mes cheveux longs et mes vestes en peau ornées de franges. Je revendiquais mon sang indien par bravade. J'aurais pu me comporter différemment et avoir moins d'ennuis. Après tout, mon père était irlandais, il avait la peau blanche et les cheveux d'un blond roux. Et la guerre a balayé beaucoup de mes principes. Des millions de Juifs sont morts dans les camps de concentration par la faute de l'idéologie nazie et de ce démon assoiffé de sang, Hitler. Au fond, partout sur la planète, on pourrait répertorier des peuples décimés pour la couleur de leur peau, leur religion ou je ne sais quoi. Maintenant, je me soucie surtout de profiter de ma famille. J'ai payé assez cher mon envie de lutter au nom de la justice.

Ce discours laissa Ovide Lafleur désorienté. D'abord content de discuter avec Toshan Delbeau, il le considérait à présent sous un autre angle. Ce bel homme au teint cuivré et aux prunelles de jais était le mari d'Hermine. Elle dormait chaque nuit près de lui, l'embrassait, le caressait... Elle s'offrait à lui, voluptueuse, sensuelle, telle qu'il l'avait vue, lui, Ovide, dans la pénombre de sa propre écurie, à Sainte-Hedwidge. S'il avait abandonné l'espoir de conquérir le Rossignol de Val-Jalbert, il n'en était pas moins amoureux.

— Oui, j'ai appris que vous étiez revenu en 1942, grièvement blessé! lança-t-il. Vous avez eu de la chance!

— Je ne sais pas si on peut appeler ça de la chance, répliqua Toshan d'un ton sec.

Exaspéré, il éteignit sa cigarette. Passé le premier élan de sympathie, ce Lafleur lui déplaisait. C'était instinctif. Quelque chose l'importunait dans les paroles de l'instituteur et dans sa façon de s'exprimer un peu précieuse.

— Je connais bien vos enfants, renchérit l'instituteur. J'étais souvent invité au petit paradis et nous faisions sauter des crêpes. Des moments inoubliables entre Mukki, vos filles jumelles, Kiona et Akali, sans compter Madeleine et votre épouse!

La vie avait rendu Toshan extrêmement intuitif et toujours sur la défensive. Il perçut dans ces derniers mots une sorte d'attaque à son encontre, malgré la voix douce qui les avait prononcés.

— Sans doute plus inoubliables pour vous que pour la joyeuse troupe dont vous parlez, car personne n'a cru bon me rapporter vos visites! lança-t-il avec ironie. J'en suis désolé, croyez-moi!

Ovide eut un sourire énigmatique avant de répondre:

— Le grand vent de la guerre a balayé ces humbles joies. Il est vrai que, par la suite, madame Delbeau vous a rejoint en France en se moquant des dangers que présentait une telle initiative... Puisque nous parlons de votre charmante femme, j'ai eu le plaisir de l'entendre chanter cet après-midi, au *Capitole*. Je rêvais depuis longtemps d'assister à un opéra où elle jouerait. Franchement, ce rôle de Mimi lui allait comme un gant. Je l'ai trouvée pathétique à souhait et au summum de son talent.

Toshan approuva, les lèvres pincées. Le timbre vibrant d'exaltation de l'instituteur quand il évoquait Hermine lui était insupportable.

— Je constate que vous êtes un de ses nombreux admirateurs, monsieur Lafleur. Je ne peux pas vous en faire le reproche, mais, de grâce, si vous pouviez éviter d'encenser mon épouse avec des trémolos dans la voix, je préférerais!

Sur cette mise en garde sans équivoque, Toshan se leva et prit sa veste. Il avait besoin d'air.

— C'est l'heure du souper, trancha-t-il. Je vous laisse à vos lectures.

— Bien, bien! J'ai compris, rétorqua Ovide. J'ai donc eu raison de ne pas saluer madame Delbeau quand je l'ai aperçue sur le quai. Je suppose qu'elle vous accompagnait...

Toshan s'immobilisa, une main sur la poignée de la porte vitrée. Il scruta les traits malicieux de Lafleur d'un air défiant.

— Je ne sais pas à quoi vous faites allusion, dit-il. Hermine ne m'a pas accompagné, elle est restée en ville avec notre fils de deux ans.

— Il est pourtant impossible de la confondre avec une autre femme! affirma Ovide, sans crainte de provoquer cet homme qui était très jaloux, de toute évidence.

— Est-ce que vous le faites exprès? s'enquit Toshan d'un ton froid. Sincèrement, Lafleur, j'ignore votre situation familiale, mais, si vous êtes marié, ça ne vous dérangerait pas que je parle ainsi de votre épouse?

— Non, pas du tout. Et je n'ai pas ce genre de problème, je suis veuf depuis une huitaine d'années. Celle que j'aimais est morte en couches après avoir mis au monde des jumeaux qui n'ont pas survécu eux non plus.

— Désolé, mon vieux! s'excusa le Métis, radouci. Il faut vous remarier. La solitude ne donne rien de bon.

Toshan s'éloigna afin de couper court à la discussion. Quant à Ovide, il reprit pied sur terre, consterné par sa conduite.

«Mais qu'est-ce qui m'a pris? se demanda-t-il en silence. J'avais promis à Hermine de respecter son couple, l'amour inconditionnel qu'elle porte à Toshan. Ah! Toshan Delbeau, je ne pèse pas lourd devant un type de cette trempe! Il est encore plus séduisant, avec la maturité, et on le sent en acier, sûr de lui, de ses actes et de ses paroles. J'avais l'impression d'être un bouffon, un abruti!»

L'instituteur ferma les yeux quelques instants pour égrener les pauvres souvenirs qu'il chérissait. Ils étaient tous liés à Hermine, à sa blondeur, à sa douceur rieuse…

«Elle n'a pas un défaut, hormis celui d'idolâtrer son mari. Je l'ai tant contemplée! Parfois grave et songeuse. Dans ces moments-là, son extraordinaire regard bleu s'assombrit. Mais le plus souvent radieuse, gaie, pleine de cette énergie qu'ont les enfants.»

Il redessina en pensée les lèvres roses et charnues de la jeune femme, son nez mutin, droit et fin, la courbe de ses joues et tout son corps de miel à la peau soyeuse, aux formes parfaites.

«Quel choc de la découvrir sur scène, dans son élément, l'opéra! se dit-il. J'étais loin, je distinguais à peine ses traits, mais sa voix me pénétrait, envahissait chaque fibre de mon être. J'aurais donné cher pour pouvoir la rejoindre après le dernier acte et entrer dans sa loge. Mais, depuis qu'elle a retrouvé son grand amour, son Toshan, je ne compte plus. Pas une lettre, pas même une carte postale. Enfin, au moins j'ai connu la saveur de ses baisers, j'ai pu la caresser, la faire crier de plaisir sans l'avoir faite mienne. Je ne suis qu'un imbécile, un vrai gnochon!»

Ovide rouvrit les yeux et fouilla dans son sac. Il en extirpa de quoi souper, un sandwich au jambon, un œuf dur et une petite bouteille de bière. Mais il n'avait plus aucun appétit.

«Je me suis comporté comme un abruti, se reprocha-t-il encore. J'ai sûrement tout gâché. Après mes stupidités, si je tente d'approcher

Hermine, Toshan fera bouclier, il sera sur ses gardes. J'aurais mieux fait de la saluer, sur le quai, car elle était vraiment sur le quai, je n'ai pas pu me tromper. Ou bien ils ont eu une querelle avant de se séparer et elle est venue sans le lui dire, dans l'espoir d'une réconciliation. »

L'instituteur était loin d'imaginer que l'objet de toutes ses pensées se trouvait dans un autre wagon et qu'elle avait pris le train contre l'avis de Toshan. Il remit son repas à plus tard et se plongea dans la lecture d'un roman qu'il avait acheté en France. Il s'agissait du prix Femina de 1931, *Vol de nuit,* de l'auteur et aviateur Antoine de Saint-Exupéry, disparu en mer deux ans auparavant, au mois de juillet[2]. Il avait également acheté l'édition française du livre *Le Petit Prince*[3], dont la lecture l'avait vivement marqué. En fait, Ovide Lafleur caressait le projet d'offrir l'ouvrage à Hermine, pour ses enfants, bien sûr, et par courrier. Il pensait que le texte et les illustrations enthousiasmeraient la douce Laurence, qui, d'après ses souvenirs, était une artiste en puissance.

« Je ferais mieux de ne plus entrer en contact avec la famille Chardin-Delbeau. Laura ne m'a jamais apprécié et, maintenant, de surcroît, je serai la bête noire de Toshan », se dit-il encore, de plus en plus accablé.

Après ces pensées pessimistes, Ovide s'apaisa, captivé par son livre. Le crépuscule bleuissait le paysage qui défilait derrière la vitre du wagon. Le train roulerait toute la nuit et, à l'aube, les eaux bleues du lac Saint-Jean apparaîtraient aux voyageurs, tel le symbole du pays retrouvé.

Toshan, lui, avait peu mangé. Il avait choisi une salade de pommes de terre agrémentée de morceaux de jambon. Malgré tous ses efforts, la jalousie faisait des ravages dans son esprit. Il s'était répété chaque mot de l'instituteur, en respectant les intonations fort ambiguës à son goût.

« Ce type se croit tout permis, songeait-il. Impossible de confondre Hermine avec une autre femme ! Voilà ce qu'il m'a jeté à la figure. Et les bons moments passés au petit paradis ! J'aurais dû prendre mon sac en quittant le compartiment. Je préfère ne pas finir le trajet en sa compagnie. »

---

2. Antoine de Saint-Exupéry, romancier et aviateur français, disparut lors d'une mission le 31 juillet 1944. L'épave de son avion n'a été retrouvée qu'en 2004.

3. *Le Petit Prince* a été publié aux États-Unis en 1943, à la demande d'un éditeur américain, et devait connaître par la suite un succès international. Le texte était illustré par les aquarelles de l'auteur.

Oppressé, furibond, il décida de déambuler le long du convoi pour se calmer. Il alluma une cigarette et entreprit son périple solitaire. Parfois, il s'arrêtait et contemplait le ciel mauve qui pesait sur la forêt baignée d'ombre, de l'autre côté des fenêtres. Le spectacle de ces immenses étendues de bois sauvages lui faisait battre le cœur. La vraie vie, à son sens, c'était au sein de la nature, loin du monde et de la société. S'il jouait à présent les mondains dans les salons des théâtres ou dans les loges réservées aux personnalités, c'était uniquement afin de suivre Hermine dans la plupart de ses déplacements.

« Je lui ai promis que nous ne serions plus jamais séparés, se remémora-t-il. La guerre a bien failli nous briser, nous mener au divorce. »

Toshan brassait une foule d'idées douces-amères quand il aperçut au fond du couloir une silhouette féminine auréolée d'une nuée blonde. Les lampes étaient allumées, et leur reflet scintillait sur sa chevelure magnifique, souple et ondulée.

— Mais… s'étonna-t-il.

Il connaissait cette robe en voile bleu, marquée à la taille par une fine ceinture en cuir blanc.

— C'est Hermine! tonna-t-il.

La jeune femme avait déjà disparu. Il se précipita vers l'endroit où elle lui était apparue et fut rapidement fixé. Son épouse venait de s'asseoir près de Madeleine, qui tenait leur fils Constant sur ses genoux. Le bambin, bien réveillé, riait aux éclats. Interloqué, mais encore plus furieux, il ouvrit la porte du compartiment.

— Puis-je avoir des éclaircissements? s'écria-t-il d'un ton autoritaire. Qu'est-ce que ça signifie? Hermine, suis-moi!

Constant, un enfant très émotif et vite effrayé, se mit à pleurer. Son père l'impressionnait souvent, à cause de son regard noir et de sa voix grave et forte.

— Oh! Tu lui as encore fait peur! déplora Hermine en guise de réponse.

Cependant, elle se releva en toute hâte et rejoignit son mari. Il la saisit par le poignet avec tant de rudesse qu'elle étouffa une plainte.

— Aurais-tu envie de me rendre fou? s'exclama-t-il. Tu devais rester à Québec! Bon sang, tu te moques de moi?

– Chut, moins fort, nous ne sommes pas seuls dans ce train, Toshan! dit-elle en s'éloignant davantage. Allons à l'écart, au bout du wagon.

– Non, nous ne pourrons pas discuter, c'est trop bruyant.

– Moins bruyant que toi, en tout cas, ironisa-t-elle. Je te préviens, Toshan, ne me fais pas de scène! Je juge que je suis dans mon droit. Mes parents ont besoin de moi, c'est mon devoir de fille de les réconforter et mon rôle de mère d'aller rassurer nos enfants. Le directeur du Capitole l'a mieux compris que toi, je tiens à te le préciser. Il m'a accordé une semaine de congé. Je ne perds pas un dollar. Alors, je t'en prie, essaie de me comprendre. Tu as bien assez souffert, toi, d'être en Europe quand ta mère est morte! Combien aurais-tu donné pour lui tenir la main quand elle s'est éteinte?

Elle venait de commettre une bévue en évoquant Tala la louve, la belle Indienne, décédée des suites d'une mauvaise blessure à la poitrine occasionnée par un cheval de la Gendarmerie royale.

– Ne dis pas ça! tempêta-t-il d'un air terrible. Tu n'as vraiment pas pitié de moi, ni aucun respect pour cette souffrance que je traîne toujours. Comment oses-tu comparer la perte cruelle que j'ai subie à la situation de tes parents? Ils ont suffisamment d'argent pour acheter une maison à leur convenance et ni l'un ni l'autre n'est en danger!

– Qu'est-ce que tu en sais? répliqua Hermine. Papa est à l'hôpital, il peut souffrir d'un problème cardiaque, en raison du choc émotif qu'a provoqué l'incendie. Cela lui est déjà arrivé, Toshan. Et nos enfants? Et Kiona? J'étais incapable de rester à Québec alors que leur univers quotidien, la maison où ils ont grandi, n'est plus qu'un tas de cendres.

Toshan l'observait pendant qu'elle lui parlait de très près en le dévisageant, et c'était comme s'il la découvrait sous un autre angle, celui qu'avaient les inconnus, les étrangers, tous ceux qui pouvaient la contempler au hasard de sa vie d'artiste. «Qu'elle est belle! pensait-il. De plus en plus belle! Ses lèvres roses, charnues, excitantes, appellent les baisers. Sa peau resplendit, laiteuse, nacrée et si douce! Et ses yeux! On dirait l'eau d'un lac irisée de soleil, ou l'azur le plus pur. Mais c'est ma femme, ma petite femme coquillage de nos premières nuits d'amour, mon épouse. Avec beaucoup plus de caractère, ma parole!»

– Toshan, ne sois pas en colère, ajouta-t-elle, consciente qu'il la regardait moins froidement.

— Je suis fâché, mais je ne peux pas te forcer à descendre de ce maudit train. Maintenant que tu es là, je n'ai plus qu'à abdiquer. Je ne te demande qu'une chose, pour l'instant : ne mets plus en parallèle la mort de Tala et le sort de tes parents !

— C'est promis, mon amour, dit-elle tendrement en l'enlaçant. Au fond, je suis bien contente que tu m'aies trouvée. Nous allons voyager ensemble, à présent. Où est ton sac ?

Aussitôt, Toshan revit l'instituteur assis en face de lui, et la fureur le submergea de nouveau.

— Je vais le chercher ! Je n'ai pas eu de chance, je partageais un compartiment avec un certain Lafleur qui, de toute évidence, t'apprécie beaucoup. Et encore, le mot est faible. Puisque tu es là, tu as peut-être des révélations à me faire ?

Hermine devint livide. Son expression affolée et l'éclat de panique qui se mit à briller dans ses larges prunelles bleues firent des ravages chez son mari. Elle avait tout d'une coupable. Il la prit par les épaules et la secoua.

— Tu sais qui c'est ? proclama-t-il. Ovide Lafleur ! Il semble t'idolâtrer, te vénérer. Tu avais eu soin de me cachervotre grande amitié. Ce blanc-bec s'est vanté d'avoir passé de délicieux instants au petit paradis avec toi.

Hermine s'était ressaisie. Elle répondit d'une voix posée :

— Avec moi, Madeleine et les enfants ! Mon Dieu, Toshan, tu as des manières d'inquisiteur. Tu me fais mal, lâche-moi ! Je le confesse, je ne t'ai pas rapporté en détail tout ce que j'ai vécu pendant la guerre, pendant que, toi, tu jouais les agents secrets. Mais je t'ai quand même dit que j'avais sauvé Kiona et Akali grâce à Ovide Lafleur. Sans lui, rien n'aurait été possible. Excuse-moi d'être sincère, mais cet homme a su nous protéger, moi et les petits, alors que tu ne daignais même pas nous écrire. Il était là au moment où j'avais désespérément besoin d'aide. Où est le mal ? Tu m'as abandonnée, Toshan, dès l'automne 1939, sans te poser de questions.

— C'est faux ! M'engager a été un véritable cas de conscience. Mais ne détourne pas la conversation ! Pourquoi as-tu été si troublée quand j'ai prononcé son nom ?

— Je n'ai pas été troublée, seulement étonnée ! C'est ta façon de présenter les choses. Au début, j'ai songé à un admirateur fanatique. Il n'en manque pas. Cela aussi, tu l'ignores, mais à Paris je devais fuir les assiduités d'un colonel allemand. Il m'envoyait des fleurs et assiégeait ma loge. Et puis, zut! à la fin, tu n'avais qu'à épouser un laideron!

Tremblante intérieurement, Hermine se dégagea de l'étreinte de son mari. Elle fit quelques pas le long du couloir. «Seigneur, je dois convaincre Toshan que je me moque d'Ovide, songea-t-elle. Il a fallu qu'ils soient tous deux dans le même compartiment, alors que le train est quasiment vide...»

Elle notait non sans regret qu'ils avaient eu soin, depuis leur réconciliation, d'éviter tous les sujets à risque, de crainte de ternir la belle harmonie qu'ils avaient réussi à rétablir entre eux. Soucieux de privilégier leur couple, ils s'étaient abstenus de parler de la guerre, de ces longs mois où ils avaient vécu chacun de douloureuses épreuves. «Nous étions si heureux de nous retrouver vraiment, le soir du mois d'août 1943, au bord de la Péribonka! Notre unique préoccupation, ensuite, a été de nous aimer. J'ai même béni l'hiver interminable qui nous avait enfermés là-bas, dans notre maison du fond des bois, avec nos enfants et Madeleine.»

Elle soupira, envahie par une tendre nostalgie. «Charlotte a mis sa fille au monde fin septembre et jamais naissance ne s'est déroulée aussi facilement, grâce à grand-mère Odina et à ses plantes magiques. Ma Charlotte maman à son tour, quel événement! J'en ai pleuré. C'était magique d'avoir un nouveau-né sous notre toit, de veiller sur lui. Les jumelles se disputaient pour la tenir, notre petite Adèle, si rose, si jolie!»

— Hermine! appela Toshan. Tu ne t'en tireras pas en prenant la fuite! Sois honnête, Ovide Lafleur te porte des sentiments que je ne qualifierai pas d'amicaux!

Il l'avait rattrapée et la tenait par le bras. Elle baissa la tête, la mine attristée.

— Si, ce n'est qu'un ami, un excellent ami! assura-t-elle. Et je ne l'ai pas revu depuis quatre ans bien sonnés. Je ne vois pas où est le problème. Tu deviens d'une jalousie absurde, Toshan! Mon Dieu, sois donc raisonnable. Comment peux-tu te mettre dans des états pareils? Nous sommes là tous les deux, indemnes et en bonne santé, malgré cette guerre ignoble qui a endeuillé la planète entière. Pourquoi nous déchirer? Il n'y a pas un matin où, en m'éveillant, je ne pense pas à tous ces gens qui sont morts, à cause de ces monstrueuses bombes atomiques lâchées sur Hiroshima et Nagasaki. Et, si je m'efforce d'oublier le sort affreux des Japonais, ce sont les images des camps de concentration qui me hantent, des millions de Juifs sacrifiés, Toshan, des enfants, des femmes, des innocents! Et toi, tu entres en rage pour un malheureux instituteur qui a eu l'audace de complimenter ta femme! Tu devrais avoir honte!

Elle lui adressa un regard poignant, savant mélange de tristesse et de compassion maternelle. Toshan lutta contre l'envie de l'embrasser.

— Ce n'est pas la folie des hommes ni leur pouvoir de destruction qui m'empêcheront de m'inquiéter de ta fidélité, Mine, indiqua-t-il assez tendrement.

— Mais je t'aime, toi et toi seul, Toshan, certifia-t-elle avec conviction. Viens, Constant s'est endormi dès notre départ de Québec et il est en pleine forme. Tu pourras jouer un peu avec lui. Tu récupéreras ton sac plus tard. Passons du temps en famille!

Le beau Métis capitula, ébloui par la grâce radieuse de son sourire. S'il avait pu lire dans les pensées de son épouse, il aurait été beaucoup moins complaisant. Hermine éprouvait la sensation pénible d'avoir échappé à un danger innommable, d'être tombée dans un gouffre et de n'avoir pu se rattraper qu'à une prise peu sûre. Il lui semblait toujours se trouver suspendue au bord de l'abîme, tout cela à cause d'un homme qui avait su lui faire tourner la tête cinq ans auparavant.

«Rien ne se serait produit si Toshan ne s'était pas engagé dans l'armée en me laissant désespérée, se donnait-elle comme excuse. Je venais de perdre mon petit Victor et, lui, il est parti! Rien de surprenant si j'ai apprécié la compagnie d'Ovide, nos conversations littéraires et l'amour qu'il me vouait. Oui... les femmes sont faibles. Elles ne peuvent pas résister à l'attrait d'une épaule masculine où se réfugier!»

Elle perçut alors la main chaude de Toshan sur sa nuque. Il avait glissé ses doigts sous sa lourde chevelure blonde et la tenait ainsi. C'était, inconsciemment, une façon de s'assurer qu'elle était bien là, à sa merci.

— Nous en reparlerons, dit-il tout bas avant de pénétrer dans le compartiment où Madeleine montrait un album d'images à Constant.

La nourrice sursauta en voyant apparaître son cousin. Mais, très vite, elle eut un petit rire radieux.

— Ah, nous voici tous réunis! jeta-t-elle, égayée. Toshan, écoute un peu ça! Ton fils sait dire girafe. Je lui désignais le dessin de l'animal et il a crié: «Girafe!» Constant, mon mignon, où est la girafe? Montre à papa et maman comme tu es dégourdi!

Le petit garçon adressa un regard effarouché à son père et cacha son visage contre la poitrine de la jeune Indienne. Hermine lui caressa la joue, attristée.

— Constant, mon chéri, sois gentil, dit-elle affectueusement. Papa ne t'a pas grondé, pourtant! Allons, viens sur mes genoux me donner un bec, un tout petit bec!

— Ne lui apprends pas ce genre de mot, Hermine, soupira Toshan. Et, par pitié, cesse de le traiter en bébé! Combien de fois devrai-je le répéter?

Depuis que le couple séjournait à Québec, le caractère et le comportement de leur dernier-né étaient source de désaccord entre eux.

— Tu veux savoir où est le problème? répliqua sa femme. Tu étais souvent absent quand nos trois enfants avaient l'âge de Constant. Et Madeleine les éduquait et pourvoyait à leurs besoins. En somme tu n'avais guère à t'en préoccuper. Tu les voyais juste dans les bons moments, pour jouer un quart d'heure ou les écouter te raconter leurs exploits. Là, tu dois cohabiter jour et nuit avec un bambin de deux ans, et cela ne te convient pas.

— Mine n'a pas tort, mon cousin, renchérit la nourrice. Et même si Mukki était plus intrépide et moins timide que notre Constant, tu ne dois pas considérer celui-ci trop sévèrement. De toute façon, je crois que la vie citadine te rend nerveux.

Madeleine ponctua cette constatation d'un éclat de rire. Toshan admit qu'il s'ennuyait la majeure partie du temps, à Québec.

— Je connais la ville par cœur. Le lieu que je préfère, c'est le port. Il y a une animation permanente sur les quais, en cette saison.

Hermine se tranquillisa. Le danger était passé, du moins elle voulait s'en convaincre. Afin de clore le débat, elle prit même Madeleine à témoin.

— Toshan avait pour voisin de compartiment Ovide Lafleur, annonça-t-elle d'un air amusé. Nous qui nous demandions ce qu'il devenait, nous avons la réponse: il rentre au pays lui aussi.

L'Indienne ne se troubla pas. Elle hocha la tête en précisant:

— Ovide Lafleur? Quelle coïncidence! Je n'avais encore jamais rencontré un homme blanc aussi dévoué à notre peuple. Il m'a prêté des livres pendant la guerre, Toshan. Sans lui, je n'aurais pas eu le grand bonheur de recueillir ma chère Akali. J'en remercie le Seigneur chaque jour et je prie également pour lui. Il mériterait de se remarier avec une gentille fille de son village.

Le beau Métis étudia les traits impassibles de sa cousine.

— Tu n'as qu'à l'épouser, toi, Madeleine, dit-il d'un air un peu ironique. Ça me rendrait un fier service!

— Mais pourquoi? s'étonna-t-elle.

— Oh! Tu ne devines pas? Comme d'habitude, mon mari a piqué sa crise de jalousie parce que ce pauvre Ovide disait du bien de moi, dit Hermine sur le ton de la plaisanterie. Est-ce ma faute?

— Toshan, Mine a de nombreux admirateurs, dans tout le Québec, dans tout le Canada et ailleurs, observa Madeleine. Ceux qui l'entendent chanter ne peuvent pas l'oublier. Mon cousin, tu n'as pas à te tourmenter, moi, je sais à quel point ta femme t'aime!

Tranquillisé, Toshan attira Hermine près de lui sur la banquette. Elle se blottit contre son épaule, caressante et très douce. Constant se mit à les observer. Soudain, il échappa aux bras de l'Indienne et entreprit d'escalader les genoux de son père.

— Ah, enfin! s'exclama Toshan. Viens là, mon blondinet! Papa va te faire des chatouilles.

Bientôt, l'ambiance fut au beau fixe dans le compartiment. Un peu plus tard, ce fut Madeleine qui proposa d'aller chercher le sac de voyage de son cousin.

— J'en profiterai pour saluer Ovide Lafleur, plaisanta-t-elle.

Hermine lui adressa un bref regard où la nourrice lut une supplique. Elle y répondit d'un battement de cils et sortit. En marchant le long du couloir, puis d'un wagon à l'autre, elle se sentait investie d'une mission sacrée. Il lui revenait de protéger le couple que formaient son cou-sin et Hermine. Elle les affectionnait tous les deux, d'une manière différente, cependant. Pour Toshan, elle avait de l'estime et du respect, et il faisait figure de héros à ses yeux. Quant à sa Mine, c'était sa sœur, son unique amie. Jamais Madeleine ne la jugeait et elle lui pardonnait ses faiblesses de femme, sans imaginer jusqu'où ces faiblesses-là étaient allées. Peut-être aurait-elle été moins compréhensive si elle avait su toute la vérité.

Ovide Lafleur, qui s'était décidé à manger un peu, fut très étonné de la voir entrer dans son compartiment. Il posa vite son livre et se leva.

— Mais c'est Madeleine! Enfin… la charmante Sokanon! s'écria-t-il. Je préfère vous donner votre prénom indien, si cela ne vous dérange pas.

– Vous pouvez, et cela me fait plaisir, répliqua-t-elle avec un très doux sourire. Plus personne ne m'appelle ainsi, monsieur Lafleur.

– Pas de monsieur, je vous en prie, nous sommes de vieux amis, quand même!

Elle approuva d'un petit signe du menton, brusquement intimidée par l'accueil enthousiaste de l'instituteur. Il paraissait prêt à bavarder de bon cœur.

– Et comment va votre chère Akali, votre fille adoptive? ajouta-t-il.

– Très bien. Elle nous attend dans la maison de mon cousin, au bord de la Péribonka, auprès de Charlotte qui avait besoin d'aide.

D'une nature pudique et discrète, Madeleine tut ce qu'elle savait, à savoir que Charlotte était de nouveau enceinte et qu'elle se fatiguait vite.

– Ah oui, Charlotte, la terrible protégée d'Hermine! dit-il sur un ton grave. A-t-elle épousé ce jeune Allemand?

– Je ne crois pas, ou bien selon les rites de notre peuple montagnais.

– Ce genre de mariage n'a aucune valeur juridique.

– Pourquoi donc? protesta l'Indienne. Toute union, devant n'importe quel Dieu ou dans une mairie, a de la valeur par l'engagement commun d'un homme et d'une femme qui s'aiment et veulent fonder une famille. À ce propos, Ovide, je suis en quelque sorte la messagère d'Hermine. Elle se trouve dans ce train, six wagons en avant du convoi, et, en son nom, je vous demande de ne pas provoquer la colère de Toshan.

Ovide Lafleur ouvrit grand ses yeux verts. Il avait l'air froissé.

– Ciel! Je ne dois pas outrager Sa Majesté Toshan Delbeau! ironisa-t-il. Mais enfin, Madeleine, il voyageait seul ici. J'ai cru bon de me présenter et de lui dire que je connaissais son épouse et ses enfants. Certes, j'ai été maladroit et je le déplore; néanmoins, quand on est le mari d'une artiste célèbre, on doit accepter l'admiration qu'elle suscite.

Madeleine eut une moue sceptique. Elle s'empara du sac en cuir de son cousin, rangé dans une étagère métallique.

– Ne vous faites pas plus sot que vous l'êtes! Je sais qu'entre vous et Hermine il n'y a qu'une belle amitié, mais Toshan est un homme excessivement jaloux.

– Je peux le comprendre, soupira Ovide d'un ton résigné. Bien, je me tiendrai à distance, je vous le promets, Madeleine. Ah! Puis-je vous confier cet ouvrage? Je souhaiterais l'offrir à Hermine. Je crois que cela lui plaira beaucoup. Mukki et les jumelles pourront le lire aussi, sans oublier Kiona et Akali. C'est un texte magnifique, que je vous recommande également, *Le Petit Prince*, d'Antoine de Saint-Exupéry. J'ai songé à Laurence en le parcourant, à cause des illustrations. Dessine-t-elle toujours autant?

— Oui, et elle progresse sans cesse, certifia l'Indienne. Hélas, vous n'êtes pas au courant du drame qui frappe la famille?

Elle lui raconta brièvement qu'un incendie avait détruit la belle demeure des Chardin, à Val-Jalbert, en précisant que ce désastre avait précipité leur retour au village. L'instituteur en fut abasourdi.

— Quel affreux coup du sort! s'exclama-t-il. Je ne suis entré que deux fois dans cette maison, mais tout était si beau et d'un tel luxe, d'une telle harmonie!

Il paraissait sincèrement affecté. Touchée par tant de compassion, Madeleine lui adressa un sourire attendri.

— Je vous enverrai des nouvelles, Ovide, une fois là-bas. Vous rentrez à Sainte-Hedwidge?

— Bien sûr, je n'ai pas d'autre port d'attache et, par chance, j'ai enfin obtenu un poste dans une école. Mais je ne vous retiens pas plus longtemps, Madeleine. Et n'oubliez pas le livre… Des phrases sont ancrées en moi, d'une poésie simple, d'une justesse stupéfiante. «On ne voit bien qu'avec le cœur!» C'est ma préférée.

— Merci, je le lirai et je le donnerai à Mine, affirma-t-elle en prenant l'ouvrage.

Elle le salua d'une légère inclinaison de la tête et repartit sans bruit. Ovide suivit des yeux sa silhouette aux formes rondes, dans la sempiternelle robe grise à col blanc qui était sa toilette de prédilection.

Hermine et Toshan, eux, n'avaient pas vu le temps passer. Assis l'un près de l'autre, étroitement enlacés, ils câlinaient leur petit garçon, enchanté d'être l'unique centre d'intérêt de ses parents. Le jeune couple échangeait des regards enflammés. Ils se querellaient aussi vite qu'ils se réconciliaient.

— Il faut dormir, mon chéri. Maman t'a mis en pyjama. Le train va rouler toute la nuit et, demain, tu verras ton frère et tes sœurs.

— G'ande eau, aussi! gazouilla Constant.

La «g'ande eau», pour lui, c'était le lac Saint-Jean, véritable mer intérieure qui éblouissait l'enfant.

— Voilà quelque chose de flatteur, nota Toshan. Mon fils aime le lac de ses ancêtres montagnais.

— Mais oui, renchérit Hermine. Oh! mon amour, j'ai hâte de me retrouver au bord de la Péribonka, cet hiver. Nous serons chez nous, tous réunis. Tu pourras mener la vie qui te convient, atteler les chiens et te promener en traîneau. Moi, je t'attendrai bien au chaud en préparant de la pâte pour les beignes.

— Et le soir, quand tout le monde dormira, nous serons au lit, toi et moi, lui dit-il à voix basse. Je te ferai un autre bébé. En bon Québécois, j'ai envie d'une grande famille.

La jeune femme eut un sourire enjoué en guise d'accord, même si elle ne désirait pas vraiment une nouvelle grossesse dans l'immédiat. «Toshan n'en finit pas de changer, pensa-t-elle. Parfois, il ne veut plus du tout d'enfant, et à présent il ne parle que de ça!»

— Tu es si douce, si belle, quand tu portes un enfant! ajouta alors son mari. Et, mon tableau favori, c'est de te voir donner le sein.

Il l'embrassa sur le front, puis sur les lèvres. Elle perçut son désir et le besoin viscéral qu'il avait depuis la fin de la guerre de la sentir tout à lui, corps et âme.

— L'été ne sera pas long, assura-t-il. Patience, Mine adorée, bientôt je t'emmènerai au fond des bois, et ton public, tes milliers d'admirateurs se languiront du Rossignol des neiges!

Hermine nicha sa joue contre l'épaule de Toshan. Elle avait tant d'amour pour lui!

— Si tu me demandes un jour de renoncer à ma carrière, dit-elle soudain, je le ferai. Plus rien ne doit nous séparer.

Il tressaillit, bouleversé, avant de l'embrasser encore. Madeleine les surprit ainsi. Afin de ne pas troubler la magie de l'instant, l'Indienne s'assit en silence et se garda bien de montrer le livre que lui avait confié Ovide. Elle le glissa discrètement dans son propre sac. Penchés sur leur fils, Toshan et Hermine n'en virent rien.

Cabane à sucre de la famille Marois, même soir

Kiona s'apprêtait à passer une deuxième nuit seule dans la cabane à sucre de Joseph Marois, au cœur de l'érablière. Lors de sa fuite irréfléchie, elle ne savait pas vraiment où se diriger, ni même ce qu'elle comptait faire. Le plus important était d'échapper à la fureur de Laura, de ne plus entendre le flot de haine qui coulait de sa bouche.

— Elle n'avait pas le droit de m'accuser! répétait-elle encore ce soir-là, assise au pied d'un arbre.

L'injustice lui était inadmissible et pesait lourd sur son âme de douze ans. Kiona n'avait jamais été une fillette ordinaire. Dotée d'une intelligence précoce et hors du commun, elle avait dû grandir en acceptant l'omniprésence de ses pouvoirs paranormaux. Combien de fois elle en avait souffert, personne ne pouvait l'imaginer, ni Hermine, ni Toshan, ni son père Jocelyn. Mais sa mère, Tala la louve, la belle et fière Tala, en connaissait la mesure exacte. Tant qu'elle avait vécu, elle avait tenté de protéger sa fille, grâce à des amulettes et aux prières d'un vieux shaman montagnais.

— Je n'ai plus mes pouvoirs. Ce n'est pas ma faute, alors, si je n'ai pas prévu l'incendie, soliloqua Kiona d'une voix assurée, son regard d'ambre fixé sur son cheval qui errait entre les troncs pâles des érables.

Elle n'avait pas à l'attacher. L'animal ne s'éloignait pas, lié à sa maîtresse par un fil invisible, tissé d'amour et de fraternité. Les chiens, les chats, les chevaux, toutes les bêtes lui vouaient tout de suite une affection innée, une confiance entière.

— Maman! Oh! maman, viens me voir! se lamenta la fillette. Pourquoi tu n'es jamais venue?

Kiona leva son beau visage au teint de miel sauvage vers le ciel étoilé. Les morts lui avaient souvent rendu visite, mais pas Tala. C'était un mystère que l'étrange enfant ne parvenait pas à s'expliquer. « Simon Marois m'est apparu. Il était apaisé et souriant, se souvint-elle. J'ai su qu'il allait s'élever vers la lumière. »

Il s'agissait du fils aîné de Joseph Marois, abattu par les SS au camp de Buchenwald. Marqué du triangle rose dont on affublait là-bas les homosexuels, le jeune homme avait été porté disparu pendant la bataille de Dieppe. L'ancien ouvrier ignorait toujours le sort dramatique de son garçon, ainsi que sa vraie nature.

« Betty aussi m'a livré un message, quand Edmond a été si malade, au séminaire. » Avec un léger soupir, Kiona ferma les yeux afin de revoir les traits gracieux de la défunte Élisabeth Marois, surnommée Betty, morte en couches six ans auparavant. « Elle s'inquiétait pour son fils et elle avait raison : Ed a failli succomber à la fièvre qui le rongeait. Mais il a guéri, et il va bientôt être ordonné prêtre. »

Perchée sur une branche voisine, une chouette hulula. Kiona en fut réconfortée, elle qui aimait les oiseaux de nuit.

« Demain, je m'en irai pour de bon, décida-t-elle tout bas. Je rejoindrai les miens, grand-mère Odina et ma tante Aranck. Elles seront bien heureuses de m'accueillir. »

Malgré cette perspective réjouissante, Kiona fit la grimace, une main sur son ventre. Elle ressentait des douleurs bizarres depuis la nuit précédente, et cela ne faisait que s'aggraver. Son cheval, qu'elle avait baptisé Phébus, un mot grec signifiant « celui qui brille » parfois aussi attribué au soleil, se rapprocha d'elle. Jocelyn l'avait aidée à trouver ce nom, un paisible dimanche d'automne.

— Sa robe a la couleur de tes cheveux et sa crinière est presque blonde, disait son père. Je l'ai choisi pour ça. J'étais sûr qu'il te plairait.

Kiona eut un sourire rêveur. S'il y avait une chose dont elle ne doutait pas, c'était l'amour inconditionnel de son père. « Papa sera triste si je n'habite plus avec lui, mais tant pis ! Laura n'avait pas le droit de me traiter comme ça, devant tout le monde. Mine et Toshan vont passer l'hiver dans leur maison de la Péribonka. Je les retrouverai là-bas ! »

Un nouveau spasme l'obligea à se plier en deux. Le cheval lui effleura le front de ses naseaux veloutés.

— Ne te tracasse pas, Phébus, j'ai mal au ventre, mais c'est peut-être parce que je n'ai presque rien mangé.

Elle n'était pas venue par hasard jusqu'à la cabane à sucre des Marois. Joseph les y avait tous invités à la fin de l'hiver et il s'était vanté de toujours laisser sur place de quoi se restaurer. Aussi Kiona avait-elle déniché des biscuits ramollis au fond d'une boîte en fer et un reste de sirop d'érable dans une petite bouteille.

— Ne t'inquiète pas, notifia-t-elle encore. Oh ! non, non…

Un vertige la prenait, tandis qu'un malaise bien connu la terrassait. Cela ressemblait à un début d'évanouissement, le froid et le chaud mêlés à l'impression singulière de s'envoler.

— Mais non, non, je veux pas ! se lamenta-t-elle. Pas de visions, je veux plus !

Ses dons extraordinaires l'avaient laissée en paix durant presque deux années. Hermine et Jocelyn en avaient conclu qu'elle était enfin devenue une enfant comme les autres, tandis que Toshan, lui, attribuait cela à l'équilibre familial et à la fin de la guerre.

— Les premières manifestations de ses pouvoirs ont eu lieu en septembre 1939, avait-il fait remarquer.

Certes, c'était lié à sa rencontre avec Jocelyn, son véritable père. Mais il y avait sûrement aussi dans l'air de la planète, pour une personne comme Kiona, une menace monstrueuse, incommensurable, qu'elle percevait sans comprendre. Petit à petit, après la naissance de Constant qui correspondait au débarquement de Normandie, elle n'avait plus eu de «symptômes».

L'hypothèse avait fini par convaincre Hermine et Jocelyn. Mais, pour l'instant, effarée à l'idée de récupérer ses fameux pouvoirs, Kiona tremblait de tout son corps. Ses paupières se firent lourdes et, contre son gré, elle dut fermer les yeux.

– Non, non! répéta-t-elle.

C'était trop tard. L'étrange enfant aperçut un train qui roulait au sein d'une nuit claire, à travers d'immenses étendues de forêt. En même temps, elle sentit un liquide chaud sourdre entre ses cuisses, qui imbiba aussitôt sa salopette en toile.

– Ah! c'est ça! s'écria-t-elle. Ce n'est que ça! Je savais pas que j'aurais aussi mal…

C'était arrivé à Marie Marois l'année de ses dix ans, un peu avant Noël 1942, et plus récemment à Laurence, au mois de mai. Kiona, bien que tranquillisée, toucha le tissu avec un soupir de dépit. Elle ne pourrait pas voyager dans cet état. Le même malaise la reprit, qui lui arracha un sanglot exaspéré. Cette fois, elle vit nettement sa chère Mine et Toshan dans un des compartiments. Constant dormait, couché sur leurs genoux. «Ils reviennent», se dit-elle.

Dans le train, Hermine tressauta brusquement. Madeleine l'interrogea d'un regard étonné.

– Mon Dieu! s'exclama la jeune chanteuse. J'ai vu Kiona! Je somnolais, et elle m'est apparue. Toshan, Madeleine, elle est en danger. Il y avait du sang sur ses mains!

Roberval, le lendemain matin, lundi 22 juillet 1946

Hermine descendit du train dans un pénible état d'angoisse. Elle avait à peine dormi, obsédée par l'image de Kiona, du sang sur les mains. Sa vision avait aussi fortement affecté Madeleine et son mari, si bien que la fin du voyage avait été des plus moroses.

Il n'y avait aucun visage connu sur le quai de la gare de Roberval; Toshan n'avait pas donné l'heure de son arrivée à Laura.

— Où aller en premier? demanda Hermine en lançant des regards épouvantés aux environs.

Ce retour précipité, imposé par une situation tragique, ne lui procurait aucune joie.

— Le mieux est de nous rendre à l'hôpital, indiqua Toshan. Ta mère peut s'y trouver et ainsi tu pourras t'assurer de la santé de ton père et de Mireille. Ensuite, nous irons à Val-Jalbert voir les enfants.

— Et comment, sans voiture?

— Quelqu'un nous conduira ou bien nous téléphonerons à Onésime. Il viendra nous chercher. Calme-toi, Mine, tout va s'arranger.

Malgré cette affirmation, Toshan était très angoissé au sujet de Kiona. Il avait tant espéré qu'elle soit délivrée de ses dons mystérieux! Si leur demi-sœur avait pu se montrer à Hermine, c'était sans doute significatif. Elle appelait à l'aide. La mine grave, il observa la rue toute proche, en quête d'un taxi. Au même instant, Madeleine poussa un cri:

— Oh! regardez qui vient! C'est Edmond Marois, en soutane.

La nourrice ne s'était pas trompée. Un grand et mince jeune homme vêtu d'une longue robe noire marchait vers eux, son plaisant visage auréolé d'une courte toison blonde et frisée. De tous les enfants Marois, c'était lui qui ressemblait le plus à sa mère, la jolie Betty.

— Ed, mon cher petit Ed! s'écria Hermine. Que je suis heureuse de te revoir! Es-tu au courant, pour la maison de mes parents?

— Hélas, oui, Mine, répondit-il d'une voix douce et limpide. Laura m'a prié de me rendre à la gare pour accueillir Toshan. J'ignorais que tu venais également. J'étais à l'hôpital, au chevet de Mireille. Je suis secrétaire au collège Notre-Dame, ici, à Roberval. Venez, j'ai une automobile... Enfin, on me l'a prêtée.

Edmond Marois souriait, paisible et chaleureux. Hermine lui caressa la joue, attendrie. Elle avait dix ans lors de sa naissance et, par la suite, elle avait souvent veillé sur lui.

— Alors, tu n'as pas renoncé à ta vocation religieuse? s'enquit-elle.

— Pourquoi y renoncerais-je, Mine? rétorqua-t-il. Je serai un bon prêtre, je l'ai promis à ma mère sur son lit de mort, en pensée seulement, mais je suis certain qu'elle a entendu mon serment. De toute façon, mon père n'a pas besoin de moi, il s'est remarié, et Andréa se montre une bonne épouse. Marie l'aime beaucoup. Je t'assure que je serai plus utile en servant Dieu. Je n'ai qu'un regret: j'étais trop jeune pendant la guerre. Sinon, j'aurais désiré être aumônier dans nos troupes.

— Crois-moi, tu n'as rien à regretter, trancha Toshan. Tu as perdu tes deux frères à cause de cette guerre effroyable.

— N'en parlons plus, protesta Hermine. Ed, dis-moi, as-tu rendu visite à mon père ? Je me fais du tourment pour lui.

— Monsieur Jocelyn va bien. Il a quelques brûlures quile font souffrir, mais il a hâte de se lever. Mireille, la pauvre, a subi tout un choc. Elle a une vilaine plaie au front, et ses cheveux ont flambé. Ça la tourmente beaucoup. Et elle s'accuse de négligence sans vouloir en dire plus.

— Seigneur, quel malheur ! s'écria Madeleine. Mais il faut remercier Dieu : personne n'a perdu la vie dans l'incendie.

— Oui, il n'y a pas eu de mort. Ne nous plaignons donc pas ! approuva Toshan.

Tremblante d'émotion, Hermine s'installa dans la voiture. Elle garda le silence durant le trajet, les yeux dans levague. Constant, lui, chantonnait, blotti sur les genoux deson père. Quelques minutes plus tard, ils entraient dans le vaste hall de l'hôpital. Il régnait là une agitation de ruche, assortie d'une rumeur continue, composée des conversa-tions chuchotées des sœurs et des visiteurs, tandis qu'une odeur entêtante d'antiseptique flottait dans l'air tiède.

Madeleine préféra les attendre sur un banc en bois verni près du bureau d'accueil. Edmond, lui, prit congé.

— Courage, Mine ! déclara-t-il. Je dois rentrer au collège. Si je peux, je viendrai faire un tour à Val-Jalbert. Laura m'a dit qu'il faudrait des bonnes volontés pour fouiller les décombres et aussi pour son installation au petit paradis.

— Je te remercie, Edmond, dit-elle. Ta présence nous sera précieuse. Les jours à venir vont être difficiles.

Elle lui adressa un sourire éclatant, digne d'une grande sœur aimante. Mais Toshan l'entraînait déjà vers l'escalier.

— Dépêchons-nous ! gronda-t-il. Je voudrais bien partir à la recherche de Kiona. Je suis incapable de penser à autre chose.

Ils échangèrent un regard consterné. Les caprices du destin avaient fait de la fillette leur demi-sœur à tous les deux. Ils étaient à peine dans la salle que Laura accourut à leur rencontre.

— Mon Dieu, quel soulagement ! Tu es venue, Hermine ! Oh ! ma chérie, si tu savais ! J'ai eu tellement peur ! Bonjour, Toshan, je ne pourrai jamais assez vous remercier d'avoir amené ma fille.

— Je ne l'ai pas vraiment amenée, Laura, elle a pris le train sans mon accord. Enfin, laissons ça. Avez-vous des nouvelles de Kiona?

Laura se troubla avant de baisser la tête d'un air fautif. Hermine, elle, n'eut pas le courage de s'en prendre à sa mère, d'autant moins qu'elle venait d'apercevoir son père dans un lit. Il lui fit signe en agitant la main.

— Je suis désolée! avoua Laura tout bas. J'étais comme une forcenée et j'ai passé mes nerfs sur cette pauvre enfant. Mais ne vous tourmentez pas, Kiona est rentrée à Val-Jalbert, au petit paradis. Mukki a téléphoné tout à l'heure pour me tranquilliser. Elle s'était réfugiée dans la cabane à sucre des Marois.

— Oh! merci, Seigneur! soupira Hermine. Tu m'ôtes un poids énorme du cœur, maman.

— Mais elle est blessée, insista Toshan, peu accommodant.

— Non, pourquoi donc? riposta sa belle-mère. Mukki me l'aurait dit, si c'était le cas. Kiona était affamée, mais rien d'autre.

Le couple put enfin respirer à son aise. Hermine se précipita au chevet de Jocelyn. Il avait une épaule bandée et un pansement sur le front. Elle le trouva vieilli, les traits accablés.

— Mon petit papa, comment te sens-tu? dit-elle tendrement.

— Beaucoup mieux depuis que je te vois, et surtout depuis que j'ai des bonnes nouvelles de Kiona. Je t'en prie, ma fille, arrange-toi pour soustraire ta mère à ma vue, je ne la supporte plus.

Il s'était exprimé à voix basse, mais pas assez bas, cependant. Furieuse et au bord des larmes, Laura joignit les mains dans une attitude exagérée de repentie.

— Joss, combien de temps vas-tu m'en vouloir? se lamenta-t-elle. Dans certains cas, si les nerfs vous trahissent, on dit des choses que l'on ne pense pas, on éprouve de la colère contre le monde entier.

— Ah, vraiment? tonna-t-il. Je ne savais pas qu'une enfant de douze ans représentait le monde entier! Je ne suis pas encore sourd, Laura. Tu n'as pas fait un seul reproche à Louis, le vrai coupable.

Une sœur penchée sur un vieillard de l'autre côté de l'allée centrale se mit à toussoter en lançant des coups d'œil au groupe qu'ils formaient.

— Moins fort, papa! conseilla Hermine. Ce n'est pas le lieu pour régler vos comptes. Quand pourras-tu sortir d'ici?

— Demain matin. Mon cœur ne me joue plus de tour et mes brûlures sont superficielles. Je suis en de bonnes mains. Filez plutôt à Val-Jalbert, avec Laura.

— D'accord. Je rends d'abord visite à Mireille et nous partons réconforter les petits.

— Les petits ! Cesse de les appeler comme ça, Mine ! coupa Toshan. Mukki a l'âge de veiller sur ses sœurs. De plus, il est très débrouillard.

Hermine fit semblant de ne pas entendre, l'esprit assailli par une foule de questions d'ordre pratique. Elle s'aperçut alors de l'accoutrement bizarre de sa mère. L'élégante Laura Chardin portait une robe en cotonnade beige, qui flottait sur ses formes menues, et des chaussures trop grandes pour elle.

— Ne te moque pas ! dit-elle à sa fille. Ce sont des vêtements prêtés par Yvette. Je parie qu'elle a fait exprès de me donner les plus laids. Si tu voyais la combinaison ! Du nylon jauni, une catastrophe ! Mais je n'avais pas le choix. Toutes mes toilettes ont brûlé, ainsi que tous mes bijoux.

Un sanglot sec la fit trembler. Consternée, Hermine l'entoura d'un bras protecteur.

— Nous irons t'acheter de nouvelles tenues, maman. Papa et Mireille sont vivants, les enfants aussi. C'est le plus important.

Toshan les devança dans le couloir après avoir salué son beau-père.

— Je vais téléphoner à Onésime de venir nous chercher, dit-il un peu sèchement. Transmettez mes amitiés à Mireille.

Dès qu'elles furent seules, Laura fixa Hermine avec une expression désemparée.

— Ma chérie, qu'allons-nous devenir, Louis, ton père et moi ? Personne n'est au courant, mais je suis ruinée. Tu m'entends ? Ruinée, pauvre comme Job ! Je n'ai plus un sou, plus rien !

Abasourdie, Hermine comprit à cet instant que leurs ennuis ne faisaient que commencer.

3
JOURS DE PLUIE

Roberval, Hôtel-Dieu, même jour

— Je suis totalement ruinée, Hermine! répéta Laura à voix basse.

La jeune femme dévisagea sa mère afin d'évaluer si elle était vraiment sincère. Ses lèvres tremblantes, son air effaré et son teint livide achevèrent de la convaincre.

— Comment est-ce possible, maman? s'étonna-t-elle.

— Un excès de prudence, ma pauvre chérie, expliqua Laura en lui saisissant le bras. Je t'en prie, garde le secret quelques heures. Ton père n'en sait encore rien, ni Mireille. La malheureuse, dans son état, ce serait pour elle un choc terrible. Je ne peux plus l'employer, comprends-tu! Je reviens à la case départ, oui, à mon âge! Je me retrouve telle que j'étais à vingt ans, une pauvre petite émigrante sans un sou en poche.

Tout en se lamentant, Laura accompagnait sa fille vers la salle où était soignée la gouvernante.

— C'est à cause de la guerre, Hermine. J'aurais dû faire confiance à mon banquier, mais je ne l'ai pas fait. Non, j'ai pris peur, j'ai imaginé le pire, les Allemands dans Roberval, nos biens sous scellés ou réquisitionnés… Et puis, j'ai fait aussi de désastreux placements, conseillée par un homme de loi, à Montréal.

— Maman, tu n'as pas pu tout perdre. Il y a l'usine de Montréal et cette vaste maison que tu louais à ton régisseur.

Laura, livide, darda ses prunelles d'un bleu limpide sur Hermine. Enfin, elle déclara dans un souffle:

— Je vous ai menti à tous depuis des années. J'avais vendu l'usine et la maison, pour conserver notre train de vie et pouvoir dépenser sans compter. Tu me connais, j'aimais tant aller à Chicoutimi où il y a de si beaux magasins et acheter, acheter… Et n'oublie pas toutes les améliorations, à Val-Jalbert, un chauffage central moderne, plusieurs salles de bain, et j'en passe.

La jeune chanteuse ne sut que répondre. Elle se sentait fautive, maintenant.

— Nous t'avons également coûté beaucoup d'argent, Toshan et moi, avoua-t-elle. Tu as fait l'acquisition de l'appartement de la rue Sainte-Anne, à Québec, tu as financé mon voyage en France, pendant la guerre… Je suis désolée, maman, quand je pense à toutes les robes splendides que tu m'offrais dès que je devais mener une vie mondaine.

Laura eut un geste de la main comme pour effacer les paroles de sa fille. Elle lui désigna du menton la porte qu'une infirmière venait d'ouvrir.

— Ne te tourmente pas, chérie. Viens plutôt réconforter notre Mireille. Elle qui rêvait de revoir son Tadoussac natal, elle va être servie.

Hermine la retint par le coude. Quelque chose l'intriguait.

— Mais tu as quand même laissé des capitaux en banque, maman? insista-t-elle.

— Non! Oh! un montant bien modeste! Ma fortune, ou plutôt ce qu'il en restait, a été dévorée par les flammes.

— Je t'aiderai, décida la jeune femme. Ne t'inquiète pas!

— Tu vas accepter cette proposition de film à Hollywood, alors? interrogea Laura, transfigurée.

— Je n'ai plus le choix. Pour être sincère, j'avais la ferme intention de refuser, car cela m'empêchait de passer l'hiver dans notre maison de la Péribonka. Mais il n'est plus question de rejeter un contrat aussi faramineux.

— Merci, ma chérie, merci!

Sa mère avait les larmes aux yeux. Elle respira profondément avant d'entrer dans la salle et de marcher d'un pas plus assuré vers le lit de Mireille. Hermine la suivit.

— Oh! ma petite Mimine! s'écria la gouvernante. C'est fin de me visiter! Doux Jésus, on va avoir ben des problèmes, astheure.

Mireille était presque méconnaissable, avec sa tête bandée et son visage rubicond enduit de pommade. Ses paupières étaient très boursouflées, et ses lèvres, d'une étrange couleur mauve.

— Quel malheur, mon Dieu, quel grand malheur! geignit-elle encore. Je ne fais que pleurer. Toutes les belles choses de madame, parties en fumée!

Bouleversée par la détresse de cette femme qu'elle chérissait à l'égal d'une grand-mère, Hermine lui caressa la main.

— Tu es vivante, ma chère Mireille, c'est le principal. Et mon père aussi. Nous devons nous répéter ça : il n'y a pas eu de victimes. La famille va s'installer au petit paradis et peu à peu les choses s'arrangeront.

— C'est que je serai pas sur pattes avant un moment, soupira la gouvernante. Moi qui n'aime pas rester inactive ! Et mes disques de La Bolduc, ils sont fondus, astheure…

Debout de l'autre côté du lit, Laura ne disait rien, la mine préoccupée. Elle écouta un temps les lamentations de la sexagénaire, puis elle y coupa court.

— Profites-en pour te reposer, Mireille. De toute façon, il est temps que tu prennes ta retraite. Autant te le dire aujourd'hui, je ne peux plus te fournir de travail. Tu pourras rentrer à Tadoussac d'ici une semaine.

— Maman ! s'indigna Hermine. Ne sois pas si affirmative !

Le mal était fait. La gouvernante tenta de se redresser, mais elle resta allongée, la bouche crispée sur des sanglots à venir.

— Comment ça, madame, rentrer à Tadoussac ? Qu'est-ce que vous racontez là ? J'ai plus rien qui m'attire là-bas, moé ! Votre famille, c'est ma famille, et les petits, je les aime de tout mon cœur, comme si c'étaient les miens. Je les ai tous vus grandir !

— Je n'aurai pas de quoi te payer, ma pauvre Mireille, fit remarquer sèchement Laura.

Il y avait trois autres malades dans la salle. Une sœur leur prodiguait des soins. La religieuse jeta un coup d'œil réprobateur à cette femme qui parlait si fort et d'un ton si inflexible.

— Mireille, dit tout bas Hermine, ma mère a les nerfs à vif ; il vaut mieux que je l'amène prendre l'air. Tu ne nous quitteras pas, je te le promets. Nous réglerons certains problèmes plus tard, quand le calme sera revenu. Ce n'est ni le lieu ni l'instant d'étaler nos déboires et nos projets. Surtout, repose-toi.

— Merci, ma petite Mimine, bredouilla la domestique d'une voix vacillante. Tu es si douce, si généreuse !

Hermine lui adressa un sourire affectueux. Elle s'empressa ensuite de pousser sa mère dans le couloir. Une sourde colère s'emparait d'elle, qu'elle réussit à maîtriser le temps de s'éloigner. Mais, une fois dans l'escalier, elle explosa.

— Pourquoi es-tu aussi impitoyable, maman ? Tu oses tourmenter Mireille devant moi, alors qu'elle souffre physiquement et moralement. Je t'ai ménagée jusqu'à présent, par compassion, pour ne pas t'accabler, car j'estimais que tu l'étais bien assez. Tu n'as pas le droit d'être aussi odieuse. Mon Dieu! ça ne te suffit pas d'avoir poussé Kiona à s'enfuir de Val-Jalbert? Papa ne te supporte plus, il l'a dit tout à l'heure!

— J'étais bien obligée de prévenir Mireille! Ne mélange pas tout, ce n'est qu'une domestique, en fait. Quant à Kiona, je suis navrée, mais elle n'arrêtait pas de répéter qu'elle était désolée. Cela ressemblait à un aveu, oui ou non? Si tu avais été là, Hermine, pendant cette nuit de cauchemar, tu te montrerais plus bienveillante. Tu ne sais pas tout. Il faut que je t'explique ce qui s'est passé.

Hermine lui fit signe de se taire. Elle dévala les marches. Elle avait hâte de se retrouver dehors, au soleil, et de sentir sur sa peau le vent frais des montagnes, celui-là même qui faisait scintiller le lac Saint-Jean de milliers de vaguelettes argentées. En sortant, elle fut soulagée d'apercevoir Toshan et Onésime, près de la luxueuse automobile noire des Chardin. Madeleine promenait Constant par la main, à quelques mètres des deux hommes.

— Ma chérie, dit Laura, ne pourrions-nous pas prendre dix minutes pour aller m'acheter une robe décente? Il me faut des chaussures aussi et un peu de lingerie.

— Cela attendra demain, maman, trancha sa fille. Je désire être auprès de mes enfants et de Kiona. Nous aurons du ménage et du déblaiement à faire. Inutile de porter des vêtements neufs.

Les dents serrées, l'orgueilleuse Laura approuva sans un mot. Elle était dorénavant à la merci de sa fille et de son gendre, et la perspective n'était guère réjouissante. «Je ne redeviendrai jamais une pauvresse, se promit-elle, furibonde, le cœur brisé par l'adversité. Je vais leur prouver à tous que j'ai du cran, que je ne me laisse pas abattre. J'y mettrai le temps nécessaire, mais on ne fera pas de moi une madame Tout-le-Monde!»

Forte de cette détermination, elle s'installa sur la banquette arrière. Madeleine prit place à ses côtés.

— Embrasse ta grand-mère, Constant, elle a un gros chagrin, souffla la nourrice à l'enfant.

Hermine prit place sur le siège avant, entre Toshan et leur chauffeur.

— Bonjour, madame Chardin! tonitrua Onésime Lapointe en prenant le volant. Bonjour, mesdames!

Le colosse à la tignasse rousse venait de manifester son respect pour Laura en la saluant la première et par son nom. Elle en éprouva un absurde réconfort.

— Bonjour, mon brave Onésime! répondit-elle. Je n'ai pas pu vous remercier pour votre aide, le soir de l'incendie, mais je le fais ce matin. C'est rare d'avoir de bons voisins comme vous et votre épouse. Sans Yvette, je serais partie à l'hôpital en chemise de nuit!

— Faut ben s'entraider quand le malheur frappe, répliqua-t-il d'un ton solennel en retenant un juron de justesse, car il savait que Laura Chardin ne les appréciait pas.

Après ce court dialogue, le trajet jusqu'à Val-Jalbert se fit dans le silence. Hermine était incapable de dire un mot. Elle avait mal au cœur de chagrin, d'exaspération et d'appréhension.

«Je ne peux plus reculer maintenant, pensait-elle. Maman a besoin de moi. Je dois faire ce film. Mais cela signifie passer l'hiver en Californie, loin des enfants et de Toshan, alors que cette nuit je lui affirmais que nous serions plusieurs mois ensemble, dans notre maison. Il ne comprendra pas pourquoi je délaisse encore une fois notre couple et notre famille. Il sera furieux et, même s'il le voulait, il ne pourra pas m'accompagner. »

Elle en aurait pleuré d'angoisse. Les flammes n'avaient pas seulement détruit la belle demeure de ses parents, mais aussi toute une organisation où chacun trouvait son avantage. «C'était tellement rassurant de savoir Mukki et les jumelles ici, quand je m'absentais! Ils se sentaient chez eux, protégés et libres à la fois. Que je suis sotte! Je ne me suis jamais posé de questions sur l'immense générosité de maman. Elle dilapidait sa fortune pour nous, pour mon confort, pour ma tranquillité d'esprit, et moi, je viens de la priver d'un petit plaisir, une nouvelle robe et un peu de lingerie… Je n'ai vraiment plus le choix. J'annoncerai ma décision à Toshan le plus vite possible et, dès le mois de novembre, je serai à Hollywood. Ce sont deux univers différents. L'industrie du cinéma se développe à une vitesse prodigieuse depuis la fin de la guerre. Ils ont des moyens que n'ont pas les directeurs de théâtre, et pourtant je gagne bien ma vie. »

Hermine tenta de se projeter dans ce monde-là, en Californie, une région où le soleil brillait toute l'année et où les grands froids propres au Canada ne sévissaient jamais. Cela lui semblait aussi insolite que le fait d'avoir été choisie pour un film. Elle était née au Lac-Saint-Jean. Ses premiers pas s'étaient inscrits sur un tapis de neige, et la perspective d'un hiver au soleil la déroutait totalement.

« Dans le contrat provisoire que j'ai reçu, on me parle de cours de danse intensifs, des claquettes surtout. Madeleine viendra avec moi, sinon je serai trop malheureuse. Et je ne veux pas me séparer de Constant. Il est si petit encore ! »

Il fallut un coup de klaxon pour la ramener sur terre. Ils étaient arrivés à Val-Jalbert ; la voiture passait déjà devant le couvent-école.

— Mon Dieu, quelle malédiction ! gémit Laura. Je ne suis pas revenue depuis le soir de l'incendie. Regardez, d'habitude, on voit la maison d'ici, le jardin, notre belle toiture à plusieurs pans en bardeaux d'asphalte verts, notre terrasse couverte… Oh non ! c'est trop dur, Hermine ! Tu as vu ces murs noircis, ces décombres ?

— Mais enfin, Onésime, objecta Toshan, il fallait nous conduire d'abord au petit paradis !

— J'en savais rien, moé ! Y avait qu'à demander ! grogna-t-il. Personne parlait, dans l'auto, personne n'a dit son avis. J'ai plus qu'à faire demi-tour.

Laura sanglotait, le visage caché entre ses mains. Pleine de compassion, Madeleine lui tapota l'épaule.

— Ma pauvre maman ! s'écria Hermine. Je t'en prie, ne pleure pas. Tu es vivante, les enfants aussi et papa. Je sais bien que c'est terrible de perdre tout ce qu'on possédait, mais, au fond, ce sont des dégâts matériels, rien d'autre.

— Mine dit vrai, renchérit Toshan. Si quelqu'un était mort cette nuit-là, il y aurait de quoi s'abandonner au désespoir. N'oubliez pas, Laura, que des millions de gens ont été anéantis dans les camps de concentration, et combien d'autres ruinés, spoliés, condamnés à l'exil ! Ce n'est guère convenable de votre part de vous lamenter ainsi. Vous reconstruirez et vous vous amuserez bien en rachetant de quoi meubler et décorer votre nouvelle maison.

— C'est pas drôle quand même, déclara Onésime Lapointe, parce que madame Laura pourra pas reconstruire icitte, asteure. Paraît qu'ils vont fermer le village. Y aura un gardien pour empêcher les curieux d'entrer. Faudra peut-être ben que je fiche le camp moi aussi, ou alors que je loge au bord de la route régionale, dans le petit Val-Jalbert, comme dit monsieur le maire.

— En êtes-vous sûr ? s'étonna Hermine.

Laura coupa court à ce début de conversation avec un cri de rage. Les propos de son gendre l'avaient indignée. Elle se mit à hurler, ulcérée et démoralisée.

— J'en ai assez! Assez! Je n'entends que ça depuis hier matin. C'est insoutenable! Remerciez Dieu, madame Chardin, d'avoir encore votre mari et votre fils. Ce n'est pas si dramatique, madame Chardin, vous avez de l'argent de côté, et j'en passe! Je le sais, monsieur mon gendre, qu'il n'y a pas eu de morts, et pour ça, oui, j'ai remercié Dieu à genoux, seule dans la chapelle de l'hôpital. Mais je juge que j'ai le droit de pleurer sur la perte de tous mes souvenirs, des objets que je chérissais, des albums de photographies aussi, de ma collection de disques, de tous nos livres et d'un ou deux bijoux sans grande valeur que j'avais réussi à conserver précieusement, parce qu'ils étaient tout ce qui me restait d'une de mes grands-mères flamandes. Et j'ajouterai aussi, monsieur le moralisateur, que vos enfants ont grandi dans cette maison, que j'ai veillé à leur éducation pendant que vous faisiez le héros en France ou le joli cœur…, à vous de choisir! J'aimerais vous y voir, si votre bâtisse en planches au fond de vos maudits bois avait brûlé et qu'en arrivant là-bas vous ne trouviez plus qu'un tas de cendres. Ma belle demeure, comme tout le monde la surnommait, je pensais y vivre encore longtemps, avec Joss, avec Louis et, bien souvent, avec vos enfants. Alors, je m'accorde le droit de pleurer au moins une journée, de me lamenter, mais je n'en suis pas moins terrifiée par les atrocités commises par les nazis. Durant toute la guerre, j'ai envoyé des dons à la Croix-Rouge et j'ai prié pour que la paix revienne!

Laura se tut, à bout de souffle, magnifique de colère. Toshan se retourna pour la regarder bien en face.

— Je suis désolé, dit-il simplement. Je l'avoue, j'ai été un peu rude.

Onésime se gara à une soixantaine de mètres du petit paradis, la modeste propriété de sa jeune sœur Charlotte. Tout de suite, Mukki apparut sur le perron. L'adolescent dévala les trois marches en bois, un large sourire aux lèvres. Hermine, à peine descendue de la voiture, se précipita vers lui.

— Maman! Oh! maman, tu es venue! se réjouit-il.

Laurence et Marie-Nuttah sortirent à leur tour et coururent à la rencontre de leur mère, rejoignant vite Mukki.

— Mes chéris, comme c'est bon de vous revoir! dit-elle tout bas en les attirant tous les trois dans ses bras.

Son fils aîné la dépassait de quelques centimètres. Elle le constata et en conçut une étrange tristesse.

– Tu deviens un homme, observa-t-elle en le dévisageant avec un air désorienté. Et déterminé, sérieux!

– Un peu trop sérieux, déclara la fantasque Marie-Nuttah, à l'âme rebelle. Mukki nous commande sans arrêt. Il exige l'obéissance absolue.

– Mais c'est un excellent cuistot, précisa la douce Laurence, dont les yeux brillaient de larmes contenues. Maman, c'est épouvantable, n'est-ce pas?

Hermine comprit ce qui tourmentait sa fille. À douzeans et demi, Laurence avait exécuté une quantité impressionnante de dessins, d'esquisses, de croquis et d'aquarelles. Tout était détruit.

– J'espère que nous allons partir très vite au bord de la Péribonka, reprit Marie-Nuttah en tendant les bras à son père qui approchait. Nous serons mieux là-bas.

Toshan la serra contre lui. Il cachait mal son émotion.

– Nous verrons! rétorqua-t-il. L'important, c'est d'être tous réunis. Viens un peu là, Mukki! On pourra bientôt mesurer nos forces, dis-moi; tu as pris des muscles!

Comme son épouse, le Métis savourait la joie infinie de ces retrouvailles. Il aimait ses enfants de tout son cœur, et ils le lui rendaient bien, même s'il n'avait pas été un père très présent.

– J'ai préparé du café, annonça Mukki. Et Marie-Nuttah a confectionné un gâteau aux bleuets. Il y avait des conserves au sirop dans la réserve.

Très pâle, Laura s'avançait à pas lents. Elle considéra d'un air accablé la maison où il lui fallait s'installer.

– Où est Louis? s'alarma-t-elle soudain. Il aurait pu venir m'embrasser!

– Il ne quitte pas Kiona, grand-mère, répliqua Laurence. Elle est toujours couchée. Ils jouent aux cartes. Je vais monter le chercher.

– Non, ce n'est pas la peine, ma chérie, soupira Laura. Je les ai apeurés, ces pauvres enfants. Mais j'avais une sorte de crise de nerfs et je ne pouvais plus me maîtriser. Je boirai volontiers un café.

– Nous aussi, annoncèrent Hermine et Toshan en chœur, ce qui les fit sourire.

– Venez, monsieur Onésime, le convia aimablement Madeleine.

Leur voisin demeura à l'écart, le dos appuyé à la voiture.

— Non, faudrait me payer cher pour que j'mette les pieds dans c'te baraque, torrieux! Je marcherai pas là où un Boche a marché! clama-t-il d'un air hargneux.

— Ce Boche, comme vous dites, est quasiment votre beau-frère, mon vieux! ironisa Toshan.

— Ah ça, ma sœur pourrait l'épouser cent fois, son fritz, il sera jamais mon beau-frère, parole d'Onésime. Y fera jamais partie de la famille et, moé, j'ai juré sur la tête de mes enfants que je passerai jamais cette porte. Dites, vous avez la mémoire courte! Quand on sait ce qu'ils ont fait, les Boches, on va pas leur dérouler le tapis rouge!

— Vous mélangez tout, Onésime, déplora Hermine. Ludwig, lui, n'est responsable de rien. Il a été fait prisonnier dès le début de la guerre, alors qu'il n'avait que vingt ans. On l'a expédié dans un camp. Vous serez bien obligé de le considérer autrement. Charlotte et lui ont une petite fille ravissante, et un deuxième bébé est en route.

Le colosse roux cracha sur le sol, puis il salua la compagnie.

— Le café, je le boirai chez nous, ou icitte, dehors!

Il y eut un moment de silence. La réaction de cet homme, simple et honnête citoyen québécois, reflétait celle de millions d'autres gens sur terre. Le long et sanglant conflit était terminé, mais il avait endeuillé la planète et, en cette année 1946, les monstruosités révélées par la presse étaient dans tous les esprits. Des camps de la mort établis par Hitler et ses SS aux dévastations causées par les bombes atomiques lâchées sur le Japon, le monde entier devait panser ses plaies, et la haine envers l'ancien ennemi était loin de s'éteindre.

— Charlotte, elle a déshonoré le nom des Lapointe, j'en dirai pas plus, à cause des oreilles innocentes, ajouta-t-il en désignant d'un mouvement de menton Mukki et ses sœurs qui l'avaient écouté, impassibles.

— Je vous apporte tout de suite du café, Onésime, assura Laura. Je préfère ne pas donner mon avis sur la question.

Cela sous-entendait qu'elle partageait son opinion, ce qui n'était un secret pour personne. Après cet intermède patriotique, Hermine put s'asseoir au frais, dans la cuisine. Le ménage laissait à désirer. Cependant, le gâteau aux bleuets, nappé de confiture et posé au milieu de la table, avait un bel aspect. Le café embaumait la pièce. La jeune femme se sentait apaisée, tout à son bonheur de contempler ses enfants. Depuis la naissance de Constant, elle les appelait parfois ses grands enfants, ce qui les amusait. Au moment de soulever sa tasse, elle vit distinctement Kiona, la mine chagrinée. Pourtant, la fillette était dans une chambre à l'étage.

— Et moi ? interrogea-t-elle d'une voix plaintive. Tu m'oublies, Mine ?

— Oh non, je pense à toi, Kiona !

Son mari, Madeleine et Mukki la regardèrent, médusés. Laurence et Marie-Nuttah, elles, échangèrent un clin d'œil complice.

— Kiona est dans une des chambres, maman, indiqua Mukki.

— Ah oui ! Où avais-je la tête, Seigneur ! Je me faisais le reproche de ne pas être montée d'abord lui rendre visite. Et j'ai parlé un peu fort. Je me demande comment j'ai pu m'asseoir, alors que je devais aller la voir en tout premier lieu.

Ses explications embrouillées ne trompèrent pas grand monde. Laura leva les yeux au ciel pour bougonner.

— à ce que je vois, il y en a une qui a retrouvé ses fameux pouvoirs, maugréa-t-elle. Il ne manquait plus que ça !

Mais Hermine n'y prit pas garde. Elle était déjà au milieu de l'escalier. Sur le palier, elle croisa Louis.

— Je descends dire bonjour à ma mère, déclara gravement le garçon. Kiona veut être seule avec toi.

— Bonjour, Louis ! Tu es gentil !

Elle embrassa son frère. Louis Chardin restait de petite taille malgré ses douze ans, qui avaient été fêtés en grande pompe par Laura au mois de juin. L'adolescent avait même eu droit à un feu d'artifice, tiré sur l'esplanade de la pulperie. C'était un enfant gracieux, aux traits fins et aux yeux très clairs. Des cheveux châtains, légers et raides, lui effleuraient la nuque.

— Courage, tout s'arrangera, lui dit tendrement Hermine à l'oreille.

Sur ces mots, elle pénétra dans la chambre dont la porte était restée entrebâillée, comme pour lui désigner la bonne pièce. Kiona lui adressa un regard préoccupé avant de sourire sans gaîté.

— Mine ? Est-ce que tu m'aimes encore ?

— Mais bien sûr, ma chérie !

— Est-ce que tu penses que j'ai mis le feu à la maison de mon père, toi aussi ?

— Kiona, ma mère t'a accusée dans un instant d'effroi et de folie, parce qu'elle ne se maîtrisait plus ! Toshan et moi, nous savons que tu es innocente. Papa n'en doute pas non plus.

— Si seulement j'avais pu prévoir l'incendie! gémit la fillette. Je n'ai rien deviné, Mine, rien, et maintenant c'est revenu.

Hermine s'assit au bord du lit et étreignit dans les siennes les mains de Kiona.

— Hélas, je crois bien que tu as raison, car je t'ai vue il y a quelques minutes dans la cuisine, alors que tu étais ici. Pourquoi? C'est peut-être dû à trop d'émotions. Tu t'es enfuie, ma pauvre chérie, en pleine nuit, victime du délire de ma mère.

L'étrange enfant baissa la tête, l'air désorienté. Elle poussa un bref soupir avant d'avouer ce qui la troublait:

— La chose m'est arrivée, hier soir, quand j'étais à la cabane à sucre des Marois. Je perds du sang, Mine... J'avais très mal au ventre et ça me faisait peur. Ensuite j'ai compris que j'étais indisposée, comme Laurence au mois de mai.

— Et ce sera bientôt le tour de Marie-Nuttah, assura Hermine qui comprenait enfin le sens de sa vision. Je t'ai aperçue deux secondes dans le train. Tu avais du sang sur les mains, et j'ai eu horriblement peur. Ce n'était que ça! Ma chérie, dire que tu étais seule pour affronter ce petit événement. As-tu encore des douleurs? Est-ce que tu as le nécessaire? Laurence avait des bandes de tissu neuves que je lui avais achetées.

— Tout a brûlé, Mine! J'en ai parlé à Laurence. Elle est allée chez Yvette chercher ce qu'il fallait.

Émue, Hermine attira Kiona dans ses bras et lui caressa les cheveux.

— Tu deviens une grande fille, constata-t-elle. Cette transformation de notre corps fait de nous des femmes, de futures mamans aussi. Mais ce n'est pas une maladie. Alors, tu devrais vite te lever et descendre avec nous. Toshan sera si heureux de te voir en forme! Nous avons redouté le pire, tous les deux.

— Je préfère rester ici et me reposer, mentit Kiona.

— Je parie que tu n'as pas envie de te retrouver en face de ma mère, pouffa Hermine.

On frappa discrètement à la porte.

— C'est Madeleine!

— Entre! cria Kiona, rassérénée.

La nourrice s'approcha du lit en souriant. Elle expliqua tout bas que Laurence l'avait mise au courant de la situation.

— Tu as raison de t'isoler un peu, approuva Madeleine. Cela se pratiquait jadis dans bien des tribus indiennes. Les jeunes filles devaient se retirer et attendre la fin de leur petit souci, loin de tous. Les hommes construisaient un tipi ou une hutte à cet usage. Je t'ai apporté de la lecture de la part de monsieur Lafleur. Tu te souviens de lui?

— Oh oui, je ne l'oublierai jamais! s'enfiévra Kiona. Il a aidé Mine à nous sortir de cet ignoble endroit, le pensionnat!

— Je l'ai rencontré dans le train, hier soir, expliqua l'Indienne. Et il m'a remis ce livre pour vous tous. Il y a de très jolis dessins à l'intérieur. Regarde!

Kiona s'empara de l'ouvrage avec délicatesse. Elle lut tout haut:

— *Le Petit Prince*! Antoine de Saint-Exupéry! Tu crois que c'est lui, le petit prince, ce garçon aux cheveux blonds sur la couverture?

— Oui, c'est lui. J'ai lu ce texte pendant le voyage et j'en ai pleuré de joie et de tristesse. C'est sublime, Kiona.

— Merci, Madeleine! J'écrirai une lettre de remerciement à Ovide Lafleur, moi aussi.

— Toi aussi? s'étonna Hermine.

— Laurence lui a écrit le mois dernier pour le remercier; il nous avait envoyé une carte postale de Paris. Elle a mis son adresse de Sainte-Hedwidge, comme lui.

La jeune femme éprouva une curieuse sensation. L'instituteur avait été un ami précieux. Elle regrettait un peu de ne pas avoir pu dialoguer avec lui dans le train, comme Madeleine qui avait dû cacher le livre afin de ne pas irriter Toshan.

— Eh bien, nous te laissons lire, ma chérie, dit-elle en se levant. Tu accepteras la visite de Toshan?

— Il peut monter, mais ne lui dites pas ce que j'ai, supplia la fillette. C'est un peu embarrassant.

— Ne te fais pas de souci, Kiona, la rassura Hermine.

— Oh si, je m'inquiète! J'ai peur, je n'ai pas envie d'avoir encore des visions et des malaises, de me sentir toute bizarre quand mon esprit sort de mon corps. Il faut me guérir, Mine!

— Il se peut que ce soit à cause de ton indisposition que tes dons se manifestent à nouveau, fit remarquer Madeleine. Nous irons chez grand-mère Odina. Elle est savante; elle connaît les plantes et le secret des amulettes. N'aie pas peur, tu seras protégée.

Les deux femmes sortirent en lui adressant de la main un signe de complicité et de réconfort. Une fois seule, Kiona effleura d'un doigt respectueux la couverture du livre. Aussitôt, elle vit un avion de taille modeste qui s'écrasait dans une mer très bleue. Il y avait un homme à bord qui portait des lunettes. Elle sut qu'il était mort et cela l'affecta beaucoup tout en lui faisant penser à son père Jocelyn.

— Non, non! se lamenta-t-elle. Non!

Un vertige la terrassait, pendant que son cœur se mettait à battre la chamade. Ses yeux d'ambre se fermèrent contre sa volonté et, peu de temps après, elle découvrit Jocelyn, allongé sur un lit d'hôpital. Il dormait, une main posée sur sa poitrine.

«Papa, reviens vite! songea-t-elle. Je suis si heureuse que tu sois vivant!» Trois secondes plus tard, la fillette battit des paupières et put observer le décor familier de la chambre.

— Je n'y pourrai jamais rien, déclara-t-elle d'un ton impétueux. Tant pis!

Et elle commença sa lecture du *Petit Prince*.

Val-Jalbert, même jour, quatre heures plus tard

Escortée par Mukki, Joseph Marois, Hermine et Toshan, Laura marchait droit vers les vestiges noircis de sa maison. C'était en milieu d'après-midi. Le vent du lac avait poussé sur le village un manteau nuageux dense, d'un gris opaque.

— On dirait que ça fume encore! observa leur voisin.

— Sans doute, approuva Toshan. Un brasier aussi gigantesque, ça ne s'éteint pas si vite! Franchement, Laura, vous tenez vraiment à fouiller ce tas de cendres? Vous ne retrouverez rien, il ne faut pas rêver.

— Je crois aux miracles, mon gendre. Peut-être que certains bijoux ont résisté?

— Cela me semble improbable, maman, dit doucement Hermine. Tu vas surtout te rendre encore plus malheureuse en constatant les dégâts. As-tu prévenu ta compagnie d'assurances au moins?

— Les diamants, une des pierres les plus dures et les plus chères, brûlent dès 500 degrés, dit Toshan. Vos bijoux étaient assurés, eux aussi?

— De quoi me parlez-vous? demanda Laura d'un air interloqué. Je n'avais pas souscrit d'assurance cette année, une imprudence regrettable. Je trouvais le prix exigé trop important. Et je pensais être à l'abri d'un tel désastre.

– Quand on est aussi fortuné que vous, il ne faut pourtant pas négliger ce genre de choses, dit Joseph Marois d'un ton sentencieux. Il y a de quoi se retrouver sur la paille, torrieux!

Laura haussa les épaules. Elle avait l'impression de sombrer au fond d'un gouffre qui l'engloutirait. Aussi garda-t-elle le silence, de crainte d'éclater en sanglots.

Mukki pénétra le premier dans ce qui était, deux jours avant, le vestibule. Il dut pour cela franchir un amoncellement de débris divers.

– Fais attention à toi! s'écria Hermine. Oh! maman, à quoi bon fouiller ce champ de décombres? Qu'espères-tu? En plus, Mukki peut se blesser.

– J'aimerais comprendre ce qui s'est vraiment passé, répondit sa mère d'une voix agonisante. Quand Kiona est montée nous prévenir, ton père ne dormait pas. Dès qu'il est descendu, il a vu le rez-de-chaussée déjà ravagé par les flammes. Mais comment un tel incendie a-t-il pu se déclarer? Pourquoi?

– Et vous, Laura, pourquoi ne vous êtes-vous pas réveillée à ce moment-là? dit Toshan, sidéré.

– Je prends des cachets pour dormir, confessa sa belle-mère. J'ai pris l'habitude pendant les années de guerre, car je souffrais la nuit de crises d'angoisse. Le docteur de Roberval m'a prescrit des somnifères, et Mireille en absorbait aussi, parfois.

– Quelle idiotie! s'indigna Hermine. Je ne croyais vraiment pas que Mireille prenait des médicaments. Ce serait plus sain de boire des infusions de bois blanc ou de camomille. Mukki s'est mis en danger en essayant de te réveiller; il me l'a dit.

– Une chose est sûre, continua Laura sans tenir compte des critiques de sa fille, quand Joss est descendu, il y avait déjà le feu partout. Là, il n'a pas su quoi faire. Le téléphone ne fonctionnait plus. Il n'a eu qu'une priorité: sauver les enfants. Il les a fait sortir par l'arrière-cuisine. Tout est allé si vite, comme une tempête, ou plutôt une tornade!

Joseph Marois fit la moue, en bon champion de la suspicion. Selon l'ancien ouvrier, il fallait se méfier de tout et de tout le monde. Toshan fut plus péremptoire.

– C'est impossible! Louis vous a menti. Il a dû allumer un feu quelque part.

– Louis? s'égosilla Laura. Mon fils n'est pas un nigaud, quand même!

— Tiens, voilà de la visite! bougonna alors Joseph. Qui c'est ça? Un curieux?

Hermine se retourna pour dévisager le visiteur. Elle devint tout de suite écarlate en reconnaissant Ovide Lafleur. Il arborait un chapeau de paille à ruban noir et portait un costume de toile beige. Il leva un peu la main en guise de salutations. Toshan le reconnut aussi rapidement que son épouse, dont il remarqua aussi la rougeur soudaine.

— C'est pas vrai! pesta-t-il entre ses dents.

— Monsieur Lafleur! s'exclama Laura. Que faites-vous ici?

— Bonjour, madame Chardin, bonjour à tous! répliqua Ovide avec un sourire poli. Je voyageais dans le même train que votre fille et Madeleine. J'ai su ce qui vous était arrivé et je venais vous offrir mon aide, si nécessaire. Les incendies sont la grande plaie de notre pays... enfin, surtout l'hiver. Inutile de citer la liste des établissements ravagés par les flammes, que ce soit à Roberval, à Montréal ou à Québec. Les pompiers ont rarement le temps ou les moyens d'éviter le pire.

— Nous en sommes la preuve, monsieur, trancha Laura. Mais, autant être franche, votre visite est malvenue. Mon époux est hospitalisé, ainsi que ma domestique. Je suis très abattue et je préfère rester en famille. Ceci n'est pas pour vous, Joseph; nous vous considérons comme un parent, vous le savez!

Durant ce petit discours, Toshan considérait l'instituteur d'un œil noir. En homme accoutumé à jauger les gens, il avait conscience du charme qui émanait d'Ovide. Il le devinait à juste titre instruit et intelligent, ce que révélaient aussi la vivacité de son élocution et l'éclat de son regard d'un vert intense.

— C'était une prévenante intention, Ovide, dit alors Hermine en renonçant à lui donner du monsieur. Vous êtes si serviable, votre démarche ne me surprend pas. Hélas, nous sommes tous ébranlés. Maman dit la vérité: il vaut mieux nous laisser régler ce drame sans assistance extérieure.

Ovide la regardait avec insistance. Il la revoyait enfin, après plus de trois années d'un ennui profond.

«Elle est toujours aussi belle! Je ne crois pas en Dieu, mais si par bonheur il existe, je le remercie d'avoir créé cette femme et de m'avoir permis de l'embrasser, de vénérer son corps de déesse!»

Toshan ne perdait rien de la scène. Ovide Lafleur observait son épouse sans aucune gêne. Hermine, de son côté, semblait mal à l'aise.

«Elle aura intérêt à me donner des précisions dès que ce type aura tourné le dos, pensa-t-il, tout son instinct de mâle possessif en éveil. Et elle l'appelle par son prénom devant moi!»

En d'autres circonstances, ce détail ne l'aurait pas affecté. Hermine se montrait assez amicale avec les gens du pays qu'elle connaissait bien.

— Je suis désolé de vous avoir importunée, madame Chardin, dit enfin Ovide. Un ami m'a conduit jusqu'ici en voiture; il m'attend près du petit paradis. J'aurai eu au moins le plaisir de discuter un peu avec Laurence et Marie-Nuttah. Elles se sont ruées dehors pour me souhaiter la bienvenue. J'aurais bien aimé voir Kiona aussi. Alors, comme on dit chez nous, à la revoyure!

— Au revoir, monsieur Lafleur, soupira Laura en se gardant bien de parler de Kiona.

— À la revoyure! répéta Hermine qui cachait à grand-peine sa nervosité.

L'instituteur s'éloignait lorsque Mukki réapparut, les cheveux et la face maculés de cendres et de suie. Il fit quelques pas, se plia en deux et se mit à vomir. Toshan courut le soutenir.

— Mais qu'est-ce que tu as, Mukki?

Le garçon se redressa, interloqué. Il considéra son père d'un air terrifié, puis il fixa sa grand-mère.

— Il y a un corps carbonisé dans le sous-sol, confia-t-il, médusé. Il y fait sombre et j'ai failli marcher dessus. Il y a un corps…

Pris d'une nouvelle nausée, Mukki tituba. Hermine retint un cri incrédule, tandis que Laura se cramponnait au bras de Joseph Marois.

— Saint chrême! tonna-t-il. Qu'est-ce que tu nous chantes, mon garçon? Un corps! Et le corps de qui?

— Mais oui, Mukki, tu as eu une hallucination, renchérit sa grand-mère. Nous n'avions pas d'invités ce soir-là. En règle générale, nous n'avons jamais d'invités! Pourquoi est-ce qu'il y aurait un corps carbonisé dans notre sous-sol?

— Je vais voir, dit Toshan. Joseph, vous m'accompagnez?

— Sûr que je vous accompagne!

Hermine n'avait qu'une idée: apaiser son enfant. Mukki s'était assis sur le sol près d'un buisson de rosiers.

— Comment vas-tu, mon pauvre chéri? s'affola-t-elle. Il te faudrait un remontant, ou un bon verre d'eau fraîche. Je vais aller en chercher chez les Marois!

— Non, maman, reste là, ça va un peu mieux. Sais-tu, je crois qu'il s'agit d'une femme, le corps, on dirait une femme. C'est horrible à voir, je t'assure!

Ovide Lafleur crut bon poser une main apaisante sur l'épaule d'Hermine. Elle se dégagea vivement.

— Je vous en prie, balbutia-t-elle, rejoignez votre ami, ne vous attardez pas!

— D'accord, je m'en vais, répondit-il sur le même ton bas. Mais nous nous reverrons.

L'instituteur partit sans se presser, en sifflotant l'air de *La Paloma*, la chanson préférée d'Hermine qu'elle avait interprétée pour lui seul sept ans auparavant, dans le salon de la belle demeure des Chardin.

— Bon débarras! lança durement Laura. Je n'ai besoin ni de la pitié des gens ni de leur curiosité malsaine! Mon Dieu! Tout va de plus en plus mal. Mukki, tu as vraiment vu un corps? Et ce serait une femme? Qu'est-ce que ça veut dire?

— Si c'était cette personne qui avait mis le feu, grand-mère? remarqua-t-il. Il faut appeler la police. Papa affirmait tout à l'heure que c'était impossible, ce que tu racontais, sauf si quelqu'un avait allumé d'autres foyers!

— C'est peu probable! soupira Laura. Et, même si c'était le cas, elle aurait eu le temps de s'enfuir! Mais je veux savoir qui est responsable de cette catastrophe. Ou alors Louis et Kiona ont menti, ils ont laissé entrer une étrangère dans le sous-sol, et c'est pour elle que Louis a voulu cuisiner. Mireille est de mon avis, jamais encore cet enfant n'avait pris ce genre d'initiative. Faire à manger à plus de minuit passé!

— Nous les questionnerons à nouveau, affirma Hermine. La situation est grave, maintenant. Cet incendie peut se révéler criminel et il y a un mort, ou une morte!

Toshan et Joseph Marois sortirent des décombres. Ils affichaient une mine très sombre.

— Mukki ne s'est pas trompé, déplora le Métis. Nous avons vu le corps. Une femme…

— On n'a touché à rien, torrieux! ajouta leur voisin. Mais je disais à votre gendre, Laura, qu'il n'y a aucun doute à avoir. Le corps n'est pas si carbonisé que ça! J'ai observé les chaussures, qui n'étaient pas trop abîmées.

— Oui, je pense que cette malheureuse est morte à cause des fumées, par suffocation, avança Toshan. Ensuite des poutres et des planches en feu se sont sans doute écroulées sur elle.

— Une malheureuse! répéta Laura. Une folle! Une malade, une pyromane, oui! Mukki m'a ouvert les yeux. Cet incendie n'est pas accidentel, mais criminel. Joseph, mon cher ami, si vous pouviez prévenir le maire, qu'il téléphone vite au poste de police de Roberval. Moi, j'ai quelque chose d'urgent à faire. Je fouetterai Louis au sang s'il le faut, mais il crachera la vérité!

Toshan tergiversa un court instant. Il était tenté de suivre l'ancien ouvrier afin de discuter encore entre hommes de cette surprenante affaire, mais sa jalousie l'emporta. Il emboîta le pas à Hermine sans la gratifier d'un geste de réconfort. Mukki et Laura les précédaient. Remis de ses émotions, le garçon essayait de raisonner sa grand-mère à voix basse.

— Si tu effraies Louis, il n'osera pas te dire ce qu'il sait, expliquait-il.

— Ne te mêle pas de ça. Je connais mon fils; il n'obéit que contraint et forcé!

Attendrie par la gentillesse de son aîné, Hermine adressa un regard complice à Toshan. Elle lut alors sur les traits durcis de son mari qu'il était déchaîné.

— Qu'est-ce que tu as? demanda-t-elle doucement. Je présume que cela n'a aucun rapport avec la découverte de cette pauvre femme dans le sous-sol…

— Quelle perspicacité! ironisa-t-il. Pourquoi m'interroger si tu connais la réponse? Je t'ai vue, devant Ovide Lafleur, ce guignol d'instituteur. Tu avais les joues en feu et un air coupable. Tu ferais mieux d'avouer tout de suite que cet homme t'a courtisée durant mon absence, et peut-être même pire!

— C'est un excellent ami, rien d'autre. Je t'ai dit je ne sais plus combien de fois qu'il m'a assistée de grand cœur quand Kiona avait disparu. Sans lui, notre chère petite sœur serait sans doute morte, ou du moins elle aurait subi des choses abominables. Nous devons beaucoup à Ovide, ne revenons pas là-dessus. Et si j'ai eu l'air coupable, c'est à cause de toi, Toshan, parce que tu m'épies dès que je suis en présence d'un représentant de la gent masculine!

Laura, qui percevait les échos de leur discussion, se retourna brusquement.

— Toshan, mon cher gendre, vous perdez votre temps! Hermine s'est languie de vous pendant des années et, dans l'espoir de vous retrouver, elle a traversé l'Atlantique en avion. Oubliez donc ce monsieur Lafleur! Vous vous alarmez bien à tort. N'est-ce pas, Mukki? Tu as été témoin de la douleur de ta mère, quand la guerre l'a séparée de ton père!

— Mais oui, bien sûr! Serais-tu jaloux de ce brave Ovide, papa? Il ne faut pas, c'est un type bien. Il lutte depuis des années pour défendre les Montagnais et il apprend à lire aux enfants des réserves. Et maman t'adore, tu ne peux pas douter de ça!

Il y avait dans le regard sombre de Mukki une telle confiance en l'amour qui unissait ses parents que Toshan regretta sa conduite tout en déplorant celle de Laura qui mêlait leur fils à un début de dispute.

— Plus tard, tu comprendras mieux, Mukki, dit-il en guise d'excuse. Un homme est facilement jaloux quand il possède un trésor.

Très mal à l'aise, Hermine s'absorba dans la contemplation du paysage. Elle avait trahi Toshan en s'abandonnant dans les bras d'Ovide, c'était indiscutable. Mais, pour le bien de sa famille, elle devait feindre l'innocence et l'indignation, et cela lui était lourd à porter. « Mon Dieu, si je pouvais revenir en arrière! songea-t-elle. Si seulement c'était vrai, que je n'ai rien fait de mal! Que penserait Mukki de sa mère, s'il savait? Il a pour moi tant de respect que je ne mérite pas! »

Elle avait beau se reprocher sa faiblesse passée, elle devait admettre que le moindre aveu était inenvisageable. Ce constat ranima une blessure dont elle ne guérissait pas. « Pourtant, lui, il m'a trompée! se souvint-elle. J'ai dû accepter sans trop faire d'histoires sa brève liaison avec Simhona. Au nom de quoi les hommes auraient-ils le droit d'être infidèles, tandis que nous, les femmes, ne le pouvons à aucun prix! »

Toshan lui prit la main au même instant. Il la retint ainsi, laissant Mukki et Laura les devancer.

— Mine chérie, jure-moi que cet homme ne t'a pas touchée!

— Mais enfin, c'est absurde! rétorqua-t-elle, tremblante de nervosité. Ovide Lafleur a pu m'effleurer par hasard, pendant notre expédition, ne fût-ce que pour m'aider à monter à cheval ou en calèche. Et il m'a souvent serré la main.

— Oh! ne joue pas sur les mots!

— Si, parce que tu m'ennuies, à la fin! Ta jalousie devient maladive, Toshan! Bientôt, je devrai renoncer à ma carrière pour ne pas côtoyer d'autres hommes que toi. Mais, avant d'en arriver là, j'ai l'intention de tourner ce film, à Hollywood. Vu les circonstances, je n'ai pas le choix. Je comptais t'en parler ce soir, quand nous aurions été tous les deux dans l'intimité, mais voilà, c'est dit! Autant te l'annoncer tout de suite.

Le Métis accusa le coup. Il eut un geste d'impatience.

— Non, non et non! Je m'y oppose. Il est prévu que nous passions l'hiver ensemble chez nous, au bord de la Péribonka. Si tu as décidé ça pour aider tes parents, c'est une mauvaise idée. Je suis certain que Laura retombera sur ses pieds très vite. Tu dois tenir ta promesse.

— Mais je ne t'avais rien promis!

— Si, et j'ai même supporté les jours lugubres qu'on a passés à Québec en me répétant qu'on allait reprendre enfin notre vie au grand air, tous ensemble, les enfants et nous.

Elle fixa son mari de ses grands yeux bleus embués de larmes.

— Ces jours lugubres! Moi qui croyais que nous étions complices et heureux! Je ne t'infligerai plus ce genre de supplice. En plus, ce n'est pas le moment de se quereller. Je te rappelle qu'une femme a péri dans l'incendie et que toute la famille aurait pu mourir aussi. Nos enfants, Toshan! Nous devrions louer le Seigneur de les avoir épargnés et non pas nous chamailler comme des gamins. C'est bien le luxe des vivants, de s'attacher à des futilités, alors qu'un terrible malheur aurait pu nous frapper.

Son argument porta. Le Métis hocha la tête.

— Peut-être as-tu raison! Somme toute, je vais rejoindre Marois. J'attendrai la police de Roberval devant la mairie.

Rassérénée, Hermine s'approcha de lui et quêta un baiser. Mais il recula et tourna les talons, le visage dur et froid. Elle se garda d'insister et courut un peu pour rattraper sa mère et Mukki.

«Je ne peux pas lui en vouloir, se dit-elle. Il me soupçonne et il a raison de le faire. Je vais écrire à Ovide pour lui demander d'être plus réservé et de ne chercher ni à me revoir ni à me croiser. Il faut qu'il comprenne.»

Laura vit bien, à son visage crispé, qu'elle était nerveuse. D'un geste ferme et doux, elle la prit par le bras et l'attira contre elle.

— Courage, ma chérie!

— C'est toi, maman, qui vas avoir besoin d'être courageuse!

— Bah, j'en ai vu d'autres! Je ne vais pas me laisser abattre.

Mukki venait de franchir le premier le seuil du petit paradis. Il avait hâte, sans doute, de parler à ses sœurs. Laura en profita pour ajouter:

— J'ignore jusqu'où tu es allée avec ce monsieur Lafleur, mais tu peux compter sur moi, je veillerai à tranquilliser Toshan sur ce point. Ne cède pas à l'affolement et, par pitié, toi qui pratiques la comédie ou la tragédie sur scène, évite d'avoir cette mine coupable en présence d'Ovide. Ce n'est pas surprenant que ton mari se soit alarmé. Sauvegarde ton couple, Hermine. Vous avez quatre enfants qui méritent de grandir dans la paix familiale.

— Merci de tes recommandations, maman! Mais parlons d'autre chose, s'il te plaît.

— D'accord! concéda Laura, livide malgré la chaleur qui écrasait Val-Jalbert. Je voudrais que tu restes avec moi pendant que j'interrogerai Louis. J'ai peur de perdre mon sang-froid et de le terrifier. Je suis malade de chagrin, Hermine, et si, comme Joseph le pense, ton frère est plus ou moins responsable de ce désastre, je crains le pire. Je pourrais vraiment le battre, le fouetter avec ce qui me tombera sous la main. Il y a tellement de violence en moi, parfois! Et j'ai déjà fait assez de ravages en accusant Kiona.

— Oui, je suis contente que tu l'admettes. Je ne comprends d'ailleurs pas bien pourquoi tu t'es comportée ainsi avec elle. Tu t'étais attachée à elle, ces dernières années.

Laura posa son regard limpide sur la cime des érables qu'un vent léger agitait. Elle confessa tout bas, d'un ton triste:

— Cela n'était plus trop d'actualité! Que veux-tu, ma chérie, j'ai si souvent l'impression que Jocelyn préfère Kiona à Louis! Il porte une sorte d'adoration à cette enfant, et j'en souffre. Pas un jour ne passe sans qu'il loue son intelligence inouïe et ses prouesses scolaires. Kiona s'exprime parfaitement en anglais, Kiona lit des ouvrages réservés aux adultes, Kiona monte à cheval mieux que personne… La liste serait longue. Et puis il vante sans cesse sa beauté et son sourire. J'ai mis Joss en garde, je lui ai répété qu'il allait la rendre vaniteuse, mais il hausse les épaules.

— Maman, Kiona n'en tire aucun orgueil. Je n'ai constaté chez elle aucune vanité. Elle n'a pas changé.

— En effet, mais je crois que Louis se sent mis à l'écart, mal aimé, même. Son père le réprimande pour un oui, pour un non. Hermine, aide-moi, ma chérie.

La jeune femme perçut chez sa mère un immense désarroi qui l'intrigua.

— Bien sûr, n'aie pas peur, je suis là, près de toi, répliqua-t-elle gentiment. Comme c'est singulier! Ta magnifique demeure a brûlé, il y a eu une victime dont nous ne savons rien, et pourtant nous nous perdons en vaines discussions!

— Elles ne sont pas vaines, rectifia sa mère. Et cela doit être une réaction au choc, l'envie de brasser des soucis moindres afin de ne pas être confrontés à l'horrible réalité. Nous serons entassés dans ce petit paradis, les uns sur les autres, dépourvus de tout. Quant à l'avenir, je le vois très sombre.

Hermine entoura les épaules de Laura d'un bras caressant.

— Dès que possible, ma petite maman, je t'emmènerai à Roberval et nous ferons des emplettes. Cela te consolera un peu. J'achèterai des provisions et nous te composerons une modeste garde-robe.

— Ah ça, j'irai mieux quand je ne porterai plus les hardes d'Yvette Lapointe. Ses chaussures me blessent au talon, et cette robe sent un peu le parfum bon marché.

Hermine eut un sourire apitoyé. Ce devait être très déplaisant pour sa mère, si distinguée, d'être aussi mal vêtue. Elles entrèrent enfin dans la maison où Charlotte avait caché Ludwig, ce jeune soldat allemand qui était devenu son grand amour. Le tableau qui les accueillit avait de quoi les apitoyer: Mukki, Marie-Nuttah, Laurence et Kiona se tenaient autour de Louis qui sanglotait. Les enfants semblaient bien déterminés à le protéger des foudres maternelles. Madeleine devait être à l'étage avec le petit Constant.

— Tout ira bien, n'est-ce pas, maman? s'exclama Hermine. Mukki, tu leur as dit…

— Oui, je viens de le faire. Louis s'est mis à pleurer. Grand-mère, ne le réprimande pas, il a cru agir au mieux. Raconte, Louis, n'aie pas peur.

— J'avais vu la dame près de l'écurie, après le souper. Elle était si mal habillée, si vieille! commença le garçon.

Les jumelles échangèrent un coup d'œil inquiet. Leur univers s'effondrait, car elles avaient été habituées à vivre dans l'aisance et surtout à l'abri de tous soucis, sous l'aile de Laura. Quand leur frère leur avait révélé sa découverte, elles s'étaient signées du même geste horrifié.

Laura prit place sur un tabouret. Elle paraissait très calme, les mains jointes sur les genoux, mais chacun savait ce dont elle était capable.

— Cette dame m'a demandé si elle pouvait se reposer chez nous, mais sans déranger personne, poursuivit Louis sans oser regarder sa mère. Elle m'a dit aussi qu'elle avait une longue route à faire, le lendemain. Je lui ai répondu que j'allais vous prévenir, papa et toi.

— Ça aurait été une sage initiative de nous avertir, en effet, dit Laura.

— Elle n'a pas voulu. Et moi, elle me faisait beaucoup de peine, la pauvre! En plus, je pensais aux leçons du catéchisme, à la charité chrétienne. Finalement, je lui ai ouvert la porte du sous-sol.

— Avait-elle un sac, une valise? s'enquit Hermine.

— Une sorte de gros sac en cuir! répondit l'enfant. Il avait l'air très lourd. Même que je lui ai proposé de le porter, mais elle n'a pas voulu.

Hermine considéra son jeune frère avec tendresse. Il avait tout d'un innocent au banc des accusés et sa mine abattue en disait long sur le grand chagrin qu'il ressentait.

— Rien ne prouve que cette femme a allumé l'incendie, déclara-t-elle afin de le réconforter.

— Non, pas encore, concéda Laura sèchement. La police y verra plus clair que nous. La suite, Louis!

— La dame s'est installée dans un coin, là où il reste de vieilles couvertures. Elle m'a souri, tout heureuse, et elle m'a remercié. «Je vais dormir à mon aise!» Voilà ce qu'elle répétait. Je lui ai demandé si elle avait faim, ou soif. J'étais fier de l'aider.

— Laisse-moi continuer, le coupa sa mère. Tu étais surtout fier de nous cacher quelque chose, de te prendre pour un héros. Tu as dû prévoir de te relever, le soir, et de lui préparer un repas chaud. Et nous, ton père et moi, nous étions bien tranquilles, pleins de confiance envers notre petit garçon chéri. Erreur fatale! Monsieur Louis œuvrait à notre perte! Il avait fait entrer le loup dans la bergerie, le loup qui avait décidé de nous faire griller tous, moi, papa, Mukki, les jumelles, Kiona, Mireille, et toi aussi, espèce d'idiot!

Le ton montait. Terrifié, Louis sanglota plus fort, la bouche ouverte.

— Grand-mère, je t'en supplie, ne hurle pas, intervint Laurence qui détestait la violence et le bruit.

— Quel âge avait cette personne, selon toi, Louis? interrogea Hermine. Franchement, maman, si c'est une vieille dame, pourquoi aurait-elle mis le feu?

— Je n'en sais rien, moi, par accident peut-être, rétorqua Laura. Il ne manque pas d'ivrognes dans ce pays. Cette sale bonne femme a pu vider une bouteille de caribou, fumer ensuite et jeter son allumette n'importe où!

— Nous ferions mieux de ne pas tirer de conclusions hâtives et d'attendre l'avis de la police, objecta Hermine. Louis, je voudrais savoir une chose. Est-ce pour cette dame que tu voulais faire à manger?

— Oui, je voulais lui faire des œufs au lard.

— Cela partait d'une bonne intention, concéda Mukki.

— Le sol de l'enfer en est pavé, de bonnes intentions! déclara Laura d'une voix acerbe. Nous avons tout perdu, par ta faute, petit imbécile. Si seulement tu nous avais avertis, ton père et moi, rien ne serait arrivé. Comment as-tu pu laisser entrer cette femme dans notre sous-sol? Comment et pourquoi, mon Dieu, pourquoi? Et toi, la visionnaire? Tu n'aurais pas pu prévoir le drame, te rendre utile, pour une fois?

Elle pointait un index tremblant en direction de Kiona qui la fixait en silence.

— Ce soir-là, bien sûr, tu n'avais pas tes pouvoirs, aucun don! Mais peut-être que tu étais complice, que tu savais!

— Non, Laura, Louis ne m'a rien dit! Oh! je suis désolée, tellement désolée!

— Arrête de répéter ça!

— Je suis désolée, parce que j'aurais tant voulu empêcher l'incendie! ajouta la fillette. Ce n'est pas ma faute, si je n'ai eu ni visions ni pressentiments.

— J'ai menti à Kiona! hurla Louis d'un ton désespéré. Elle n'a rien fait de mal, maman! Elle savait même pas, pour la vieille dame. Et moi, je suis triste, parce que cette dame, elle serait pas morte si j'en avais parlé à quelqu'un. C'est vrai, ça, elle est morte à cause de moi.

Sur ce cri déchirant, l'enfant pleura tout haut, haletant, secoué de longs frissons.

— Mais ça ne sert à rien de crier et de se fâcher, affirma alors Laurence. Nous ferions mieux de prier tous ensemble. Cette pauvre femme est morte, grand-mère! Et nous, nous sommes tous en vie, hors de danger.

Hermine dévisagea sa fille attentivement. Laurence était à cet âge si particulier qui précède l'adolescence, plus tout à fait une enfant, pas encore une jeune fille. Cependant, déjà, on lisait sur ses traits gracieux les signes d'une nature dévouée, généreuse et passionnée.

« Ma petite chérie ! songea-t-elle. Comme tu es jolie, tellement préoccupée d'harmonie, aussi ! »

Les jumelles, ce n'était un secret pour personne, avaient hérité des yeux très clairs de Laura, de son teint pâle de Nordique et de sa chevelure châtain qu'elle portait à présent décolorée avec des reflets lunaires. Mais Hermine reconnaissait chez elles le dessin de sa propre bouche et l'arc de ses sourcils. « Seul bébé Constant a mes cheveux blonds ! » se dit-elle.

Madeleine descendit l'escalier au même instant. L'Indienne avait entendu l'essentiel des discussions et de l'interrogatoire de Louis, depuis l'étage. Elle ne posa pas de questions et déclara aussitôt :

— Laurence a raison, il faut prier ! Nous ignorons qui est cette femme, si elle est coupable ou innocente, mais ce serait plus correct de nous recueillir.

Au fil des années passées dans la famille Chardin-Delbeau, la nourrice avait acquis une certaine autorité, et elle inspirait le respect, car sa conduite demeurait exemplaire, ainsi que son dévouement. Le silence se fit, tandis que chacun priait, tête basse, les lèvres agitées sur des paroles muettes.

« Mon Dieu, protégez tous ceux que j'aime et pardonnez-moi mes erreurs, pensait Hermine. Voici une nouvelle épreuve pour nous tous, peut-être le signe aussi que nous avons trop reçu sans en être vraiment dignes. »

« Seigneur, faites un miracle, songeait Laura. Que tout ceci ne soit qu'un horrible rêve, que je retrouve ma maison, et surtout mon argent ! Oh ! Seigneur, je ne suis qu'une pécheresse, je le sais, mais fallait-il me sanctionner en m'envoyant un ange exterminateur ? Un ange qui a brûlé lui aussi, comme tout le reste ? Dieu tout-puissant, faites un miracle, redonnez-moi ce que j'ai perdu. »

Marie-Nuttah avait déjà récité deux *Notre Père* et un *Je vous salue, Marie* de façon très expéditive, afin de ne pas tricher avec la religion qu'on lui avait imposée. Sa jeune âme rebelle aspirait à d'autres coutumes et elle entonna un chant intérieur dont le moindre mot l'exaltait.

« Grand Manitou, ô dieu de mes ancêtres montagnais, aidez-moi à être plus réfléchie et plus obéissante. Faites que mes parents partent très vite au bord de la Péribonka, que je puisse enfin vivre au fond des bois, près de ma famille indienne. J'ai hâte d'écouter les histoires de ma tante Aranck et de grand-mère Odina, j'ai hâte de me promener sous les grands arbres de la forêt, sans personne pour me surveiller. »

Mukki, lui, priait de tout son cœur, encore ébranlé par la macabre découverte qu'il avait faite dans le sous-sol. C'était la première fois qu'il était confronté à la mort sans fard, et l'image de l'inconnue au corps noirci le hantait. « Mon Dieu, nous sommes peu de chose, je comprends maintenant cette expression que grand-père répète souvent. Mon Dieu, accordez-moi de longues années encore. Je ne veux pas mourir ! »

Louis, pour sa part, implorait la Vierge Marie. Il lui demandait humblement de le sauver des foudres maternelles, car, malgré l'accalmie passagère due à l'intervention de Laurence et de Madeleine, il redoutait encore d'être fouetté ou, pire, envoyé en pension avant la rentrée scolaire.

Kiona était la seule à ne pas prier. Depuis l'incendie, elle se sentait menacée. Laura l'avait injustement accusée, son père était à l'hôpital et il y avait ce sang qui s'échappait d'elle et la douleur qui l'accompagnait.

« Moi, je n'ai pas envie d'habiter le petit paradis. Je supplierai Mine de m'amener là-bas, au bord de la rivière où ma mère a vécu. Tala la louve, Tala si belle, si fière ! »

Les yeux d'ambre de la fillette chatoyaient. Jamais elle ne se plaignait, mais sa mère lui manquait beaucoup. Jocelyn se montrait affectueux, attentionné, câlin. C'était un bon père, mais il ne pouvait pas remplacer Tala. « Si Mine consentait à me garder pour toujours ! se prit-elle à rêver. Oh ! oui, je voudrais tant vivre avec Mine et Toshan ! »

Laurence, qui avait imploré le Seigneur Jésus-Christ et la très Sainte Vierge de soutenir sa famille, lui saisit la main d'un geste à la fois énergique et doux.

— Tout ira bien, Kiona, bredouilla-t-elle. Je me lamentais sur mes dessins et mes peintures brûlées, mais je ne le ferai plus. Nous devons être courageuses.

Elles échangèrent un sourire complice. Laura toussota, et Hermine poussa un soupir. Les prières étaient terminées.

— Il faut s'organiser, dit Madeleine. Ce soir, nous serons neuf personnes sous ce toit. Mukki, je vais avoir besoin de tes muscles. Il y a des matelas à brasser et des lits de camp à monter. Et vous, les jumelles, préparez le goûter et de quoi souper aussi.

— Volontiers ! s'écria Laurence.

— Je vais inspecter les chambres, proposa Laura. Je vous préviens, je ne tiens pas à dormir dans celle où Charlotte et ce soldat ont…

— Maman, je t'en prie, tais-toi, dit Hermine d'une voix cinglante. La guerre est finie et peu importe qui a dormi ici. Déjà, nous occupons cette maison sans l'accord de sa propriétaire. Sinon, la seule solution était d'aller dormir à l'hôtel. Eh oui, n'ouvre pas de grands yeux ahuris. Le petit paradis appartient toujours à Charlotte, que je sache !

— Peut-être, mais j'ai payé la plus grande partie des travaux, riposta sa mère. J'ai acheté cette table, ce fourneau moderne et le tissu des rideaux !

— Cela ne te donne pas tous les droits ! Kiona, ma chérie, je te vois bien préoccupée. À quoi penses-tu ?

— Je pense à la morte, répondit la singulière fillette. Je croyais qu'elle viendrait me voir, mais non…

— Dieu du ciel ! soupira Laura. Quelle horreur ! J'en ai la chair de poule ! Enfin, je suis certaine que si cette maudite pyromane ne te rend pas visite, c'est qu'elle grille en enfer.

Madeleine se signa, horrifiée par ces propos. En dépit de son statut d'aîné, Mukki eut une expression proche de la terreur.

— N'écoutez pas grand-mère, dit Hermine, elle aussi ulcérée. Allez, tout le monde au travail !

* * *

Deux heures plus tard, une exquise odeur de sucre chaud flottait dans la cuisine. Marie-Nuttah avait réalisé une tarte à la farlouche. Yvette Lapointe leur avait apporté la veille tout le nécessaire : des œufs, de la farine, de la mélasse, des raisins secs et de la cassonade. C'était un des desserts favoris d'Hermine, et elle félicita sa fille d'un baiser sur le front.

Laura avait retrouvé un semblant de bonne humeur grâce à la découverte, au premier étage, d'un vrai trésor. Charlotte, qui s'était enfuie de son logement trois ans auparavant, avait abandonné presque toute sa garde-robe. Une armoire en planches de pin équipée d'une penderie renfermait du linge en abondance, des bas de soie, soutiens-gorges et culottes en satin, des combinaisons au plastron de dentelle, des robes, des jupes, des corsages, des chandails…

– Une vraie mine d'or ! s'était exclamée Laura, déridée. Certains vêtements sont un peu trop grands, mais je les retoucherai. Tu n'auras rien à dépenser pour m'habiller, ma chérie !

Hermine, qui l'aidait à examiner les toilettes, acquiesça en souriant. Elle était émue de percevoir, fugace, le parfum de sa chère Lolotte.

– Je suis pressée de la revoir, avait-elle déclaré. Nous ne t'embarrasserons pas longtemps, maman. Toshan a besoin de se retrouver chez lui et je ne veux pas manquer les couches de Charlotte. Je comptais lui apporter la layette de Constant. Hélas ! elle a brûlé avec tout le reste.

– Je sais, avait bredouillé Laura.

Les enfants, eux, avaient mené un joyeux tapage dans le grenier, sous la férule de Madeleine qui avait décidé d'aménager cet espace inutilisé. Louis était le plus consciencieux, soucieux de réparer ses torts en débordant de bonne volonté.

Quand Toshan fut de retour, il fut accueilli avec entrain.

– Papa, j'ai fait un gâteau ! proclama Marie-Nuttah. Il y a du thé, et le souper sera prêt à l'heure.

– Nous avons fait le lit pour maman et toi dans l'ancienne chambre de Charlotte, précisa Laurence. Kiona, Nuttah et moi, nous coucherons toutes les trois dans la pièce d'en face.

– Moi, j'ai fendu du bois et j'ai balayé le grenier, dit Mukki. Je m'installe là-haut avec Louis. Comme ça, Madeleine aura une chambre. J'ai bricolé un lit pour Constant.

– Eh bien, tout ça me semble parfait, concéda le Métis en adressant un regard insistant à Hermine. Je suis affamé.

– La police est-elle venue ? s'enquit Laura.

– Oui, ils ont emporté le corps et ils vont tenter de l'identifier. Mais c'était bien un acte criminel. Un des agents a trouvé un bidon d'essence dans les décombres du sous-sol.

Toshan alluma une cigarette et s'assit à la table. Il ajouta d'un ton grave :

– Je suis navré, Laura ! Maintenant, nous devons chercher qui vous en voulait à ce point.

L'atmosphère se fit de nouveau pesante. Les rires et les bavardages s'éteignirent, comme soufflés par l'étonnante nouvelle. Kiona sortit discrètement en empruntant la porte de l'arrière-cuisine. Elle marcha à travers les herbes folles du jardin à l'abandon et alla s'appuyer au tronc d'un pommier. Là, elle ferma les yeux, tremblante d'exaspération.

«Je voudrais vraiment savoir qui est cette femme! implora-t-elle. Maman, aide-moi! Pourquoi je ne peux pas voir ce que je veux? Mais pourquoi?»

Mais seuls le vent et le grondement de la cascade firent écho à sa prière.

4
RÉSURGENCES

Val-Jalbert, deux jours plus tard, mercredi 24 juillet 1946

Jocelyn se balançait dans la vieille *berceuse* en osier récupérée par Charlotte chez son frère lors de son installation au petit paradis. Hermine avait eu soin de garnir le siège de larges coussins moelleux, afin de fournir à son père le plus de confort possible.

— Quel calvaire! s'exclama-t-il pour la troisième fois. Ma pauvre Laura, si seulement tu m'avais parlé de tout ça, je t'aurais conseillée, pour tes placements en Bourse. Les femmes n'y connaissent rien. Tu as voulu faire la maligne. Résultat, nous sommes sur la paille, et bientôt sur le fumier!

— Tais-toi donc, Joss! glapit son épouse d'un ton froid. Tu n'as jamais compris quoi que ce soit à l'argent. C'est facile de me faire des critiques, alors que tu vivais à mes crochets.

— Ce n'était pas mon intention, riposta-t-il. Ne dis pas le contraire. Quand nous nous sommes retrouvés, presque à la veille de tes noces avec ce Hans Zalhe, je t'ai tout de suite exposé combien ça me dérangeait d'être misérable, sans une piasse en poche.

Hermine mettait le couvert, aidée par Marie-Nuttah. La chanteuse jeta un regard irrité à ses parents.

— Pourriez-vous garder vos querelles pour votre chambre à coucher, le soir? dit-elle. Les enfants n'ont pas besoin d'entendre ce genre de choses.

— Où vois-tu un enfant? pesta Laura. Ta fille aura treize ans à Noël prochain, un âge où, dans certains pays, on travaille déjà. Moi-même, en Belgique, je brodais des napperons du matin au soir pour apporter ma contribution à ma famille. Marie, nos propos te perturbent-ils?

— Non, grand-mère! Mais je voudrais que tu m'appelles Nuttah, pas Marie. On dirait que tu le fais exprès!

— Seigneur, quelle impertinence! soupira Laura. Et ce regard furibond que tu me lances! Hermine, ta fille finira mal, je te le prédis.

– Là, je suis d'accord avec ta grand-mère, renchérit Jocelyn. Tu lui dois respect, petite écervelée! Et, pour être franc, tu commences à nous fatiguer. Marie, c'est très joli, et tu devrais être flattée de porter le prénom de la Sainte Vierge. De mon temps, il faut l'admettre, on ne répondait pas de la sorte, avec cet air effronté. File dehors!

La terrible Marie-Nuttah ne se fit pas prier. Elle sortit sans dire un mot, mais d'un pas léger, et rejoignit sa jumelle qui avait installé une petite table à l'ombre d'un pommier. Laurence dessinait, si absorbée par son ouvrage qu'elle prêtait à peine attention au monde extérieur.

– Qu'est-ce que tu fais? demanda sa sœur.

– Oh! Tu es là? Je t'expliquerai plus tard. J'ai un projet très compliqué.

– On dirait le couvent-école…

– Oui, je l'ai dessiné d'après une vieille photographie que monsieur le maire m'a prêtée.

– Mais tu pouvais aller faire un croquis sur place! Tu es très forte pour les esquisses au crayon.

– Il m'aurait manqué les religieuses au premier plan, dit Laurence d'une voix douce. Si tu me promets de garder le secret, je peux te révéler mon idée.

Marie-Nuttah s'assit dans l'herbe et noua ses bras autour de ses genoux repliés.

– Je t'écoute, Nadie!

– Oh, arrête un peu! Personne ne m'appelle comme ça.

– Pourtant, c'est le nom que grand-mère Tala t'avait donné et, en le reniant, tu trahis sa mémoire. En plus, elle ne s'était pas trompée, puisque Nadie signifie « celle qui est sage ». Tu es la fille la plus sage de la terre.

– Oh non, sûrement pas! Mais peu importe. Voilà, je voudrais offrir un cadeau inoubliable à maman pour Noël. Ce serait plusieurs aquarelles représentant la vie ici, jadis. Elle aime tant Val-Jalbert, son village fantôme! Je commence par le couvent-école où elle a grandi, élevée par les sœurs de Notre-Dame-du-Bon-Conseil, ensuite je ferai l'église, l'usine de pulpe, le magasin général et, après, peut-être quelques portraits.

– Je pense que maman sera enchantée. Quel courage tu as d'entreprendre un travail aussi long! N'oublie pas que nous serons pensionnaires, à la rentrée.

— Cela me facilitera la tâche : je n'aurai pas à me cacher. Kiona doit m'aider, elle aussi.

— Kiona ? Comment ça ?

Laurence eut un petit sourire énigmatique. Elle mordilla le bout de son crayon avant de répondre :

— Elle a de nouveau ses pouvoirs. Je me suis dit que, si elle peut voir le futur, peut-être qu'en faisant un effort le passé de Val-Jalbert lui apparaîtra...

— Tu rêves un peu, Laurence ! Kiona ne va pas devenir ta machine à explorer le temps personnelle ? Tu te souviens de ce livre, je l'ai adoré[4] !

— Oui, c'est monsieur Ovide Lafleur qui nous l'avait prêté pendant la guerre. Mais il n'est pas question de ça. Si Kiona avait des visions du village à l'époque où maman était petite fille, ce serait bien. Chut...

Hermine venait de leur faire signe du seuil de la maison. Les jumelles agitèrent la main en riant.

— Le déjeuner est bientôt prêt !

— On arrive, assura Laurence.

Hermine s'attarda à contempler ses filles. Elles changeaient doucement, mais inexorablement. Des seins menus pointaient sous leur robe en cotonnade fleurie, tandis que leur chevelure était un peu plus foncée et moins ondulée que par le passé.

— C'est étrange de voir ses enfants avancer vers l'âge adulte ! observat-elle en rentrant dans la pièce.

— Plains-toi ! ironisa Laura. Bien des mères n'ont pas cette chance. Je parle de celles qui perdent un bébé à la naissance.

— Je te remercie, protesta Hermine. J'appartiens à cette catégorie, ma chère maman. Aurais-tu effacé Victor de ton cœur ?

Elle faisait allusion à son fils, mis au monde à l'automne 1939, et qui n'avait vécu que trois semaines. Ce deuil l'affectait beaucoup encore.

— Seigneur, je suis navrée ! concéda Laura.

— Riche, tu étais insupportable ; tu devenais une harpie, maintenant que tu es ruinée, grogna Jocelyn. Au point de dire à la malheureuse Mireille de plier bagage... Elle a pleuré toute la journée, hier.

— Et alors ? Elle a eu gain de cause ! Nous voici avec une bouche de plus à nourrir ! Ne me dis pas, Joss, que nous pouvions conserver une gouvernante, surtout dans une maison aussi modeste. J'aurais pu faire

---

4. *La machine à explorer le temps* est un célèbre roman de science-fiction écrit en 1895 par H. G. Wells, considéré comme un grand classique de ce genre de littérature.

le ménage seule. Mais non, il a fallu garder Mireille, qui mérite d'être à la retraite.

Exaspérée, Hermine faillit fracasser dans l'évier l'assiette en porcelaine qu'elle rinçait. La cohabitation était intenable depuis le retour de son père et de la domestique.

— Maman, je t'en prie, essaie de te montrer moins dure, implorat-elle. J'espérais que tu serais de meilleure humeur après nos achats à Roberval. Vous êtes bien équipés, à présent, et l'arrière-cuisine est remplie de provisions. Je suis obligée de repartir pour Québec dans trois jours. Cela me tranquilliserait de vous savoir en bons termes, papa et toi. Ce sera vite calme, ici. Toshan et les enfants se mettront en route la veille de mon départ. Et Kiona est du voyage, ainsi que Madeleine et Constant. Je t'accorde que nous sommes trop à l'étroit, en ce moment, mais c'est du provisoire et…

L'écho d'un sanglot la fit taire. Mireille était alitée dans le salon voisin, que Charlotte n'avait jamais utilisé. Hermine et Toshan avaient aménagé le lieu pour la gouvernante, de façon sommaire, mais plaisante.

— Je suis certaine que notre Mireille t'a entendue, maman, soupira-t-elle. Je vais la réconforter. Surveille le ragoût.

— Du ragoût! répéta Laura en grimaçant.

— Eh oui, du ragoût! ricana Jocelyn. Tu peux dire adieu à tes conserves de caviar commandées de Russie et à tes biscuits anglais. C'est ta punition. Il ne fallait pas vendre ta maison de Montréal sans me consulter.

Hermine les laissa se disputer pour se ruer au chevet de Mireille, encore très fatiguée. Ce fut avec une profonde tendresse qu'elle se pencha sur le lit.

— Ne sois pas si triste, lui confia-t-elle affectueusement. Maman ne pense pas ce qu'elle dit!

— Doux Jésus, j'ai ben de la misère, gémit Mireille. Madame parle en toute bonne cause. Je suis un poids mort, astheure. Une bouche en trop… Mais je veux pas m'en aller d'icitte, Mimine, je me sentirais perdue sans madame. Dis-lui donc que j'ai des économies et que j'en ai pas l'usage. Je lui offre tout de grand cœur.

— C'est hors de question, Mireille! Tu vas guérir et tu effectueras de menus travaux. Maman sera très heureuse de t'avoir, l'hiver venu.

— Sûr! Je suis encore capable de préparer de la soupe, des gâteaux et des beignes. Et je pourrai repasser et repriser.

La domestique avait soixante-douze ans. D'ordinaire vaillante, aimable et énergique, elle semblait avoir pris de l'âge. Son crâne était toujours enrubanné de pansements, et ses traits étaient tirés par le chagrin. Attristée, Hermine lui caressa la main.

— Dis, comment je ferai, Mimine, si mes cheveux ne repoussent pas? J'y tenais, moé, à mon casque d'argent! Tu te rappelles, Louis avait eu cette trouvaille, de comparer ma tignasse coupée au carré à un casque d'argent. Cher p'tit monstre, il n'a pas voulu ce gros malheur. Avez-vous des nouvelles de la femme du sous-sol?

— La police continue son enquête. On nous préviendra dès qu'on aura une piste ou que le corps sera identifié. As-tu un peu faim?

En reniflant, Mireille acquiesça d'un signe de tête. Ses joues étaient noyées de larmes.

— S'il n'y a pas assez de ragoût, je me contenterai d'un bol de bouillon et d'une tranche de pain, bredouilla-t-elle.

— Ne dis pas de bêtises. Tu auras ta part comme nous tous. J'ai fait une recette de Madeleine, une sorte de potage indien. Des lentilles, des pommes de terre, du lard et du poulet, avec beaucoup d'oignons.

— Et ça dégage une délicieuse odeur. Elle est ben brave, ta Madeleine, ce matin. Elle m'a amené Constant. Un vrai petit ange, tout rose, tout blond et aussi gentil que toi!

Hermine approuva en silence. Elle avait le cœur lourd. Toshan ne lui adressait presque plus la parole depuis leur prise de bec au sujet d'Ovide Lafleur. Il évitait même de la toucher, le soir, lorsqu'ils étaient couchés. De son côté, elle n'avait tenté aucun rapprochement, car elle était, par malchance, indisposée.

— Je reviens vite, Mireille. Il y a du bruit dehors. Ce sont sans doute Mukki et Toshan qui arrivent pour le repas. Ils réparaient une cloison de l'écurie.

Elle fut étonnée en passant dans la cuisine de voir le chef de la police de Roberval, accompagné d'un agent en uniforme.

— Bonjour, messieurs! dit-elle, légèrement intimidée.

L'instant d'après, son mari entra, en chemise, tout auréolé de soleil. Le beau Métis ôta son chapeau de paille et alluma une cigarette. Il paraissait très nerveux.

— Messieurs, dit Jocelyn, asseyez-vous, je vous prie. Avez-vous enfin des renseignements à nous transmettre?

– Tout à fait, monsieur Chardin, répondit le policier en hochant la tête. Je me suis permis de transmettre l'information à monsieur Delbeau en premier lieu, puisqu'il est concerné.

– Comment ça, il est concerné ? s'alarma Laura.

– Pour la bonne raison qu'il s'agit d'Amélie Tremblay. Une voisine a reconnu ses chaussures, à peu près épargnées par le feu. De plus, cette personne affirme que madame Tremblay avait quitté son logement depuis trois jours et n'était pas réapparue. C'est l'examen dentaire qui nous a orientés sur cette dame, le dentiste de Roberval se souvenant très bien des soins effectués sur sa patiente. Nous le consultons souvent pour identifier un corps. Comme nous avions le dossier sur l'agression dont elle s'était rendue coupable il y a six ans sur monsieur Delbeau, l'affaire se tient. Mais il n'y avait pas eu de plainte.

– Amélie Tremblay ! répéta Hermine. Mon Dieu, je me souviens très bien d'elle, hélas ! Les docteurs présents ce soir-là avaient de plus conclu à une crise de démence, causée par la perte de son fils, Paul Tremblay.

– Cette folle a failli tuer Toshan et elle aurait pu te blesser, ma chérie, concéda Jocelyn d'une voix d'outre-tombe. Voici qu'elle nous a ruinés !

Laura était d'une pâleur effrayante. Elle s'appuya au dossier d'une chaise, la bouche entrouverte.

– Amélie, la mère de Paul Tremblay, cet individu méprisable qui avait kidnappé mon petit Louis, tempêta-t-elle. Décidément, cette sale bonne femme a la vengeance tenace. Seigneur, quand je pense que nous lui avons évité de croupir derrière les barreaux !

Hermine remarqua avec perplexité que les mains de sa mère tremblaient. Ce n'était pas dans sa nature de se montrer aussi émotive.

– Tabarnak ! ne put s'empêcher de jurer Jocelyn. Pourquoi a-t-elle fait ça ? Nous aurions pu tous griller ! D'autant plus que tu lui versais une rente, Laura. Je te l'ai même reproché, au début. Je jugeais que c'était dédommager une créature très dangereuse. Je la vois encore braquant un revolver sur Toshan et Hermine, à la fin du récital.

Pour la jeune chanteuse également, la scène avait gardé toute sa netteté horrible. « J'étais sur un nuage. J'avais rendu mon public heureux, en grande partie des malades, et on m'applaudissait. Les religieuses paraissaient enchantées de ma prestation. Et puis, j'ai aperçu Kiona parmi la foule, alors qu'elle n'était pas censée être là. Elle s'était déplacée dans l'espace, du moins son image, afin de me prévenir. J'ai eu peur, et Toshan m'a rejointe sur l'estrade. Presque aussitôt, il y a eu cette femme qui a hurlé des horreurs sur mon mari en le traitant d'assassin… Sans le docteur qui a fait dévier le tir, je serais peut-être veuve. »

Comme en réponse à ses cogitations, le chef de la police ajouta d'un ton sentencieux :

— Oui, j'ai relu les faits de ce mois de février 1940. Madame Tremblay, par son geste désespéré de l'époque, souhaitait venger la mort de son fils unique, tué accidentellement par monsieur Clément Toshan Delbeau. L'enquête auprès de ses voisins, ce matin, nous a permis de conclure que madame Tremblay survivait dans des conditions matérielles abominables. Il faut mentionner que son époux, Napoléon Tremblay, complice de son fils dans le kidnapping du vôtre, madame Laura Chardin, a succombé à une attaque en prison, l'an dernier. Lui versiez-vous encore la rente dont parlait à l'instant monsieur Chardin, madame ?

Il s'adressait à Laura, de plus en plus blême.

— Non, je l'avoue, non ! Les années de guerre ont été rudes pour tout le monde, nous y compris. Cette histoire de rente m'est totalement sortie de l'esprit !

Sur ces mots, elle pinça les lèvres, malade de honte. Cela faisait à peu près deux ans qu'Amélie Tremblay lui envoyait des lettres pleines de jérémiades et de suppliques afin d'obtenir de l'argent. Laura n'en avait pas tenu compte, brûlant les lettres dès qu'elle les avait lues d'un œil de glace.

— Je ne comprends pas, dit-elle tout bas. Certes, j'ai cessé de la payer, mais mettre le feu chez nous, quand même… Ce n'est pas moi qui ai tué son fils. Elle n'avait qu'à incendier la maison de mon gendre, pas la mienne !

— Je vous remercie, Laura ! ironisa Toshan.

Embarrassés, les deux policiers patientèrent un peu. Jocelyn se cacha le visage entre les mains. Durement éprouvé par tous ces bouleversements, il ne se sentait guère vaillant.

— Il y a eu acte criminel. L'assurance vous indemnisera, nota alors l'agent, pourtant assez jeune et les joues marbrées de couperose. Madame Amélie Tremblay avait tout prévu avant de venir icitte. La valise dont a parlé le petit garçon devait contenir un bidon d'essence.

– Oui, et je suppose que, si l'enfant ne l'avait pas laissée entrer, elle aurait mis le feu de toute façon, par l'extérieur, ajouta son supérieur. Dieu merci, il n'y a pas eu de victimes, si ce n'est cette dame.

– Croyez-vous qu'elle est restée volontairement au sous-sol? interrogea Hermine.

– Nous ne le saurons jamais. Cependant, il y a fort à parier qu'elle n'avait plus envie de vivre. Son mari et son fils décédés, sans une piasse en poche, à la rue, elle a décidé d'en finir.

Laura se leva, les poings serrés. Les yeux dans le vague, elle s'écria:

– En finir! Mais en sacrifiant des enfants dans sa folie! Je tiens à le souligner, messieurs, il y avait cinq innocents cette nuit-là sous mon toit. Elle n'a même pas eu pitié de Louis, qui l'avait généreusement hébergée en cachette, le pauvre petit.

Toshan crut bon de donner son avis.

– Parmi ces innocents, Laura, il y avait mon fils et mes filles, ainsi que Kiona, ma demi-sœur. Je suis convaincu que cette femme le savait et qu'elle avait résolu de me faire souffrir en anéantissant ce que j'ai de plus précieux.

– Seigneur, c'est abominable! s'exclama Hermine. Quand même, il ne faut pas oublier que Paul Tremblay a failli tuer Louis en l'abandonnant rongé par la fièvre dans le trou de la Fée, à Desbiens. Cet homme s'est montré d'une rare férocité, sans une once de moralité. Comment sa mère a-t-elle pu chercher à le venger? Elle déplorait pourtant les agissements de son fils, à l'époque.

– C'était une folle, une pauvre folle, et il aurait fallu l'interner après son coup d'éclat au sanatorium, pesta Jocelyn. Voilà ce que ça rapporte, d'avoir pitié de ce genre de cinglée!

Le chef de la police eut un geste d'impuissance et salua d'un signe de tête.

– Mesdames, messieurs, nous devons recueillir la déclaration de votre voisin, Joseph Marois. Je vous prie de croire que je suis bien navré pour vous tous.

– Je vous accompagne, dit Toshan en les suivant à l'extérieur.

Hermine considéra ses parents avec une profonde compassion. Elle se reprochait de ne pas avoir mesuré l'étendue du désastre qui les frappait. Même s'il fallait louer Dieu qu'il n'y ait eu aucune victime dans la famille, ils avaient perdu leur foyer, leurs souvenirs et le sentiment de sécurité qu'assure une fortune bien établie.

— Tu vois où nous a menés l'attitude stupide de ton mari ? s'égosilla tout à coup Laura, les yeux exorbités. Tu as épousé un sauvage et nous payons ton erreur au prix fort. Quel besoin Toshan avait-il de traquer Paul Tremblay et de l'assassiner ? Il ne pouvait pas laisser la police s'en char-ger ? Rien ne serait arrivé, rien ! C'est la faute de ton Métis !

— Maman, là, tu exagères ! Je te rappelle que Toshan a sauvé Louis, ton fils, ton enfant. Tu me fais honte !

— Tu ferais mieux d'avoir honte de ton mari !

— Laura, allons, calme-toi, ordonna Jocelyn. Hermine a raison, tu dis n'importe quoi. Tu vas réveiller le petit qui dort, là-haut.

— Je m'en fiche ! tonitrua-t-elle, hagarde. Je me fiche de tout et de vous tous ! Et toi, Joss, ne va pas me contredire, tu ne vaux pas beaucoup plus cher que monsieur Toshan Delbeau. Réfléchis un peu ! Si Hermine avait choisi quelqu'un de normal, un honnête Québécois, tu n'aurais pas couché avec Tala, ta belle Indienne, et tu ne m'aurais pas imposé votre bâtarde !

Jocelyn Chardin poussa une exclamation rageuse. Malgré son état de faiblesse, il se leva, chancelant, le poing dressé.

— Tais-toi ou je te frappe ! jeta-t-il d'une voix dure.

Laura recula, les bras plaqués le long du corps. Elle était pathétique, frêle et furieuse, le teint blafard, les cheveux en désordre. De voir sa mère ainsi, elle qui était toujours élégante et soignée, choqua profondément Hermine. « Et si maman était en train de devenir folle ? » se demanda-t-elle. Épouvantée, elle songea aux années d'amnésie qui avaient tenu Laura loin des siens, à la suite d'une terrible atteinte nerveuse. « Tout peut recommencer, s'effraya-t-elle en silence. Jadis, elle a souffert d'une sorte de commotion parce que papa m'avait abandonnée sur le perron du couvent-école en plein hiver. Son esprit n'a pas supporté la douleur de la séparation et, maintenant, peut-être qu'elle sombre à nouveau, devant nous. »

— Papa, je t'en supplie, arrête, maman ne sait plus où elle en est ! s'exclama-t-elle.

La porte du salon s'ouvrit au même instant sur Mireille, en chemise de nuit, l'air préoccupé. Avec son crâne bandé de blanc, elle évoquait un fantôme égaré chez les vivants.

— Ben voyons donc, madame ! se désola-t-elle. On a ben des soucis, mais faut pas vous mettre dans des états pareils ! Si vos petits-enfants vous ont entendue faire autant de sparages, qu'est-ce qu'ils vont penser ? Et vous, monsieur, faut pas montrer le poing à madame. En voilà, de vilaines manières ! Surtout qu'elle parle pas vraiment à tort, sur certaines choses ! Doux Jésus, attendez donc que je sois d'attaque, et la vie reprendra sa bonne allure. Votre Mireille vous préparera le plateau du thé et la soupe aux fèves. J'ai peut-être eu le cerveau qu'a ben chauffé, la nuit de l'incendie, mais je connais encore la recette du caribou, j'ai toujours mes dix doigts et je saurai pétrir la pâte à beignes. Dites, on sera pas bien, tous les trois, cet hiver, icitte ? Y a moyen de faire un petit palais du petit paradis. Notre Mimine va s'en occuper. Suffit d'acheter au *Bon Marché*, chez madame Thérèse Larouche, de quoi bricoler de beaux rideaux et des coussins. Et puis ajouter des lampes, une ou deux babioles en porcelaine...

La domestique faisait vraiment peine à voir. Cela fit son effet sur le couple.

— Oh, ma brave Mireille ! se lamenta Hermine. Tu as été contrainte de quitter le lit. Et tu trembles !

— Fallait ben que je tente quelque chose pour ma pauvre madame !

Laura la fixa d'un œil égaré, puis elle éclata en sanglots.

— Ah oui, tu l'as dit, Mireille, ta pauvre madame ! Il faut me laisser en paix, maintenant ! Vous m'entendez, tous ? Je ne peux plus faire semblant de tenir le coup, je ne peux plus rien supporter.

Sur ces mots, elle sortit en courant. Du perron, elle vit tout de suite ses petits-enfants regroupés, qui avaient dû écouter l'essentiel de l'altercation, car les fenêtres étaient grandes ouvertes.

— Grand-mère, appela Mukki, où veux-tu aller ?

— Oui, grand-mère, reste ici avec nous ! ajouta Laurence, pâle de désarroi.

— Tu le penses pour vrai, ce que tu as dit de notre père ? s'écria alors Marie-Nuttah, incapable de feindre la sagesse ou la neutralité.

— Qu'est-ce que j'ai dit ? bafouilla Laura. Je ne sais plus. Rentrez déjeuner, j'ai besoin d'être tranquille.

Elle dévala les marches précipitamment et s'éloigna d'un pas rapide sur le chemin. Hermine se rua dehors au même instant et hurla :

— Maman ! Maman ! Reviens ! Oh ! mon Dieu, Mukki, suis-la, je t'en prie ! Je crains le pire.

L'adolescent regarda ses sœurs quelques secondes, comme pour solliciter leur avis. De quel pire parlait leur mère ? Il n'eut pas le temps de réfléchir davantage. La jeune femme lui fit un geste d'apaisement et s'élança derrière Laura.

Dissimulée derrière le tronc d'un vieil érable, Kiona avait assisté à la scène. Assis par terre, Louis lui demanda tout bas ce qui se passait.

— Il y a du chagrin partout et le malheur rôde, répliqua l'étrange fillette d'une voix très douce dont la sonorité évoquait irrésistiblement le murmure d'une source. Ne te tourmente pas, tout va s'arranger, petit à petit.

— Maman est méchante, rétorqua-t-il. Elle a toujours été méchante avec toi et avec moi.

— Mais non, tu te trompes. Laura t'aime de tout son cœur et, au fond, elle m'aime bien aussi. Tu as de la chance, Louis, parce que ta mère est vivante et elle ne t'abandonnera jamais. Viens…

Kiona rejoignit Mukki et les jumelles d'un pas dansant. Ses longues nattes d'un or roux voltigeaient de droite à gauche, tandis que le soleil donnait à son teint de miel des reflets enchanteurs. Elle était de plus en plus jolie et, surtout, si peu commune que tout le monde la remarquait et l'admirait.

— Laurence, ça a marché, dit-elle d'un air triomphant.

— Quoi, tu y es arrivée? s'exclama l'artiste en herbe.

— Oui! Mais j'ai dû attendre longtemps. J'ai mis mes mains sur la rambarde du perron, au couvent-école, j'ai fermé les yeux et j'ai prié l'esprit des songes de m'aider. D'abord, j'ai cru que j'allais avoir un étourdissement comme quand je me déplace dans l'espace, et puis non. J'avais l'impression d'être fatiguée, presque endormie, et là, c'est venu. Une image, enfin… des images animées.

— Est-ce qu'on aurait dit un film? s'enquit Mukki d'un air abasourdi.

Ils avaient tous les cinq découvert la magie du cinéma, depuis qu'une salle s'était ouverte à Roberval[5]. La première projection à laquelle ils avaient assisté, dans le cadre flambant neuf du Théâtre Roberval, avait pris la tournure d'un événement. C'était à la fin de l'hiver, en l'absence d'Hermine et de Toshan, retenus à Québec. En compagnie de Laura et de Jocelyn, également enchantés de l'aubaine, ils avaient vu *Tarzan, l'homme singe*, avec le sculptural Johnny Weissmuller et la belle Maureen O'Sullivan dans le rôle de Jane. Le mois précédent, ils avaient assisté à la représentation de *La vie est belle*, de Frank Capra, un mélodrame qui

---

5. Le Théâtre Roberval, salle de cinéma, a ouvert en 1946.

avait tiré des larmes à la sensible Laurence. Ils avaient tous été éblouis par la grandeur de l'écran, la musique, les scènes d'action. Depuis, ils ne cessaient d'espérer retourner au cinéma.

– Oui, c'était comme un film, mais rien que pour moi, expliqua Kiona en souriant.

– Est-ce que tu as aperçu maman quand elle était un bébé? interrogea Marie-Nuttah, excitée par cette idée.

– Il n'y avait aucun bébé! certifia Kiona. Je crois que j'étais à une autre époque, pas celle qui intéressait Laurence, en plus. On finissait de construire le couvent-école. Le toit n'était pas couvert. Il faudra demander à monsieur le maire en quelle année le bâtiment a été terminé.

– Un an avant que les sœurs trouvent maman sur le perron, en 1915, affirma Mukki sur un ton un peu supérieur. Moi, je sais tout ça.

– Moi, je sais tout ça! l'imita Marie-Nuttah en le pinçant au poignet. Tu te prends pour qui?

Ils furent pris d'un fou rire nerveux, avides de s'amuser, d'être liés par un secret d'importance et aussi désireux de ne pas trop penser à la tragédie qui venait de frapper leur famille.

– Ce soir, si vous n'avez pas peur, je voudrais aller explorer le magasin général, annonça Kiona. Je verrai forcément des choses du passé! Tout le village se servait là-bas. Il y avait un hôtel à l'étage et un restaurant. Vous imaginez un peu? C'est l'endroit rêvé pour les fantômes.

– J'irai pas, gémit Louis. Je déteste les fantômes!

– Parce que tu en as déjà croisé, peut-être? le taquina Marie-Nuttah.

– Ne te moque pas de lui! objecta Laurence. Je ne serai pas rassurée, moi non plus.

– Je vous protégerai! déclara alors Kiona.

Ils la regardèrent, sans douter un instant de la force mystérieuse qu'elle pouvait déployer. Pourtant, avec sa salopette en toile beige maculée de traces de boue et sa chemisette à carreaux, elle ne se différenciait en rien d'une enfant de la région, toujours dehors, aventureuse et un brin garçon manqué. Mais la certitude qu'ils avaient tenait essentiellement à l'éclat farouche et néanmoins serein de ses surprenantes prunelles couleur d'ambre. Souvent, le soir, au coucher du soleil, ils remarquaient que les yeux en amande de Kiona rappelaient ceux des loups, lorsqu'ils prenaient une teinte fauve et une expression énigmatique.

— Tu nous protégeras comment? insista cependant Mukki, blessé d'être dépouillé de son rôle d'aîné.

— Mine dit que je dois être médium. Elle a lu ça dans un livre. Alors, les fantômes, je serai sûrement la seule à les entendre ou à les voir.

— Arrête, j'en ai la chair de poule! s'écria Laurence.

— En tout cas, c'est ta faute, tout ça, grogna Louis, son fin visage torturé par l'angoisse. C'est toi qui as demandé à Kiona de retourner en arrière, enfin... de voir le village d'avant.

Laurence n'eut pas le loisir de répondre. Madeleine approchait, silencieuse et la mine grave.

— Je vous prie de passer à table immédiatement, dit-elle. Monsieur Jocelyn a faim et il souhaite se reposer ensuite. Hermine et madame Laura déjeuneront plus tard.

L'Indienne les dévisagea tour à tour d'un œil méfiant. Elle avait deviné qu'ils complotaient quelque chose, sans avoir pu déceler un élément révélateur. Ils lui obéirent, domptés par son ton ferme et son autorité naturelle.

À quelques centaines de mètres de là, Hermine observait sa mère qui venait d'entrer dans les décombres noircis de sa maison. Elle ne voulait pas l'importuner, seulement la surveiller afin de pallier le moindre geste de désespoir. Le cœur serré, elle la vit effleurer d'une main le mur calciné du couloir. Tapie derrière un grand rosier à fleurs rouges, elle osait à peine respirer.

«Mais que fait-elle?» s'inquiéta-t-elle soudain. Laura s'était agenouillée et grattait le sol recouvert de cendres. Elle en projeta en l'air et s'en frotta les joues et les cheveux.

«Je l'entends gémir d'ici! s'effara-t-elle. Mon Dieu, pauvre maman!»

Tout à coup, Toshan fut là, à ses côtés, sans avoir fait de bruit, selon son habitude. Il la prit par la taille avec douceur.

— Pourquoi ne vas-tu pas la voir? Je pense que ta mère a besoin d'assistance.

La présence de son mari parut providentielle à Hermine. D'instinct, sans réfléchir, elle se réfugia contre lui. Peu importait leurs querelles de ces trois derniers jours, il demeurait l'asile le plus sûr.

— Toshan, j'ai peur, confessa-t-elle tout bas. Maman a dit des choses horribles. J'avais l'impression d'être en face d'une étrangère ou d'une démente. Je sais qu'elle n'a pas un caractère accommodant, mais, au fond, est-elle si solide que ça ? C'est peut-être à tort que nous la jugeons forte, même implacable.

— Le choc est rude pour elle. Le destin la terrasse à nouveau, comme jadis.

— Oui, tu comprends exactement ce que je ressens.

— Je n'ai jamais pu oublier la période si singulière où Laura a séjourné dans notre misérable cabane au bord de la Péribonka. Je n'avais que huit ans, et cette femme assise près de la fenêtre m'épouvantait. Elle n'avait plus de regard, plus de vie sur le visage. Mon père l'obligeait à manger ou à boire, et elle obéissait, docile, impassible. Tala m'avait expliqué que l'inconnue souffrait dans son corps et son âme, que ses souvenirs s'étaient enfuis. Cela me paraissait impossible. Quel caprice du sort ! Si on m'avait prédit alors que cette malheureuse créature deviendrait ma belle-mère, qu'elle était à demi folle parce que sa fille lui manquait trop ! Sa toute petite fille, toi, Mine, toi ma chérie.

— Toshan, tu ne m'as pas appelée chérie une seule fois depuis notre dispute de l'autre jour. Merci, mon amour ! Je me sentais punie et rejetée.

Il l'étreignit avec passion. Elle frémit de joie.

— Pardonne-moi, lui dit-il tendrement à l'oreille. Te souviens-tu de ces chemins invisibles dont je te parlais, lors de nos premières rencontres ?

— Oui, bien sûr !

— J'ai la conviction qu'ils existent, qu'ils dessinent un réseau compliqué, entrelacé et hérissé de pièges, d'un bout à l'autre de ce pays. Il y a trente ans de cela, Jocelyn et Laura Chardin fuyaient la justice en plein hiver dans un traîneau tiré par des chiens. Ils sont passés ici, à Val-Jalbert, pour t'abandonner sur le seuil du couvent-école, et ils sont partis vers le Nord, tous deux déchirés par cet acte ignoble, mais qu'ils estimaient salutaire pour toi, leur bébé d'un an. Et moi, je les ai vus arriver chez nous, là-bas, dans le désert blanc. Tala aussi les a vus. J'ai appris que ton père lui a plu tout de suite.

— Et maman délirait, brûlante de fièvre. Elle me réclamait. Tes parents ont été si bons de les accueillir et de les aider !

— Oui, sans doute, mais avaient-ils le choix ? L'hospitalité est un devoir sacré quand la tempête gronde et qu'il neige dru. Enfin, les chemins invisibles étaient tracés, déjà, pour que je te découvre ici, près de la patinoire. Je me fais l'effet d'un ancêtre qui radote. Cette histoire, nous la connaissons l'un et l'autre. Je m'égare, car je voulais surtout te dire que Laura peut très bien perdre la tête et la mémoire pour échapper au présent, à la vision monstrueuse de sa demeure détruite. Regarde-la, elle ne bouge plus, à genoux dans les cendres.

— Seigneur! Il faut la sauver, Toshan. J'y vais. Peut-être qu'en essayant de la soustraire à son abattement et en la raisonnant, j'éviterai le pire. Je t'en prie, rentre au petit paradis et dîne avec les enfants. Ils doivent être très angoissés.

— Oh! Tu sais, à leur âge, on parvient à se protéger du monde des adultes. Ils s'organisent et se soutiennent. Rien ne les empêche de rire en sourdine, de chercher comment se distraire. Va, Mine, va, ma chérie, ma petite femme coquillage!

À l'énoncé de ce tendre diminutif datant de leur nuit de noces, Hermine fondit en larmes. Elle déposa un baiser sur les lèvres de son mari et, rassérénée par ces moments de tendre complicité, elle marcha d'un pas rapide jusqu'au perron.

— Maman? cria-t-elle. Maman, c'est moi, Hermine. Oh mon Dieu! maman, tu es toute grise! Viens, par pitié! Tu me reconnais?

Laura tendit vers elle ses traits délicats maculés de cendres. Même sa bouche était souillée de suie.

— Ma fille? Ma petite Mimine, tu es là? hoqueta-t-elle.

— Mais oui, je t'ai suivie, de peur que tu fasses une bêtise. Et là, j'ai cru que tu avais perdu la mémoire. Cela t'est déjà arrivé à cause d'une trop forte émotion.

— Je n'ai rien oublié, hélas! assura Laura sans même chercher à se relever. Oh! j'ai cru qu'ici nous serions heureux et préservés. Tu vois, il n'y a plus que de la poussière et des gravats. Mon rêve gît là, au milieu de ce chaos. Mes toilettes de luxe, mes meubles, mes bijoux, mes livres, presque quinze ans d'une existence oisive, confortable, idyllique. Et le piano, Hermine, ce magnifique piano que j'avais fait venir de Montréal, le piano à queue de Frank Charlebois, mon défunt mari, le mari de mes années sans mémoire. Je suis bien punie, oui. Dieu n'y est pas allé de main morte pour me rabaisser, me faire regretter d'avoir trop joui d'une fortune que je ne méritais pas. C'est vrai, as-tu déjà réfléchi à ça? Tout cet argent que j'ai dilapidé, je ne l'ai pas gagné, je n'ai pas sué sang et eau pour l'obtenir, non, non... Je me suis couchée dans le lit d'un homme vieillissant qui avait le double de mon âge. Toute une corvée éreintante, n'est-ce pas? Et il m'a quand même fait un enfant, un pauvre petit être incapable de vivre, Georges. Je ne pense jamais à lui, égoïste que je suis! Seigneur, comme j'ai souffert devant ce pauvre bébé inanimé, alors que je venais d'apprendre par la sage-femme que j'avais déjà eu un autre enfant auparavant! J'avais beau me creuser la tête, c'était le vide absolu. J'avais envie de hurler de rage à l'idée de cette partie de moi dont j'ignorais tout, que je pensais ne jamais retrouver. En plus, Georges était mort. Je n'avais pas le droit d'être mère...

Laura sanglotait, les traits crispés. Hermine la prit aux aisselles afin de l'obliger à se redresser.

— Maman, tu te fais du mal à ressasser tout ça! Ne reste pas là, je t'en supplie. Allons nous asseoir dans le jardin, à l'ombre du tilleul. Le tilleul que tu as planté. Il n'a pas brûlé, lui, ni les rosiers.

Hermine réussit à soutenir sa mère et à la diriger vers le banc en fer forgé installé sous l'arbre.

— Enfin, je suis rassurée, ajouta-t-elle. Je redoutais sincèrement que tu souffres d'une autre crise d'amnésie.

Les prunelles limpides de la fantasque Belge étincelèrent, tandis qu'elle déclarait durement:

— Ne compare pas des préjudices matériels et des déboires financiers avec l'abandon d'une toute petite fille adorée, rejetée dans les ténèbres, confiée à des étrangères. Oh non, Hermine, je suis d'une autre trempe, à présent. J'ai envie de tout casser, de cracher ma haine à la figure de n'importe qui, mais je ne vais pas plonger dans le néant ni effacer aucun de ceux que j'aime. Malgré mes crises de rage, je vous vois tous autour de moi, Mukki, les jumelles, Louis, toi, ma chérie, ton père, notre Mireille! Parfois, je vous imagine la proie des flammes et je remercie Dieu de m'avoir épargné cette atrocité. Je ne suis pas folle, je t'assure. Ce qui me ronge, c'est une sorte de honte!

— De la honte? s'étonna la jeune femme. Pourquoi?

— Je ne pourrai plus subvenir aux besoins des miens, je ne serai plus la riche et belle Laura Chardin. Je suis lucide, vois-tu! J'ai un caractère abominable, un rien me met en colère et je peux être méchante, odieuse même. Mon unique qualité, c'était sans nul doute tout l'argent qui faisait de moi une bonne fée. Je tirais de mes largesses une fierté intense et, quand j'achetais des denrées de prix à Chicoutimi, je me sentais une grande dame, quelqu'un d'important. J'avais l'impression de repousser très loin l'autre Laura, la jeune émigrée belge, ivre de misère au point de finir par se prostituer. Maintenant, je n'ai plus ce bouclier protecteur et je suis de retour à mon point de départ. Une femme de cinquante ans sans le sou sur la terre canadienne. En plus, nous occupons une maison qui ne nous appartient pas et je n'ai même pas de quoi payer un loyer à Charlotte!

Laura se tut, à bout de souffle. Hermine commençait à mieux cerner le problème. L'incendie et ses funestes conséquences avaient fait basculer le destin de sa mère en brassant la lie des mauvais souvenirs. Elle chercha les mots susceptibles de la réconforter.

— Maman, tout est différent! Tu as changé, depuis ton arrivée au Québec.

— Hélas, pas tant que ça!

— Mais si et, pour être loyale, moi aussi j'ai honte d'avoir abusé de ta générosité. Je jugeais normal que tu finances mes voyages, mes toilettes de soirée et les études des enfants. Je te l'ai déjà dit et je le répète: nous avons eu tort, Toshan et moi, de vivre à tes crochets. Et puis il y a forcément des solutions. Il faudrait consulter un notaire ou un avocat.

— Ils me diront ce qu'affirme ton père. J'ai agi comme une sotte en tenant à gérer seule ma fortune. Je m'estimais assez intelligente, et voilà le résultat.

Hermine attira sa mère contre son épaule d'un geste tendre et protecteur.

— Je t'aiderai, maman! Tu es trop dure avec toi-même. Tu ne pouvais pas imaginer qu'un jour Amélie Tremblay se manifesterait et mettrait le feu à ta maison. Quant à l'idée de garder ton argent chez toi, bien des gens ont dû t'imiter, pendant la guerre. Ce n'était pas si aberrant que ça.

— C'était de la folie! J'ai eu cent fois l'occasion de déposer mon capital à la banque. C'est-à-dire ce qu'il en restait. J'ai dépensé à tort et à travers, ma chérie, et encore, tu ne sais pas tout. Joss non plus, d'ailleurs. J'ai joué les riches bienfaitrices avec le peu de famille que j'avais encore en Belgique, une cousine qui a grandi sous notre toit, là-bas, à Roulers. Je la considérais comme ma sœur aînée. Elle était d'un tel courage! Toujours au travail à l'usine et, le soir, elle veillait sur nous et faisait les lessives et le ménage. Il m'arrivait de lui écrire, peu de temps après m'être installée ici, à Val-Jalbert. Nous avons pris l'habitude de correspondre, cela me faisait plaisir de renouer avec ma langue natale, le flamand, et d'avoir des nouvelles de mon pays.

– Il n'y a pas de mal à ça !

– Sans doute, mais j'étais toute fière d'adresser des mandats à Paola, ma cousine. Elle vivait pauvrement, en essayant d'établir au mieux ses six enfants. La Belgique a beaucoup souffert, au début de la guerre. J'expédiais de plus en plus d'argent, je l'ai même aidée à acheter une ferme, plus pratique et plus confortable que le logement où ils s'entassaient tous auparavant. J'avais connu le dénuement, adolescente ; j'avais à cœur de sauver Paola de sa condition. Quelle idiote je suis ! Je croyais ma fortune illimitée et, lorsque j'ai compris que je frôlais la ruine, j'ai eu cette idée absurde de faire des placements.

– Cela me prouve combien tu es charitable, maman, fit remarquer Hermine.

Sur ces mots, elle sortit un mouchoir propre de la poche de sa robe et entreprit de nettoyer le visage de Laura.

– Allons, du courage ! ajouta-t-elle. J'ai la conviction que tu es invincible, ma petite mère. D'accord, tu n'as plus un sou, mais je suis là. Je vais accepter tous les contrats qu'on me proposera et peut-être aurai-je d'autres offres dans le milieu du cinéma grâce au tournage de cette comédie musicale. Je te dois des sommes énormes. Je te rembourserai. Cela finira par constituer une rente correcte.

– Et si Charlotte décide de revenir habiter le petit paradis ? Où irons-nous, Joss, Louis et moi ? Et Kiona ?

– Charlotte ne reviendra pas de sitôt. Il lui faudrait affronter son frère et elle n'en a aucune envie. Tu imagines Onésime et Ludwig face à face, ou à se côtoyer tous les jours dans le village ? Vous pouvez prendre vos quartiers d'hiver sans crainte d'être délogés... Oh ! j'abandonne, je ne peux pas te rendre présentable. Il me manque de l'eau. Pourtant, je ne tiens pas à ce que les enfants te voient dans cet état. Était-ce vraiment utile de te barbouiller de cendres ?

– Le robinet extérieur doit fonctionner. Viens, allons-y ! concéda Laura en se levant. Décidément, notre vie à tous ne fait que changer. Nous parlions de Charlotte, dont je n'aurais jamais de nouvelles, sans toi. Comment subviennent-ils à leurs besoins, avec un enfant en bas âge ?

Hermine prit sa mère par la taille, et elles marchèrent ainsi vers l'arrière de la belle demeure saccagée.

– Charlotte et Ludwig partagent l'existence de grand-mère Odina, sous la protection du cousin Chogan qui les a adoptés. Ils ont passé l'hiver avec nous, au bord de la Péribonka, mais l'été ils vivent le plus souvent dans les montagnes, à la mode indienne. Il paraît que Ludwig va à la chasse et à la pêche, que notre Lolotte tanne des peaux et coud des vêtements, qu'ils se débrouillent pour vivre convenablement, mais à la dure. Mon Dieu, Charlotte qui était si soignée, elle se satisfait de peu, à présent. Mais cela ne m'étonne pas d'elle. Je crois que son rêve, depuis l'enfance, était de connaître un grand amour. Aussi, ça lui est bien égal, le froid, la nourriture sommaire et les vêtements rudimentaires, puisqu'elle dort près de son homme. Parfois, je voudrais être à sa place, anonyme, perdue au fond des bois, seule ou presque avec Toshan comme avant. Nous avons été si heureux, au début de notre union !

Laura remarqua le ton nostalgique de sa fille qui venait d'ouvrir le robinet. Un jet d'eau glacé leur aspergea les pieds.

— Ah, que c'est froid ! s'écria Hermine. Lave-toi les mains, maman. Moi, je vais tremper mon mouchoir et faire ta toilette. Au fait, tu ne m'as pas répondu. Pourquoi te barbouiller ainsi ?

— Je n'en sais rien. C'était une dernière communion avec ma maison, ma chère maison. Enfin, pour être honnête, j'ai aussi gratté le sol dans l'espoir de retrouver quelque chose, une clef, un objet, n'importe quoi qui aurait échappé aux flammes.

— Patience, Toshan et Mukki t'ont promis de fouiller les décombres… Montre tes joues. Voilà, tu auras meilleure mine, débarrassée de ces traînées grisâtres.

Très affairées, elles sursautèrent en même temps quand un homme les interpella.

— Bonjour, mesdames ! fit une voix grave, très sonore.

Laura vit la première un homme à la silhouette impressionnante, le visage couvert d'une barbe châtain, le regard pétillant de gentillesse sous son chapeau de paille, un modèle courant mais distingué.

— Monsieur, vous cherchez quelqu'un ? questionna-t-elle, dépitée d'être surprise dans un moment pareil. Je suis désolée, j'ai eu un petit souci. Ma fille m'aidait à retrouver une apparence correcte.

— Doux Jésus, ne vous inquiétez pas, rien ne pourrait vous empêcher d'être une très belle dame, certifia l'inconnu avec un large sourire. Mais je me présente, Martin Cloutier, historien et chroniqueur à ses heures. Je suis en quête de la demeure du surintendant Lapointe. On m'a dit qu'elle se situait par ici.

Hermine jeta un coup d'œil accablé sur les murs à demi détruits sous l'effet de la chaleur démentielle du brasier. Laura eut un geste de tragédienne et désigna les vestiges de son rêve.

— C'était bien ici. Voici les ruines de la magnifique maison que vous cherchiez, monsieur, répliqua-t-elle. Je l'avais achetée il y a environ quatorze ans et réaménagée à mes frais. Hélas! elle vient d'être réduite en poussière par une criminelle qui espérait nous voir tous brûler à l'intérieur.

Le dénommé Martin Cloutier parut abasourdi. Il déposa au sol une sacoche en cuir qu'il tenait auparavant contre lui avec un soin jaloux.

— Si la politesse ne me clouait pas le bec, j'aurais lancé un sacre bien senti, dit-il en hochant la tête. Je suis vraiment navré pour vous, madame. C'est un énorme préjudice, un terrible malheur. On m'avait rapporté que cette maison était la plus belle de Val-Jalbert! En fait, j'ai comme projet de rédiger une étude sur la cité ouvrière de Val-Jalbert et j'ai là de nombreux documents concernant les années fastes du village. Je compte faire des relevés topographiques et établir plusieurs plans, ce qui me permettra ensuite de publier un petit ouvrage sur ce lieu unique.

— Quelle excellente idée! s'exclama Hermine sans soupçonner que sa fille Laurence œuvrait dans le même sens en cachette.

— Oui et, dans ce but, je m'installe jusqu'à la fin de l'automne à Val-Jalbert. Le maire m'a autorisé à loger dans une maison double de la rue Dubuc, encore en très bon état. Oh! ce sera une existence à la dure, un lit de camp et un réchaud à alcool. Mais évidemment une machine à écrire et une grande table, ça, c'était indispensable. Je dois me dépêcher, car des rumeurs circulent que le village serait fermé un jour ou l'autre, interdit aux curieux[6].

— Mais c'est absurde! protesta Hermine. Des gens habitent encore ici : notre voisin et ami Joseph Marois, mes parents, deux autres familles et leurs enfants. Sans compter les résidants établis le long de la route régionale.

---

6. En août 1949, toutes les propriétés de la Compagnie de pulpe en faillite situées à Val-Jalbert sont vendues au gouvernement du Québec pour 1 500 000 dollars. L'administration du site est confiée au ministère des Ressources hydrauliques, qui interdit aux habitants de la route régionale d'arpenter le village ou de s'y promener librement. Une barrière est installée pour contrôler l'accès au site et un gardien est désigné pour surveiller l'endroit. C'est monsieur Alphonse Fortin, habitant de Val-Jalbert, qui assuma la tâche de gardien entre 1956 et 1959.

Elle dévisagea le visiteur d'un air consterné. Il l'observa attentivement à son tour avant de pousser un cri étouffé.

— Ciel! vous ne seriez pas le Rossignol de Val-Jalbert? s'enquit-il. La célèbre chanteuse lyrique Hermine Delbeau? J'ai lu tant d'articles sur votre carrière…, sur vous aussi! J'ai même découpé une photo de vous en costume de Marguerite, dans le *Faust* de Gounod.

Ravie, Laura tendit la main à Martin Cloutier.

— Cher monsieur, vous avez raison. Et je suis la mère comblée de ce prodige!

— La ressemblance entre vous deux est étonnante, en effet, mais vous avez dû avoir mademoiselle au berceau. Vous êtes si jeune…

Rien ne pouvait faire plus plaisir à la coquette Laura. Elle se sentit réconciliée avec la vie. Le regard admiratif dont la couvrait cet homme était un des meilleurs antidotes à son chagrin.

— Monsieur Cloutier, j'espère que nous aurons la joie de vous recevoir au petit paradis. C'est une maison fort modeste où nous nous sommes réfugiés, mon époux et moi, ainsi que mon fils et notre gouvernante. Je serai heureuse de suivre les progrès de votre étude. Peut-être pourrai-je vous aider…

Le visage du sympathique personnage s'illumina. Il contempla tour à tour Laura et Hermine en souriant de bon cœur.

— Je suis un chanceux, concéda-t-il. Et pour mieux vous consoler, chère madame, je vous jouerai de la guitare. Je pousse même la chansonnette, dans un autre registre que votre talentueuse fille, bien sûr. Peut-être que j'aurai le plaisir de vous écouter, mademoiselle…

— Madame Delbeau, monsieur Cloutier. Je suis mariée depuis l'âge de seize ans et j'ai quatre enfants, indiqua Hermine d'une voix douce.

— Pardonnez-moi, je l'ignorais!

Il semblait sincère. Ses yeux, aussi bleus que ceux de la jeune femme, rayonnaient de bienveillance et de bonté.

— Cela signifie que vous ne feuilletez pas la presse à scandale, nota-t-elle avec un sourire. Les journaux se sont souvent passionnés pour mon mari, un Métis. Sa mère était une Indienne montagnaise, son père, un Irlandais. Je préfère vous avertir, nous composons une sorte de clan très disparate!

— Moi-même, je suis une émigrante belge, annonça Laura, soucieuse de monopoliser l'attention du visiteur.

– Donc pas d'accent du pays chez vous ! répliqua-t-il en riant de bon cœur.

– Oh si ! Mon époux, Jocelyn, et ma domestique ont l'accent québécois.

Tout en discutant, Laura mettait de l'ordre dans ses cheveux et lissait sa robe. Elle avait conscience de plaire à Martin Cloutier et se promettait d'être plus à son avantage lors de leur prochaine rencontre.

– Venez boire un thé samedi, proposa-t-elle. Vous n'avez qu'à nous raccompagner. Ainsi vous saurez où se trouve le petit paradis.

– Quel nom ravissant ! fit-il remarquer.

– C'est un de nos amis qui l'a baptisé ainsi, renchérit Hermine, monsieur Ovide Lafleur, un instituteur de Sainte-Hedwidge. J'occupais la maison, à l'époque, et il a trouvé l'aménagement très agréable, au point de comparer le lieu à un petit paradis. Cela a plu à mes enfants et depuis nous continuons à user de ce joli surnom.

– Quelle plaisante anecdote ! Mais j'y pense, madame Delbeau, j'ai lu dans un article que vous avez grandi icitte. Je suis certain que vous auriez beaucoup de choses à me raconter sur le passé du village.

– Sans aucun doute, monsieur Cloutier. Hélas, je dois retourner à Québec à la fin de la semaine. Je donne encore trois représentations au Capitole. Et, dès mon retour, je rejoindrai mon mari au bord de la Péribonka, où nous possédons un modeste domaine. Quelques parcelles de forêt, une crique de la rivière et une ancienne cabane de chercheur d'or, aujourd'hui assez spacieuse pour notre famille et très confortable. Je crois que je n'aurai pas l'occasion de vous revoir avant le mois de septembre.

Martin Cloutier eut une mine chagrinée, ce qui contraria Laura. Elle lui tapota amicalement l'épaule.

– Cher monsieur, je connais l'enfance de ma fille sur le bout des doigts ; je me sens apte à vous apprendre l'essentiel. Et je vous ferai visiter le couvent-école. C'est Joseph Marois, un bon ami, qui en garde les clefs. Il était ouvrier à la pulperie et, pendant longtemps, il s'est chargé de l'entretien de la dynamo. Lui aussi vous serait précieux. Oh ! Dieu soit loué ! Grâce à vous, l'été me fait moins peur. Vous viendrez, n'est-ce pas, avec votre guitare ?

– Je vous le certifie, chère madame ! Je ne m'attendais pas à un si plaisant voisinage, savez-vous ?

Il ponctua sa déclaration d'un sourire. Cela amusa Hermine qui devinait déjà les efforts que déploierait sa mère pour recevoir son invité dans les meilleures conditions, même si cela enrageait son père, qui n'aimait pas être importuné.

Ils cheminèrent tous les trois en bavardant. Plus elle s'éloignait des décombres de sa belle demeure, plus Laura se montrait radieuse.

— Ce matin, j'ai cru succomber au pire des chagrins, dit-elle en s'approchant du petit paradis. Mais je reprends espoir, ce qui me démontre encore une fois que la compassion et l'amitié sont des valeurs importantes. Certes, c'est inhumain de voir toutes ses affaires parties en fumée; néanmoins, comme me l'ont répété ma fille et mon époux, nous avons tous survécu et je ne dois pas me plaindre.

— C'est quand même un terrible malheur... et un vrai fléau de notre pays, les incendies!

— D'où êtes-vous, monsieur? s'enquit Hermine.

— De Saint-André-de-l'Épouvante, un petit village forestier à quinze milles d'ici, qui a été construit la même année que Val-Jalbert. Nous avons une chute d'eau à nos portes, nous aussi, celle de la rivière Métabetchouane.

L'irruption de Kiona, surgie de derrière un buisson, le fit taire. La fillette leur barra le passage. Elle resplendissait avec son teint de miel, ses nattes d'or roux et son regard d'ambre.

— Nous avons fini de déjeuner, déclara-t-elle d'un ton solennel, mais Madeleine a gardé du ragoût au chaud. Bonjour, monsieur, et bienvenue!

— Merci, jeune demoiselle, rétorqua-t-il d'un air ébloui. Mais à qui ai-je l'honneur?

— C'est ma demi-sœur Kiona, affirma Hermine.

— Et je vais monter mon cheval. Il s'appelle Phébus.

Kiona salua d'un signe de la main et se rua vers l'écurie. Martin Cloutier jugea plus correct de prendre congé.

— Bon appétit, mesdames, et à la revoyure!

— Samedi, pour le thé! proclama Laura. Au fait, quel genre de chansons connaissez-vous?

— J'avoue que j'interprète souvent des chansons de Félix Leclerc, un grand poète et un formidable acteur!

— Félix Leclerc! s'enthousiasma-t-elle. Tu entends ça, Hermine? Nous écoutions ses pièces de théâtre sur Radio-Canada et il jouait dans des feuilletons, toujours à la radio. Mon mari et moi, nous n'aurions manqué pour rien au monde un épisode de *Vie de famille*[7]. Sa voix me donnait des frissons.

— Alors nous avons ça en commun, chère madame, assura Martin Cloutier. Allez, je vous laisse, j'ai suffisamment abusé de votre temps.

Hermine et sa mère le suivirent des yeux, tandis qu'il faisait demi-tour d'un pas rapide. Puis elles se décidèrent à entrer dans la cuisine, où Toshan et Jocelyn discutaient tout bas.

— Ah, voici enfin nos femmes! s'écria ce dernier. Je me rongeais les sangs. Enfin, Laura, tu nous as apeurés, à te sauver comme ça avant le repas.

— J'avais seulement besoin de me détendre un peu, rétorqua-t-elle. Je me sens mieux, à présent, beaucoup mieux. Nous avons un nouveau voisin, un monsieur Cloutier, historien de son état et chanteur lui aussi. Je l'ai invité à boire le thé samedi. Hermine, ma chérie, à ce propos, il faudrait que tu me consentes un tout petit prêt, de quoi changer les rideaux et acheter une ou deux lampes. Avec quelques trouvailles de bon goût, la maison me paraîtra plus accueillante. Quel dommage que le salon ne soit pas libre! Mais, évidemment, on ne peut pas remiser notre Mireille au grenier!

— D'autant moins qu'elle t'a donné de brillantes idées avant ton coup de folie, pesta Jocelyn. Tu n'es pas obligée de suivre ses conseils. Hermine n'a pas à te fournir d'argent.

— Mais si, papa! Toshan et moi sommes redevables à maman depuis des années. Elle payait tout à notre place. Je tiens à la dédommager, même si je ne peux pas rembourser la fortune qu'elle a investie dans ma carrière et dans l'éducation de nos enfants. Tu es d'accord, Toshan?

Le Métis estima plus prudent d'approuver. Il avait envie de se réconcilier avec sa femme, dont le décolleté et les lèvres entrouvertes l'excitaient.

— Tout à fait! insista-t-il. Et j'ai la ferme intention de travailler de mon côté. Laura, dès demain, vous pourrez installer Mireille à

---

7. Félix Leclerc occupe divers petits emplois avant de devenir animateur radiophonique à Québec de 1934 à 1937. Il écrit ensuite des scénarios pour le compte de Radio-Canada à Trois-Rivières, développant des pièces dramatiques à la radio, comme *Je me souviens*. Il y chante ses premières chansons. Il joue aussi dans les feuilletons radiophoniques comme *Rue Principale*, *Vie de famille*... Il fonde également une compagnie théâtrale qui présente ses pièces à travers le Québec.

l'étage. Je pars pour Péribonka avec Mukki. Je voulais emmener les filles, mais elles ont refusé. Impossible de les convaincre, elles préfèrent rester à Val-Jalbert pendant l'absence d'Hermine.

— Tu pars demain? s'angoissa la chanteuse. Déjà? Je croyais que tu patienterais jusqu'à mon départ pour Québec.

— Mais c'est après-demain, Mine! se défendit-il. Onésime te conduira à la gare. J'ai hâte d'être chez moi, sur mes terres. Et de t'attendre...

Il ponctua ces mots d'un tel sourire qu'elle en frémit de bonheur. Une heure plus tard, Toshan l'amenait par la main jusqu'à la cascade, la tumultueuse et puissante chute d'eau de la Ouiatchouan, dont la farouche musique avait bercé leur amour au fil des années.

5
UN APRÈS-MIDI D'ÉTÉ

Hermine se retourna une dernière fois pour contempler la cascade, dont l'eau vive et limpide semblait tissée d'argent et de cristal dans la lumière éblouissante de l'après-midi. «Depuis ma plus tendre enfance, la belle Ouiatchouan berce mes rêves et adoucit mes peines! Ainsi nimbée de soleil, on dirait un gigantesque bijou, élaboré par la nature toute-puissante», songeait-elle.

Mais Toshan l'entraînait le long de la rivière. Sa main tenait la sienne bien serrée.

— Viens vite! C'est le jour rêvé, il fait si chaud!

Le couple avait eu l'idée de se baigner en aval de la chute d'eau, dans le canyon.

— Cela fait combien d'années, Mine, que nous ne sommes pas allés là-bas, toi et moi? demanda-t-il en riant.

— Je n'en sais rien, mais je n'ai pas oublié un certain jour d'été, il y a très longtemps, en 1930 exactement. J'avais amené Charlotte, qui était encore aveugle à cette époque; elle était juchée sur ce brave Chinook. Joseph me confiait son cheval en grognant, alors qu'aujourd'hui il voudrait me le donner.

— Bien sûr, fit remarquer son mari, sa bête approche ses vingt-cinq ans. Peu de chevaux vivent aussi vieux.

— Et tu es apparu, ajouta Hermine en s'arrêtant. Tu avais les cheveux courts comme maintenant et cela m'a déçue. Je chérissais le souvenir d'un Toshan aux longues mèches de jais et tu avais sacrifié ta chevelure afin de trouver un job. Mais tu étais beau, tellement beau!

— Et toi, tu m'as paru fascinante, une fleur de juillet nacrée, avec tes yeux couleur d'azur!

— Poète, va! plaisanta-t-elle. Ce jour-là, j'ai eu la certitude que tu étais le seul homme que j'aimerais, mon futur époux et mon compagnon. Tu as été si attentionné avec Charlotte! Tu avais pitié d'elle parce qu'elle ne pouvait pas voir la beauté du monde, le reflet des feuilles d'érable dans l'eau, les rochers et les sapins…

Attendrie, elle noua ses bras autour du cou de son mari et l'embrassa tendrement sur les lèvres. Il répondit à ce baiser avant de l'obliger à poursuivre leur chemin.

— Toi et moi sans témoins dans le canyon de la Ouiatchouan, dit-il d'une voix enjôleuse. Vite, Mine, ne tardons pas. Qui sait quel drame peut encore se produire pour nous empêcher de profiter de cette merveilleuse journée? Au moins, au bord de la Péribonka, nous pouvions souvent nous baigner, mais, ici, il nous faut rester enfermés à entendre ta mère, ton père et Mireille se plaindre.

— Tu exagères, lui reprocha-t-elle. En plus, je n'ai pas mon maillot.

— Pas question que tu mettes un bout de tissu sur ton corps de naïade, ma petite femme!

— Et si quelqu'un me voit?

— C'est le désert, dans ce coin! Il n'y a plus personne à Val-Jalbert!

— Ah oui? Et le nouveau voisin, Martin Cloutier? Je n'ai pas envie qu'il me découvre à moitié nue.

Toshan éclata de rire. Il saisit Hermine par la taille et pressa le pas. Bientôt, ils déboulèrent sur une des rives du canyon en marchant sur un large promontoire de pierre grise en forme de dôme. Frappés par la magnificence du lieu, tous deux gardèrent un instant le silence. D'autres roches plates aux contours adoucis par des siècles de lutte avec la rivière s'étalaient en enfilade, vers le lac Saint-Jean. On aurait pu imaginer qu'il s'agissait là de sentinelles assoupies, lasses d'observer la course incessante des eaux de la Ouiatchouan. Un vent léger faisait bruire les feuillages et cela ressemblait à une chanson murmurée.

— Ici, j'ai l'impression d'être entouré par les fantômes de mes ancêtres montagnais, assura le Métis. Ce n'est pas un sentiment triste, non, cela me donne de la force. J'ai envie de célébrer les arbres, les pierres, l'eau et les nuages.

D'un geste solennel, Toshan tendit ses bras vers l'azur resplendissant, son regard sombre scrutant l'infini. Hermine osait à peine respirer, émue, étrangement heureuse. «Mon amour, c'est ainsi que tu m'as séduite, libre, fier et insoumis. Tu m'as appris tant de choses…» pensa-t-elle, fascinée par ce moment volé au quotidien parfois monotone, ponctué de querelles et de désaccords.

Mais le temps s'abolissait par la magie de ce paysage immuable que rien n'avait pu altérer depuis des siècles et qui demeurerait sans nul doute le même, écrin vierge et sublime, au parfum frais et balsamique.

— Viens! s'écria son mari. Je t'en prie, viens…

Il la dévisagea, puis fixa ses épaules dénudées par le corsage sans manches en coton blanc. Son échancrure dévoilait la naissance de ses seins dans l'ombre du tissu. Enfin, il contempla ses jambes ravissantes, ses genoux et ses cuisses.

— J'aime bien quand tu mets un short! déclara-t-il avec un air coquin.

Hermine s'était pliée à la mode. De nombreuses stars américaines posaient pour les magazines, en cette saison estivale, vêtues d'un short en toile qui descendait jusqu'à mi-cuisse. Une autre révolution s'annonçait, qui avait fait scandale avec l'apparition du bikini, un maillot de bain deux pièces. Mais Toshan n'était pas encore au courant, et, l'eût-il été, il n'aurait pas changé d'idée.

— Viens, Mine, l'eau doit être délicieuse!

— Et glacée, soupira-t-elle en ôtant ses sandales. Tant pis, je te suivrai partout.

Pieds nus, elle s'aventura sur un autre rocher en contrebas et se pencha un peu afin d'effleurer d'un doigt la surface de la rivière. Toshan en profita pour se déshabiller et se jeter à l'eau. Il s'empressa de l'éclabousser généreusement.

— Oh! non, non! s'égosilla-t-elle, prise de fou rire. Tu n'es vraiment qu'un sauvage!

— Rejoins-moi, sinon je m'en vais à la nage jusqu'au lac. Mine, nous sommes seuls au monde. Viens ou je sors et je t'attrape.

Elle capitula, prise de la même frénésie joyeuse, ivre de ces instants de totale liberté. Il lui fallut trois minutes pour se retrouver nue. Sa chair de nacre et de lait brillait au soleil. Elle défit son chignon, laissant sa somptueuse chevelure blonde crouler dans son dos.

Toshan la contemplait, le souffle court. À trente et un ans, Hermine avait des courbes plus épanouies et les seins plus lourds que jadis. Cependant, il la trouvait plus désirable encore, car ces rondeurs charmantes faisaient paraître sa taille souple et fine. Il admira aussi ses chevilles ravissantes et le délié de ses bras. Il la compara à une déesse, incarnation affolante de la féminité.

— Viens! insista-t-il d'une voix rauque.

Elle glissa dans l'eau, poussa un bref cri de surprise et, tout de suite, se mit en devoir de l'éclabousser aussi. Comme des enfants, ils jouèrent à qui arroserait l'autre, s'enla-çant et se séparant pour mieux s'étreindre à nouveau.

— Tu es belle, ma chérie! balbutia-t-il à son oreille.

Il la caressait, étroitement accolé à elle. Leurs bouches s'unirent, complices. Ils s'étonnaient sans se l'avouer d'éprouver un désir sans cesse renouvelé, irrépressible malgré les années vécues ensemble.

— Allons nous réchauffer un peu, proposa-t-il en la prenant par la main.

Toshan l'aida à se hisser sur un rocher où elle s'allongea aussitôt, le cœur battant à se rompre. La pierre était chaude sous elle et elle en conçut une sorte de bien-être rare.

— Il faudrait toujours vivre ainsi, dit-elle. Loin des villes et des théâtres. Rien que nous deux… sans oublier les enfants, quand même!

— Ne parle pas des enfants, pas ici, pas maintenant, protesta-t-il avant d'embrasser sa poitrine perlée de gouttelettes.

— Nous ne pouvons pas…, pas ici, Toshan. Je serais trop mal à l'aise! Ce soir…, il faut attendre la nuit!

— Oh! non, pas question! J'en serais incapable!

Il pesait sur elle, impérieux, dominé par le besoin de la posséder immédiatement, sans même lui prodiguer les caresses qu'elle appréciait tant. Elle s'abandonna, de peur de le froisser. Elle ferma les yeux en gardant la vision fugace du corps élancé et musclé de son mari, à la peau cuivrée et aussi lisse que la sienne.

« Mon amour, mon amour! se disait-elle. Tu me séduis toujours autant. Chaque fois que tu m'apparais nu, je redeviens la petite épousée de notre nuit de noces, dans le cercle des mélèzes, qui s'était résignée à te regarder tout entier. Je tremblais de peur, d'impatience et de désir… »

Cette simple réminiscence l'enfiévra si bien qu'elle se moqua soudain d'un possible témoin et de sa propre impudeur. Son esprit fit le vide, pour ne percevoir qu'une unique évidence : ils étaient libres, seuls, un homme et une femme unis par la même passion, au sein d'éléments immuables, primitifs, la pierre, l'eau et le soleil. Une vague de plaisir l'inonda, lui arrachant une plainte très douce que Toshan étouffa d'un baiser. Ensuite, il se redressa sur un coude, avec un sourire flatté.

— Ma petite chérie, constata-t-il, je ne te croyais pas capable d'un tel dévergondage!

— Oh! ce n'est pas le moment de plaisanter, se lamenta-t-elle, ramenée sur terre un peu vite à son gré. Je t'en prie, va chercher mes vêtements. Si quelqu'un arrivait…

— N'aie pas peur! Tu n'y pensais pas, il y a quelques secondes. Si on nageait un peu, maintenant? Ce n'est pas dangereux en cette saison.

Mi-vexée, mi-amusée, Hermine s'empressa de se glisser dans l'eau. Elle se sentit délicieusement bien, emportée par le courant paisible; en été, le débit de la rivière était assez bas. Elle put même s'ébattre à son aise, tandis que Toshan se lançait dans un crawl vigoureux.

À cinq cents mètres de là, Kiona s'arrêta de marcher, un peu essoufflée. Louis, qui la suivait, la devança et lui fit face.

— Qu'est-ce que tu as? demanda-t-il. Je croyais qu'on rentrait vite au village.

— Rien, je me repose.

— Tu es vraiment bizarre! On devait se baigner dans le canyon et tu as changé d'avis parce qu'il y avait Hermine et Toshan. Il fait tellement chaud, j'étais ravi de me baigner, moi!

— Il fallait les laisser tranquilles, répliqua la fillette.

— C'est toi qui le dis. On aurait pu les rejoindre.

Louis décocha un coup de pied dans une branche morte qui barrait le sentier. Kiona retint un soupir d'irritation. Louis se comportait comme un enfant de quatre ans, à son avis.

— On ne pouvait pas rester! Les adultes n'aiment pas être importunés. Surtout Mine et Toshan, ils sont rarement ensemble. On va en profiter pour chercher comment entrer dans le magasin général.

Cette promesse réconforta le garçon, mais il mordilla une brindille d'herbe d'un air renfrogné, afin de montrer à Kiona qu'il était encore en colère.

Elle n'y prêta pas attention. Son regard doré était un peu absent. De toute façon, c'était trop difficile d'expliquer à quiconque la prodigieuse perception qu'elle avait des choses. En dépit de ses douze ans et demi, elle avait su immédiatement ce qui se passerait dans le canyon entre sa Mine et Toshan. Cette conviction, elle l'avait eue non pas grâce à une vision précise, mais plutôt par le biais d'une prescience. Elle avait l'impression inouïe d'être dotée d'antennes invisibles et d'intercepter ainsi les sentiments des autres, leurs chagrins, leurs joies et leurs colères. Elle s'était donc empressée de s'éloigner du canyon avec Louis.

«Depuis que j'ai perdu du sang, mes pouvoirs sont de plus en plus puissants!» se dit-elle. Cela l'enivrait et la terrifiait à la fois. Elle ne savait pas quel autre terme employer que ces fameux pouvoirs dont on lui parlait tout bas, dans la famille. «Eux aussi, ils ont peur. Mon père, Mine, Madeleine, Toshan, ils étaient bien rassurés, tout ce temps où je ne ressentais plus rien…, enfin, presque plus rien. Mais, là, je vais devoir m'habituer. C'est tellement bizarre!»

Elle voulut repartir vers le village. Louis l'en empêcha en la saisissant par les épaules. Ils faisaient la même taille et ils se trouvèrent quasiment nez à nez.

— Embrasse-moi, Kiona, supplia-t-il. Sur la bouche, comme font les amoureux.

— Qu'est-ce qui te prend, imbécile? protesta-t-elle en se dégageant. Tu veux une tape?

— Allez, Kiona, plus tard, on se mariera. Donne-moi un baiser.

— Tu es mon demi-frère, Louis. Tu ne m'épouseras jamais. En plus, on n'a pas l'âge de jouer à ça.

Elle se tut, troublée. Le visage de Delsin s'était dessiné dans le secret de son esprit, Delsin qu'elle avait côtoyé trois ou quatre jours seulement, entre les murs de cet horrible pensionnat pour les enfants indiens. Il s'était enfui grâce à elle. «Qu'est-il devenu? se demanda la fillette. Je ne dois pas m'inquiéter, je le reverrai, c'est écrit dans les nuages et dans mon cœur. Nous serons tous les deux dans les bois, au bord d'une rivière, et il se passera ce qui a dû se passer entre Mine et Toshan. Un acte d'amour… Après, si Manitou le décide, viendra un bébé!»

— Mais à quoi tu penses? vociféra Louis en la secouant. Pourquoi tu souris?

Il tenta une approche et réussit à déposer une bise maladroite sur l'oreille de Kiona. Elle le repoussa.

— Pauvre idiot! Ne recommence pas! Un frère et une sœur ne peuvent pas s'embrasser, tu comprends? Pas comme ça.

Il tapa du pied, la mine rageuse, en digne fils de la tempétueuse Laura Chardin. Kiona l'observa, un air désolé sur les traits. Avec ses cheveux raides, d'un châtain ordinaire, ses traits émaciés et ses yeux d'un brun clair, Louis ne promettait pas d'être un séducteur, surtout qu'il avait mauvais caractère.

— Sois patient! Tu te marieras forcément. Mais pas avec ta demi-sœur, assura-t-elle, radoucie.

En réalité, Kiona sentait dans chaque fibre de son jeune corps qu'il n'y avait aucun lien du sang entre Louis et elle. Peut-être qu'elle faisait erreur. De toute façon, elle s'était promis de ne jamais aborder ce point capital. Au fond, elle préférait se persuader qu'ils avaient bel et bien le même père.

— Tu es méchante, s'indigna-t-il.

— Mais non! C'est toi qui es sot, un vrai gnochon, comme dirait Mireille. En plus, tu me suis partout alors que j'ai besoin d'être toute seule, en ce moment! Quand je suis entrée dans l'écurie, après le repas, pour seller Phébus, tu étais déjà là, en train de harnacher le poney. Je pars dans les bois, tu arrives en courant. On ne peut pas rester tous les deux du matin au soir!

— D'accord. Puisque tu me détestes, je m'en vais, clama-t-il. Les gens ont raison, t'es qu'une petite sorcière prétentieuse et égoïste!

— Les gens, ou ta mère? demanda Kiona.

— Tout le monde, je te dis, jeta-t-il en prenant la fuite.

Elle le regarda courir sous le couvert des arbres. Il pleurait, sincèrement chagriné par ce qu'elle avait osé lui reprocher. Cela aussi, elle le ressentait.

— Tant pis! bredouilla-t-elle, le cœur lourd.

La fillette se dirigea à son tour vers le village. Quelque chose la poussait à tenter une expérience le plus vite possible.

Dans le canyon, Toshan achevait de se rhabiller, tandis qu'Hermine l'attendait, assise au soleil. Avec un air pensif, la jeune femme scrutait l'eau aux reflets changeants.

— C'était une baignade de rêve! proclama son mari. N'est-ce pas, ma chérie?

— Oui, une jolie façon de se dire au revoir. Si je pouvais me dispenser de repartir pour Québec! Je préférerais cent fois te suivre à Péribonka, m'installer dans notre maison, là-bas, revoir Charlotte... Hélas, il est hors de question que je fasse faux bond au directeur du Capitole. Il a déjà eu la gentillesse d'annuler une représentation.

— Mine, l'apostropha-t-il, je dois te parler à ce sujet.

Elle l'interrogea d'un œil inquiet. La mine embarrassée, Toshan alluma une cigarette.

– J'ai décidé d'amener Madeleine et Constant. Ce sera mieux pour le petit. Pourquoi lui imposer un nouveau voyage en train, interminable et épuisant ? Surtout pour rester une dizaine de jours en ville. J'ai lu dans *La Presse* qu'il y avait une épidémie de poliomyélite aux États-Unis. Des milliers d'enfants ont été atteints et trois mille en sont morts. Cela pourrait se propager ici, au Canada[8]. En plus, je pourrai m'occuper de mon dernier fils et mieux faire sa connaissance.

Interloquée, Hermine refusa tout net.

– Non, je ne veux pas me séparer de Constant ; il est trop petit encore.

– Mine, il a deux ans ! Que crains-tu ? Il y aura Madeleine. Il est toujours pendu à son cou. Ça ne changera guère.

Cette remarque la meurtrit, car elle avait beaucoup souffert par le passé de l'attachement que les jumelles vouaient à leur nourrice. Madeleine les avait allaitées un an ; elle s'était chargée en grande partie de leur éducation, des premiers pas aux premiers jeux, en passant par l'apprentissage de la propreté et à celui du langage. Hermine s'était souvent sentie dépossédée de son rôle de mère, ce qui la rendait très possessive à l'égard de Constant.

– Il me réclamera le soir, objecta-t-elle. Mon métier m'a obligée à m'éloigner de mes enfants, mais ils m'aiment quand même. Bébé pleurera, sans moi.

– Arrête de l'appeler comme ça, Mine ! Sois sérieuse, aussi. Tu tiens à ce qu'il tombe malade ? La poliomyélite est une affection très dangereuse.

– Tu t'en sers pour m'apeurer. Il n'y a pas encore de cas au Québec et nous ferons attention. Je garde Constant, c'est inutile d'en discuter davantage.

Toshan se pencha et la souleva rudement par la taille. Elle se leva tant bien que mal, stupéfaite.

– Si c'est mon fils, laisse-le passer quelques jours avec moi et sa famille indienne. Cela le dégourdira un peu. Mais si je n'ai aucun droit sur lui, d'accord, dis-le tout de suite. Tu as de la chance, il n'a pas les yeux verts. Autrement, j'aurais compris plus vite.

– Quoi ? s'écria-t-elle, sidérée. Qu'est-ce que tu insinues ? Mon Dieu ! Tu recommences à me soupçonner ! Combien de preuves

---

8. L'épidémie touchera Montréal dès le 8 août 1946, avec soixante-seize cas de paralysie infantile déclarés le même jour.

devrai-je te donner de mon amour? Tu me crois assez ignoble, assez sournoise pour avoir un enfant d'un autre homme et l'élever avec toi? Toshan, ta jalousie finira par nous détruire; c'est une maladie plus terrible que ta poliomyélite. Là, tu me dégoûtes, je t'assure! Des yeux verts… Tu penses que j'ai couché avec Ovide Lafleur? Dans ce cas, ce serait au bord de la Péribonka, durant l'hiver où nous avons été si heureux, enfermés par la neige dans notre foyer? Ciel! je ne me souviens pas d'avoir eu de la visite, encore moins de la visite masculine, hormis celle de ton cousin Chogan. Et j'ai rarement quitté la maison pour courir les bois, en quête d'un autre mâle que toi!

Vraiment déchaînée, elle le toisait de ses prunelles bleues, assombries par une révolte viscérale.

— Tu viens de m'insulter, reprit-elle. Je ne suis pas ce genre de femme, Toshan Delbeau! Faut-il que je te répète le rôle qu'a joué Ovide pendant la guerre? Un ami, un soutien, une présence rassurante! Il nous prêtait des livres et aidait les enfants à réviser leurs leçons. Il a sauvé Kiona, je te le rappelle encore une fois. Oh! je perds mon temps, tu es plus borné qu'un vieil orignal. Tu es stupide, ingrat, aveugle et sourd à tout ce qui est bon ou tendre sur terre.

Le visage inondé de larmes, Hermine voulut échapper à son mari qui la tenait encore par un bras.

— Lâche-moi! Je pourrais te prouver mon amour cent fois par jour, tu continuerais à ressasser des idées absurdes, à supposer que je m'offre à tous ceux que je croise.

— Mine, excuse-moi! Tu me rends fou, aussi, à être si belle et si désirable. Franchement, si Ovide Lafleur a pu te côtoyer plusieurs mois sans rien tenter, c'est un saint.

— Donc, toi, à sa place, tu aurais essayé de séduire une femme désespérée par l'absence de son époux? Bravo, Toshan, ta moralité est édifiante! J'en ai assez, assez! Amène Madeleine et Constant, si tu acceptes de choyer ton prétendu fils que j'aurais eu par l'opération du Saint-Esprit.

— Tu blasphèmes! ironisa-t-il. Toi, une bonne catholique?

— Fiche-moi la paix, tu as gâché cette belle journée. J'étais si heureuse, à l'instant! Mais tu t'arranges pour me faire souffrir, sans cesse, oui, sans cesse. Quand je mettrai un terme à tout ça, tâche de ne pas être éberlué.

Elle pleurait toujours, poignante et pathétique avec ses cheveux mouillés, plaqués sur ses épaules et ses lèvres gonflées par leurs baisers.

– Tu as raison, je suis un malade, admit-il. Un malade d'amour et de passion pour toi. Mine, tu n'envisageras jamais de divorcer ?

– Non, bien sûr, mais c'est insoutenable d'être accusée à tort. Tu n'as pas le droit de concevoir une seule seconde que Constant n'est pas ton enfant. J'en ai le cœur déchiré.

Honteux, il l'attira contre lui. Depuis le début de leur vie de couple, Toshan lui avait trop souvent imposé des directives insensées. Il avait pratiqué également la politique du chaud et du froid, ce qui engendrait de graves querelles, de longues périodes de silence et même de séparation. Hermine lui pardonnait toujours, sans rien oublier de ces brimades.

– Quand j'étais enceinte de Mukki, tu m'as interdit de passer une audition à Québec ; un peu plus tard, après la naissance des jumelles, tu me dissuadais de poursuivre ma carrière. Comme je ne renonçais pas, tu m'as chassée de notre maison de la Péribonka en m'enlevant notre Mukki. Tu es parti à la guerre sans te soucier de moi, alors que nous venions de perdre Victor, cet angelot de trois semaines. J'ai enduré le martyre à cette époque ; sans Kiona, je crois que j'aurais sombré tout à fait.

– Je sais tout ça, Mine. La nuit, parfois, j'ai du mal à dormir, parce que je brasse mes erreurs et mes injustices, dont tu as été la principale victime.

– Dans ce cas, fais un effort et arrête de me torturer avec ta maudite jalousie !

– D'être le mari d'une vedette, ce n'est pas facile. Je te partage avec le Québec tout entier aussi bien qu'avec ton public new-yorkais et français. Bientôt, si je ne m'y oppose pas, des tas de types te verront sur grand écran…

– Je dois absolument gagner beaucoup d'argent, coupa-t-elle en le repoussant. Maman ne m'aidera plus, à présent.

– Et moi ? J'ai bien l'intention de travailler. De ça aussi je voulais te parler. Il me faudrait un petit capital pour acheter un avion, un modèle de taille moyenne. Je nourris le projet de transporter les touristes qui affluent dans la région, l'été. Et peut-être même l'hiver, si j'équipe mon appareil en conséquence.

Toshan affichait un timide sourire, pareil à un gamin qui aurait vanté le jouet convoité. Attendrie malgré sa colère, Hermine lui tendit la main.

– Nous en reparlerons à mon retour. Pour Constant, c'est d'accord, prends-le avec toi. Madeleine saura le consoler si je lui manque. Et toi aussi, j'en suis sûre. Je serai plus disponible, à Québec, et cela me permettra de m'occuper des affaires de maman. Elle m'a demandé de vendre l'appartement de la rue Sainte-Anne. Je pense en tirer une bonne somme, mais dans quel délai, je l'ignore.

Elle restait attristée. Toshan la reprit dans ses bras et couvrit de baisers son front et ses joues.

– Je te promets d'être le meilleur des maris dès ton arrivée chez nous, lui dit-il tendrement à l'oreille. Je t'aménagerai sous la véranda un hamac où tu liras les romans modernes que tu apprécies tant.

– J'espère que tu tiendras parole et que tu ne me harcèleras plus avec tes ignobles soupçons.

– Là-bas, j'ai moins peur! Le cercle de pierres blanches tracé par Tala la louve a disparu sous l'herbe et le sable, mais je suis sûr qu'il nous protège encore. Le cercle magique de nos anciennes légendes...

Hermine capitula et posa sa joue au creux de l'épaule de son bien-aimé. «Au fond, je me sens coupable vis-à-vis de lui; à cause de cela, je m'insurge, je crie et je proteste, mais je lui pardonnerai tout, tout, et toujours», songea-t-elle.

Ils demeurèrent enlacés, silencieux, chacun attentif à la chanson de la rivière et aux battements de leurs deux cœurs.

À plusieurs centaines de mètres de là, Martin Cloutier arpentait la rue Saint-Georges. Il avait salué Andréa Marois, jadis mademoiselle Andréa Damasse, institutrice des enfants Chardin-Delbeau à titre privé.

Muni d'une sacoche en cuir qui contenait ses plus précieux documents, l'historien observait les maisons désertes. Il stimulait en vain son imagination pour se représenter le village déserté, trente ans auparavant. «Le jour, se disait-il, les hommes travaillaient à l'usine de pulpe, mais les femmes, elles, devaient vaquer à leurs travaux ménagers: lessive, couture, jardinage. Ou bien elles magasinaient. Non, les ouvriers prenaient leur quart de travail tôt le matin, vers sept heures, et débauchaient en début d'après-midi. Il y a fort à parier qu'ils se rassemblaient en petits groupes chez l'un ou chez l'autre pour boire un verre.»

Il avait déjà photographié le couvent-école en remettant la visite du bâtiment au lendemain. Sans hâte, il se dirigea vers le magasin général, une construction d'une taille imposante. Mais, sur sa droite, au milieu d'un terrain en friche parsemé d'herbes jaunes et de ronciers, il aperçut une fillette assise, le visage caché entre ses bras repliés.

— Doux Jésus! s'étonna-t-il. Cette petite semble pleurer à chaudes larmes.

Martin Cloutier n'écouta que son bon cœur et marcha vers l'enfant. Il reconnaissait cette chevelure d'or cuivré, divisée en deux lourdes tresses.

— Eh bien, ma jeune demoiselle, qu'est-ce qui vous attriste autant? s'enquit-il de sa voix grave.

Kiona releva immédiatement la tête et lui décocha un regard agacé. Cet homme l'avait dérangée et elle ne pouvait cacher sa déception.

— Monsieur, il fallait rester à l'écart, dit-elle d'un ton poli.

— Mais je voulais vous réconforter!

— Je ne suis pas malheureuse du tout, monsieur. Je faisais quelque chose de très difficile. Quelque chose qui exige de la concentration.

— Qui exige de la concentration? répéta-t-il, stupéfié par l'élocution soignée de Kiona et sa grande assurance.

Il se dit qu'elle devait avoir au moins quatorze ans. Elle reprit:

— Savez-vous ce qu'il y avait ici, avant? L'église de Val-Jalbert, une jolie église en bois, qui a été démolie, démontée plutôt, car les matériaux ont servi ailleurs à la construction d'autres bâtiments, peut-être une autre église. Et Hermine a chanté à cette place, près de l'autel.

De plus en plus surpris, Martin Cloutier ne sut que répondre. Il jeta des regards à droite, puis à gauche, en quête d'indices.

— Faites-vous aussi des recherches, petite demoiselle? finit-il par demander. Je vois un cahier posé par terre, près de vous.

— Oui, j'y inscris des détails sur ce que je découvre, monsieur.

— Bien, bien!

Kiona eut alors un de ses sourires lumineux, éblouissants, dont l'ineffable beauté laissait un souvenir persistant. Ce monsieur à la stature imposante, qui se dressait au-dessus d'elle, lui semblait très sympathique.

— Vous êtes gentil, vous, affirma-t-elle. Dès que j'aurai des informations, je vous aiderai. J'ai tellement de gens à aider, depuis que je suis toute petite!

Elle se reprocha aussitôt cette faiblesse. La fille de Tala la louve se plaignait peu et ne revendiquait jamais l'intérêt des adultes.

— Je vous remercie, mademoiselle, dit-il d'un ton révérencieux, violemment ému par la grâce surnaturelle de cette étrange fillette. Je n'ai pas souvent eu en cadeau un aussi merveilleux sourire. Et je vous remercie à l'avance pour votre aide.

— Oh! ça, vous en aurez vraiment besoin. Pouvez-vous continuer votre promenade, maintenant, monsieur Martin?

— Martin? Madame Hermine vous a révélé mon nom!

— Mais oui, bien sûr, mentit Kiona qui avait deviné le patronyme de l'historien. Au revoir, monsieur. Je ne vous dis pas «à la revoyure». Les Indiens montagnais méprisent un peu les façons des Québécois.

Cette fois, Martin Cloutier éclata de rire. Il souleva son chapeau de paille pour la saluer et s'éloigna en chantonnant.

C'était une jeune fille,
Qui n'avait pas quinze ans.
Elle s'était endormie,
Au pied d'un rosier blanc[9]...

Kiona hésita un peu à tenter à nouveau un voyage dans le passé. C'était ardu et épuisant de solliciter des images datant de plusieurs dizaines d'années et elle venait d'être dérangée à un moment capital. «Si ce monsieur avait choisi un autre itinéraire, j'y serais parvenue. Je voyais des gens dans l'église et des religieuses. C'était Noël, j'en suis convaincue. Et Hermine s'apprêtait à chanter l'*Ave Maria*, je le pressentais, même si, elle, je ne l'ai pas vue. Ou bien je ne fais qu'imaginer... Pourquoi est-ce que je tomberais forcément sur ce jour-là? Mine nous a raconté au moins dix fois cet événement, sa première prestation en public, comme elle dit. Dans l'église de Val-Jalbert juste reconstruite, car elle avait brûlé l'année précédente, en février 1924. Tant pis, je recommence...»

Elle cacha à nouveau son visage entre ses bras repliés, en serrant au creux de ses mains de petits cailloux qu'elle avait ramassés sur le sol. Tout bas, elle pria à sa façon.

— Manitou, père de pères, grand Esprit qui a créé le ciel et la terre, guide-moi! Tala, ma fière et noble mère, Tala la louve, aide-moi! Et toi aussi, Jésus que j'aime tant, toi qui n'es qu'amour et

---

9. Extrait de la chanson *Son voile qui volait*, interprétée par Marie Dubas (1932).

bonté, aide-moi! Je voudrais voir ce qui a disparu, revoir ce qui n'est plus. Choses du passé, revenez-moi, je vous en prie!

Pleine d'espoir, Kiona se concentra de toutes ses forces. Soudain, les battements de son cœur diminuèrent. Une sensation de froid intense la pénétra, tandis que des sons aigus vrillaient son esprit. Une femme lui apparut, en larmes, vêtue de noir, un bébé blotti contre sa poitrine. En toile de fond, pareil à un décor, s'élevait un mur de flammes. Des mots lui parvinrent, étouffés, balbutiés: «Mon petit, mon petit!»

Brusquement, elle déchiffra la signification de cette vision. La femme, c'était sa Mine chérie qui portait Victor. Cela se passait au bord de la Péribonka, à l'automne 1939.

«Mais non, non! protesta-t-elle en bondissant sur ses pieds. Ce n'est pas ça que j'attendais!» Prise de vertiges, elle chancela. Elle se souvenait sans peine, malgré la nausée qui l'accablait. «C'était quand la cabane de maman a brûlé, là-bas, à cause des Tremblay. Pourquoi est-ce que tout se mélange? Victor était enterré, déjà, le soir de l'incendie», se dit-elle, vexée.

— Hé! Kiona! fit une voix.

Laurence accourait, rieuse, son carnet de croquis à bout de bras. Marie-Nuttah la suivait, chargée d'un panier.

— On apporte de quoi goûter au bord de la cascade. Mukki et Louis sont déjà partis. Alors, ça a marché?

— Ce n'est pas très au point, confessa Kiona d'un air attristé. Ne vous inquiétez pas, j'y arriverai!

Elles échangèrent des confidences à mi-voix, puis, d'un seul élan, toutes trois s'élancèrent vers la chute d'eau de la Ouiatchouan, divinité tutélaire du village fantôme.

Val-Jalbert, même jour

Une heure plus tard, Martin Cloutier passait devant la maison de Joseph Marois. L'ancien ouvrier fumait sa pipe, assis dans un vieux fauteuil à bascule. Les deux hommes se saluèrent. Ils avaient été présentés l'un à l'autre par le maire.

— Avez-vous fait une bonne balade? demanda Joseph, content de pouvoir placoter un peu.

— Oui, monsieur, je vous remercie. Et j'ai recueilli une belle moisson de photographies.

— Tabarnouche! s'écria Joseph, à quoi bon gâcher de la pellicule pour prendre des maisons abandonnées qui seront bientôt écroulées? S'il tombe de grosses bordées de neige cet hiver, je vous le dis, il y a des baraques qui tiendront pas le coup.

Martin Cloutier s'attarda à dévisager discrètement son interlocuteur. Il jugeait utile d'engager une conversation, car ce sexagénaire était un témoin de valeur.

— C'est bien pour ça que je compte tirer des clichés, précisa-t-il. Voyez-vous, monsieur Marois, ce village mérite le détour et même plus, il mérite de passer à la postérité. À ce propos, vous n'auriez pas quelques souvenirs ou anecdotes à me confier?

— Baptême! j'en aurais de quoi vous étourdir, si le cœur vous en dit. Tenez, approchez donc! On va boire un petit verre de caribou fabrication Marois. Pas le fait de mon épouse, non, elle est contre les boissons alcoolisées; c'est de mon fait. Venez, ne soyez pas timide. J'ai pas souvent de la compagnie. Ma fille Marie, qui aura ses quatorze ans au mois d'août, travaille aux champs chez un de mes cousins du côté de Chambord. De belles moissons! Quant à madame Marois, la seconde madame Marois, attention, pas Betty, mais Andréa, elle range le grenier. Une idée à elle, parce que le grenier, il a pas besoin d'être en ordre.

Joseph joignait le geste à la parole, l'œil étincelant de gaîté. Il encouragea Martin Cloutier à monter les marches du perron.

— Avant ce maudit brasier, Jocelyn, mon voisin, me rendait visite chaque fois qu'il pouvait. Je parie qu'ils vont déménager bientôt, les Chardin.

— Ah oui, monsieur et madame Chardin! J'ai eu le plaisir de rencontrer la dame, Laura, une bien jolie personne. Sa fille aussi, le Rossignol de Val-Jalbert…

— Notre rossignol, s'enorgueillit Joseph. Entrez donc. Hermine, qu'on appelait Mimine à cette époque, elle avait sa chambre chez nous, oui, dans notre salon. Ma première épouse et moé, on prévoyait l'adopter, et je peux vous dire, monsieur, que sans moi elle n'aurait jamais chanté, la petite. Je lui ai acheté un électrophone, le Noël de ses treize ans, et des disques. Après ça, elle s'est entraînée sur de grands airs d'opéra. Grâce à mes relations, elle a été engagée au Château Roberval, ce bel hôtel de luxe qui a vue sur le lac Saint-Jean. Mais asseyez-vous donc! Mettez-vous à votre aise!

L'historien ôta son chapeau et sa veste en toile. Il prit place sur une chaise. Il faisait frais à l'intérieur de la maison. D'épais rideaux en lin blanc ménageaient une lumière tamisée et plaisante.

— C'est aimable à vous, monsieur Marois! dit-il. Je suis allé jusqu'aux bâtiments de la pulperie et ensuite j'ai voulu contempler la cascade. Figurez-vous qu'il m'est arrivé une chose bizarre, une fois là-bas. J'en suis encore très affecté.

— Ah! Et quoi donc? Y a plus rien de ce côté-là.

— Eh bien, il y avait un homme assis sur un rocher, quelqu'un d'un peu plus jeune que nous. Moi, je me suis approché en sifflant le refrain d'une chanson de l'ancien temps! Que voulez-vous, j'ai toujours une chanson au bord des lèvres. Voilà que cet homme m'adresse un regard accablé et me montre d'une main tremblante la tête de la cascade et me dit laconiquement: «Mon père travaillait là-haut, à l'époque où l'usine et le village étaient en plein essor. Oui, il travaillait sur le barrage.» J'approuve, intéressé, mais il ajoute en faisant descendre son index le long de la chute d'eau: «Il est tombé par là!» Son doigt indique ensuite le pied de la cascade et il poursuit: «Il est mort à cet endroit.» C'est abominable, n'est-ce pas?

— Bah, y en a eu, des morts, icitte, par le passé, pensez donc! Les accidents, ça ne manquait pas!

— Sans doute, monsieur Marois, mais la douleur que j'ai lue dans les yeux de cet homme m'a fendu le cœur! Des années ont dû s'écouler; il continue à venir se recueillir là, devant la cascade qui lui a tué son père! Je lui ai posé une question, sur les circonstances du drame, mais il n'a pas répondu. Ce malheureux s'est levé et il est parti, tellement accablé que j'en suis encore bouleversé.

— Sacrament, vous êtes trop impressionnable! Si je vous racontais le quart de ce que j'ai vu, moé, à la pulperie, vous n'auriez pas fini de vous émouvoir.

— Joseph, fit alors une voix de femme en provenance de l'escalier, qu'est-ce que j'ai entendu? Tu as encore prononcé un de tes terribles jurons!

— Ah! non! bredouilla-t-il. Madame Marois, ma belle blonde, va me tirer les oreilles! Faut la comprendre, c'est une dame instruite, une enseignante. Depuis nos noces, y a trois ans de ça, je dois surveiller mon parler. Quand on épouse une jeunesse, on fait des concessions.

La «jeunesse» entra dans la cuisine. Tout de suite, elle considéra Martin Cloutier d'un air intrigué, derrière ses lunettes. L'historien n'imaginait pas vraiment ainsi la «belle blonde» de Joseph Marois. Il avait en face de lui une femme nantie d'une poitrine impressionnante, assortie à des hanches tout aussi considérables. Ses cheveux châtains étaient tirés en chignon bas, alors que son nez trop long frémissait de curiosité.

— Nous avons un invité, Joseph? s'informa-t-elle avec amabilité.

— Oui, ce monsieur qui s'installe pour l'été à Val-Jalbert, rue Dubuc. Je t'en ai causé, mon Andréa. Monsieur Cloutier, c'est ça? Historien de son état.

— Oh! vraiment? se récria-t-elle. Enchantée de faire votre connaissance, monsieur! Soyez le bienvenu chez nous. Vous prendrez bien une tasse de thé? Je parie que mon mari vous a proposé du caribou, par ces chaleurs. De quoi avoir la migraine. Et j'ai de la tarte aux bleuets, enfin, aux myrtilles. Les gens d'ici préfèrent le nom de bleuet, mais, amoureuse de la langue française, je dis plus volontiers des myrtilles.

— Myrtilles ou bleuets, j'accepte, chère madame, car j'ai l'estomac dans les talons.

Andréa Marois opina d'un mouvement de tête qui se voulait gracieux. Très fier de sa femme, Joseph se tortilla d'aise sur sa chaise.

— J'ai déniché une fameuse cuisinière, assura-t-il en lançant une œillade de connivence à l'historien.

— Vous avez de la chance, monsieur Marois, affirma Martin. Mais, si je peux me permettre, une chose m'intrigue. J'ai croisé pour la seconde fois aujourd'hui une singulière fillette du nom de Kiona. Hermine Delbeau me l'a présentée sous ce prénom, qui doit être un diminutif ou un surnom…

— Pas du tout! s'exclama Andréa. La petite s'appelle comme ça. C'est un nom indien qui signifie «colline dorée». Je l'ai eue pour élève quand je donnais des cours aux enfants de la famille Chardin-Delbeau. Je vous l'accorde, ce n'est pas une enfant ordinaire. Déjà, elle est d'une intelligence que je qualifierai de précoce. Ensuite…

— Ensuite, ensuite! la coupa Joseph. Ensuite, elle a le cerveau détraqué, oui! Il paraîtrait que la gamine aurait des dons extranormaux.

— Paranormaux, Joseph, rectifia son épouse. Et j'ai pu le vérifier, je vous assure. Tenez, pendant la guerre, la voilà qui dessine un grand oiseau, les ailes déployées. Cependant, il avait un visage humain. Bien sûr, je m'en étonne. La petite me répond qu'il s'agit de son demi-frère Toshan, et qu'il a dû sauter en parachute, là-bas, en France. Et cela s'est confirmé. Monsieur Delbeau a même été blessé lors de ce saut. Il était dans la Résistance !

Muet de stupeur, Martin Cloutier attendit la fin du récit.

— Et je vous confierai un fait encore plus ahurissant. Kiona a donné le nom de la ville française où se cachait son demi-frère, si bien que madame Hermine a pu le retrouver et le sauver, car il était aux portes de la mort.

— C'est tout à fait exact, confirma Joseph, ravi de la mine abasourdie de leur invité.

— Excusez-moi, un détail m'échappe, s'étonna celui-ci. Comment Kiona pourrait-elle être la demi-sœur de Toshan Delbeau, puisqu'elle est celle de madame Hermine Delbeau ?

Joseph Marois eut un éclat de rire malicieux. Il se tapa sur les cuisses pour expliquer la situation.

— Mon pauvre monsieur, il y a eu des histoires à dormir debout, dans cette famille. Figurez-vous que Jocelyn Chardin, le père de notre Mimine, mon voisin et ami, a eu une relation amoureuse avec Tala, une Indienne montagnaise, la mère de Toshan. Mais, à cette époque, Toshan et Hermine étaient déjà mariés. En conséquence, la fillette est leur demi-sœur à tous les deux. Oui, ça a fait du joli, on peut le dire ! Madame Laura n'a toujours pas décoléré, à mon humble avis. Surtout que Tala est morte au début de la guerre et que Jocelyn a recueilli chez lui sa fille illégitime.

— Je comprends, oui, je comprends, balbutia Martin sans conviction.

— Et la petite a hérité d'un grand-père montagnais, qui était shaman, renchérit Andréa. Elle pourrait même se déplacer dans l'espace, semble-t-il, enfin, son image. Une fois, je l'ai su par Mireille, la gouvernante de madame Laura, elle est apparue dans la nursery, alors qu'en vérité elle était à Roberval avec sa mère. Moi, j'en suis persuadée, Kiona a des dons rarissimes, surnaturels.

— Ah ! fit Martin. Tout à l'heure, je l'ai surprise assise dans l'herbe, à l'emplacement de l'ancienne église. J'ai pensé qu'elle pleurait, mais elle a prétendu le contraire. Je me demandais ce qu'elle faisait là, toute seule, et elle m'a dit qu'elle devait se concentrer. Et elle m'a souri. Quel sourire ! J'ai eu l'impression de voir un ange du paradis.

— Un ange… pesta Joseph. J'en mettrais pas ma main au feu ! Toutes ces singeries, ça sent un peu le soufre.

— Mais non, Kiona est très pieuse ! protesta Andréa. Il faut avoir l'esprit ouvert et reconnaître qu'on ignore encore beaucoup de choses dans ce domaine. Cependant, je l'avouerai, monsieur Cloutier, cette enfant m'a souvent donné des frissons, tant elle a un comportement singulier. Enfin, assez bavardé, je prépare le thé.

Les deux hommes approuvèrent en silence. Joseph n'osait pas se lancer dans l'évocation de ses souvenirs d'ouvrier. L'historien, lui, ne pensait qu'à la petite fille aux cheveux d'or cuivré et à son curieux regard d'ambre.

— Quel âge a-t-elle ? interrogea-t-il tout à coup, comme s'il était manifeste que tous dans la pièce ne songeaient qu'à Kiona.

— Douze ans depuis le mois de février, je crois, précisa son hôtesse. Savez-vous qu'on parle beaucoup d'elle dans la région ? Un jour, à la fin de l'hiver, des gens sont venus de Chicoutimi pour la rencontrer. Ils espéraient que la petite retrouve la trace de leur fils, qui avait disparu pendant la guerre. Ah ! cette guerre, elle en a fait, des malheureux ! N'est-ce pas, mon pauvre Joseph ?

— Elle m'a pris deux fils, monsieur ! s'enfiévra aussitôt le vieil homme. Mon aîné, Simon, un rude gaillard qui comptait s'installer icitte avec sa fiancée, Charlotte Lapointe. Porté disparu à la bataille de Dieppe. Et Armand, à peine plus vieux. Il s'est noyé dans le Saint-Laurent à cause des Boches. Un sous-marin a torpillé le cargo sur lequel mon garçon avait embarqué.

— Je suis sincèrement bouleversé, monsieur ! répondit Martin Cloutier. C'est abominable, ça oui, abominable.

Sa compassion n'était pas feinte, et le couple le perçut. Pourtant, Andréa se reprochait déjà d'avoir évoqué les deux fils de son époux, ou bien, se disait-elle, le sujet lui était venu contre sa volonté, en raison de cette lettre qui l'avait tant ébranlée. En fait, elle ne mettait pas d'ordre dans le grenier. C'était l'unique endroit où elle s'était jugée en sécurité afin de lire et de relire jusqu'à en avoir les yeux piquants la lettre reçue la veille, destinée à Joseph Marois.

« Dieu soit loué, j'ai eu la bonne idée de la garder sur moi, dans la poche de mon tablier ! pensa-t-elle. Béni soit le Seigneur que je sois jalouse au point d'ouvrir une enveloppe en cachette pour savoir qui écrivait à mon mari. »

Sous ses allures paisibles, cette femme d'une quarantaine d'années dissimulait une nature sensuelle et passionnée. Elle s'était crue condamnée au célibat, et sa condition de vieille fille lui pesait, quand Joseph s'était entiché d'elle.

« Oui, j'y tiens, à mon homme! se répéta-t-elle. On ne sait jamais ce qui peut se passer. Il est encore bien trop séduisant, et une plus jolie que moi pourrait lui tourner autour. »

Absorbée par ses méditations, elle n'entendait pas la bouilloire siffler.

— Eh bien, Andréa! s'offusqua Joseph. Qu'est-ce que tu as? Depuis hier, tu sembles absente! Notre invité doit être assoiffé, par ces chaleurs. Du caribou aurait aussi bien fait l'affaire que ton thé.

Martin Cloutier les observait tour à tour, à la fois amusé et surpris. Il se promit de questionner la belle Laura Chardin sur les circonstances dans lesquelles ces personnes si dissemblables s'étaient connues. « Joseph Marois paraît dur, les rides de son visage indiquent un individu intransigeant, coléreux et sûrement avare. Quant à madame, elle semble en effet instruite et polie, mais quel étrange physique elle a! »

Il dut patienter encore une dizaine de minutes avant de savourer une part de tarte aux bleuets et de se voir servir une tasse de thé. À son grand étonnement, Andréa Marois choisit ce moment-là pour sortir.

— Joseph, je ne serai pas longue, je dois absolument porter un pot de confiture aux Chardin. Je le leur avais promis hier et j'ai oublié. Mon Dieu, j'ai la tête à l'envers, ces temps-ci. Jasez donc, messieurs, placotez, comme on dit par ici!

Elle leur octroya un sourire un peu forcé et quitta la maison par l'arrière-cuisine. Un escalier rudimentaire en planches délavées par les intempéries descendait dans la cour tapissée en cette saison d'une herbe courte et jaunie.

« Je ne peux pas garder ça pour moi toute seule, non, non, non! Je suis sûre que madame Delbeau, qui est si aimable, me conseillera », pensa-t-elle, préoccupée.

Andréa marcha le plus vite possible jusqu'au petit paradis. Elle fut soulagée de constater que les enfants n'étaient pas dehors, selon leur habitude. Avec un peu de chance, ils se promenaient dans le village, devenu pour eux un terrain de jeux où ils évoluaient en totale liberté.

— Est-ce qu'il y a quelqu'un? demanda-t-elle en frappant contre le battant de la porte principale, restée ouverte.

— Oui, entrez donc, fit une voix fatiguée et tremblante.

Il s'agissait de Mireille. La gouvernante était assise dans un fauteuil en osier, coiffée de ses pansements blancs. Hermine lui tenait compagnie, ce qui rassura la visiteuse.

— Je ne dérange pas, au moins? s'inquiéta-t-elle.

— Non, pas du tout! déclara la jeune femme. Je venais de donner un goûter à notre malade qui se morfondait dans le salon.

— Souffrez-vous beaucoup? s'enquit Andréa avec un regard consterné vers la gouvernante.

— Moé? Ben voyons donc, j'ai ben de la misère, mais, si je souffre, c'est dans mon orgueil, surtout. J'ai l'air de quoi sans mes cheveux, astheure?

— Vaut mieux être chauve que couchée au cimetière, ma brave Mireille, rétorqua Andréa Marois d'un ton docte. J'ai eu si peur pour vous tous quand j'ai vu la belle maison de madame Laura dévorée par les flammes! J'en fais des cauchemars.

Elle tapota nerveusement la poche de son tablier en fixant Hermine. C'était une chose de venir au petit paradis dans l'espoir d'un conseil, mais, à présent, elle ne savait plus comment s'y prendre.

— Qu'est-ce qui vous amène? s'enquit doucement Hermine. Mes parents se reposent et les enfants sont à la cascade. Voulez-vous une tasse de thé?

— Non, je vous remercie, madame Delbeau. J'avais un avis à vous demander, voilà.

— Je vous écoute!

— C'est très intime, hélas! Peut-être pourrions-nous discuter en tête-à-tête, dehors?

Mireille fit grise mine immédiatement. Avide de distractions, elle aurait volontiers participé à la conversation. Mais Hermine se leva et suivit Andréa à l'extérieur.

— Que se passe-t-il? questionna-t-elle avec gentillesse. Et, je vous en prie, appelez-moi par mon prénom; ce madame Delbeau est bien trop solennel. Vous avez instruit mes petits pendant toute la guerre, vous êtes mariée à Joseph qui a été mon tuteur, ne soyez pas gênée.

— C'est plus prudent de nous éloigner un peu. Mon Dieu, j'en suis malade! Depuis hier, je ne sais plus à quel saint me vouer. Que décider? D'un côté, j'ai honte d'avoir menti à mon époux, de l'autre, je m'en félicite. Oh! chère madame, aidez-moi! Pardon, chère Hermine…

– Je ne peux pas vous aider si vous ne m'expliquez pas la situation ! Est-ce vraiment grave ?

– Cela touche Simon, le fils aîné de la famille. Vous l'avez bien connu, n'est-ce pas ?

– Il était comme un frère pour moi. Seigneur, Andréa, ne me dites pas que vous avez eu de ses nouvelles, qu'il est vivant ?

Tremblante d'espoir, la jeune chanteuse s'était arrêtée de marcher. Mais, dans la seconde, elle se ravisa, consciente que son interlocutrice n'aurait pas eu cet air dramatique s'il s'agissait d'une bonne nouvelle.

– Auriez-vous eu confirmation de sa mort ? s'enquit-elle. Cela serait préférable pour Joseph, qui ne renonce pas à voir réapparaître son fils. Mais parlez, Andréa, vous me mettez au supplice.

– Le facteur m'a laissé une lettre pour mon mari, hier. Elle venait de Montréal. Et moi, sottement, j'ai imaginé des choses, qu'une autre femme le relançait ou qu'il entretenait une liaison.

– Joseph ? s'offusqua Hermine. Mais enfin, il ne bouge pas d'ici ! Il ne quitte pratiquement jamais Val-Jalbert. Et puis à son âge, quand même…

– Oh ! ça, soupira Andréa en rougissant, il en remonterait à des hommes plus jeunes que lui. Que voulez-vous, je suis d'une jalousie terrible et, quand je laisse mon imagination s'emballer, je fais n'importe quoi. Je m'absente de temps en temps, pour rendre visite à ma famille. Joseph pourrait en profiter…

– Donc, vous avez ouvert cette lettre ?

– Oui, pendant que Joseph nettoyait l'étable. Oh ! mon Dieu, ce que j'ai appris… au sujet de Simon. Je vous assure, Hermine, c'est une chose abominable. Si mon malheureux époux avait lu ça, il aurait eu une attaque, j'en suis certaine. Tenez, lisez, je n'ose même pas vous dire de quoi il retourne.

– Mais, enfin, Andréa, c'est extrêmement embarrassant.

– Je vous en supplie !

Malgré ses réticences, Hermine se résigna. Dès les premières lignes, une vive émotion l'envahit.

Pour monsieur Marois Joseph, à Val-Jalbert,
Je me présente : Marcel Duvalin, professeur de lettres à la faculté de la Sorbonne à Paris. Je séjourne actuellement au Québec.

Cher monsieur, si je me décide à vous écrire, c'est afin de témoigner des dernières heures de votre fils Simon, après m'être assuré auprès des services compétents de votre lien de parenté.

La guerre est terminée, mais le monde entier se rétablit à peine des blessures que cet horrible conflit lui a imposées. Parmi ces plaies combien cruelles, les atrocités commises par les nazis dans les camps de concentration ne sont pas près de s'oublier.

J'étais à Buchenwald à la même époque que votre fils Simon, et nous portions tous deux le triangle rose cousu sur le vêtement des homosexuels. Chaque catégorie de prisonniers affichait ainsi son passé, son signe distinctif, ce qui facilitait la tâche d'extermination entreprise par les SS. J'ai vu là-bas des scènes d'une telle sauvagerie et d'une telle barbarie que je ne vous en ferai pas le récit. Par miracle, j'en ai réchappé.

Mais je tenais à vous dire que votre fils est mort en héros, en clamant son amour pour le pays qui l'avait vu naître. Ces paroles qu'il a criées avec l'accent du Québec me hantent encore.

« Vous êtes tous des bourreaux! Des démons! Torrieux, j'en peux plus, moé, le Québécois, de vivre parmi vous autres! Salauds de SS, maudits nazis! Je m'appelle Simon Marois, j'suis un p'tit gars de Val-Jalbert, un enfant du Lac-Saint-Jean! »

Simon a lancé ces mots au ciel d'hiver, tandis que des soldats le conduisaient à l'infirmerie. Croyez-moi, il savait le sort qui l'attendait, les gens comme lui et moi servant le plus souvent à des expériences odieuses. Votre fils refusait d'être traité en animal de laboratoire. Il a provoqué la colère de ses tortionnaires dans l'unique but d'être tué sur place, et sa voix m'obsède également, cette voix grave et forte qui hurlait : « un p'tit gars de Val-Jalbert, un enfant du Lac-Saint-Jean ». Je n'étais qu'un détenu parmi les autres, témoin de son coup d'éclat, et je peux vous jurer, monsieur, que son geste désespéré m'a inspiré un immense respect.

J'appartiens maintenant à une association qui œuvre à prévenir les familles du sort des victimes de cette guerre. Peut-être étiez-vous dans l'ignorance de la mort de votre fils? Tant de pères et de mères guettent le pas d'un enfant perdu!

J'ajouterai, monsieur, qu'aucun homme ne devrait avoir le droit de torturer, d'humilier et d'éliminer un autre homme sous prétexte qu'il est d'une race ou d'une religion différente ou qu'il a des tendances encore très mal acceptées par le commun des mortels. Moi-même, poète et journaliste à mes heures, féru de littérature, je revendique mon homosexualité, à l'instar de bien d'autres artistes.

Il se peut que votre fils ait dû cacher sa vraie nature et, si c'est le cas, je vous en implore, ne le jugez pas. Il a été un héros, un homme droit qui a refusé de plier devant ses bourreaux, qui a sans doute eu peur, mais qui ne l'a jamais montré.

Si vous souhaitez me rencontrer, monsieur Marois, sachez que, dans une quinzaine de jours, je serai au village de Notre-Dame-de-la-Doré. Un de mes amis m'a invité là-bas. Le jour, je serai la plupart du temps au moulin Demers. J'ai profité de ce voyage au Canada pour vous poster cette missive.

Recevez l'expression de mon respect et de ma sympathie,
Marcel Duvalin

Une adresse d'hôtel figurait au dos de l'enveloppe. Vacillante, Hermine chercha où s'asseoir. Elle distingua la première marche d'une maison à l'abandon et s'installa à l'ombre de l'auvent en partie cassé.

— Mon Dieu, vous ne vous sentez pas bien! lui dit Andréa. C'est normal. Moi aussi, j'en suis malade, mais vraiment malade. Alors, vous me comprenez, faire lire ça à Joseph…

— Qu'est-ce qui vous rend malade? demanda durement la jeune femme. Oui, j'ai un étourdissement parce que j'aimais Simon; c'était mon frère de cœur. Je croyais qu'il était mort pendant la tragique bataille de Dieppe. Je découvre qu'il a été déporté dans les camps de la mort, comme la presse les nomme. Et il s'est suicidé, livré en pâture à des monstres sans pitié.

— Certes, c'est un sort épouvantable. Mais, excusez-moi, Hermine, vous ne semblez pas scandalisée par le reste.

— Quel reste? Oh, je vois! Je savais depuis longtemps que Simon était un inverti; il me l'avait avoué. Seigneur, il en a tant souffert! Le pauvre garçon, il courait les filles pour duper son monde, surtout ses parents. Il changeait de fiancée tous les six mois et fuyait ainsi le mariage. Il a voulu épouser Charlotte en espérant sincèrement réussir à mener une vie de couple, mais c'était trop difficile pour lui et il a préféré s'engager. Pitié, Andréa, n'ayez pas cet air outré. Simon était quelqu'un de bien. Quand il s'est confessé, le jour où sa mère, notre chère Betty, est morte, je venais de l'empêcher de commettre l'irréparable. Il avait voulu se pendre. J'ai été témoin de sa souffrance et de son chagrin d'être hors norme et j'ai su le consoler, l'assurer qu'il ne me dégoûtait pas. J'étais franche et loyale, à ce moment-là. Il n'était coupable de rien.

Andréa Marois fit la moue. Elle était toujours debout, secouée de sanglots secs.

— Ce sont des mœurs indécentes, Hermine! Peut-être que cela vous est familier, vu le milieu où vous travaillez. J'ai entendu dire que les artistes... Enfin dans ce monde du spectacle, n'est-ce pas!

— Ciel, n'exagérez pas! En effet, certains comédiens ou chanteurs sont invertis et ne s'en cachent guère, mais ce n'est pas si courant. Mon Dieu, que je suis triste, si triste! J'ignorais qu'on les affublait d'un triangle rose. Pauvre Simon, comme il a dû souffrir! Loin de chez nous, si loin et seul, tellement seul!

Hermine cacha son visage entre ses mains. Son cœur battait la chamade dans sa poitrine, tandis que le temps s'abolissait pour lui offrir, intactes, des images de son ami, de son frère. «Il m'avait amenée en cachette observer des loups sur la colline, ces loups dont on percevait les appels modulés, le soir, et que je plaignais d'avoir froid et faim à cause du bonhomme hiver. Et toutes les plaisanteries qu'il faisait, avec son grand sourire chaleureux... Il veillait sur moi et me protégeait de tout. Joseph avait prévu de nous marier, histoire de ne pas perdre un dollar sur mes futurs tours de chant. Simon, mon cher Simon! Lui qui adorait le cinéma, il serait si heureux de me voir à l'écran!»

— Madame Delbeau, euh... pardon, Hermine, qu'allons-nous faire? insista Andréa. Vous êtes d'accord? Joseph ne doit jamais savoir que son fils, dont il est si fier, était un inverti...

— Il faudra pourtant lui montrer cette lettre.

— Pas toute la lettre. En fait, j'ai eu une idée, ce matin. Je pourrais la recopier en supprimant les passages qui blesseraient la sensibilité de n'importe quelle personne convenable. Par la suite, quelqu'un de confiance la recopierait encore une fois. Joseph apprendra comment son enfant est mort, rien d'autre. Moi, je suis incapable de changer mon écriture. Et la vôtre, je suppose que mon mari la connaît?

— Assurément! J'ai vécu des années chez les Marois et je leur ai souvent écrit.

Elle réfléchissait. Simon aurait souhaité tenir son père dans l'ignorance de ses penchants dits contre-nature. De plus, Andréa avait raison: pétri d'une mentalité traditionaliste, Joseph serait terriblement choqué s'il parcourait ces lignes-là.

– Toshan consentira peut-être à cette supercherie, avança-t-elle d'un ton las. Il était au courant des penchants de Simon. Il m'avait même dit à ce propos que les Indiens ne jugent pas les gens différents, les gens comme Simon.

– Bien évidemment, ils n'ont pas de sens moral !

– Détrompez-vous, Andréa, ils ont des lois et des principes, mais beaucoup plus souples et charitables que les nôtres. Mais à quoi bon en discuter ! Il faut partager leur existence et les écouter pour comprendre qu'ils sont sans doute plus évolués que nous.

Désorientée, Hermine se leva. Elle déplorait ce silence et ce vide qui l'envahissaient, lorsqu'elle songeait à Simon.

« Je ne saurai jamais ce qu'il a vécu là-bas, à Buchenwald. Au moins, a-t-il aimé ? A-t-il eu un peu de tendresse ? »

– J'ai décollé l'enveloppe à la vapeur chaude, expliqua soudain Andréa. L'adresse de l'hôtel y figurera obligatoirement, mais je ne mettrai pas le nom du correspondant, et Joseph n'a pas besoin de savoir que cet homme va séjourner à Notre-Dame-de-la-Doré. Ce n'est guère loin de Roberval, par le train. Imaginez le drame, s'il cherchait à le rencontrer ! Tous nos efforts auraient été vains.

Elle avait une expression affolée qui eut le don d'irriter Hermine.

– Tous nos efforts ? Ne me mêlez pas trop à cette affaire, dit-elle froidement. D'abord, Andréa, pourquoi m'avoir choisie, moi, pour vous aider ? Vous pouviez très bien brûler cette lettre, si vous appréhendiez autant ses conséquences. Pourquoi me faire lire cette lettre ?

– Mais c'était trop lourd à porter et je n'y tenais plus. Et j'avais confiance en vous, en votre bonté et en votre discrétion. En plus, vous avez fait partie de cette famille, jadis.

Hermine admit la justesse de l'argument d'un signe de tête. Elle tendit la feuille de papier à Andréa.

– Faites ce que vous avez prévu ; je vais en parler à Toshan. Mais dépêchez-vous, mon mari part demain pour Péribonka.

– Merci, oh ! merci, Hermine, vous êtes un ange. Je rentre vite à la maison. J'ai profité d'une visite, un monsieur Cloutier, un historien. Joseph était si heureux d'avoir de la compagnie ! Je reviendrai ce soir, avant le souper.

Sur ces mots, Andréa Marois s'en alla de sa démarche chaloupée, dont chaque pas agitait ses rondeurs plus que généreuses.

Hermine la suivit un moment des yeux avant de retourner vers le petit paradis.

«Il y a deux heures, j'étais au comble du bonheur, près de Toshan. Nous étions nus dans la rivière, lui et moi, et il a suffi d'une lettre pour me rappeler toutes les horreurs de la guerre, ce gâchis, tous ces morts… Mon Dieu, pourquoi? songea-t-elle. J'irai à Notre-Dame-de-la-Doré, moi, interroger ce Marcel Duvalin. Oui, j'irai dès mon retour de Québec. Peut-être qu'il m'en dira plus sur Simon. Tant pis si je suis la seule à savoir ce qu'il a enduré. Cela ne m'effraie pas, je lui dois bien ça, à mon grand frère, comme il se surnommait.»

Des larmes amères coulaient le long de ses joues. Le ciel se mit au diapason et de gros nuages gris chassèrent l'azur du ciel. Quelques minutes plus tard, un orage éclatait.

6
RENCONTRES

Train pour Québec, samedi 27 juillet 1946

Hermine observait sans vraiment le voir le paysage qui défilait derrière la vitre du wagon. Le train avait quitté le quai de Roberval depuis plus de deux heures et roulait à bonne allure à travers la forêt. C'était la première fois qu'elle voyageait seule par le rail et elle en concevait un sentiment mitigé, entre exaltation et angoisse. « J'étais dans le même état dans l'avion, quand je suis partie pour la France, se souvint-elle, émue. Et personne de proche à qui tenir la main, personne pour me réconforter. »

Elle jeta un regard désorienté sur la banquette vide à ses côtés et sur celle qui lui faisait face, également vacante. Si tout s'était déroulé comme prévu, il y aurait eu sa précieuse Madeleine, occupée à distraire Constant, ou bien Toshan.

« Je devrais en profiter pour me reposer ou me détendre, pensa-t-elle. Mes journées seront chargées, à Québec, entre les répétitions, les représentations et les démarches à effectuer pour maman. Elle a raison de vendre l'appartement de la rue Sainte-Anne. J'irai à l'hôtel, à l'avenir. Cela me coûtera bien plus cher, mais tant pis. »

Elle ferma quelques instants ses beaux yeux bleus afin de se remémorer les visages et les sourires de tous ceux qu'elle chérissait. La veille, presque à la même heure, elle assistait au départ de son mari sur le grand bateau blanc reliant Roberval au quai de Péribonka. Mukki l'avait embrassée à plusieurs reprises avec un sourire d'enfant, alors qu'il la dépassait déjà d'une demi-tête. Captivé par le vol des goélands, Constant s'était à peine aperçu de la séparation. Madeleine le tenait dans ses bras et, sous ses traits impassibles, c'était sûrement elle qui souffrait le plus de laisser Hermine seule.

« C'est bien ainsi! se rasséréna la jeune chanteuse. Constant pourra jouer avec Adèle, la fille de Charlotte, et Toshan pourra l'apprivoiser. J'aurais quand même préféré que les jumelles soient du voyage, ainsi que Kiona. Pourquoi les trois filles ont-elles tant insisté pour rester à Val-Jalbert ? »

Pas une seconde, Hermine n'aurait imaginé qu'elle était à l'origine de cette décision et que les trois filles étaient de connivence afin de lui offrir un cadeau très original. Laurence avait soigneusement dissimulé ses premiers croquis du village, et Marie-Nuttah, d'habitude si bavarde, avait su tenir sa langue.

« J'espère qu'elles ne feront pas de bêtises. Je leur ai bien recommandé de ne pas courir dans les rues à n'importe quelle heure du soir, mais papa n'est guère en état de les surveiller. Tiens, j'avais oublié, c'est aujourd'hui que Martin Cloutier doit venir au petit paradis pour le thé avec sa guitare. Le malheureux, il aura droit au numéro de charme de maman. »

Cela la fit sourire, à l'instant précis où un homme entrait dans le compartiment. Elle perçut sa présence et, vite, rouvrit les yeux.

— Madame, ces places sont-elles disponibles ? se renseigna-t-il d'une voix basse, étouffée et un peu rauque, dont le timbre vrilla aussitôt les nerfs d'Hermine.

— Mais oui ! balbutia-t-elle, un peu contrariée.

Elle l'examina discrètement tandis qu'il s'installait. Très distingué, grand et robuste, l'inconnu avait une allure de gentleman. Il ôta sa veste en lin beige et son écharpe blanche. Il s'assit, un journal à la main.

— Quelle chaleur ! s'exclama-t-il.

Hermine n'avait pas l'intention d'engager une conversation. Aussi s'abstint-elle de répondre. Cependant, l'étranger la fixait comme s'il attendait quelques mots de sa part.

— L'hiver me plaît davantage, dans ce pays ! ajouta-t-il.

La jeune femme nota alors qu'il n'avait pas d'accent particulier et présuma qu'il était français.

— Excusez-moi, je sens que je vous importune, dit-il tout à coup. J'étais si heureux de vous rencontrer enfin !

— Pardon ? s'étonna-t-elle.

— Je vous ai reconnue. Vous êtes la célèbre cantatrice Hermine Delbeau, le Rossignol des neiges. Je suis un de vos fidèles admirateurs, madame, et je bénis le hasard qui m'a dirigé vers ce compartiment. J'ai pris le train à Chambord-Jonction et, depuis, aucune place ne me convenait, si bien que j'ai erré de wagon en wagon.

Elle le dévisagea, intriguée. Il avait sans doute une quarantaine d'années, peut-être la cinquantaine, ce qui pouvait justifier le semis d'argent qu'elle voyait sur ses tempes. Mais elle lui concéda une certaine séduction, malgré un nez en bec d'aigle et des traits émaciés. Cela tenait à son regard gris pailleté de vert, ourlé de cils sombres, et à ses prunelles limpides qui n'étaient pas sans lui rappeler celles d'Ovide Lafleur. Un teint hâlé et de belles lèvres charnues conféraient à l'homme une sensualité évidente.

— Que cherchez-vous sur mes traits, madame ? interrogea-t-il en riant.

— Rien de précis ! à vrai dire, j'ai l'impression de vous avoir déjà croisé, confessa-t-elle.

— Dans ce cas, je serais flatté d'avoir retenu votre attention. Il est vrai que je suis un spectateur assidu. Je vous ai entendue chanter dans *Faust*, *La Bohème*, *La Traviata*, et même pendant la guerre, dans les opérettes programmées au Capitole. Je vous ai aussi applaudie au Guild Opera de Montréal, l'an dernier.

— Ah ! fit-elle. Dans *Madame Butterfly* ? J'ai longtemps hésité à interpréter ce rôle, étant donné que je n'ai pas le physique d'une Japonaise. Mais c'était stupide de ma part ; le maquillage suffit à donner le change.

— Vous avez l'avantage d'être mince et ravissante ! J'ai vu cet opéra avec une soprano très corpulente ; la magie n'était pas au rendez-vous ! Et votre voix est unique et sublime. J'avais lu des éloges sur votre talent dans une revue, et cela m'a poussé à aller vous écouter. Là, j'ai eu une véritable révélation. Vous méritiez votre surnom de rossignol. Oui, grâce à vous, j'ai vécu des heures inoubliables.

L'inconnu se mit à tousser, des quintes sèches qui semblaient douloureuses. Apitoyée, Hermine se montra plus attentionnée. Elle soupçonna même l'homme d'être atteint de la tuberculose, ce mal effroyable dont son père avait guéri par miracle.

— Je suis désolé, dit-il enfin tout bas. Je n'ai pas coutume de parler autant. Je vantais votre voix. La mienne est proche de celle du crapaud ou du corbeau.

— Vous êtes bien sévère ! plaisanta-t-elle.

La jeune femme était ravie d'avoir affaire à un amateur d'art lyrique. Ce domaine la passionnait également depuis l'enfance et elle était souvent intarissable en la matière. Elle eut une pensée attendrie pour son père, qui en parlait avec elle pendant des heures, les longues soirées de neige.

« Mon Dieu, si cet homme est phtisique, je suis presque certaine qu'il va descendre à la gare de Lac-Édouard pour séjourner au sanatorium où se trouvait papa il y a des années, songea-t-elle. Quelle calamité! Heureusement, la médecine a fait de grands progrès, grâce à la découverte des médicaments antibiotiques[10]. Un drôle de nom... Mais certains prétendent que le remède est peut-être pire que le mal. »

Elle remarqua alors que le train avait ralenti et approchait précisément de la gare de Lac-Édouard.

— J'ai chanté ici, révéla-t-elle avec douceur. Il y avait eu une sérieuse avarie sur les rails. Tous les passagers ont dû descendre et se réfugier au sanatorium. C'était en plein hiver et j'allais passer une audition à Québec. Mais, le lendemain de cet incident, je suis rentrée chez moi.

— Ah! Pourquoi avez-vous renoncé?

— Disons que cela m'a paru un signe néfaste, et je voyageais à cette époque avec un bébé de quelques mois, mon fils aîné. J'ai eu des remords de l'avoir entraîné dans cette aventure.

Il ne répondit pas, attentif au brouhaha qui montait du quai. Des gens se ruaient dans les wagons, les cris et appels résonnaient alentour... Hermine souhaita en secret que l'homme quitte le compartiment. Il n'en fut rien.

— Je vais jusqu'à Québec, souligna-t-il comme s'il lisait dans ses pensées. Quoi de plus naturel, puisque vous chantez dans deux jours. *La Bohème* encore, en soirée, de notre cher Puccini, et ensuite *Werther*[11].

— Seigneur, vous êtes fort bien informé, monsieur! s'étonna-t-elle.

— Il suffit de se procurer le programme de la saison d'été. Mais je suis d'une rare impolitesse, car je ne me suis pas présenté. Rodolphe Metzner, citoyen suisse et mélomane.

Sur ces mots, il la salua d'une légère inclinaison de la tête. Le convoi repartait. De plus en plus déconcertée, Hermine eut un petit sourire aimable.

---

10. En 1943, Selman Waksman découvre enfin la streptomycine qui permet, un an plus tard, la première guérison par antibiotique d'un malade gravement atteint de tuberculose. Cependant, on redoute les effets du traitement.

11. Drame lyrique de Jules Massenet, compositeur français, joué la première fois en 1892, à Genève.

«Je crains que mon voisin tienne à bavarder pendant tout le trajet. Toshan, qui est si jaloux, n'a pas pensé à ça, que l'on pouvait m'importuner. Mon Dieu, je ne suis pas à mon aise. Si je dors, cet homme pourra m'observer à loisir. Si je vais déjeuner au restaurant, il ne manquera pas de se joindre à moi ou de m'inviter. Je n'ai pas de chance. Tomber sur un fervent admirateur, ici, dans le train!»

— J'ai été ravie de vous rencontrer, monsieur! annonça-t-elle après un court silence.

Cela sonnait comme la fin de toute conversation. Pour mieux montrer sa volonté d'être tranquille, Hermine sortit de son sac un roman de Pierre Loti, *Pêcheurs d'Islande*[12]. Elle l'ouvrit au hasard et se mit à lire d'un air concentré. Rodolphe Metzner ne se manifesta plus.

Val-Jalbert, même jour

— Laurence et Marie-Nuttah, je vous en prie, aidez-moi! Je veux transporter ce divan dans le salon, ainsi que la petite commode en pin.

— Mais, grand-mère, c'est plus utile dans la cuisine! On n'y va jamais, dans le salon! s'étonna Laurence. Et ça ne plaît pas à grand-père, que tu changes la disposition des meubles. Il dit que ce n'est pas votre maison!

— Je m'en fiche, répliqua Laura. Zut à la fin, j'ai tout perdu, on ne va pas me tourmenter davantage pour des détails. Nous serons mieux dans l'autre pièce. J'ai un invité. Je ne le recevrai pas dans des odeurs de lard grillé ou de café brûlé.

— Louis n'a pas fait exprès de faire bouillir le café! s'écria Marie-Nuttah. Il voulait te servir le déjeuner, ce matin.

Excédée, Laura leva les bras au ciel. Elle alla jusqu'au seuil du salon qui lui fit l'effet d'un antre sombre et lugubre, malgré les fenêtres ouvertes.

— Il y a trop de végétation derrière la maison. Il faudra couper ce fouillis de branchages. La lumière n'entre pas. Ce n'est pas un salon, mais une glacière. Charlotte n'avait aucun goût; l'aménagement laisse à désirer. Seigneur, pourquoi m'avoir arrachée à mon cher foyer, mon si doux foyer?

— Ton luxueux foyer, devrais-tu dire, corrigea Jocelyn de son fauteuil. Voyons, ce Cloutier n'est pas un ministre, quand même. Arrête de

---

12. Pierre Loti (1850-1923) est un écrivain français qui fut aussi officier de marine. Après des obsèques nationales, il fut enterré sur l'île d'Oléron.

tout chambouler et recevons icitte, dans la cuisine. C'est plus pimpant et on aura le coucher de soleil juste en face! Dites donc, les filles, où est passée Kiona? Elle pourrait donner un coup de main!

— Je n'en sais rien, grand-père, répliqua Marie-Nuttah d'un ton grave, alors qu'elle jubilait intérieurement. Elle se promène sans doute avec Louis.

Laura poussa un gros soupir censé signifier à tous qu'elle était irritée.

— Je rêvais de manger des beignes, ajouta-t-elle, mais je ne peux pas demander à Mireille de se mettre à la friture, elle qui a failli mourir carbonisée. Oh, mon Dieu, c'est comique, vraiment comique!

Elle éclata d'un rire aigu dont les dernières notes se muèrent en sanglots.

— Je n'ai même pas de pâtisseries à offrir et je parie que Martin Cloutier va arriver à quatre heures précises, pour le goûter. Si seulement Madeleine était restée! Mais non, tout le monde m'a lâchée.

— Ne pleure pas, grand-mère, je vais faire un gâteau au chocolat! décida Laurence. J'ai recopié la recette de Mireille dans un cahier.

— Et moi, je sais préparer des flans. Nous avons trois pintes de lait, des gousses de vanille et des œufs à gogo, renchérit Marie-Nuttah.

— Des œufs à gogo! persifla Jocelyn. Où as-tu pêché cette expression?

— C'est du français et je l'ai apprise grâce à Andréa Marois, qui me prête des livres. Cela veut dire en abondance, grand-père!

Charmée par la gentillesse et la joliesse des jumelles, Laura sécha ses larmes. On devinait chez elles une féminité en éveil qui déjà transformait leurs gestes et leurs sourires. Elles étaient ravissantes, lestes et vives. Les deux filles portaient le même tablier de cotonnade rose sur une robe de lin blanc. Leurs cheveux fins, châtain clair, un peu ondulés, tombaient gracieusement sur leurs épaules, et leurs yeux bleu vert pétillaient de malice.

— Mes fées du logis, dit-elle en les prenant par la main, qu'est-ce que je deviendrais sans vous? Allez, trêve de jérémiades, nous accueillerons monsieur Cloutier ici, à cette table. Joss, si tu sortais couper quelques roses? Ce serait agréable, un bouquet. Tu peux marcher; hier, tu as rendu visite à Joseph.

— D'accord, tu auras tes fleurs, assura-t-il. Trouve-moi un sécateur et des gants, il ne manquerait plus que j'attrape le tétanos, moé.

— Grand-père a dit « moé », se moqua Marie-Nuttah. Bientôt, il hurlera des jurons aussi fort qu'Onésime Lapointe ! Crisse de câlice ! Baptême ! Calvaire !

— Veux-tu bien te taire, petite sauvagesse ! intervint Laura.

Mais ils se mirent à rire tous en chœur. Le spectre de la ruine et les décombres noircis n'avaient plus d'emprise sur eux. C'était un jour de bonheur.

À quelques centaines de mètres de là, Kiona n'éprouvait pas du tout ce sentiment de gaîté. Elle s'échinait à bricoler la serrure d'une porte, celle de l'arrière-cuisine de l'ancien magasin général, également hôtel et restaurant. Le bâtiment était un des plus grands de Val-Jalbert, avec le couvent-école.

— Alors, y arrives-tu ? souffla Louis qui faisait le guet.

— Non. J'ai essayé plusieurs clefs, mais aucune ne fait.

— Je vais casser un carreau, comme avait dit Mukki.

— Pas question, ce serait un acte de vandalisme et, surtout, ça ne servirait à rien, on ne pourra pas ouvrir. En plus, c'est bruyant et tu serais capable de te couper. Attends une minute.

Kiona examina mieux les clefs qu'elle avait dénichées sous une jarre en terre cuite, posée à l'envers contre le mur de la bâtisse.

— J'aurais dû m'en douter. Si on a laissé ces clefs ici, si mal cachées, c'était parce qu'elles n'ouvraient pas. Tant pis, tu vas m'aider à grimper sur ce petit toit, là. J'entrerai par la fenêtre restée ouverte, au second étage.

— Louis tourna un regard terrorisé vers le haut. Il estimait cela trop risqué.

— Non, Kiona, c'est dangereux. Viens, on retourne au petit paradis. Laurence, elle peut s'asseoir devant la façade et le dessiner, le magasin. Elle n'a pas besoin de toi.

La fillette le foudroya de ses prunelles fauves. Tout en enfonçant une dernière clef dans la serrure rouillée, elle répliqua d'un ton autoritaire :

— Maintenant que j'ai commencé, je continue ! Moi aussi ça m'intéresse de revoir le passé du village fantôme. Tu ne te rends pas compte, Louis ? Hermine peut m'apparaître toute petite. Ça serait trop fantastique !

— Moi, ça me fait peur. De regarder les gens d'avant, c'est pas naturel. Si tu réussis, on te traitera encore de sorcière.

— Qui me traite de sorcière ?

– Des garçons de Roberval, ceux qui viennent en bicyclette le dimanche.

– Que les mouches noires les dévorent entièrement! lança-t-elle d'un air menaçant. Tu m'entends, ô Manitou, couvre ces imbéciles de bibittes en furie!

– T'es folle de dire ça! De toute manière, c'est plus la saison des bibittes.

– Je n'ai jamais été attaquée par une mouche noire, se vanta Kiona. Elles n'apprécient pas le sang métis, je crois, mais elles se régaleront de toi, Louis, toi qui es tout blanc et tout tendre!

Furibond, il lui pinça la chair du bras. Elle le repoussa en riant.

– On arrête de se disputer. Regarde donc, j'ai ouvert la porte! Il y avait la bonne clef dans le tas.

La nouvelle déconcerta Louis. Il hésitait maintenant à poursuivre l'aventure.

– Ah bon! eh ben, tant mieux. On reviendra ce soir avec Laurence et Nuttah. J'ai pas trop envie d'entrer là-dedans, astheure!

– Quel poltron tu fais! Rentre si tu veux, j'y vais.

Elle tourna le loquet. Le battant résista un peu, mais céda. La fillette se précipita à l'intérieur. La fraîcheur du lieu la surprit, autant que l'odeur singulière des locaux fermés depuis longtemps.

– Kiona, non! s'écria Louis.

Il trépigna de contrariété. Elle lui fit signe de la suivre.

– Si tu m'aimes autant que tu le dis, accompagne-moi, Louis! Pour me protéger! On devait visiter le magasin général l'autre soir, avec Mukki et les jumelles, mais on n'a pas pu. Viens!

L'expédition prévue avait dû être annulée, car Hermine et Toshan les avaient emmenés pique-niquer au bord du lac Saint-Jean.

– D'accord, je te suis, se résigna-t-il.

Louis adorait Kiona. Cela remontait à l'époque où, à sept ans, il avait distingué son visage derrière une fenêtre, dans une rue de Roberval. La petite fille y résidait avec sa mère Tala. Il avait cru voir un ange et, depuis, son existence tournait autour de celle qu'on lui avait présentée ensuite comme sa demi-sœur.

Ils s'avancèrent ensemble dans l'espace réservé jadis aux diverses marchandises, mais aussi aux articles de quincaillerie. Des étagères vides s'alignaient le long des cloisons. Le comptoir était gris de poussière.

– C'est triste, laissa tomber Kiona.

Les battements de son cœur s'accélérèrent au même instant. Elle eut froid et chaud, et son front se couvrit d'une sueur glacée.

— Louis, oh! Louis! gémit-elle en titubant. Aide-moi, je vais tomber.

Il se précipita pour la soutenir, mais il ne put l'empêcher de s'effondrer.

— Qu'est-ce que tu as? dit-il, affolé. Dis, tu vas pas mourir?

— Mais non! Chut, tais-toi, surtout! Le carillon a sonné.

Malgré ses paupières closes, elle vit distinctement une femme debout près du comptoir. Il y eut des bruits de voix, les discussions mêlées de plusieurs clientes. Cela évoquait l'agitation d'une ruche bourdonnante.

— Dis donc, Annette, faudrait me rendre la livre de sucre roux que je t'ai prêtée l'autre jour, clamait une jolie fille aux cheveux très frisés d'un blond pâle. Peut-être ben qu'on est voisines, mais je suis pas là pour te nourrir.

— Oh! patiente un peu, Élisabeth, j'ai ben de la misère avec mes quatre petits! T'en as qu'un, toé, ton Simon qui pousse, fort comme un ours.

— Faut pas tant vous chicaner, mesdames, riposta un adolescent, le visage parsemé de taches de rousseur. La compagnie verse les salaires demain; vous réglerez vos comptes à ce moment-là.

— Toé, le Néné, t'en mêle pas! rétorqua ladite Annette, une grande perche aux boucles brunes et au nez pointu.

Kiona tremblait, attentive au moindre détail. Elle n'avait conscience ni des larmes qui ruisselaient sur ses joues ni de la présence de Louis. Celui-ci, coutumier des transes de la fillette, n'osait pas la troubler.

— Oh! Annette, faut pas te lamenter comme ça! dit la première femme qui était apparue à la fillette. Y en a qui ont de plus grands malheurs que nous, icitte! Pensez donc un peu à ce pauvre homme qui vient de trépasser, après deux jours d'agonie.

— Celui du plateau? intervint le dénommé Néné. Calvaire! Mon père m'a raconté la chose. Il voulait creuser sous une grosse roche pour qu'elle tombe dans le trou et ne le gêne plus. Mais c'est lui qui s'est retrouvé coincé sous le rocher, prisonnier, le malheureux! Même que la famille et les voisins sont venus chercher des secours chez nous. Il était dans un de ces états quand on l'a arraché du piège! Blessé de partout et, oui, il est mort cette nuit[13]. Vous avez raison, m'dame Céline, faut pas se plaindre tant qu'on est vivant.

Céline Thibaut, une femme de taille moyenne à la chevelure gris blond tirée en chignon, se signa. Elle était très pieuse, fort aimable et mère de cinq beaux enfants. Kiona la vit prendre un sac de farine qu'elle soupesa d'un geste du poignet, puis tout se brouilla, exactement à l'instar d'un film dont la pellicule viendrait de se rompre.

— Oh! non! s'exclama-t-elle. C'était tellement bien!

— Qu'est-ce qui était bien? questionna Louis.

— Les dames, là, dans le magasin, répondit-elle dans un souffle, juste avant de disparaître.

— Kiona! Doux Jésus, Kiona, réveille-toi!

Louis lui tapota les joues et la secoua, mais en vain. Terrorisé, il sortit en courant et se rua vers le petit paradis. Par chance, Marie-Nuttah était dehors, occupée à jeter des coquilles d'œuf derrière un buisson. Elle l'interpella aussitôt.

— Qu'est-ce que tu as? On dirait que tu as vu le diable.

— Vite, faut que j'alerte papa. Kiona a perdu connaissance dans le magasin général. J'ai la frousse! Elle est toute blanche, toute molle.

— Chut, pas un mot ni à ton père ni à grand-mère! Ils sont en train de s'habiller pour le thé avec monsieur Cloutier. Tu es vraiment bête, mon pauvre Louis! Il fallait lui faire boire de l'eau froide, à Kiona, ou lui en jeter à la figure. Dépêche-toi! Tiens, prends ce caramel, le sucre lui fera du bien.

Toujours très sûre d'elle, Marie-Nuttah avait de plus une confiance illimitée en Kiona, qu'elle estimait capable de se sortir de n'importe quelle situation. Si certains adultes doutaient des pouvoirs de la fillette, les enfants d'Hermine y croyaient fermement. Bien que très angoissé, Louis repartit à toute allure.

Laura avait assisté à la scène de la fenêtre du premier étage, mais elle n'avait pas entendu la conversation, trop occupée qu'elle était à interroger son mari sur la robe qu'elle devait mettre.

— Alors, Joss, la rouge à pois blancs, ou la beige? Par ces chaleurs, le beige fait plus distingué, mais la rouge me va mieux; j'ai la taille si fine!

— On dirait qu'on va souper au Château Roberval, Laura! Ne fais pas de manières et, surtout, ne te maquille pas trop. Martin Cloutier

---

13. Depuis ce terrible accident, une croix en fer forgé noire en signale l'emplacement.

serait gêné. En plus, ce sont d'anciennes robes de Charlotte qui font un peu jeune.

— Seigneur, tu es ignoble! Pas la peine de me rappeler mon âge chaque jour! J'attendais de toi du réconfort et de la tendresse, dans l'épreuve affreuse que nous traversons. Mais non, tu es renfrogné, grincheux et impitoyable.

— Tu n'avais qu'à pas inviter cet homme! Si tu as une telle envie de plaire à des étrangers, nous n'avons plus qu'à nous installer à Roberval, avec l'argent que rapportera l'appartement de la rue Sainte-Anne. Tu pourras te promener sur les trottoirs du matin au soir, exhiber tes toilettes et ta fameuse silhouette.

Laura le fixa d'un œil froid avant de rétorquer:

— C'est toi qui vieillis à vue d'œil, Joss! Mais regarde-toi donc, avec tes cheveux blancs, enfin ceux qui n'ont pas brûlé, et tes rides au cou, à la commissure des lèvres et aux replis des yeux. Et cet air bougon qui ne te quitte plus! Un vieillard acariâtre, voilà ce que tu deviens, toi, mon aîné de plusieurs années. Ah! si seulement…

— Si seulement quoi? aboya-t-il. Termine ta phrase! Si seulement j'avais pu crever au sanatorium de Lac-Édouard, tu aurais épousé ton Hans Zalhe, et vous auriez été bien tranquilles sans le vieux Jocelyn Chardin.

— Tais-toi donc! Marie-Nuttah a levé la tête vers la fenêtre. Nos petits-enfants n'ont pas besoin d'entendre certaines choses.

Le cœur lourd, Jocelyn s'assit au bord du lit conjugal. Il se sentait las, avachi et inutile.

— J'aurais dû accompagner Hermine à Québec, affirma-t-il d'un ton morose. L'air d'icitte ne me vaut plus rien.

Train pour Québec, même jour

Hermine lisait depuis plus de deux heures tout en ayant une conscience aiguë de la présence de Rodolphe Metzner, lui aussi plongé dans la lecture d'un gros ouvrage.

« C'est ridicule à la fin! songea la jeune femme. Je vais aller déjeuner, il est déjà tard. » Elle rangea son livre et remit sa veste en toile légère, assortie à sa robe bleue à la jupe très ample. Sans un mot, elle quitta le compartiment et remonta le couloir du wagon.

« Il me lançait souvent des coups d'œil quand il tournait une page. Mon Dieu, que je suis bête de me tourmenter pour si peu! Cet homme m'a vue chanter plusieurs fois. Il est sûrement très heureux de m'avoir rencontrée. Il n'est pas du genre à m'importuner, je pense. »

Cependant, elle venait à peine de s'asseoir à une table du restaurant que Metzner entra à son tour. Il lui adressa un sourire courtois et engageant.

— Puis-je vous inviter, chère madame ? proposa-t-il. Je n'ai pas voulu perturber votre lecture, mais c'est plus agréable de manger en bonne compagnie.

— Je préférerais pas, monsieur, déclara-t-elle tout en estimant stupide de refuser. Ce n'est guère aimable de ma part, je l'avoue, mais j'ai eu une semaine éprouvante et la solitude me détend.

— Bien, je n'insisterai pas, alors.

Il prit place à une distance respectable. Hermine en fut bizarrement dépitée. S'il avait argumenté davantage, elle aurait accepté de prendre son repas avec lui. « Non, pas de regrets ! J'ai fait assez de dommages en me montrant amicale avec Ovide Lafleur. "Amicale", le terme est faible. »

Des images s'imposèrent à elle, cachées dans un recoin de son esprit, toujours prêtes à resurgir. Elle se revit nue dans les bras de l'instituteur, soumise à ses caresses plus qu'audacieuses. L'intense plaisir qu'il lui avait procuré refusait de quitter la mémoire de ses sens. En fermant les yeux, elle crut sentir l'odeur de la paille, du foin et des chevaux. Son corps eut un long frémissement.

Les joues roses d'émotion, elle commanda une salade de pommes de terre et des œufs au jambon. Le serveur la dévisagea un instant.

— Mais vous êtes Hermine Delbeau, le Rossignol des neiges ! s'exclama-t-il. Ma mère a accroché votre photographie dans le salon. Elle vous idolâtre. Si vous pouviez lui signer un autographe, elle serait aux anges.

— Oui, bien sûr, tout à l'heure, accepta-t-elle tout bas, extrêmement gênée.

Ce genre d'incident ne se produisait jamais lorsqu'elle voyageait avec Madeleine ou Toshan. Elle regretta l'absence de son mari, de son amie et surtout celle de son bébé, le gentil et paisible Constant. « Je ne m'habituerai jamais à la célébrité, décidément. Si je tourne ce film à Hollywood, ce sera sûrement pire ! » Cette perspective lui coupa l'appétit. Mal à l'aise, elle se força à avaler. Au moment de régler la note, le serveur, un large sourire sur les lèvres, lui confia qu'un monsieur s'en était acquitté.

— Un admirateur, précisa-t-il.

Contrariée, Hermine regagna son compartiment en évitant de regarder dans la direction de Rodolphe Metzner, certaine qu'il ne tarderait pas à la rejoindre, sans doute enchanté de son geste. Elle soupira de soulagement en découvrant une femme et son petit garçon, installés sur la même banquette qu'elle.

— Bonjour, madame, la salua l'inconnue avec un accent étranger. J'ai quitté l'endroit où nous étions parce que des messieurs fumaient le cigare. Mon fils ne supporte pas la fumée. Nous sommes montés en gare de Lac-Édouard, vous comprenez.

Elle comprit en observant l'enfant pâle et amaigri. Il avait dû séjourner au sanatorium.

— Vous avez bien fait de changer de compartiment et je suis ravie de pouvoir bavarder. Le trajet est si long! Quel âge a votre fils?

— Sept ans. Dis bonjour à cette jolie dame, Arthur.

— Bonjour, madame, balbutia le garçon.

— Veux-tu un bonbon? proposa Hermine, attendrie par sa mine intimidée. J'en ai toujours dans mon sac.

Sans attendre de réponse, elle tendit presque aussitôt un caramel enveloppé d'un papier doré.

— Vous en prendrez bien un aussi, madame? demanda-t-elle à la mère.

— Oh oui! Vous êtes bien gentille.

Hermine se contenta de sourire et reprit sa place. Tout de suite, sa voisine se lança dans le récit de ses épreuves. Son fils était tombé malade un an auparavant, et son état nécessitait de fréquentes hospitalisations.

— Mon mari en est mort il y a six mois, conclut-elle d'une voix tremblante.

— Je suis vraiment désolée, madame. Il faut espérer que la médecine parvienne à combattre efficacement ce fléau.

Elle pensa de nouveau à son père qui semblait bel et bien guéri.

«Est-ce vraiment Tala qui a réussi là où la science échoue si souvent? s'interrogea-t-elle. Pourquoi s'en étonner, quand on connaît les aptitudes de Kiona? Pauvre et chère Tala, comme je voudrais qu'elle soit toujours parmi nous!»

Le décès tragique de sa belle-mère, quatre ans plus tôt, lui laissait un goût amer. Ce drame resterait lié dans son esprit et son cœur à la longue guerre qui avait déchiré le monde entier et brisé tant de familles. « Si Toshan ne s'était pas engagé, s'il était resté au bord de la Péribonka, sa mère serait encore vivante, songea-t-elle. Il aurait su la protéger et Kiona n'aurait pas été emmenée dans ce sinistre pensionnat. Rien ne serait arrivé, surtout pas mon coup de folie, ma faiblesse à l'égard d'Ovide Lafleur, et nous serions tellement plus heureux, tous… »

Un étrange accablement l'envahissait, comme si sa jeunesse lui était soudain enlevée. « On ne revient jamais en arrière, se dit-elle encore. Ce que j'ai vécu, les joies et les deuils, appartient déjà à mon passé. Mukki aura quatorze ans en septembre. Quatorze ans, c'est l'âge où j'ai croisé Toshan pour la première fois. »

Rodolphe Metzner fit son entrée dans le compartiment au même instant. La jeune femme lui décocha un coup d'œil fâché. Il haussa les sourcils, toussota et s'assit en saluant la mère et son enfant. Hermine décida de feindre le sommeil, au moins pendant une heure ou deux.

Val-Jalbert, même jour

Louis regardait d'un air déconcerté l'endroit où il avait laissé Kiona inanimée. Elle n'était plus là. Il appela tout bas :

— Kiona ? Où es-tu ?

Mais il redoutait de voir surgir une armée de fantômes et il renonça à explorer l'étage ou les pièces adjacentes.

— Kiona, je m'en vais. Je suis sûr que tu m'as encore fait une mauvaise plaisanterie.

Désappointé, mais rassuré, il déambula dans la rue Saint-Georges en lançant des coups d'œil méfiants aux maisons fermées qui la bordaient. Soudain, il aperçut au loin un éclair fauve, la chevelure flamboyante de la disparue. « Elle est là-bas, devant chez les Marois. Qu'est-ce qu'elle fabrique ? » Louis courut pour avoir la réponse au plus vite. En le voyant, Kiona lui fit un petit signe amical et reprit sa conversation avec Joseph, en train de fumer sa pipe sous l'auvent qui protégeait du soleil et de la neige la porte d'entrée de toutes les habitations du village.

— Et connaissiez-vous Annette Dupré ? s'informait-elle.

— Oui, je la connaissais, c'était notre voisine, toujours à emprunter et à placoter à tort et à travers sur les uns et les autres. Son mari,

Amédée, travaillait avec moi ; un bon chum, lui. D'où tu la connais, toé, Annette ?

— J'ai rencontré des gens qui habitaient le village avant la fermeture de la pulperie. Ils me parlaient de personnes dont le nom ne me disait rien du tout. Je voulais savoir si ça vous rappelait quelque chose.

L'ancien ouvrier aimait évoquer les jours fastes de Val-Jalbert dont il avait la nostalgie.

— Si ma Betty avait survécu à ses dernières couches, elle t'en dirait, des choses, sur Annette Dupré. Fallait chaque jour que Dieu fait lui prêter de la farine, ou du beurre de mes vaches, ou du sirop d'érable. Et elle ne rendait jamais ce qu'elle avait emprunté. Le pauvre Amédée, il ne portait pas la culotte chez lui, ça non ! Après notre quart de travail, je l'emmenais souvent boire un coup au magasin général, qui faisait commerce de boissons, et restaurant aussi. On se mettait sur la terrasse, à l'ombre, on fumait et on jasait entre hommes… Ah ! c'était le bon temps !

— Et Néné ?

— Quoi, Néné ? Tu veux parler d'Herménégilde ?

Kiona eut une mimique embarrassée. Joseph ajouta, enjoué :

— Il avait pas de chance, avec un prénom pareil. Ses parents l'avaient baptisé comme ça en hommage à Herménégilde Morin, son oncle, qui avait dirigé les travaux de construction de l'usine. Néné, je crois ben que c'était le plus jeune employé de la compagnie, mais il savait lire et écrire. Les gars de son âge n'étaient pas embauchés. C'était la loi en vigueur icitte. Ah ! ce Néné, il poussait toujours la chansonnette, et de bonne humeur avec ça, la face toute tachetée de roux. On l'aimait ben, notre Néné.

Joseph essuya une larme. Depuis qu'il avait perdu ses deux fils, il devenait sentimental et s'émouvait facilement.

— Quand même, qui peut ben se souvenir de Néné ? s'étonna-t-il. Ces gens que tu as vus, pourquoi ils sont pas venus icitte me parler à moé ?

— Je ne sais pas, monsieur Joseph, répondit Kiona avec un sourire angélique. Peut-être qu'ils reviendront.

Louis fit la grimace et prit un air espiègle. Il avait tout compris. Kiona interrogeait leur voisin sur les fantômes qu'elle avait rencontrés lors de sa dernière vision.

– Monsieur Joseph, reprit la fillette, vous accepterez, parfois, de me raconter la vie d'avant à Val-Jalbert ?

– Et pourquoi donc ?

– Cela m'intéresse au plus haut point, assura-t-elle d'un air sérieux.

Andréa sortit de la cuisine et se posta derrière le fauteuil de son mari.

– Bonjour, les enfants, dit-elle. Dis-moi, petite, tu t'exprimes de mieux en mieux ! Une vraie demoiselle de la haute société.

– Merci, madame Andréa. Je lis beaucoup de romans français.

– Je te félicite, mais il me semble que madame Chardin reçoit monsieur Cloutier pour le thé, aujourd'hui. Ne vous attardez pas, Louis et toi, ce sera bientôt l'heure.

– Oui, madame Andréa, vous avez raison, répondit le garçon. Viens, Kiona.

Elle le suivit sans discuter. Ils s'éloignèrent d'une démarche rapide, sous le regard perplexe de leur ancienne institutrice. Dès qu'elle les vit à une distance respectable, elle déclara :

– J'ai entendu ce que Kiona te demandait. Je trouve ça un peu surprenant.

– Ben voyons donc, pour une fois que je peux parler un peu du village de jadis, des autres familles…

– Et de ta première femme, Joseph !

– Ma pauvre Andréa ! Quel calvaire, d'être jalouse d'une défunte ! Betty, la malheureuse, repose au cimetière. Elle ne reviendra pas se chicaner avec toi, astheure.

De mauvaise humeur, Joseph faisait exprès d'employer les expressions qui horripilaient sa deuxième épouse. Curieusement, elle n'eut aucune réaction.

– Peut-être bien, mais tu lui rends souvent visite, à ta Betty, tu lui apportes des bouquets de fleurs. Je sais qu'elle était très jolie, bien plus jolie que moi.

– On aura tout entendu ! se lamenta-t-il. Dis donc, je te le prouve assez, que je t'aime fort, toé aussi. Et, si le Seigneur nous accordait une descendance, fille ou petit gars, je l'aimerais autant que les autres, ceux que Betty a mis au monde. Mais ce serait un enfant de vieux… Enfin, son père serait vieux, car je ne suis plus tout jeune.

Andréa posa ses mains sur les épaules de Joseph et le massa avec tendresse. Elle n'avait jamais regretté ce mariage tardif qui lui avait évité de finir célibataire et solitaire.

— Excuse-moi! dit-elle tout bas. Veux-tu du thé?

— Du thé, du thé, encore du thé! Je prendrais ben un verre de caribou!

— Bon, c'est accordé, dit-elle avec un petit soupir.

Il en resta stupéfié. Andréa pensait à la fameuse lettre dont elle avait changé le contenu, aidée par Hermine et Toshan. Le Métis avait jugé bon, comme les deux femmes, de tenir Joseph dans l'ignorance des penchants sexuels de son fils. «Un pieux mensonge, se répéta-t-elle. Mon Dieu, pardonnez-moi.»

Martin Cloutier n'était pas encore arrivé. Laurence l'annonça à Louis et à Kiona dès qu'ils furent dans le jardin du petit paradis. Un peu boudeuse parce qu'elle avait raté ses flans à la vanille, Marie-Nuttah s'était assise à l'écart.

— Nuttah, viens là, dit Kiona. J'ai vu des choses dans le magasin général.

La nouvelle eut raison de la contrariété de la jeune rebelle. Vite, elle rejoignit le trio pour un captivant conciliabule.

— J'ai eu un malaise, mais ça valait le coup, ajouta l'étrange fillette aux yeux d'ambre. On y retourne cette nuit, tous les quatre.

— Elle a vu des fantômes, assura Louis sur un ton grave.

— Mais non, gnochon, ce n'était pas des fantômes, ce que j'ai vu. Tu ne comprends jamais rien. Je me suis déplacée à une autre époque. D'abord, le carillon de la porte du magasin a sonné comme si quelqu'un entrait, et là, tout de suite, j'ai vu des femmes près du comptoir. Je les entendais parler. Elles étaient là, en chair et en os.

— Non, vraiment? s'extasia Laurence. Et tu étais invisible, alors?

— Forcément! La plus bavarde des clientes, c'était Annette Dupré, la voisine des Marois, dans ce temps-là. Et j'ai revu Betty, c'est-à-dire Élisabeth, la gardienne de Mine. Oh! qu'elle était jolie! Dommage, ça n'a pas duré, j'ai eu un vertige et, ensuite, ça a été le noir total. Mais, dès que je me suis réveillée, j'ai couru chez Joseph pour l'interroger sur ces dames.

— C'est peut-être dangereux, Kiona, argua Marie-Nuttah.

— Je n'en sais rien et je m'en moque. Je recommencerai ce soir, je ne peux pas arrêter. C'est tellement magique! Sans toi, Laurence, je n'aurais jamais essayé. Quelle bonne idée tu as eue!

— Ça, je n'en suis pas sûre. Nuttah a raison, tu te mets en danger. J'ai peur pour toi.

— Il ne faut pas! Le grand Esprit me permet de voyager dans le passé et Jésus aussi. Je croyais que tu serais heureuse, Laurence. Et je voudrais tant voir Mine quand elle était petite fille, l'écouter chanter! Ce serait fantastique. Je vous en prie, ce soir, on va tous ensemble dans le magasin général.

Louis haussa les épaules sans oser donner son avis. Il en tremblait déjà. Cependant, il fit une remarque pertinente.

— Est-ce qu'il faisait jour, dans ta vision? demanda-t-il. Parce que ce n'est pas la peine d'aller là-bas la nuit si tu vois des scènes à la même heure. La boutique sera fermée, les gens dormiront dans le village.

Perturbée, Kiona hocha la tête.

— Oui, il faisait jour; j'ai cru apercevoir de la lumière de l'autre côté des vitrines. Tant pis, nous irons quand même. Je sens qu'il y a des âmes en peine à l'étage.

Les jumelles échangèrent un regard d'effroi. Louis se signa, bouche bée. Par chance, Jocelyn sortit sur la galerie, coupant court à toute conversation.

— Kiona, appela-t-il, va mettre une robe, mon enfant chérie, Laura se rend malade à cause de son invité. Et toi, Louis, viens te laver les mains. Vous n'êtes guère présentables, vous deux.

— Mais, papa, je suis plus à mon aise en salopette, assura la fillette. J'irai me promener avec Phébus après le thé. Je lui ai promis une balade.

— Je t'en prie, Kiona, aie pitié de ton vieux père et dépêche-toi. Ta salopette est pleine de poussière. Tu as tout l'air d'un garçon manqué et ça ne me plaît pas.

Elle obéit, touchée par le ton affligé de son père, dont le visage ridé était marqué par une douleur secrète. Très réceptive, elle s'inquiéta et, en passant près de lui, elle l'embrassa sur la joue.

— Ne sois pas triste, papa, souffla-t-elle. Je veille sur toi.

— Ne fais pas ta maligne! pesta-t-il. Et n'inverse pas les rôles. Ce sont les parents qui doivent veiller sur les petits monstres de votre espèce. Où fouinais-tu encore?

— Je profite de l'été. L'hiver viendra bien assez vite. Je monte enfiler une robe, celle que tu préfères, la verte à col blanc.

Louis la suivit, soucieux de ne pas s'attirer les foudres paternelles. Laura les salua avec un œil méfiant lorsqu'ils traversèrent la cuisine.

Elle disposait bien à regret des tasses en simple porcelaine bleue, autour d'une théière en métal émaillé d'un rouge criard.

— Mon Dieu, Charlotte n'avait aucun goût! dit-elle entre ses dents. Cela ne me surprend pas qu'elle ait adopté les mœurs des Indiens, à présent.

Son mari la trouva occupée à couper le gâteau au chocolat réalisé par Laurence.

— Je fais huit parts. Nous en porterons une à Mireille, soupira-t-elle.

— Comment ça, Laura? Tu ne vas pas laisser Mireille dans sa chambre! Déjà, tu as installé cette pauvre femme à l'étage, alors qu'elle se sentait plus proche de nous au salon. Je suis désolé, tu m'as assez rabâché que tu la considérais comme une amie et non une domestique.

— Oh, Joss, ne sois pas borné! Elle gâchera tout, avec son crâne bandé.

— Que tu es mauvaise, cruelle et égoïste! Si tu as l'intention d'éblouir Martin Cloutier, montre-lui tes qualités de cœur, et non ton décolleté, Laura! Regarde-moi ça, on devine la naissance de tes seins, à ton âge… Et ce maquillage! Vraiment, tu es grotesque.

— Et toi, tu es injuste, rétorqua-t-elle, prête à pleurer. Je me réjouissais tant de pouvoir écouter des chansons et d'avoir un invité aussi aimable.

— Hum! fit-il. Souviens-toi, pendant la guerre, quand Hermine recevait Ovide Lafleur qui la distrayait de ses soucis, tu accusais notre fille de frôler l'adultère. J'ai le droit de me poser des questions.

Il y eut un bruit de voix à l'extérieur. Laurence et sa sœur accueillaient quelqu'un.

— Seigneur, Joss, le voilà! Je t'en prie, ne t'imagine pas des idioties. Je n'ai plus le temps de changer de robe; monte chercher Mireille et rapporte-moi un foulard, le beige en soie; je cacherai ma gorge.

Dehors, Martin Cloutier contemplait les jumelles d'un œil paternaliste. Elles avaient ôté leur habituel tablier en cotonnade et arboraient des robes en soie bleue, ornées de dentelles à l'encolure. Hermine leur avait acheté quelques vêtements et de la lingerie à Roberval, le surlendemain de l'incendie, car toutes leurs toilettes avaient brûlé.

— Bonjour, mesdemoiselles, salua l'historien. Quel ravissant comité d'accueil!

— Bonjour, monsieur Cloutier, bienvenue au petit paradis, répondit Marie-Nuttah.

Elles avaient les mêmes traits fins et réguliers et les mêmes prunelles couleur de saphir, plus claires cependant que celles de leur mère. Pour l'occasion, elles avaient laissé leurs cheveux flotter sur leurs épaules en une légère cascade de boucles châtains, souples et soyeuses.

— Entrez, monsieur, notre grand-mère vous attend, intervint Laurence.

L'historien paraissait intimidé. Habillé d'un costume de toile beige et coiffé d'un canotier, il fixait la porte de la maison d'un air hésitant. Laura sortit alors sur le seuil, tout sourire. Elle eut un coup d'œil satisfait pour la guitare que tenait Martin Cloutier.

— Ah! Cher monsieur, quelle joie! Vous n'avez pas oublié votre instrument. Entrez vite au frais, il fait si chaud!

— Madame, vous êtes trop aimable, déclara-t-il d'un ton amical. J'espère que je serai à la hauteur de vos espérances, en matière de chansons.

Jocelyn avait écouté la conversation depuis la cuisine. Il grommela un juron bien senti. «Ben voyons donc, à la hauteur de ses espérances! Il fait le fier sous mon nez, celui-là!» pensa-t-il.

Kiona et Louis dévalèrent l'escalier. Mireille descendait également à pas prudents, une main précautionneusement cramponnée à la rampe.

— Doux Jésus! déplorait la gouvernante. Si seulement j'avais pu cuire une bonne tarte à la farlouche pour ce monsieur, ou frire des beignes parfumés à la cannelle! J'suis plus bonne à rien, moé, rien de rien.

— Mais non, ne dis pas ça, tu seras vite rétablie, assura la fillette. Les beignes, de toute façon, c'est meilleur en hiver, quand il neige!

— T'es une brave petite, toé, gémit Mireille. En plus, ton idée de nouer un foulard sur mon pansement, ça, c'est futé! Je fais moins peur.

Ravie, Kiona serra la main de la vieille femme à qui elle vouait une sincère affection. Elle l'installa avec bienveillance dans un fauteuil en osier.

— Aujourd'hui, Mireille, tu seras servie comme une princesse et tu pourras profiter des chansons de monsieur Cloutier.

Jocelyn entra, précédant Laura et l'historien. Il eut un sourire enchanté en voyant Kiona en robe et sandales. Elle faisait sa fierté, si droite et si jolie. Les jumelles suivaient, radieuses. Tout le monde prit place autour de la table.

— Quelle belle famille! remarqua leur invité en posant son doux regard bleu sur chacun, tour à tour.

— Oh oui, nous régnons sur une charmante tribu d'enfants, trancha Laura qui redoutait les présentations rituelles, à cause de Kiona, preuve vivante que son mari avait aimé une autre femme qu'elle.

— Les enfants, d'où qu'ils viennent, sont une bénédiction, affirma alors Martin Cloutier, conscient de l'embarras de son hôtesse.

— Surtout lorsqu'ils savent réaliser un superbe gâteau au chocolat. N'est-ce pas, Laurence? renchérit Jocelyn. Monsieur, du thé, ou de la limonade? Nous en avons toujours, par ces chaleurs.

— Du thé, je vous remercie!

Tranquillisée, Laura fut rayonnante. Mais elle avait acquis la certitude que l'historien connaissait la vérité au sujet de Kiona, sans doute par les bavardages des Marois.

— Cher monsieur, reprit-elle, j'aurais tellement aimé vous recevoir dans ma maison! De plus, vous la cherchiez dans le village. Quel dommage! Vous seriez venu plus tôt à Val-Jalbert, vous auriez pu la visiter. C'était vraiment une belle demeure, la plus belle!

— Laura! protesta Jocelyn.

— Eh quoi! J'ai le droit de m'exprimer, s'enflamma-t-elle. Nous avions tout le confort moderne avec le chauffage central et deux salles de bain. Et tant de meubles rares, des lustres en cristal…

— Madame, je suis désolé pour vous, mais le décor n'est pas le plus important. Cela me touche beaucoup d'être votre invité et je n'en espérais pas tant lorsque j'ai décidé de séjourner cet été icitte.

Ce petit discours que l'on sentait sincère détendit l'atmosphère. Marie-Nuttah distribua les parts de gâteau. Laura jeta un regard de côté à Mireille qui avait assez bonne apparence, coiffée d'un foulard à motifs floraux.

— Vous avez raison, Martin. Je peux vous appeler Martin, n'est-ce pas! Surtout, faites de même, appelez-moi Laura. Oui, vous dites vrai, le décor n'est pas primordial. Pour être honnête, ma fortune était due au hasard et peut-être que je ne la méritais pas.

— Laura, nous sommes réunis pour souhaiter la bienvenue à monsieur et écouter sa musique. Ne gâche pas l'ambiance avec tes lamentations.

Exaspérée, la femme leva les yeux au ciel. Kiona fit vite diversion.

— Comment trouvez-vous le gâteau, monsieur?

— Excellent, et je n'en chanterai que mieux après un tel régal.

La réplique suscita des exclamations égayées. Mireille osa demander :

— Chantez-vous aussi des airs de La Bolduc, monsieur ?

— Désolée, chère madame, ce n'est pas trop mon répertoire, même si j'admirais beaucoup cette grande artiste de notre pays.

— Et moé donc ! répliqua la domestique. J'ai ben pleuré le jour où elle nous a quittés. Faudra revenir, quand je serai remise, je préparerai une tarte à la farlouche, la pâtisserie préférée de notre Mimine, notre rossignol. Je l'ai connue toute jeune fille, savez-vous, guère plus âgée que ces deux-là.

Elle désigna les jumelles d'un mouvement de menton. Laura s'impatienta. Si Mireille commençait à accaparer Martin Cloutier, l'heure à venir serait beaucoup moins agréable.

— Et où en êtes-vous de vos recherches sur le passé de Val-Jalbert, Martin ? interrogea-t-elle d'un ton suave.

— J'avance. Doucement, mais j'avance. Joseph Marois, votre voisin, m'a conté quelques anecdotes plaisantes. Il m'a aussi expliqué en détail le fonctionnement de la pulperie en me décrivant la salle des écorceurs, le bâtiment de la dynamo et l'activité incessante qui régnait dans l'usine. Demain, j'irai examiner l'ancienne voie ferrée. J'ai pu trouver, le mois dernier, une photographie de la locomotive qui arrivait sur le quai, icitte. Cela m'a fait rêver. J'imaginais le chargement des ballots de pulpe dans les wagons et la cargaison partant en direction des ports pour être expédiée en Europe. C'est très émouvant, de penser à tous ces arbres de chez nous, coupés, écorcés et débités, qui ont contribué à l'essor économique de pays lointains, de l'autre côté de l'océan.

Laura buvait ses paroles, mais Jocelyn s'esclaffa, ironique :

— C'est vraiment émouvant, oui ! Enfin, cher monsieur, si on fait du sentiment sur une exploitation aussi ordinaire que le bois, où va-t-on ? Ce qui me touche, moi, ce sont les horreurs commises par les nazis en Allemagne, dont on ne finit pas d'estimer la réelle mesure.

— L'un n'empêche pas l'autre, Joss ! s'irrita Laura. Monsieur Cloutier est un poète, je crois, il a sa vision des choses. Toi, tu ramènes tout à la politique.

Sans se troubler, car il était d'une nature accommodante, l'historien ajouta :

— Votre mari a raison, madame Laura. Je me suis laissé emporter par une nostalgie un peu futile.

— Mais non, pas du tout! Mon époux ne sait que bougonner, de toute façon. Allons, reprenez du thé, il est exquis. Oh! j'y pense, je ne vous ai pas présenté les enfants. Mes petites-filles, Laurence, une future artiste, à votre droite, et sa sœur jumelle, Marie-Nuttah, de nature plus téméraire. Ce jeune homme qui boude, c'est Louis, notre fils. Je voudrais qu'il devienne ingénieur. Et Kiona... Kiona, oui, Kiona...

— Ma fille la plus jeune! trancha Jocelyn, furibond. Une brillante élève et une cavalière hors pair.

— Une demoiselle que j'ai eu le plaisir de rencontrer dans le village. Eh bien, mes félicitations, Kiona! plaisanta Martin Cloutier, conscient de la gêne de Laura. Si je vous chantais quelque chose, à présent!

Sans attendre de réponse, l'historien prit sa guitare. Il chercha, l'air songeur et un bon sourire sur les lèvres, un titre susceptible de plaire à tous, enfants et adultes.

— Je vais vous chanter *La destinée, la rose au bois* [14], une célèbre chanson de chez nous, n'est-ce pas! annonça-t-il.

Mon père ainsi qu'ma mère,
N'avaient que moi d'enfant,
N'avaient que moi d'enfant.
La destinée, la rose au bois,
N'avaient que moi d'enfant,
N'avaient que moi d'enfant.

Ils m'envoyent à l'école,
À l'école du roi,
À l'école du roi.
La destinée, la rose au bois,
À l'école du roi,
À l'école du roi.

Laura avait envie de fermer les yeux. Elle était fascinée par la voix grave, chaude et envoûtante de son invité. Certes, c'était un timbre bien masculin et très différent de celui d'Hermine, mais elle ne l'en appréciait que plus, à la fois surprise et séduite. Dès la fin du dernier couplet, elle se mit à applaudir.

---

14. De Conrad Gauthier, 1929.

– Bravo, c'était magnifique! De plus, je ne connaissais pas cette chanson.

– Quoi? s'indigna Jocelyn. *La destinée, la rose au bois*, tu ne la connais pas? Je te la fredonnais quand nous étions jeunes mariés.

– J'en doute, Joss, je m'en souviendrais.

Sans se départir d'un chaleureux sourire, Martin s'empressa d'entonner une autre chanson, *La Prière d'une maman*, de Soldat Lebrun[15].

L'air était entraînant, même si les paroles se révélaient tristes. La fin faisait tout de même sourire, puisque la mère retrouvait enfin son fils, qu'elle croyait ne plus revoir avant de mourir. Louis frappa dans ses mains au rythme de la mélodie, sans quitter des yeux le jeu des doigts de l'historien sur les cordes. Mireille était aux anges également, mais Jocelyn affichait une mine renfrognée. Le comportement de sa femme le mortifiait.

«Laura ose prétendre qu'elle a oublié cette chanson, la seule que je connaissais et que j'étais si fier de lui fredonner à l'oreille, au début de notre amour, songeait-il, pétri d'amertume. Et elle joue les coquettes avec cet individu venu on ne sait d'où. Ah, si! Saint-André-de-l'Épouvante, ben oui… Le nom tombe à pic!»

– Monsieur Chardin, demanda Martin Cloutier au même instant, voudriez-vous entendre un air particulier? Je ne peux pas tout interpréter, à cause des oreilles innocentes. Bien sûr, je peux chanter des comptines, mais ce ne sera pas très attrayant pour vous et votre dame…

– Dans ce cas, les oreilles innocentes dont vous parlez n'ont qu'à sortir prendre l'air! Le goûter est terminé. Vous avez compris, la jeunesse, dehors! tonna Jocelyn. Et pas de sottises, vous pouvez soigner le cheval et le poney; assurez-vous que leur eau est encore fraîche!

– Oui, papa chéri! lança Kiona non sans malice, avec un regard de défi à Laura.

Laurence et Marie-Nuttah se ruèrent à l'extérieur en pouffant. La chaleur les rendait nerveuses. Seul Louis quitta la pièce sans se hâter, les mains dans les poches.

– Bonne initiative, Joss, observa Laura d'une voix mielleuse. Alors, Martin, quelle jolie ritournelle allez-vous nous offrir maintenant?

– *Son voile qui volait*, de Marie Dubas! Cela date d'une douzaine d'années. Je l'aime beaucoup…

---

15. De son vrai nom Roland Lebrun. Soldat dans l'armée canadienne, il fut envoyé en tournée afin de stimuler le recrutement.

C'était un' jeune fille,
Qui n'avait pas quinze ans,
Elle s'était endormie,
Au pied d'un rosier blanc.
Son voil' par-ci, son voil' par là,
Son voil' qui volait, qui volait,
Son voil' qui volait au vent.
Elle s'était endormie,
Au pied d'un rosier blanc,
Le vent soul'va sa robe,
Fit voir son jupon blanc,
Et ses bell's jarr'tières roses,
Et son beau cuisson blanc...

La belle voix grave et sonore de l'historien ne permit pas au couple de percevoir des rires étouffés. Les quatre enfants s'étaient accroupis sous la fenêtre de la cuisine pour entendre les paroles réservées aux adultes. Louis s'éloigna, courbé en deux. Il fredonnait tout bas : *Et ses belles jarretières roses et son beau cuisson blanc.*

Les jumelles et Kiona le rejoignirent dans l'écurie, les joues en feu et prises d'un vrai fou rire, cette fois.

— Vous croyez que c'est quoi, un cuisson ? interrogea le garçon.

— Une cuisse, grand sot ! rétorqua Marie-Nuttah.

Plus troublée qu'elle ne le montrait, Laurence imaginait la scène : une ravissante fille endormie sous un arbre en fleurs, et le vent complice soulevant sa jupe. Cela suggérait le printemps, l'attente de l'amour et, malgré ses douze ans et demi, elle était très réceptive à ces mots-là. Peut-être aussi à cause des sentiments encore confus que lui inspirait Ovide Lafleur. Le jeune instituteur lui semblait doté de toutes les qualités : gentillesse, délicatesse, bonté et charme. C'était son grand secret ; même sa jumelle l'ignorait.

Heureusement, elle n'entendit pas les autres couplets. Mais Laura les savoura avec une réelle délectation.

Et ses bell's jarretières roses,
Et son beau cuisson blanc,
Et d'autres choses aussi,
De bien plus séduisant.

Heureux, heureux, celui,
Qui sera son amant,
Il aura le plaisir,
De lui prendr' ça souvent
De ce que je veux dir',
La boucl' de son ruban...

Paupières mi-closes, elle vibrait d'une invincible nostalgie, celle de son bel âge, de cette époque où son corps gorgé d'une sève neuve appelait des caresses, des baisers volés, messagers du plaisir pressenti et tant espéré. « Mais je n'ai pas eu droit à la joie pénétrante de ce moment unique où on sacrifie sa pureté à celui qu'on a choisi, où on se donne par amour. Moi, on m'a prise de force, on m'a souillée et, sans Jocelyn, je serais restée dans cet affreux bordel de Trois-Rivières, soumise à la concupiscence de tous les hommes de la région. »

La courte période de sa vie durant laquelle Laura avait dû se prostituer sous la férule d'un souteneur violent et pervers l'avait profondément marquée. Si elle relevait autant la tête, si elle jouait les grandes dames condescendantes, c'était surtout afin d'effacer d'ignobles souvenirs. Ce retour en arrière la poussa à quêter un geste de tendresse de la part de son mari. Elle saisit la main de Jocelyn et l'étreignit.

— Martin disait vrai, souffla-t-elle. Certains couplets auraient pu perturber les enfants.

— Sans aucun doute ! Moi-même, je n'apprécie guère, dit-il en haussant le ton. C'est d'une impudeur...

Très embarrassé, leur invité posa sa guitare. Il avança en matière d'excuse :

— À la fin de la chanson, on comprend qu'il n'y a rien de méchant ; ça se termine en plaisanterie !

— Ben oui, renchérit Mireille avec un sourire malicieux.

— Enfin, vous avez de drôles de penchants ! souligna Jocelyn. Une fille qui n'a pas quinze ans, objet de toutes les convoitises, ce n'est pas de mon goût, ça !

— Oh ! Joss, ne te fâche pas, soupira Laura. Et puis Martin chante tellement bien qu'on prête à peine attention au texte. Il faudra revenir, cher ami, je vous en prie !

— C'est promis ! Si mes recherches m'en laissent le temps, je repasserai à l'occasion. Et je vais chercher des chansons qui ne heurteront personne, ni les petits ni votre époux. Je suis désolé, monsieur Chardin. De plus, je n'ai pas écrit *Son voile qui volait*, que nous devons à une aimable personne du sexe féminin.

Martin Cloutier se mit à rire. Mais Jocelyn, irrité au plus haut point, annonça qu'il montait se reposer.

— Bonne continuation, monsieur, et à la revoyure, grogna-t-il en se levant de son siège.

Laura jugea plus correct de se retirer également. Elle tendit une main douce et chaude à Martin qui la garda quelques secondes de trop dans la sienne.

— Je reviendrai, assura-t-il. Bonne soirée, madame!

* * *

En l'absence d'Hermine et de Toshan, Kiona, Louis et les jumelles agissaient à leur guise. Ils avaient changé l'eau du cheval et du poney, cantonnés dans l'écurie à cause des fortes chaleurs, et se dirigeaient à présent vers la cascade.

— On se trempera les pieds, disait Laurence. Et tu verras peut-être quelque chose, là-bas, Kiona.

— Si vous ne faites aucun bruit, peut-être!

— Moi, je vais rafraîchir mes cuissons blancs, chantonna Marie-Nuttah. Faudra que tu fermes les yeux, Louis.

— Ce que tu es idiote! rétorqua-t-il en rougissant. De toute façon, les filles, c'est toujours bête, Mukki me l'a dit. Au collège des frères, à Roberval, je serai qu'avec des garçons et c'est tant mieux!

Kiona les devança du pas souple et digne de Tala la louve. Elle ne savait pas quelle décision son père et sa Mine avaient prise à son sujet pour la rentrée scolaire. «Je voudrais bien étudier, mais pas dans une école, pensait-elle. Si je pouvais apprendre toute seule, dans les livres, ce serait bien mieux.» Elle chassa ce petit tracas d'un mouvement de tête. La Ouiatchouan l'appelait de son chant sauvage, grondeur, plus doux cependant qu'au début du printemps. La rivière, dont les eaux étaient basses, paraissait inoffensive en cette saison. «Comme tout est divin, ici! songea la fillette. Et qu'il fait frais!»

À peine eut-elle tendu son charmant visage vers la cascade qu'un malaise l'assaillit. Toujours le même; elle éprouvait une intense sensation de froid et de chaud, alors que son front et ses mains devenaient moites et qu'elle était prise d'un vertige. Kiona essaya de résister, elle se raidit tout entière, mais elle dut s'immobiliser et faire preuve d'une volonté immense pour ne pas tomber.

Les jumelles et Louis, figés eux aussi, l'observaient. Ils la virent tendre les bras avant de s'écrouler sur l'herbe.

— Kiona! s'alarma Laurence.

Déjà, ils l'entouraient, angoissés. Mais elle était consciente et très souriante. Allongée à leurs pieds, elle poussa un bref soupir.

— J'ai vu quelque chose, confessa-t-elle, et c'était magnifique. Des dizaines de jeunes femmes bien coiffées, en tablier blanc. Elles étaient si contentes! Je sais, on m'a soufflé à l'oreille… C'était le pique-nique annuel. Ici, cela se passait ici, devant la pulperie, près de la cascade. Oh! Laurence, il faut absolument que tu dessines ce que j'ai vu. Je pourrai te décrire ces dames. Certaines étaient assises, d'autres debout. Et elles me regardaient toutes.

Kiona se redressa, enthousiasmée. Elle fixait les bâtiments de la pulperie et la chute d'eau avec une expression de pur ravissement.

— Calme-toi, l'exhorta Marie-Nuttah. Tu n'es pas dans ton état normal.

— Je ne suis jamais normale et ne le serai jamais. Manitou vient de me faire un merveilleux cadeau, je ne peux pas me calmer. De plus, je n'ai pas perdu connaissance. Il se passe quelque chose d'insolite. C'est comme si on répondait à ce que je veux, oui, comme si les gens du passé avaient envie de se montrer, de nous aider à faire ce cadeau pour Mine.

Laurence eut une soudaine envie de pleurer. Louis recula, impressionné, en scrutant les alentours. Il considérait les visions de Kiona comme autant de preuves qu'une cohorte de fantômes hantait Val-Jalbert.

— On devait se tremper les pieds, finit-il par dire, afin de rompre le silence des trois filles.

— D'accord, on y va! s'écria Marie-Nuttah. Viens, Kiona. Est-ce que tu peux marcher, maintenant?

— Non, attendez! ordonna-t-elle en faisant mine d'écouter.

— Attendre quoi? s'impatienta Laurence.

— Le bruit! Vous n'entendez pas ce bruit? Un train arrive, sûrement le train qui desservait la gare de l'usine! Je vais le voir, mais oui…

Les yeux d'ambre de Kiona étincelaient, ses cheveux d'or cuivré chatoyaient au soleil couchant. Ils eurent la conviction qu'elle était une créature surnaturelle, pas vraiment humaine.

— Le train, quel train, où il est, ton train ? bredouilla Louis, angoissé.

— Chut !

L'étrange fillette scrutait les environs, son cœur battant la chamade. Persuadée que d'une seconde à l'autre elle verrait le convoi approcher sur les vestiges de la voie ferrée, elle retenait son souffle. Mais, bizarrement, une vague d'épouvante la submergea. Le bruit résonnait en elle, assourdissant au point de l'affoler.

Il s'amplifia encore, et elle eut la sensation d'être percutée de plein fouet par la locomotive. Au bruit succéda un vacarme affreux, terrifiant. Alors, Kiona comprit. Il s'agissait d'un autre train, ailleurs, loin de Val-Jalbert. L'image de Mine la traversa, Mine en danger, Mine condamnée.

— Non, non ! hurla-t-elle. Non ! Le train pour Québec, il a déraillé.

7

LOIN DES VILLES

Train pour Québec, samedi 27 juillet 1946, même jour

Hermine somnolait quand elle fut réveillée par une terrible secousse. L'instant d'après, c'était l'enfer. Des grincements effroyables vrillèrent l'air chaud. Elle vit basculer le paysage derrière la fenêtre du wagon et tout de suite des branches de sapin brisèrent la vitre. Une valise projetée de l'étagère en métal qui surplombait les banquettes traversa le compartiment et faillit la frapper à l'épaule. Un cri aigu de surprise et de frayeur lui échappa.

— Madame, attention! lança Rodolphe Metzner de sa voix rauque.

Totalement affolée, la jeune femme prit cet avertissement pour elle, mais il s'adressait en fait à la mère du petit garçon. Un morceau de bois venait de blesser l'enfant au front. Il hurlait de terreur, le visage en sang.

— Oh! mon Dieu! Que se passe-t-il? cria sa mère. Seigneur, protégez-nous!

Leur voisin essaya de se lever, mais la voiture penchait sur le côté. Déséquilibré, il tomba sur les genoux. Hermine se retrouva plaquée contre le montant de la fenêtre ouverte. Un liquide chaud coulait le long de sa joue. Elle y porta un doigt qu'elle regarda aussitôt. C'était du sang.

— Madame Delbeau! Comment vous sentez-vous? lui demanda Metzner d'un air anxieux.

— Secouée, mais je ne souffre pas! Un bout de verre a dû me couper le cuir chevelu.

— Donnez-moi votre main, ne restez pas là où vous êtes, je crois que le train va se retourner complètement, affirma-t-il.

— Mais non! gémit-elle.

Cependant, elle n'avait pas le choix et accepta son aide. Il l'installa sur le sol dont l'inclinaison avait quelque chose de surréaliste. Hermine se préoccupa immédiatement du petit garçon et de sa mère, tous deux en larmes.

– N'ayez pas peur, on va nous secourir. Une partie du convoi a dû quitter les rails. Ça ne semble pas trop grave.

– Mon fils saigne beaucoup! s'exclama la passagère. Vous aussi, madame.

– Les plaies au front ou au crâne saignent toujours beaucoup, ne craignez rien. J'ai un mouchoir propre dans mon sac. Nous allons nettoyer votre petit.

Le wagon était encore animé de sursauts, pareil à une bête gigantesque qui aurait agonisé. Des appels et des cris s'élevaient de toutes parts. Il se mêlait à cette atmosphère de fin du monde le fort parfum balsamique des sapins.

– Nous sommes en pleine forêt, remarqua Rodolphe Metzner. Il devait y avoir un obstacle sur la voie ferrée.

Il se cramponnait de son mieux à la poignée de la porte, afin de ne pas gêner les deux femmes allongées sur l'espace ménagé entre les banquettes en vis-à-vis.

– Il faudrait sortir du train, s'angoissa la mère. S'il prenait feu, on grillerait tous.

– Il n'y a aucune raison qu'un incendie se déclare, répliqua Hermine en tentant de garder son calme. Mais je préférerais sortir de là, je suis bien d'accord.

Un immense frémissement parcourut soudain le convoi et, dans un vacarme effroyable, le wagon se coucha tout à fait. Les voyageurs furent jetés avec rudesse contre les parois qui reposaient à présent sur le terre-plein. Hermine et sa voisine connurent le même sort, mais un tronçon d'arbre entra avec fracas à l'intérieur du compartiment et atteignit Rodolphe Metzner à la jambe.

– Dieu du ciel! éructa-t-il. Cette fois, nous n'irons pas plus loin.

Le garçonnet sanglotait, les yeux exorbités par l'effroi. Hermine tenta de l'apaiser en lui caressant la joue.

– On va mourir! se lamenta-t-il.

– Non, regarde, nous sommes tous vivants. C'est fini, rassure-toi! affirma-t-elle avec conviction.

– Oui, écoute la dame, Xavier, elle a raison. Seulement, comment allons-nous faire pour sortir de là?

Ils étaient nombreux dans les derniers wagons à se poser la question. La locomotive avait stoppé le plus vite possible, mais le temps nécessaire à l'immobilisation complète du convoi ferroviaire avait été fatal. Plusieurs voitures gisaient au sol, renversées.

— Seigneur, j'emprunte cette ligne depuis plus de dix ans et c'est le premier accident de ce genre, observa Hermine d'un ton amer.

— Je connais bien le trajet, ajouta Metzner. Nous ne serons pas secourus avant demain. Ici, le train traverse la forêt sur des kilomètres et des kilomètres.

Pour la jeune chanteuse, c'était un désastre, un de plus, pensa-t-elle. Jamais elle n'arriverait le jour prévu à Québec, et le directeur du Capitole devrait renoncer à la représentation ou lui trouver une remplaçante d'urgence. «Tant pis, je suis vivante! se dit-elle. C'est le plus important. »

Un homme en uniforme se pencha alors à la porte qui se trouvait maintenant au-dessus d'eux. C'était un employé de la compagnie ferroviaire.

— Pas trop de dommages? interrogea-t-il. Des blessés graves?

— Non, rien de sérieux, répondit Metzner. Des plaies et des bosses... Comment comptez-vous nous tirer de là?

— Patientez, on va s'organiser!

— Nous n'allons pas patienter longtemps, s'offusqua le Suisse. Il est inconcevable de rester enfermé dans ce compartiment, parsemé de débris de verre et encombré de branches. Je vais aider ces dames à se hisser jusqu'à vous et l'enfant aussi. Moi, à la rigueur, je peux attendre.

— J'voyais pas les choses sous cet angle, grogna l'employé. Ben, faites donc, monsieur!

Rodolphe Metzner fit signe à Hermine de se relever. Elle refusa.

— Occupez-vous d'abord de madame et de son fils; le petit a très peur.

— J'veux ben, moé, mais, après, ce sera pas une partie de rigolade, affirma le cheminot. Faut quasiment avancer à quatre pattes sur les parois vitrées et, une fois parvenus à la porte, il y aura foule. Tout le monde veut filer dehors au plus vite!

Malgré cet avertissement et grâce à la poigne énergique de Metzner, la mère et son enfant purent gravir le sol dressé à la verticale et sortir du compartiment.

— Et mon bagage? s'alarma la femme.

— On verra plus tard pour les bagages, dit l'employé. À vous, ma petite dame. Vous saignez, dites...

Hermine approuva en silence et prit son sac à main. Très choquée, elle tremblait de tout son corps. La situation lui paraissait vraiment ahurissante. Rien ne ressemblait plus à rien, à son idée, et s'appuyer au plafond du compartiment, maintenant sur sa gauche, pour faire un pas en avant renforça ce sentiment d'absurdité. Il fallut le sourire apaisant de Rodolphe Metzner pour qu'elle se décidât à tendre ses bras vers l'unique issue possible.

— Mettez un de vos pieds dans mes mains! préconisa-t-il. Je vous fais la courte échelle, comme on dit, et monsieur, là-haut, vous soulèvera.

— Mais c'est très embarrassant, bredouilla-t-elle, prête à pleurer. Je suis en robe et…

— Et je suis un gentleman, je fermerai les yeux, madame! la coupa-t-il. Ne vous tourmentez pas pour des détails, dites-vous que nous l'avons échappé belle. Si le train avait déraillé sur un viaduc, cela aurait été bien pire. Ne croyez-vous pas?

— Oui, évidemment! reconnut-elle. Mais vous, monsieur, qui vous aidera? En plus, vous êtes blessé à la jambe.

— J'en ai vu d'autres! rétorqua-t-il sobrement.

Hermine se résigna. Elle avait hâte de quitter le wagon, de fouler la terre ferme. L'espace de quelques secondes, elle perçut les doigts de Metzner sur la chair de sa taille, puis, très vite, elle se retrouva dans les bras de l'employé.

— Bonne chance, ma petite dame! soupira ce dernier. Y a des collègues qui se chargent d'évacuer les wagons. Avancez par là, à gauche, y a une porte pas loin.

— Merci! haleta-t-elle, de plus en plus déconcertée par l'aspect insolite de la voiture.

Faisant appel à tout son courage, elle progressa avec prudence dans la direction indiquée. De tous côtés, elle entendait des sanglots, des cris d'effroi et des appels.

«Mon Dieu, quel désastre! songea-t-elle. Si j'avais pu imaginer ça! Toshan, mon amour, veille bien sur notre petit Constant.»

La pensée de son fils dernier-né la ramena au calme. Elle se félicita que l'enfant n'ait pas été du voyage. Il aurait pu être blessé ou tué. «Oui, c'est une bénédiction de savoir mon bébé près de Madeleine et de son père. Là-bas, au bord de la Péribonka, il ne court aucun danger.»

Village de Péribonka, même jour, même heure

Toshan observait le tapis de vaguelettes que le vent faisait naître à la surface du lac. Il fumait une cigarette, assis sur le quai. Jamais il ne se lasserait du spectacle de cette véritable mer intérieure, surtout à cette heure paisible du soir. Les goélands volaient au ras de l'eau, leur plumage blanc irisé par le soleil d'un jaune orangé. Au loin passait un grand bateau blanc, un de ceux qui promenaient les touristes chaque été.

Le beau Métis songeait que, des siècles auparavant, ces terres n'appartenaient à personne, même si les Montagnais vivaient le long des berges. Il se moquait souvent de son acharnement à honorer la mémoire de ses ancêtres. Avec la maturité, car il approchait de la quarantaine, il se voulait davantage citoyen canadien qu'Indien. C'était sans aucun doute le décès prématuré de Tala, la louve fière et farouche, qui l'avait coupé peu à peu de ses racines maternelles. « J'aurais tant aimé te voir vieillir, maman ! pensa-t-il. En apprendre plus sur ton peuple et sur toi ! Tu étais si secrète, si vertueuse ! Jamais une plainte, jamais une larme… »

Toshan déplora encore une fois de ne pas avoir pu assister sa mère lors de ses derniers instants. Elle s'était éteinte dans les bras de Jocelyn, l'homme qu'elle avait aimé au-delà de la raison. Il en était là de ses méditations quand un individu l'interpella.

— Hé ! mais c'est mon chum le Métis ! fit une voix rauque à l'accent prononcé du pays.

C'était Pierre Thibaut, un ami de longue date ; du moins, Toshan le considérait ainsi.

— Salut, mon vieux, s'exclama-t-il en bondissant sur ses pieds. Quel bon vent t'amène ? Je ne t'ai pas vu depuis des années, je crois.

— Je sais. J'ai eu ben des problèmes ! répondit Pierre. Je ne traînais plus par icitte, faut dire !

Ils se serrèrent la main. Toshan remarqua immédiatement sur les traits de son vis-à-vis les méfaits de l'alcool. Il ne restait plus rien du gentil garçon de jadis, aux cheveux blonds, au regard clair et franc. Massif et sanguin, il avait le visage bouffi et les yeux injectés de sang.

— Ma femme m'a abandonné. J'vois plus mes enfants, tabarnak ! Paraît que je courais trop à droite et à gauche, mais, moé, je te le dis, c'était pour la job, rien d'autre.

La réputation de séducteur invétéré de Pierre avait fait le tour du Lac-Saint-Jean, et cela ne datait pas d'hier.

— Viens donc boire un coup, Toshan, proposa-t-il. Tu te souviens, on a souvent trinqué ensemble à l'auberge… Au fait, qu'est-ce que tu fais par icitte ?

— J'attends un moyen de transport pour rentrer chez moi, à la cabane. Je devais faire le trajet avec Ovila Potvin hier soir, mais son camion était en panne. Il m'a promis d'être là demain matin.

— Ah ! Et ta blonde, elle est dans le coin ? Ton éblouissante blonde, le Rossignol de Val-Jalbert !

— Non, Hermine est partie pour Québec ce matin, en train.

Pierre Thibaut eut un coup d'œil égrillard qui heurta Toshan.

— Tu devrais pas laisser ton épouse voyager seule, mon chum, y en a qui pourraient en profiter. Pareil pendant la guerre : t'as pas été bien malin de t'engager. J'connais un gars qui a pas perdu de temps pendant que tu chassais le Boche. Paraît qu'il aurait pas mal courtisé ta créature !

Le soleil se couchait, et la lumière pourpre conférait à l'entretien une note alarmante.

— De qui parles-tu ? demanda Toshan d'un ton glacial.

— Oh ! d'un gars bien mis, instituteur de son état, m'sieur Lafleur. Elle a de drôles de goûts, Hermine. Il lui faut un sauvage ou une bolle, rien que ça ! Moé, sûrement qu'il me manquait des roues dans le cadran[16], à son idée !

Pierre éclata d'un rire railleur, sans prendre garde à la lueur meurtrière qui s'allumait dans les yeux du Métis.

— Arrête ton charabia, Thibaut ! décréta-t-il entre ses dents. Tu pues le whisky, tu me fais honte ! Je ne t'écoute pas davantage. Passe ton chemin. Et plus un mot sur ma femme !

— Ta femme, ta femme ! déclara l'autre avec arrogance. J'lui ai donné son premier baiser, je t'apprendrai.

— Tu ne m'apprends rien, je suis au courant depuis longtemps.

— Ben, j'aurais dû la marier, Hermine, voilà ! Peut-être qu'avec elle je serais resté fidèle.

Une colère malsaine envahissait Toshan. Il luttait de son mieux et tâchait de se raisonner, mais, l'aiguillon de la jalousie aidant, il n'avait

---

16. Se dit d'une personne présumée idiote.

qu'une envie : cogner son ancien ami en pleine figure, de toutes ses forces, au moins pour le faire taire.

— Va-t'en, Pierre ! tempêta-t-il. C'est plus prudent. Je ne frappe pas les ivrognes.

— Mais c'est pas moé qu'il faut cogner, mon chum, ricana celui-ci. Va plutôt voir m'sieur Ovide Lafleur, qui est au comptoir de l'auberge !

— Cet homme a sauvé une enfant qui m'est très chère d'un sort terrible, répliqua froidement Toshan. Je n'ai rien contre lui, tu m'entends ?

— Je t'aurais pas cru si lâche, vieux ! plaisanta Pierre en s'éloignant. Ma parole, t'as perdu ton sens de l'honneur en jouant les soldats, Toshan Clément Delbeau ! Tiens, ça me dégoûte qu'un type comme toé se paie une femme aussi belle que la tienne. Enfin, sans ce blanc-bec de Simon Marois, je l'aurais eue quand même, Mimine…

Fin saoul, il cracha par terre en signe de mépris, mais l'instant suivant il était soulevé du sol par le col de sa veste. Toshan l'avait empoigné et l'étranglait à moitié.

— Ravale ce que tu viens de dire, salaud ! fulminait-il. Vermine, ordure !

Pierre Thibaut était de taille moyenne. Cependant, il avait pris du muscle et de la graisse en quelques années. Malgré son ébriété avancée, il se débattait comme un diable, si bien qu'il put de nouveau poser les pieds sur le quai.

— Lâche-moi donc, sauvage ! tonitrua-t-il. Enfant de chienne !

C'en était trop. Rendu fou furieux par l'injure, Toshan décocha un violent coup de poing dans la face rubiconde de son adversaire, qui chancela, sonné. Du sang giclait de son nez. Un deuxième coup le frappa au menton.

— Plus un mot ni sur ma femme ni sur ma mère ! rugit-il. Qu'est-ce que tu as insinué, au sujet de Simon Marois ?

— Faudrait savoir ; je dois parler, ou la fermer ? parvint à demander Pierre qui reculait vers le bord du quai.

Toshan l'agrippa par un bras pour le pousser encore en arrière.

— Un plongeon, ça te rafraîchira l'esprit ! lança-t-il, déchaîné.

L'écho de leur altercation avait attiré les clients de l'auberge à l'extérieur. Mukki, lui, avait assisté à la scène depuis la fenêtre de la chambre qu'il partageait avec son père. L'adolescent descendit à la hâte, inquiet et haletant.

— Papa, arrête, je t'en prie ! suppliait-il.

Madeleine accourait elle aussi, après avoir confié Constant à la serveuse de l'établissement.

— Toshan, Toshan! Non, non!

Des hommes du village guettaient la suite des événements, plus amusés qu'inquiets. Ce n'était pas la première fois que des gars se battaient sur le quai de Péribonka. Par malheur, Ovide Lafleur s'approcha à son tour, alarmé par les cris de Madeleine. Il vit le mari d'Hermine sous son jour le plus sombre, déchaîné et violent, comme prêt à anéantir Pierre Thibaut sans pitié.

— Arrêtez, enfin! tonitrua-t-il. Monsieur Delbeau, pensez à votre famille. Si ce type tombe à l'eau, il peut mourir d'hydrocution. Vous serez responsable.

Le Métis chercha qui lui parlait sur ce ton sentencieux. En découvrant le jeune instituteur, il frémit tout entier d'une rage nouvelle.

— Fichez le camp, Lafleur! tempêta-t-il. Surtout vous, c'est un conseil, ne vous mêlez pas de mes affaires!

Terrifié, Mukki n'osait pas intervenir. Jamais encore il n'avait vu son père ainsi défiguré par la haine: il en avait des frissons dans le dos.

— Ovide n'a pas tort! s'exclama le patron de l'auberge. Ne te mets pas dans de sales draps, Toshan. Thibaut, tu lui as déjà bien arrangé le portrait. Ça devait lui arriver tôt ou tard, il est toujours à se saouler.

Ce fut le regard horrifié de Mukki qui freina les ardeurs vengeresses de Toshan. Il ne voulait pas se donner en spectacle devant son fils. Avec un grand geste las, il repoussa Pierre en arrière et tourna les talons.

— Il n'y a plus rien à voir! lança-t-il à la cantonade.

Madeleine le suivit. Elle devait savoir pourquoi son cousin s'était mis dans une rage pareille.

— Toshan, appela-t-elle tout bas, que t'a dit Pierre? Je ne comprends pas; c'était ton ami, avant.

— Oui, et ça ne l'est plus! Qu'il ne croise pas mon chemin à l'avenir, sinon je lui ferai cracher son venin.

Il emprunta une rue parallèle au quai, loin des gens qui étaient restés groupés et discutaient de l'incident. Madeleine l'attrapa par le coude.

— Je suppose qu'il a dit des bêtises à propos de Mine, déclara-t-elle. Rien de tel pour te mettre en colère.

Toshan s'immobilisa brusquement. Il toisa sa cousine d'un air pitoyable.

— Madeleine, la nourrice sage et pieuse, peut me mentir, mais Sokanon, la nièce de ma mère, me doit la vérité. Tu n'as pas oublié Tala ni le prénom montagnais que tes parents t'ont choisi ? Alors, parle !

— Mais Toshan, je n'ai ni à mentir ni à avouer quoi que ce soit ! Par le passé, j'aimais bien Pierre, qui était un brave garçon, attentionné et sérieux. Il a changé, tout le monde le sait. Tu ne peux pas faire confiance à un homme ivre mort, dont la réputation est devenue méprisable. C'est un coureur, en plus. S'il a prétendu avoir séduit notre Mine, ce sont des mensonges.

Toshan approuva sans conviction en allumant une cigarette. La tension retombait. Il retrouvait sa lucidité.

— Quand même, Madeleine, il a dit que, sans Simon Marois, il aurait eu Hermine. Es-tu au courant de quelque chose de ce genre ?

— Absolument pas, certifia l'Indienne en toute sincérité.

Au début de la guerre, Pierre Thibaut avait tenté de violer Hermine, dans la maison de la rue Sainte-Anne, à Roberval, où elle logeait à l'époque. Sans l'intervention de Simon, il aurait réussi. Bouleversée, la jeune femme avait gardé le secret, qu'elle n'avait confié qu'à Tala.

— Il se vantait, Toshan, fit-elle remarquer. Ou bien cela remonte à bien longtemps, du temps où ils habitaient tous Val-Jalbert. Ils étaient adolescents. N'accorde aucun crédit aux propos d'un homme pris de boisson. Mon Dieu, quelle malchance ! Ce soir, nous devions dormir au bord de la rivière, chez toi, dans la maison que tu as bâtie de tes mains. Rien ne se serait produit si ce camion n'était pas tombé en panne.

— Madeleine, ne commence pas tes lamentations. Je suis aussi contrarié que toi. Ça ne me plaît pas de faire coucher mes deux fils à l'auberge. Les maringouins n'ont pas manqué Constant, il est couvert de piqûres. Quant à Mukki, il en entend de belles, dans la salle du restaurant.

La jeune Indienne haussa les épaules. Toshan venait de lui rappeler qu'elle avait laissé le bébé aux soins de la serveuse.

— Je rentre vite m'occuper de Constant, soupira-t-elle. Toi, tu devrais discuter avec Mukki. Tu es un exemple pour lui. Tâche de ne pas lui enseigner la violence et la colère.

Toshan jura entre ses dents, contrarié. Il déambula encore dans le village en ressassant les propos équivoques de Pierre Thibaut. Quelqu'un l'aborda devant l'épicerie générale. Il reconnut Ovide Lafleur.

– Excusez-moi, monsieur Delbeau, dit-il aussitôt. Je vous cherchais. Pierre Thibaut a eu un malaise; le docteur a diagnostiqué un coma dû à l'abus d'alcool. Ne vous tourmentez pas, tout le monde a témoigné en votre faveur. Il était de notoriété publique qu'il vous avait agressé.

Sans répondre, Toshan fixa son interlocuteur avec froideur. Il le détaillait à loisir et le jaugeait. Ils étaient de la même taille à trois centimètres près, mais l'instituteur avait une constitution plus frêle.

– Je me moque de tout ça, rétorqua-t-il enfin. Il ne fallait pas vous donner la peine de me prévenir.

– J'ai estimé cela nécessaire, puisqu'il y avait eu une échauffourée avec témoins.

– Dites, Lafleur, est-ce que vous êtes toujours aussi correct, poli et soucieux des autres? tempêta Toshan. Parce que, autant être franc, Thibaut m'a certifié que vous avez voulu séduire ma femme. Toute la région le saurait, sauf moi, quoique j'aie des doutes, au fond.

Ovide devint blême. Il n'avait aucune envie de prendre des coups. Néanmoins, il s'arma de courage.

– Les gens bavassent beaucoup, ici, Delbeau, répliqua-t-il avec calme. Les hivers sont si longs! Ça occupe de jaser, de traquer les adultères et de dénigrer les filles-mères. Vous savez très bien ce qui s'est passé. J'ai aidé votre épouse à retrouver Kiona. Pour cela, nous avons été obligés de voyager ensemble, à cheval. Nous avons même dormi à l'auberge, soulagés d'avoir arraché votre sœur et Akali à leurs bourreaux. Oui, je le concède, nous avons été complices, Hermine et moi. Mais en bons amis qui partageaient la peur et le bonheur de sauver ces fillettes innocentes. Rien d'autre, Delbeau, rien.

L'instituteur était disposé à le jurer. Il aurait fait bien pire pour la femme qu'il adorait toujours en secret. Toshan devait ignorer sa vie durant les caresses et baisers échangés avec Hermine dans la pénombre d'une écurie. «Ciel! J'ai vu la femme de cet homme toute nue, livrée à mon désir, songea-t-il. Certes, je ne l'ai pas possédée entièrement, mais c'est peut-être encore plus impardonnable de ma part, d'avoir joui ainsi de son corps, en l'admirant et en l'embrassant. J'ai mal agi, mais je ne le regrette pas.»

– Rien d'autre! affirma-t-il encore d'une voix ferme. Hélas! Vous n'empêcherez pas les mauvaises langues de salir la réputation de ceux qui osent se conduire librement. Pour me répéter, je n'ai ni séduit votre épouse ni cherché à la séduire.

— Je ne vous crois pas, laissa tomber Toshan, une lueur d'ironie au fond de ses prunelles noires.

— Et pourquoi?

— Il faudrait être le dernier des crétins pour ne pas profiter d'une occasion pareille. Un mari parti à la guerre, en Europe, une femme magnifique, esseulée et en détresse… Vous deviez penser que je ne méritais pas mieux.

— Touché! riposta Ovide. J'ai pensé ça, oui. À votre place, je n'aurais pas endossé un uniforme qui me séparait des miens.

— Allez-y, continuez! Quel homme peut préférer la guerre à l'amour? Je ne risquais même pas la conscription, avec trois enfants à charge. Je vais vous dire une chose, Lafleur, j'ai eu tort de m'engager dès l'automne 1939. Chaque jour depuis le début de cette maudite guerre, je me le reproche. J'ai abandonné ma femme en deuil d'un nouveau-né, j'ai fui son chagrin. J'en ai la certitude, si je ne m'étais pas porté volontaire, Kiona aurait été épargnée, aucun prêtre pervers ne l'aurait épouvantée. Ma mère ne serait pas morte, je le sens, là, dans mon cœur. J'ai failli à mon devoir, celui de protéger ma famille. Et si à mon retour j'avais vu Hermine dans vos bras, ça m'aurait servi de leçon. Qu'est-ce qui m'a poussé à jouer les soldats? L'orgueil, le désir stupide de prouver qu'un Métis d'Irlandais et d'Indienne pouvait gagner des galons aussi bien qu'un Blanc! Il y avait autre chose, un rêve enfantin, celui de monter en grade afin d'intégrer un régiment d'aviateurs. J'étais envoûté par ça, voler, parcourir le ciel et le monde des esprits.

Cette confession émut Ovide Lafleur. Il étudia attentivement les traits fiers de Toshan, sensible à sa voix grave, vibrante de passion. Soudain, il comprit pourquoi Hermine était liée à cet homme d'une rare séduction.

— Ne vous reprochez rien! dit-il avec douceur. C'est respectable de défendre sa patrie, de combattre l'injustice et la folie des tyrans.

Ce fut au tour de Toshan de dévisager Ovide. Ses prunelles vertes luisaient, pleines d'intérêt et de bonté. En percevant le charme qui émanait de l'instituteur, il pressentit sa grandeur d'âme et son intelligence.

— Monsieur Delbeau, je serai honnête avec vous, ajouta alors celui-ci d'un ton pensif. J'aurais volontiers fait la conquête de votre femme. De la soutenir dans les épreuves qu'elle affrontait me valorisait, de la consoler par de petits gestes d'amitié me conférait une importance que je n'avais pas à ses yeux. Attention, ces gestes que j'évoque se résument à lui prêter des livres, à surveiller les devoirs de vos enfants, à boire le thé en compagnie de Madeleine et d'elle. Mais rien d'autre! De toute façon, Hermine aurait découragé n'importe qui, car elle vous aime. Êtes-vous rassuré, à présent?

Toshan l'observa en silence un long moment, puis il eut un faible sourire.

— Non, pas du tout. Je crois même que vous êtes un sérieux rival, mon vieux!

Sur ces mots, il lui tendit la main.

— C'est la fin, ou le début des hostilités? s'enquit Ovide, étonné.

— L'avenir nous le dira! rétorqua Toshan d'un ton énigmatique.

Il salua d'un léger signe de tête et planta là l'instituteur, totalement médusé d'être promu au rang de sérieux rival d'une personnalité aussi charismatique et virile que Toshan Clément Delbeau.

Ni l'un ni l'autre ne présageait l'irruption dans l'existence de la jeune femme d'un troisième homme, leur aîné d'une dizaine d'années, un certain Rodolphe Metzner.

Entre Roberval et Québec, le long de la voie ferrée, même soir

Hermine foulait la terre ferme avec une satisfaction évidente. Les ombres du soir emplissaient la grande forêt québécoise de chants d'oiseaux, de frémissements de branches, de très lointains appels poussés par des renards ou quelques autres petits carnivores sauvages. À l'ouest, le ciel semblait à feu et à sang, émaillé de longues traînées pourpres irisées d'or.

Tous les passagers du train avaient été évacués. D'après un jeune médecin qui était du voyage, il fallait déplorer une mort par arrêt cardiaque et de nombreuses blessures mineures.

— Nous n'allons pas passer la nuit ici? s'inquiéta la voisine de compartiment de la chanteuse. Mon fils souffrira du froid.

Elles s'étaient retrouvées sur la voie ferrée et ne se quittaient pas.

— Soyez rassurée, madame, on va nous distribuer des couvertures, certifia Hermine. Le barman du wagon-restaurant a fait une annonce, tout à l'heure.

— Si nous étions encore en guerre, je croirais à un sabotage. Vous avez écouté les précisions du conducteur de la locomotive? C'est n'importe quoi! Des rails qui se déplacent pendant le passage du convoi, et vers l'arrière, bien sûr!

Un peu lasse des récriminations de sa compagne de rencontre, Hermine tenta de la raisonner.

— Aucun matériel n'est à l'abri d'une avarie, dit-elle d'un ton ferme. Si des rails ont bougé, il y a forcément une raison. Nous devons remercier Dieu d'être vivantes. Comme le faisait remarquer monsieur Metzner, notre voisin, le train aurait pu se renverser sur un viaduc. Là, personne n'en aurait réchappé. C'est un moindre mal; nous serons vite secourus.

— Ah oui? Et comment?

— La compagnie de chemin de fer a sûrement équipé la locomotive d'une radio de bord. Tranquillisez-vous, madame.

Hermine scruta de nouveau les environs. Il y avait foule le long des wagons, échoués sur le flanc comme autant de lourdes bêtes en fer, mais elle ne voyait pas Rodolphe Metzner. Cela l'inquiétait. Il s'était montré tellement serviable et soucieux de les réconforter! «J'espère qu'il a pu sortir du compartiment, songea-t-elle. En plus, il était blessé à la jambe.» Elle n'était plus exaspérée contre cet admirateur que le hasard avait placé sur sa route. C'était sans importance, maintenant. Ils étaient tous logés à la même enseigne, condamnés à dormir à la belle étoile, au sein d'un océan d'épinettes et de sapins.

— Madame, je m'éloigne un peu et je reviens vite, indiqua-t-elle à la mère, assise sur le talus, son garçon blotti dans ses bras.

— Oh! non, je vous en prie, restez avec nous! Je ne connais personne d'autre. Il y a beaucoup d'hommes qui ont l'air inquiétants.

— Inquiétants? s'étonna Hermine.

— Pas très recommandables, sans doute des ouvriers au chômage qui cherchent du travail!

— Vous ne risquez rien, j'en suis sûre. N'ayez crainte, je serai de retour dans quelques minutes.

Sans attendre de réponse, elle s'en alla en pressant le pas. Les abords de la voie ferrée offraient un spectacle très original. Chacun avait tenu à emporter avec lui son sac de voyage, voire le panier contenant de quoi casser la croûte, quand ce n'était pas des balluchons en cuir ou en tissu bariolé. Des bébés pleuraient, nichés dans des lits de fortune. Certains hommes se préparaient à allumer du feu.

— Vous cherchez quoi? Moé, peut-être, ma jolie? demanda un robuste gaillard à la moustache rousse. Ce soir, on pourra pas se bourrer la face, mais y aura de la musique pour danser. Mon chum Télesphore l'a, son harmonica!

— Je vous remercie, monsieur, je réfléchirai.

Flatté, il éclata de rire en contemplant sans gêne la silhouette d'Hermine, dont la robe bleue révélait des mollets hâlés bien galbés et moulait une poitrine parfaite.

— Seriez pas une vedette de cinéma, vous? insista l'inconnu.

— Non, vraiment navrée, plaisanta-t-elle. À la revoyure!

— J'espère ben!

Elle préféra faire demi-tour, doutant de trouver l'élégant Metzner parmi les hommes regroupés vers la fin du convoi. Ce fut ainsi qu'elle croisa des religieuses en robe noire et voile blanc. Au nombre de six, elles semblaient en pleine détresse. Hermine avait grandi auprès des saintes femmes de Notre-Dame-du-Bon-Conseil de Chicoutimi, du moins celles qui enseignaient au couvent-école de Val-Jalbert. Ce fut plus fort qu'elle: tout de suite, elle leur adressa un sourire rayonnant, car elle se sentait en terrain familier.

— Quelle soirée, n'est-ce pas! dit-elle afin d'engager la conversation.

— Vous pouvez le dire, madame, approuva une des religieuses. Le ciel nous met à rude épreuve aujourd'hui. Nous n'avons plus qu'à prier, maintenant. Dieu nous entendra, que ce soit ici ou ailleurs.

— Bien sûr! Vous êtes-vous remise du choc? s'enquit aimablement la jeune femme.

— Oh! ça, ce n'est pas le pire. Nous recherchons un orphelin de treize ans qui a profité de l'accident pour s'enfuir. On nous a affirmé qu'il devait être déjà loin dans les bois, mais comment va-t-il survivre?

Un doute assaillit Hermine.

— Un orphelin de quelle nationalité? questionna-t-elle.

— Un jeune Montagnais que nous devions confier à une institution proche de Montréal. Si vous fréquentiez ces Indiens, vous seriez effarée. Ils refusent le vrai Dieu et méprisent l'instruction que nous avons la générosité de leur offrir.

— Vraiment! déclara la jeune femme dont la voix s'était durcie. Ne vous inquiétez pas pour lui, il saura tirer profit de la nature. Bonsoir, mes sœurs.

Son cœur battait la chamade dans sa poitrine. Elle revoyait le sinistre pensionnat perdu au nord du Lac-Saint-Jean, cette prison pour enfants indiens où ils étaient humiliés et maltraités. «Manitou, sauve ce garçon, veille sur lui!» pria-t-elle en silence.

Elle dépassa bientôt l'endroit où sa voisine de compartiment s'était installée avec son fils. Pour l'instant, elle accaparait l'attention d'une vieille dame très distinguée qui écoutait ses doléances en hochant la tête. Hermine pressa le pas en direction de la locomotive, car elle avait aperçu Rodolphe Metzner. Il discutait avec un employé des chemins de fer. «Au moins, il va bien et il a pu sortir sans encombre», songea-t-elle, subitement tranquillisée.

Il marchait déjà vers elle en la fixant d'un chaud regard.

— Chère madame, comment vous sentez-vous? demanda-t-il. Le vent est assez frais. Si je vous prêtais ma veste…

— Ne vous faites pas de souci pour moi, monsieur, j'ai été élevée à la dure. Et vous, votre jambe?

— Oh! ce n'est rien du tout, juste une éraflure! indiqua-t-il de cette voix sourde et un peu rauque qui troublait Hermine. Cette fois, me ferez-vous l'honneur de partager mon dîner? J'ai l'intention de soudoyer un des serveurs du restaurant. On m'a confié qu'ils sortaient des marchandises de leur réserve. D'abord, je pense qu'il faudrait allumer un feu. La plupart des voyageurs s'y emploient. Et je viens d'apprendre une bonne nouvelle. Ils vont détacher la locomotive du convoi, pour rejoindre la prochaine gare et organiser notre rapatriement. Trois wagons de tête tiennent encore debout, ils seront attribués aux mères de famille et à leurs enfants.

— C'est une excellente initiative. Je vais l'annoncer à cette femme, notre voisine. Elle craignait de dormir dehors.

— Pas vous?

— Non. Je vous l'ai dit à l'instant, je ne suis ni frileuse ni très peureuse. J'ai souvent accompagné mon mari dans de longues expéditions en traîneau, avec nos chiens d'attelage. Nous dormions dans la forêt, même en plein hiver.

— Vous êtes donc aguerrie.

— Plus que vous ne l'imaginez, ajouta-t-elle en souriant. Seigneur! Ces situations insolites ont le don de nous bouleverser, de modifier notre comportement. J'ignorais votre existence ce matin, en montant dans le train, et ce soir je vous cherchais comme on cherche un ami.

Cela me rappelle l'atmosphère si mémorable de mon séjour en France, pendant la guerre. Mon impresario, Octave Duplessis, était chef d'un réseau. Il me cachait tout de ses activités et me présentait des gens dont je ne savais rien. Pourtant, je sympathisais parfois en quelques minutes avec de parfaits étrangers. Oh! ce que je vous raconte doit vous sembler bien embrouillé!

— Pas du tout! Je suis touché; nous parlons en effet comme de vieux amis, admit-il. Et ce repas?

— Je veux bien manger un petit quelque chose au coin du feu avec vous, mais je refuse d'avoir des traitements de faveur. La plus grande partie des passagers n'ont presque rien à se mettre sous la dent, excepté ceux qui avaient emporté des provisions. J'ai des goûts simples, monsieur. Un café et des biscuits me suffiront. Si je ramassais des bleuets? Cela ferait sûrement plaisir au petit garçon et à d'autres enfants.

— Des bleuets? Qu'est-ce que c'est, au juste?

— Des baies délicieuses. En cette saison, il y en a encore beaucoup dans les clairières. Voyez, par là, la forêt a été incendiée il y a plusieurs années. Je parie que les bleuets y poussent en grande quantité.

Rodolphe Metzner la contemplait, fasciné. Il la vit ôter un peigne de ses cheveux blonds et le frotter dans un coin de son foulard par souci de propreté.

— Cela fera un outil très utile! lui dit-elle. Enfin, j'irai plus vite pour décrocher les bleuets de leur tige.

— Attendez, vous n'allez pas partir dans la forêt seule! La nuit va tomber.

— On y voit encore très bien et je ne m'éloignerai pas.

— Je vous accompagne, c'est plus prudent.

Hermine hésita un moment, déconcertée par sa propre liberté d'esprit et par cette gaîté étrange qu'elle ressentait.

— D'accord! Vous n'aurez qu'à ramasser du bois mort pour le feu. Tenez, suivons ce sentier, il a dû être tracé par le passage fréquent d'un orignal ou d'un ours.

— Ou d'un préposé à l'entretien des rails, fit remarquer le Suisse non sans malice. J'ai l'impression, madame, que vous essayez de me faire peur.

Elle ne répondit pas, amusée. C'était exquis de fouler la terre tapissée d'aiguilles de conifères et de mousse. Il y avait déjà assez longtemps qu'un incendie de forêt avait rasé la végétation, et les conifères poussaient dru, même s'ils n'étaient pas très hauts encore. Les pins rouges dominaient la population. Le parfum des arbres enivrait Hermine.

« Il y a eu tant de crépuscules, l'été où Toshan me conduisait sous le couvert des sapins. Il disait célébrer notre amour sous l'œil complice des étoiles et du ciel. Comme nous étions jeunes et enthousiastes ! » se remémora-t-elle avec nostalgie.

Metzner, lui, l'admirait discrètement. Après l'avoir applaudie sur scène alors qu'elle était costumée et fardée, il découvrait de la jeune chanteuse une tout autre facette, peut-être sa véritable nature. Ses gestes étaient simples et efficaces. En robe et sandales de toile, des mèches folles sur les épaules, Hermine lui paraissait humble, courageuse, et aussi d'une beauté remarquable.

— Si l'on m'avait dit, lança-t-il sur un ton enjoué, qu'un soir j'arpenterais la forêt sur les pas du Rossignol de Val-Jalbert, une diva !…

— Oh non, je ne suis pas une diva. Et je ne cours pas après la célébrité. Cela me surprend toujours de croiser des gens qui me connaissent : le serveur du wagon-restaurant, vous…

— Madame, ceux qui vous ont écoutée une fois ne peuvent pas oublier votre voix et votre talent d'interprète. Vous incarnez vos personnages, vous leur offrez votre douceur et votre sensibilité d'artiste. Quel dommage que vous n'ayez encore enregistré aucun disque ! Il y a cependant une forte demande. L'opéra et l'opérette ont de nombreux amateurs.

Concentrée sur la quête de bleuets, Hermine en oubliait la femme à qui elle avait promis de vite revenir. Cette situation insolite la distrayait, et elle poursuivait sa cueillette en croquant une baie de temps en temps, les lèvres colorées et les doigts tachés par le jus violet.

— Je vais me renseigner, répondit-elle enfin. Mais c'est un domaine dont j'ignore tout. Cela m'arrangerait ; je dois travailler encore plus, dorénavant.

Elle lui exposa brièvement le drame qui venait de frapper sa famille, l'incendie et la ruine de sa mère. Elle conclut en avouant qu'elle avait eu une semaine éprouvante.

— Je suis navré, madame, dit-il tout bas. Heureusement, vous n'avez perdu aucun être cher.

— Oui, heureusement ! répéta-t-elle. C'était d'ailleurs notre leitmotiv durant ces tristes jours. Les biens matériels ne peuvent se comparer à notre unique trésor, la vie, surtout celle de nos proches, parents, époux et enfants.

Elle s'était redressée pour parler à Metzner. Elle remarqua alors son émotion intense et son regard vague. Il avait également beaucoup de mal à respirer.

— Qu'avez-vous? Ai-je dit quelque chose qui vous affecte, monsieur? Si c'est le cas, j'en suis navrée.

— Non, non, vous n'êtes en rien coupable. Ce sont d'épouvantables souvenirs qui me reviennent. Il en est ainsi depuis vingt ans, et j'ai quarante-huit ans. J'ai l'habitude de souffrir… Si nous rentrions, à présent?

Hermine scruta les alentours. Il faisait très sombre, et son foulard, qu'elle avait utilisé comme un sac pour porter sa récolte, était bien garni.

— Oui, rentrons. Là-bas, il y a des feux; c'est plus gai.

Elle désignait des clartés dorées entre les troncs d'arbres. Ils suivirent le chemin du retour sans échanger une parole. Hermine était persuadée d'avoir touché un point sensible chez cet homme raffiné, d'une éducation remarquable. Mais elle n'osait pas l'interroger. Lui, de son côté, demeurait abattu. Cependant, quelques mètres avant la voie ferrée, il s'arrêta et la retint par le poignet.

— Excusez mon silence, madame! Autant vous dire la vérité sur mon passé. J'ai perdu mon épouse adorée et notre fille de six mois dans un accident. Je possédais un bateau et nous avions coutume de nous promener sur le lac Léman. C'est un lac immense et splendide que j'aimais voir de mes fenêtres. À l'époque je résidais à Genève. Mais il s'y produit des tempêtes subites redoutables, même effroyables, devrais-je dire. Pendant l'une d'elles qui nous a surpris loin du port, notre bateau a subi une avarie et il a coulé. J'ai tenté de prévenir les secours, mais la radio n'émettait plus. Il faisait très sombre. Nous sommes tombés à l'eau. Ma femme serrait le bébé contre elle. Tout est allé si vite! Ça a été comme dans les cauchemars. Je nageais dans l'espoir de les atteindre, je les appelais, mais je n'ai pas pu les sauver. Elles ont disparu. J'ai continué de les appeler longtemps de toutes mes forces, au sein de cet enfer liquide, assourdi par des bourrasques terrifiantes. Personne ne m'a répondu. J'ai hurlé ainsi pendant des heures, accroché à un morceau de la coque. Le lendemain, quand on m'a récupéré, j'étais aphone. Depuis, je séjourne le moins de temps possible en Suisse.

J'ai élu domicile dans le Maine, mais je viens souvent au Québec. J'apprécie ce pays.

Hermine était bouleversée. Elle concevait trop bien l'horreur de ce deuil, elle qui était maman et qui chérissait Toshan de tout son être.

— Mon Dieu, vous avez dû vivre un martyre, balbutia-t-elle. Je suis désolée.

— J'avais choisi de mourir à mon tour, mais j'ai été lâche. Quand on m'a rapporté les corps, ma décision était prise : je mettrais fin à mes jours après les obsèques. Et puis, on s'accroche à des détails. On recule l'échéance par respect pour ceux qui partagent votre chagrin. Il y avait mes parents et la famille de ma femme. La musique m'a aidé à survivre, de même que l'obsession de vénérer la mémoire de mon épouse et de notre fille. Mais vous dites vrai : les biens matériels sont de la boue quand on pleure son amour.

Sa voix se brisa. Il baissa la tête, terrassé par l'émotion. Pleine de compassion, Hermine posa une main douce sur son épaule.

— Venez, nous avons des heures devant nous. Si vous le souhaitez, vous me parlerez de musique, puisque vous êtes mélomane.

— Je préférerais vous écouter me raconter vos débuts et votre existence de chanteuse lyrique.

— Pourquoi pas ? Allons, venez…

Des campements de fortune s'étaient dressés un peu à l'écart des wagons renversés, tout le long des rails. Le spectacle était des plus pittoresques. Chacun y allait de sa trouvaille et de son ingéniosité. Des malles servaient de siège, des sacs en cuir, d'oreillers, et partout des foyers entourés à la hâte de cailloux dispensaient une lumière mouvante.

Hermine finit par retrouver la mère et son petit garçon à la tête du convoi.

— J'ai cueilli des bleuets, annonça-t-elle. Cela vous fera du bien ; c'est nutritif et désaltérant.

— Merci, madame, nous n'en avons pas besoin, répliqua froidement sa voisine de compartiment. On va nous installer dans les voitures qui sont restées debout. Nous aurons des couvertures, du thé et des biscuits. Gardez vos fruits.

Rodolphe Metzner fronça les sourcils, interloqué par le ton sévère de la femme. Hermine n'insista pas malgré le regard suppliant de l'enfant qui devait être affamé.

– Bonne nuit, madame, bonne nuit, petit, soupira-t-elle.

– Bonne nuit à vous aussi, déclara sèchement la femme.

Ils s'éloignèrent, à la recherche d'un endroit à leur convenance pour allumer un feu.

– Et voilà! souffla la chanteuse. J'ai eu le tort de l'abandonner sur son talus et de partir dans le brûlé avec vous. À ses yeux, je suis une dévergondée, maintenant. Seigneur, les gens sont prompts à porter des jugements malveillants. J'y suis accoutumée, vu le métier que j'exerce. Ça ne me choque pas, mais je suis bien obligée de constater que, une femme qui agit selon son bon vouloir, cela aiguise les langues.

Ils se sourirent. Metzner décida d'un emplacement qui convint à la jeune femme, près d'un tas de pierres.

– J'ai un briquet. Seulement, il faudrait du papier journal.

– Non, laissez-moi faire! Le sol est tapissé d'aiguilles de sapin et de lichens desséchés. Cela brûlera mieux que du papier. Savez-vous, je suis la première étonnée d'être aussi familière avec un parfait inconnu. Enfin, non… Pardonnez-moi, vous vous êtes présenté et j'ai reçu vos confidences. Disons que nous ne sommes plus des étrangers l'un pour l'autre.

– Merci, chère madame, j'en suis flatté.

Elle approuva d'un air distrait. En quelques minutes, elle avait aménagé un creux dans la terre et disposé des cailloux en cercle. Il lui tendit son briquet, étrangement heureux de la voir à genoux, décoiffée et concentrée sur son ouvrage. Elle soufflait sur une brindille rougeoyante qu'elle couvrait vite d'autres petites branches en ajoutant de l'herbe jaunie. Bientôt, des flammèches s'élevèrent.

– Hermine Delbeau en pionnière! plaisanta-t-il. Si je pouvais vous photographier et communiquer le cliché à la presse, je ferais fortune. Excusez mes stupidités! Je ne cherche pas la fortune, je suis né dans un milieu très aisé, trop, même.

– Pour ma part, je crois que je pourrais finir mes jours au fond des bois, près de mon mari et de mes enfants. La nature est si généreuse! Il suffit de chasser, de pêcher ou de jardiner, et la nourriture abonde, une nourriture saine et simple.

Rodolphe Metzner allait de surprise en surprise. Jamais il n'aurait imaginé la cantatrice qu'il admirait capable de tenir ce genre de propos et familiarisée avec la vie en forêt.

— Moi qui vous pensais citadine, éprise de soirées mondaines et de belles toilettes…

— Je ne déteste ni les jolies robes ni les bijoux, mais au fond je pourrais m'en passer. J'ai eu une éducation particulière. Orpheline présumée, j'ai été confiée à des religieuses. Ces saintes femmes m'ont appris la modestie, l'humilité et bien d'autres choses.

— Lesquelles?

— Sans la mère supérieure du couvent-école de Val-Jalbert, je n'aurais pas appris à chanter, enfin, pas aussi jeune. Elle a tout de suite remarqué ma voix, à la chorale. Sœur Sainte-Apolline, je la revois, penchée sur des partitions afin de m'accompagner à l'harmonium. Mon premier récital, je l'ai donné dans l'église du village, une veille de Noël. Comme j'étais intimidée! Je portais une robe en velours bleu nuit, confectionnée par les sœurs et des rubans blancs à mes nattes. J'avais huit ans…

— Qu'avez-vous chanté?

— *Douce nuit*, puis l'*Ave Maria*. On m'écoutait dans le plus parfait silence et, lorsque ça a été fini, le curé, le père Bordereau, m'a remerciée et m'a surnommée le Petit Rossignol de Val-Jalbert en prenant ses paroissiens à témoin. Oh! pourquoi est-ce que je vous dis tout ça? C'est de la vanité.

— Pas du tout, j'en suis enchanté! Mais ne bougez pas. Attendez-moi ici, je reviens vite.

Sa haute silhouette un brin aristocratique disparut dans la pénombre et se mêla à d'autres qui allaient et venaient. Une fois seule, Hermine eut l'impression de se réveiller, de reprendre pied dans la réalité. «Qu'est-ce que j'ai? s'interrogea-t-elle. Jamais, en temps ordinaire, je ne me comporterais ainsi.»

Déconcertée, elle scruta les flammes dont l'éclat dansant était amical et apaisant.

«Habituellement, je voyage avec Madeleine, ou mon père, ou ma mère, ou bien avec Toshan. Depuis des années, je suis toujours en compagnie d'une personne qui m'est très proche. Il n'y a que durant mon voyage en France que j'étais seule. Mais c'était la guerre, j'éprouvais une telle anxiété que j'avais l'esprit vide. Aujourd'hui, ça n'a rien à voir, bien sûr! Un accident de train sans trop de gravité. Je sympathise avec un mélomane très courtois et bien éduqué parce que je me sens en sécurité avec lui. Et puis il pourrait presque être mon père.»

Ce raisonnement lui donna satisfaction. Elle s'imagina dans les mêmes circonstances, mais avec Madeleine, sa fidèle amie, et fut certaine qu'elle n'aurait pas adressé la parole à Rodolphe Metzner. «C'est le hasard, je n'y peux rien, songea-t-elle encore. Dès que je serai à Québec, nous irons chacun de notre côté. Ce n'est qu'une agréable rencontre.»

Elle remit des branches mortes dans le feu. Un bruit de pas la fit se retourner. Le Suisse revenait, encombré d'un chargement assez hétéroclite.

— Chère madame, ne m'en veuillez pas; j'ai pactisé avec un des serveurs du wagon-restaurant. Il m'a fourni une poêle, des assiettes, des couverts, du lard et des œufs. Eh oui, les œufs sont sortis indemnes du chaos. J'ai aussi du vin et du pain. Vos bleuets feront office de dessert. Hélas, je n'ai pas pu trouver de café, ni chaud ni froid.

— Oh! il ne fallait pas, je vous l'avais dit... Mais c'est gentil quand même!

— Je ne suis pas le seul en cause! La mère de ce serveur est une de vos admiratrices. Quand il a su que je dînais en votre compagnie, il était navré de ne pas avoir mieux à vous offrir.

— C'est déjà inespéré! affirma Hermine, un peu gênée.

Elle prépara leur repas, pensive. Metzner respecta son silence. Cela lui fit penser qu'il ne commettait vraiment aucune faute de tact, lui témoignant de l'intérêt sans se montrer indélicat ou indiscret. Comme il ne la sollicitait pas, elle ne tarda pas à aborder un sujet qui lui était cher.

— Vous dites que vous m'avez écoutée chanter plusieurs fois. Dans quel rôle m'avez-vous jugée la meilleure? Et dans lequel ai-je été moyenne, voire médiocre?

— Vous êtes la Marguerite idéale, dans *Faust*. Fragile, sublime et poignante durant le finale, lorsque vous appelez les anges du ciel à votre secours! Mais, sincèrement, madame, je ne vous ai jamais vue moyenne ou médiocre. Disons pas tout à fait au point, l'été 1942, dans les opérettes données au Capitole. Cela desservait votre immense talent.

— Je vous remercie de votre franchise. C'était la guerre, une guerre qui a semé le deuil et le malheur. Excusez-moi, j'essaie de discuter art lyrique et je pense aussitôt à des événements bien douloureux.

— C'est normal, les chagrins enfouis en nous sont tenaces et persistants. On croit les avoir domptés, repoussés, jetés aux oubliettes, mais ils constituent une force obscure au fond de nos cœurs, prêts à resurgir et à détruire un bonheur fragile, difficilement reconquis.

Ces mots trouvèrent un écho chez Hermine. Depuis son retour de France, Toshan n'était jamais redevenu son compagnon de jadis et, s'ils s'aimaient toujours passionnément, ce n'était pas sans heurt. À cette harmonie plus précaire se greffaient les morts tragiques de Tala, de Betty et de ses fils.

— Oui, rien ne s'efface de nos âmes, soupira-t-elle. Oh! pardonnez-moi... je débite une évidence.

Elle faisait allusion au récit dramatique qu'il lui avait fait. Il le comprit et eut un geste fataliste de la main.

— Soyons gais, chère madame. Vos œufs au lard étaient un pur délice. Goûtons les bleuets, à présent.

— Avec précaution ; leur jus tache beaucoup. Voyez mes doigts...

Il haussa les épaules, l'air insouciant, ce qui le fit paraître plus jeune et encore plus attirant. Troublée, Hermine baissa la tête sur les baies entassées dans son foulard.

— Et Wagner ? demanda alors Rodolphe Metzner. Avez-vous chanté du Wagner ? J'apprécie grandement *Lohengrin*, un de ses opéras majeurs. Il est féerique. Vous feriez une très belle Elsa, l'héroïne féminine.

— Personne ne songe à programmer du Wagner en ce moment, à cause d'Hitler qui affectionnait son œuvre. Mais je devais chanter dans *Lohengrin*, pendant mon séjour à Paris. Finalement, mon impresario n'a pas donné suite au projet.

— Laissons cela. À moi de vous poser une question. Quel personnage préférez-vous jouer ?

— Mimi, dans *La Bohème*. C'est une femme douce, humble et vulnérable. Et l'air du premier acte, qui requiert une puissance vocale extrême dans les notes les plus hautes, me comble, sur le plan personnel et artistique. Vous savez, quand elle chante :

Mais quand revient le soleil,
J'ai son premier sourire !
J'ai le premier baiser de l'Avril vermeil !
Le premier souffle du zéphyr.

Hermine n'avait pas pu s'empêcher de fredonner, en haussant le ton, et sa voix, contre son gré, s'était comme envolée. Metzner ferma les yeux à demi avant de la supplier tout bas :

– Je vous en prie, chantez, chantez encore. C'était prodigieux d'entendre votre timbre limpide au cœur de la nuit, près de ce feu.

– Mais cela risque de réveiller des enfants…

– De les réconforter, plutôt, de les aider à ne pas redouter les ombres de la forêt.

Elle hésitait, mais, tentée, elle reprit au début l'air de Mimi. Sa voix cristalline retentit bientôt tout le long du convoi immobilisé. Les gens tendaient l'oreille, puis se levaient pour s'approcher, attirés irrésistiblement par la beauté de ce chant. Quand elle se tut, de nombreux voyageurs les entouraient, public imprévu, médusé et ravi.

– Encore, madame! implora un garçon d'une dizaine d'années. Encore!

– Oh! je n'ai pas de musicien pour m'accompagner, objecta-t-elle.

– Pas besoin, vous chantez tellement bien! s'écria une femme. J'ai jamais entendu une si belle voix, moé!

Déconcertée, Hermine se leva. Elle considéra en souriant tous ces visages impatients, avant de jeter un regard embarrassé à Rodolphe Metzner.

– Faites ce que votre cœur vous dicte! balbutia-t-il.

Un homme coiffé d'un large chapeau en cuir s'avança vers eux. Il brandit à bout de bras un étui en bois, dont la forme était explicite. Il s'agissait d'un violon.

– Je peux jouer, si ça vous aide, madame! affirma-t-il. Je connais certains airs d'opéra, vous me sem-blez travailler dans ce domaine-là. *Carmen*, l'amour est enfant de bohème?

– *Carmen*? s'étonna Hermine. Je ne l'ai jamais inter-prété, mais je l'ai souvent répété. J'avais le rôle de Micaela. Mais oui, cet air-là, je peux le chanter.

L'amour est enfant de bohème,
Il n'a jamais jamais connu de loi,
Si tu ne m'aimes pas, je t'aime,
Et si je t'aime prends garde à toi.

Elle s'amusait prodigieusement. Pourtant, elle était bien loin du personnage, une brune espagnole au caractère de feu. Hermine conférait aux paroles une légèreté dont chacun savourait le bel enthousiasme. Dès qu'elle eut terminé, un tonnerre d'applaudissements éclata, accompagné de mercis chaleureux. Un vieux monsieur très distingué réclama bien fort une chanson traditionnelle très populaire au pays, demande qu'elle exécuta avec un plaisir renouvelé.

Très droite dans la lumière changeante des feux, Hermine charmait son auditoire. Et elle chantait, chantait encore : *La Paloma, Les Blés d'or, À la claire fontaine...* On l'écoutait, on la contemplait, elle, si gracieuse en robe claire avec ses cheveux blonds. C'était comme une apparition angélique, un cadeau tombé du ciel pour estomper les peurs et les soucis de la journée. Les enfants en restaient bouche bée, apaisés. Ils ne pensaient plus aux vastes zones d'ombres qui s'ouvraient au-delà des foyers occasionnels, sous les gigantesques sapins. Les femmes versaient une larme, parfois, les hommes se prenaient à rêver sans mauvais désirs, car Hermine leur apparaissait surtout comme la sœur, la fiancée, l'amie, une femme pure et douce, intouchable.

Il en allait de même pour Rodolphe Metzner, totalement ébloui par la prestation de celle qu'il admirait tant, déjà.

— Mesdames, messieurs, et vous, les enfants, il se fait tard, annonça enfin Hermine. Je chanterai une dernière aria, qui s'accorde bien à notre situation de naufragés au cœur des bois. C'est un extrait de *Lakmé*.

Après une imperceptible révérence, elle entonna d'un vibrato subtil l'air des clochettes.

Par les dieux inspirés,
Où va la jeune hindoue,
Fille des Parias,
Quand la lune se joue,
Dans les grands mimosas,
Elle court sur la mousse,
Et ne se souvient pas...
Elle passe sans bruit,
Et riant à la nuit

Jamais, peut-être, Hermine n'avait mis autant de foi et de passion dans son interprétation de *Lakmé*. Lorsqu'elle réalisa la prouesse vocale qu'imposait cet air à une soprano en jouant de sa voix limpide pour imiter des tintements de clochettes, il y eut une rumeur étouffée, composée de dizaines de ah ! subjugués. Transportée d'une joie étrange, elle salua en souriant, émue, infiniment comblée.

Le violoniste, qui l'avait accompagnée de son mieux, rangea son instrument pour applaudir à son tour.

— Bravo, bravo! s'enfiévra Metzner. Quelle soirée magique, grâce à vous!

— Oh! je suis exténuée, confessa-t-elle tout bas.

Les gens n'osaient pas l'approcher, mais ils répugnaient à s'éloigner. Une fillette vint quémander un baiser, alors qu'une dame grisonnante envoya son mari lui offrir un sachet de bonbons à l'anis.

— Ce n'est pas la peine, protesta Hermine. Il faut les distribuer aux enfants.

Chacun se retira à regret. La plupart des feux n'étaient plus que des lits de braises rougeoyantes. Le serveur qui avait fourni des ustensiles et de la nourriture à Metzner se présenta, deux couvertures dans les bras.

— J'espère que vous n'aurez pas trop froid, madame, balbutia-t-il, intimidé. C'était féerique! Quand je raconterai ça à ma mère, elle déplorera de ne pas avoir pris ce train-là.

— Merci du compliment, merci!

Une saine fatigue terrassa Hermine. Cependant, elle ne songea pas à rejoindre le wagon réservé aux femmes et aux enfants. Elle préféra s'asseoir près du feu, leur feu, qui avait présidé à la cuisson des œufs au lard.

— Vous avez la plus belle voix du monde, affirma Rodolphe Metzner. Comment vous dire ce que j'ai éprouvé? Un apaisement de mon vieux et tenace chagrin, mais aussi un regain d'amertume, l'envie terrible de pouvoir vous donner la réplique.

Ils étaient seuls, à présent. Elle le regarda avec une expression intriguée.

— Me donner la réplique? répéta-t-elle.

— Excusez-moi, je dis n'importe quoi!

— Mais non, expliquez-vous!

— Chère madame, le drame dont je vous ai parlé tout à l'heure a certes brisé ma vie. Hélas, il a brisé autre chose: ma carrière. J'étais à cette époque un jeune ténor promis à un avenir brillant. J'avais déjà chanté à Milan, à Bruxelles, à Londres… Je comptais signer un contrat avec la Scala, car mon épouse rêvait de séjourner en Italie. Mais, même si j'avais surmonté mon désespoir, même si j'avais réussi à trouver refuge dans mon art, ma voix était morte, brisée elle aussi, brisée à jamais. J'avais trop crié, hurlé trop fort pendant trop longtemps! Oui, le lendemain, j'étais aphone. Cela s'est arrangé peu à peu pour me rendre le ton déplaisant d'un crapaud ou d'un corbeau, ce timbre sourd et rauque qui me fait honte. Vous imaginez-vous, madame, privée de ce don unique, ce don merveilleux, de votre voix d'exception, privée également de l'exaltation qu'on éprouve avant d'entrer en scène, de la fierté de donner du bonheur aux autres? Ces frissons que j'ai eus, à l'instant, en vous écoutant, ces émotions qui m'ont ravagé, tout cela par la magie de votre talent et de votre voix! J'ai été dépossédé de tout, vraiment, en perdant ma femme et mon bébé. Ce qui m'étonne, c'est d'avoir survécu et d'être encore là, près de vous. J'ai consulté des docteurs, imploré des chirurgiens de me guérir. La science n'en est pas capable actuellement. Je me disais que de pouvoir chanter à nouveau me consolerait un peu et que je rendrais ainsi hommage à la mémoire de mes chères disparues. Mais non, si je tente de fredonner un air d'opéra, le son qui s'échappe de ma bouche est d'une laideur ridicule.

La confession de Rodolphe Metzner avait atteint Hermine en plein cœur. Elle le dévisageait, malade de compassion et au bord des larmes. Il lut dans ses beaux yeux bleus une détresse infinie.

— Je suis navré, madame, je n'avais pas l'intention de vous apitoyer, mais vous écouter chanter, et ne pas pouvoir partager cette joie, c'est infernal! Je connais tous les grands airs de tous les opéras, je les répète dans le silence de mon esprit, oui, je les chante sans bruit.

— Monsieur, si vous saviez comme je vous plains! Et comme je vous admire d'avoir eu le courage de surmonter autant d'épreuves monstrueuses!

— Est-ce du courage ou de la lâcheté, je ne sais pas! ironisa-t-il. Mille fois j'ai souhaité mourir, en finir, mais je continuais à respirer, à manger, à me réveiller le matin. Peut-être fallait-il que je vive jusqu'à ce soir, jusqu'à ce jour où j'ai eu la chance et l'honneur de croiser votre route. Pardonnez-moi, mes propos peuvent sembler inconvenants. Mais, sincèrement, je suis heureux d'avoir pu vous rencontrer.

Hermine ne sut que répondre. Elle n'était plus déconcertée, maintenant, ni d'avoir si vite sympathisé avec cet homme ni de se sentir proche de lui. Il avait été ténor, il avait vécu les mêmes espoirs qu'elle, vibré de la même passion pour le chant.

— Ne soyez pas triste, ajouta-t-il. J'ai pu me consacrer à la musique en créant avec ma fortune familiale une maison de disques en Suisse et aux États-Unis. Si vous décidiez un jour d'enregistrer un disque, je serais enchanté de financer ce projet. Tenez, *Mireille*, de Charles Gounod! Cela me plairait, et *Faust*, bien sûr!

— J'aime beaucoup *Mireille*. Ainsi, vous dirigez des maisons de production.

Malgré sa volonté de discuter encore sur un ton plus anodin, la jeune femme était tourmentée par ce qu'elle venait d'apprendre. Rodolphe Metzner éveillait en elle un élan irrépressible d'affection et de respect, car elle se projetait en lui. C'était nouveau pour elle et cela la déconcertait.

— Le destin a bien fait les choses, n'est-ce pas? conclut-il avec bonhomie.

— Oui, sans doute! Et je vous jure que j'aurais bien aimé vous avoir comme partenaire sur une scène. Oh! je suis idiote, je vous ai peut-être blessé davantage… Je suis désolée, je suis…

Bouleversée et exténuée, Hermine étouffa un sanglot à la hâte. Vite, elle essuya ses yeux et eut un sourire tremblant.

— Vous êtes si belle! Sans fard, sans bijoux ni costume, parée de votre blondeur, de votre bonté et de votre douceur! Chère madame, ne vous reprochez rien, j'ai passé une charmante soirée en votre compagnie. Maintenant, il faudrait dormir.

Elle jeta un coup d'œil hésitant sur les wagons alignés, où s'étaient installées les femmes et les enfants. De vagues lueurs se devinaient derrière les vitres.

— Les convenances et la morale voudraient que je m'enferme avec toutes ces dames, soupira-t-elle. Mais je serais mieux ici, sur la terre de mon pays, près d'un feu mourant!

— Et sous ma protection? plaisanta-t-il.

— J'ai entièrement confiance en vous.

— Vous le pouvez.

Hermine s'allongea sur l'herbe rare. Des cailloux la gênaient un peu, mais, une fois enroulée dans une des couvertures, elle s'y habitua. Son bras replié lui servit d'oreiller.

— Je vais m'endormir en quelques secondes, certifia-t-elle, sous les étoiles, avec le parfum des sapins. J'ai l'habitude, je vous assure, oui, j'ai si souvent dormi dans la forêt!

Elle ferma les yeux, s'abandonnant à un étrange sentiment de sécurité. Rodolphe Metzner resta assis, amusé et touché de la découvrir un peu rebelle et éprise de liberté. Cependant, la jeune femme ne céda pas tout de suite au sommeil. Des pensées désordonnées la tourmentaient.

«Dieu, je suis folle! Je me couche tout près d'un étranger, attirant de surcroît, sans me soucier des conséquences, de la moralité, et sans me préoccuper de Toshan. Il hurlerait de rage s'il me voyait ce soir, s'il m'avait vue ce soir... Mais je ne regrette rien. Cet homme est bon, réfléchi, bien éduqué, et il était ténor. Il a perdu sa voix, il a brisé sa voix. C'est une telle injustice! Seigneur! quelle atrocité, je ne pourrais pas supporter une telle chose, non!» Elle se vit muette, condamnée à ne plus jamais chanter, ni *Lakmé* ni *Faust*, à ne plus s'envoler sur le fil des notes, à ne plus connaître l'exaltation rare et grisante du chant. «C'est inexprimable, ce que l'on ressent, indescriptible! Mais en être privé, en être dépouillé, ce doit être affreux, monstrueux. »

Hermine eut l'impression de sombrer dans le noir, d'être aspirée vers un néant terrifiant. Frémissante, prête à pleurer encore, elle se recroquevilla sous la couverture. Une main très légère lui caressa les cheveux, si furtivement qu'elle aurait pu croire qu'elle rêvait.

— Reposez-vous, madame, lui dit Metzner. Et n'ayez pas peur, vous, le Rossignol des neiges. Vous chanterez toujours, j'en suis sûr et certain.

Elle finit par s'apaiser et dormir enfin. Quand il la vit profondément assoupie, l'ancien ténor exhala une faible plainte et remit du bois dans le feu. Il était coutumier des nuits blanches, et pour rien au monde il n'aurait failli à sa promesse de protéger sa compagne de quelques heures. Jusqu'à l'aube, il contempla sa belle déesse endormie.

8
LES PORTES DU PASSÉ

Val-Jalbert, dimanche 28 juillet 1946

Kiona était assise dans son lit, ses longs cheveux roux en bataille, la mine soucieuse. La veille, elle avait affolé tout le monde en annonçant que le train pour Québec, celui d'Hermine, avait déraillé. Laura s'était effondrée en larmes dans le fauteuil le plus proche, Mireille avait poussé des gémissements à fendre le cœur, tandis que son père, Jocelyn, s'était mis à faire les cent pas, une main posée à hauteur du cœur.

« J'ai eu beau leur dire ensuite qu'Hermine n'était pas blessée, ils ont continué à se faire du mauvais sang, songea-t-elle. Maintenant, ce serait bien d'avoir des nouvelles, sinon la journée ne sera pas drôle du tout. »

Elle se rallongea et fixa le plafond de ses yeux d'ambre. Ses doigts trituraient nerveusement un coin du drap. Ce n'était pas simple d'avoir des visions qui vous tombaient dessus sans prévenir, ou si peu. Kiona avait nettement vu la locomotive, puis les wagons à l'arrière du convoi qui se retournaient, d'abord maintenus en équilibre par les autres voitures, pour bientôt basculer tout à fait.

« Ils vont en parler à la radio, se dit-elle. Mais zut! La radio a brûlé elle aussi. Il faudrait aller chez Joseph Marois ou acheter le journal à Roberval. »

La fillette jeta un coup d'œil inquisiteur vers le lit double qui se dressait à côté du sien et où dormaient Laurence et Marie-Nuttah. Elle aurait pu les réveiller, mais ces instants de calme dans la maison silencieuse l'aidaient à réfléchir.

« Qu'est-ce que j'ai fait? se demanda-t-elle. C'est peut-être une sottise, une grosse bêtise. Je crois que j'ai ouvert une porte sur le passé du village et elle ne veut pas se refermer. Si je continue à voir des choses, à faire des rêves comme cette nuit, ça deviendra vite un calvaire, un maudit calvaire. »

D'imiter les jurons d'Onésime Lapointe la fit sourire. Elle ne se l'autorisait qu'en pensée, avec une certaine jubilation. Kiona se trouvait entre l'enfance et l'adolescence, et son caractère changeait. Elle se faisait plus secrète, plus espiègle aussi, voire moqueuse et capricieuse. Hermine prétendait à ce sujet qu'elle se protégeait ainsi des facultés étranges dont elle avait enduré toute petite les pénibles contraintes.

«Maintenant, il me tarde d'être au bord de la Péribonka, se dit-elle. Là-bas, je serai loin de Val-Jalbert. Je ne verrai plus tous ces gens et je ne ferai plus de rêves. Enfin, j'espère…»

Prise d'une inspiration subite, Kiona se mit à prier Jésus, ce qui lui arrivait souvent. Sans apprécier particulièrement les offices religieux catholiques, elle vouait au Christ une réelle vénération.

— Qu'est-ce que tu fais, les mains jointes? interrogea une petite voix.

C'était Laurence, à demi enfouie sous la literie, le regard encore vague.

— Chut, je prie! Je demande de l'aide à Jésus. Et à Manitou aussi. J'ai besoin des deux, je crois.

— Tu n'as pas le droit, objecta mollement Laurence. Madeleine te l'a expliqué: il faut choisir.

— Fais comme moi, ne t'adresse qu'au grand Esprit de nos ancêtres montagnais! s'écria Marie-Nuttah en s'asseyant brusquement. Et pourquoi as-tu besoin d'aide?

Réconfortée de pouvoir se confier, Kiona déclara:

— J'ai rêvé aux dames en tablier blanc, celles du pique-nique. Elles chantaient *La destinée, la rose au bois*, enfin, la même chose que monsieur Cloutier. Il y a une jeune fille qui m'a fait signe d'approcher. Je n'osais pas, je me disais que nous ne vivions pas à la même époque.

— Ce n'est pas bien grave, ça, nota Laurence. Tu as rêvé de ces femmes à cause de ta vision d'hier.

— Mais il y a autre chose, affirma Kiona. Je me suis sauvée, pour ne pas me retrouver à ce pique-nique, et très vite j'étais devant le magasin général. Il était magnifique. Tout propre! Les vitres étincelaient. Hélas! Une femme en est sortie. La pauvre, elle faisait pitié. Là, j'ai su qu'elle allait mourir et qu'elle s'appelait Céline Thibaut.

— La mère de Pierre Thibaut, tu crois? interrogea Marie-Nuttah avec excitation.

— Sûrement! Donc, c'était l'année de l'épidémie de grippe espagnole. Hermine nous en a souvent parlé. La sœur qu'elle aimait tant, sœur Marie-Madeleine, en est morte.

Sur ces mots prononcés d'un ton accablé, Kiona se frotta les yeux comme pour effacer les images qui s'imposaient à elle, le jour comme la nuit.

— Je voudrais arrêter, Laurence. Tant pis pour tes dessins, tu te serviras des photographies de Joseph ou de Martin Cloutier. Il en a dans sa sacoche. Tu comprends, ces gens, ils paraissent vivants, je pourrais les toucher. Ça ne me plaît plus.

Les jumelles s'observèrent avec un regard préoccupé. Elles ne comprenaient pas ce qui inquiétait autant Kiona.

— Tu disais le contraire, hier, observa Marie-Nuttah. Que tu devais continuer, même si c'était risqué.

— Peut-être, mais je n'aime pas ces rêves. En fait, ce ne sont pas de vrais rêves ; je m'en vais dans le passé dès que je dors.

On frappa à la porte de la chambre. Sans attendre de réponse, Laura entra, la mine intransigeante.

— Levez-vous vite, mes petites ! dit-elle. Nous allons tous chez les Marois pour écouter la radio. Je n'ai pas fermé l'œil, moi. J'imaginais Hermine gravement blessée dans ce maudit train. Si je n'ai pas d'informations avant midi, je pars. Je pars ou je casse toute la vaisselle de Charlotte.

Ce fut le branle-bas de combat. Les trois filles bondirent du lit et s'habillèrent en un temps record.

— Maman va bien, n'est-ce pas, Kiona ? implora Laurence au bord des larmes.

— Je vous ai dit qu'elle n'a rien !

— Nous nous passerons de tes présages, trancha Laura, horripilée. Je veux du concret, moi, des informations précises. Vite, vite, vos chaussures et un coup de peigne, quand même. Si vous n'êtes pas présentables, Andréa s'empressera de penser que je m'occupe mal de vous.

— Et Louis ? Où est-il ? s'enquit Marie-Nuttah. Il vient aussi, grand-mère ?

— Non, ce garnement a de la fièvre, sans aucun doute le résultat de votre excursion à la cascade. Il avait chaud et il a dû s'asperger d'eau glacée, y tremper les pieds. Voilà le résultat. Il est puni, tant pis.

Cinq minutes plus tard, Jocelyn menait sa troupe le long de la rue Saint-Georges. Laura lui tenait le bras, soudain lasse, les jambes coupées par l'angoisse. Les jumelles suivaient de près, alors que Kiona fermait la marche, boudeuse. À la hauteur du bureau de poste, toujours en service, elle vit de dos une enfant blonde en tablier gris qui lisait une affiche. Ses vêtements démodés, une jupe qui lui descendait aux chevilles et des bas rapiécés lui indiquèrent qu'il s'agissait encore d'une vision. Bizarrement angoissée, elle préféra baisser la tête, paupières mi-closes. « Louis avait raison, ce village grouille de fantômes! » songea-t-elle.

Au même instant, la fillette se détourna, comme prise de panique. L'écho lancinant d'une sirène résonnait, la sirène de l'usine de pulpe. Contre sa volonté, Kiona regarda la visiteuse d'une autre époque. Son cœur se mit à cogner dans sa poitrine. « Mine, c'est Mine! Je la reconnais! Ses yeux bleus, sa bouche! Oh! non, Mine… »

Ses tempes lui firent mal et elle eut l'impression de plonger dans un abîme vertigineux, noir d'encre. Avec un bruit sourd, elle s'effondra dans la rue.

— Grand-mère, Kiona est tombée! s'écria Marie-Nuttah. Elle a dû s'évanouir encore!

— Comment ça, encore? s'égosilla Laura. Joss, mon Dieu, qu'est-ce qu'elle a?

Blême, Jocelyn Chardin se jeta à genoux près de Kiona et l'attira contre lui. Il n'était jamais en paix depuis qu'il avait recueilli sa fille illégitime.

— Ma petite chérie, ma mignonne, reviens à toi! gémit-il. Laura, fais quelque chose! Cours chez les Marois, demande-leur du vinaigre, n'importe quoi, de l'alcool au pire, que je la frictionne!

Laurence et Marie-Nuttah se gardèrent de faire des commentaires. Elles avaient une idée précise des causes du malaise. Confiantes, elles étaient certaines que Kiona allait reprendre ses esprits d'un moment à l'autre.

— Elle est malade comme Louis, déclara Jocelyn. Laura, tu n'as pas bougé d'un pouce. Je t'ai dit de courir chez nos voisins!

— À quoi bon? Elle est coutumière de ce genre de syncopes, Joss, répliqua la terrible Flamande.

— Cours, te dis-je! tempêta-t-il.

— Non, je n'ai pas à courir. Mademoiselle doit faire sa comédie; je commence à la connaître!

— De la comédie! hurla son mari. Tu lui feras payer longtemps le fait qu'elle soit la fille de Tala et non la tienne?

— Joss, ne dis pas ça devant les jumelles!

— Les jumelles savent à quoi s'en tenir, astheure. Tu n'as rien à la place du cœur, Laura!

Jocelyn souleva le corps inanimé de Kiona, ce qui lui coûta un rude effort. D'une démarche vacillante, il se dirigea vers la maison des Marois, encore à bonne distance.

— Nous allons t'aider, grand-père! proposa Marie-Nuttah.

— Oui, portez-la, vous deux, sinon, il va avoir une attaque.

— Je me débrouillerai seul, protesta Jocelyn. Fichez-moi la paix.

Des larmes de colère et d'anxiété coulaient sur ses joues déjà marquées de rides. Il avançait d'un pas plus ferme à présent, en respirant cependant très fort. Laura, qui regrettait son coup d'éclat, tenta de le ralentir.

— Pardonne-moi, Joss. Laisse-nous t'aider, enfin! Je ne pensais pas ce que je disais. Je suis vraiment inquiète, je t'assure. Joss, écoute donc!

— Recule, maudite écervelée! rétorqua-t-il, ce qui stupéfia Laurence et sa sœur.

Le salut se présenta quelques mètres plus loin sous les traits d'Andréa. Elle les avait aperçus de sa fenêtre et courait vers eux de sa démarche chaloupée.

— Doux Jésus, il y a un souci? leur cria-t-elle. C'est Kiona! Donnez-la-moi, monsieur Jocelyn, je suis plus vigoureuse que vous.

Sa silhouette massive aux formes féminines excessives semblait plaider en sa faveur. Mais il refusa avec emportement.

— C'est ma petite à moi, et je pourrais la porter encore des milles. C'est ma croix en quelque sorte, une croix d'amour! Et j'ai peur qu'un jour elle ne se réveille pas de ces maudits malaises. Ce serait la fin de tout!

— Alors, venez chez nous, j'ai des sels et de l'eau bien fraîche. Joseph ira téléphoner à un docteur de la mairie.

Kiona n'entendait rien, ne percevait rien de l'affolement général. Laurence retenait ses larmes, alors que Marie-Nuttah invoquait Manitou en son for intérieur. Laura multipliait les « Seigneur Dieu, protégez-nous » de façon exagérée. La fillette, issue d'une lignée de shamans montagnais et d'une sorcière des marais poitevins, se sentait très bien et elle était en fait au même endroit, mais dans un autre temps, en cette tragique année 1927 qui avait vu la fermeture de la pulperie.

Le vacarme autour d'elle était indescriptible. Les ouvriers s'étaient regroupés devant le bureau de poste. Ils parlaient tous si fort, en gesticulant, en lançant des jurons, que cela constituait une folle rumeur. Mais la petite Hermine, si jolie, fine et mince dans ses habits rapiécés, sa Mine avait disparu.

Des femmes par dizaines se tenaient à présent aumilieu de la rue Saint-Georges, les poings sur les hanches, en robe de cotonnade recouverte d'un large tablier serré à la taille. Les visages reflétaient la peur, l'incompréhension et la colère.

Elle crut voir Simon Marois, sous l'apparence d'un garçon de treize ans, les cheveux bruns coupés ras, la bouche arrogante. Il criait aussi, mais son regard sombre brillait d'une excitation toute juvénile.

— Qu'allons-nous devenir? tonitrua un homme. J'ai six enfants, moé!

— J'me demandais, aussi, pourquoi Jean Damasse avait pris une job à Alma. Il était au courant, lui, sans doute; pourquoi pas moé? Y a des privilégiés qui ont eu le temps de s'arranger ailleurs!

— Et notre maison, qu'on a fini par acheter! se lamentait une solide matrone en robe noire. Pourquoi on resterait icitte, si on n'a plus la paie chaque semaine?

— Madame, ne vous faites pas de souci, peut-être que la Compagnie vous dédommagera ou rachètera votre maison, dit un homme en costume et chapeau.

Il s'agissait de Joseph Adolphe Lapointe, surintendant de l'usine, qui occupait la fonction de maire depuis cinq ans[17]. C'était un des notables de Val-Jalbert dont on admirait la superbe demeure construite un peu à l'écart du couvent-école[18].

— Allons, allons, pas d'affolement! ajouta-t-il. Il ne manque pas de travail dans la région.

Kiona scrutait chaque visage, de cette bulle intemporelle qui la rendait invisible aux yeux de tous. Elle espérait et redoutait à la fois de revoir Hermine, ignorant que la fillette s'était ruée chez les Marois pour annoncer la mauvaise nouvelle à Betty, sa gardienne.

«Je ne dois pas la revoir, je crois. Comme elle me ressemblait! Mais quel âge avait-elle? Douze ans comme moi, puisqu'elle est née en 1915. Je suis un peu plus grande, mais moins délicate.»

Ces pensées tout à fait en rapport avec le présent ne gênaient pas Kiona dans son observation de la vie dix-neuf ans auparavant. Elle vit passer un jeune homme blond trapu aux traits réguliers, mais assez

17. J.-A. Lapointe a été maire de Val-Jalbert de 1922 à 1927.
18. Il s'agit de la maison de Laura, dont il ne reste que des fondations sur le site.

ordinaires. «Pierre Thibaut! songea-t-elle. Il était jeune, si jeune, j'ai du mal à le reconnaître.»

Une sorte de lassitude la poussa à s'éloigner de la rue Saint-Georges en pleine effervescence. Elle se retrouva ainsi sur l'esplanade de la pulperie, tout près de la cascade. Au mois d'août, la rivière Ouiatchouan se faisait paisible, car ses eaux étaient basses. Le paysage était bien différent. Les pentes qui dominaient les bâtiments de l'usine présentaient une surface chaotique, dépourvue de végétation, mais parsemée de troncs d'épinettes. Des bruits sourds lui parvenaient dont elle ignorait l'origine. Les turbines alimentant la dynamo, source d'électricité pour la vaste cité ouvrière, fonctionnaient toujours. «On dirait qu'il n'y a plus un seul ouvrier, pensa-t-elle, de plus en plus épuisée. Ce n'est pas beau. Je préfère le village maintenant, enfin, les alentours du village. Il y a tant d'arbres! Car ils ont repoussé, les arbres, depuis.»

Jocelyn, qui avait allongé sa fille sur le divan des Marois, dans le salon ombragé par d'épais rideaux, la vit tressail-lir, puis expirer un peu d'air. Il poussa un cri horrible.

— Seigneur, elle va mourir, c'est son dernier souffle!

Terrifiées, Andréa et les jumelles se signèrent. Joseph, lui, était parti téléphoner au docteur de Roberval.

— Ce n'est pas possible, Joss, elle ne peut pas mourir! s'exclama Laura sur un ton tragique.

— Mais regarde-la, elle n'a plus de couleurs sur le visage et elle est glacée. Mon Dieu, rendez-moi mon enfant, ayez pitié!

Il s'écroula. Ses genoux heurtèrent rudement le parquet, tandis qu'il appuyait son front contre un des coussins en tenant les mains de Kiona entre les siennes. Ses épaules furent secouées de gros sanglots désespérés.

— Mon pauvre monsieur, gémit Andréa Marois, qu'est-ce qu'il lui est arrivé, à la petite? On ne souffre pas du cœur, à cet âge-là!

— Qu'en sait-on? intervint rudement Laura. Elle peut être atteinte d'une malformation congénitale; j'ai lu ça dans une revue scientifique. Eh oui, je m'instruis, madame! Nous perdons peut-être un temps précieux en attendant un médecin. Il faudrait l'emmener à l'hôpital. Joss, tu m'entends? C'est le mieux à faire. Les filles, courez donc chez Onésime, qu'il vienne avec son camion ou qu'il prenne notre voiture. Votre grand-père n'est pas en état de conduire.

Bien que gênée par le père éploré, Andréa fit couler, pour la deuxième fois, de l'eau vinaigrée dans la bouche de Kiona. Elle lui tamponna aussi les tempes à l'aide du même liquide.

— Si Dieu le veut! répétait-elle.

Ce breuvage acide fit grimacer la fillette. Elle toussa en clignant des paupières.

— Joss, elle revient! hurla Laura. Relève-la un peu, qu'elle ne s'étrangle pas. Seigneur tout-puissant, merci, merci!

Laurence et Marie-Nuttah, parvenues sur le pas de la porte, firent vite demi-tour pour se pencher sur Kiona. Elle avait ouvert grand les yeux et les regarda tour à tour. Ses doigts tentèrent de se libérer de l'étreinte paternelle.

— Ma petite fille, ma chérie! bredouilla Jocelyn. Es-tu de nouveau avec nous?

— Oui, papa, répondit-elle tout bas.

Il se redressa tout à fait et prit place au bord du divan en contemplant son enfant ressuscitée comme un ange du ciel.

— Ne me fais plus jamais une peur pareille, dit-il. J'ai cru te perdre.

— Ah bon? s'étonna-t-elle. Pourquoi?

— Mais tu étais comme morte, indiqua Laura. Dis-nous ce que tu as eu! Une vision au sujet d'Hermine, n'est-ce pas? Elle est grièvement blessée?

— Non, non! protesta Kiona. Je n'ai pas eu de vision, mais je n'ai pas mangé ce matin. Il fallait partir très vite pour venir écouter la radio et, en chemin, j'avais la tête qui tournait.

— Doux Jésus! Tu avais faim, ma pauvre enfant! déplora Andréa avec un regard sévère à l'encontre de Laura. Je vais t'apporter de la brioche et du chocolat chaud. À vous aussi, les filles!

Cela s'adressait aux jumelles, qui, rassurées sur le sort de Kiona, approuvèrent poliment.

— Nous devions partir à la messe, hélas! renchérit la maîtresse de maison. Joseph m'y conduit tous les dimanches, à présent que nous avons une automobile.

L'achat était récent. Laura trépigna de contrariété.

— Mais c'est vrai, Jo possède une voiture. Je n'y pense jamais; je demande à Onésime de jouer les chauffeurs. Il faudra nous dépanner, si besoin est. Là, vous auriez pu conduire la petite à l'hôpital.

— Oui, bien sûr, reconnut Andréa sans enthousiasme.

Elle alla préparer une collation. Joseph Marois réapparut, la mine préoccupée. Il jeta un coup d'œil soucieux à son épouse debout devant le fourneau et fit irruption dans le salon.

— Comment va votre Kiona, là? demanda-t-il. Ah! elle a retrouvé ses esprits. Le docteur viendra pas avant le début d'après-midi. Il était en visite au nord de Roberval. Sa femme me l'a dit. Mais j'ai du nouveau à propos de Mimine.

L'ancien ouvrier s'obstinait à appeler la jeune femme du surnom qu'il lui avait attribué quand elle était fillette.

— Eh bien, dites vite, enfin! s'impatienta Laura.

— Je n'ai pas repris mon souffle, encore. Mimine a téléphoné chez monsieur Gagnon[19], pour faire dire qu'il fallait pas s'inquiéter, qu'elle se portait bien. Si j'ai compris le message, elle appelait d'une gare, parce que le train ou un autre train était reparti à l'aube aujourd'hui.

— Oh! Seigneur, quel soulagement! déclara Jocelyn. Tout s'arrange, Dieu merci.

— Si la maison n'avait pas brûlé, Hermine aurait appelé chez nous et je ne me serais pas autant tourmentée, gémit Laura.

— Mais la maison a brûlé, ma chère femme! rugit son mari. Fais-toi une raison, tabarnak! Tu ne la feras pas renaître, ta belle maison, en te lamentant du matin au soir.

— Figure-toi une chose, Joss! Si j'avais ma fortune à ma disposition, je la ferais reconstruire exactement telle qu'elle était et je rachèterais des meubles identiques, le même piano, les mêmes rideaux, tout, tout…

Laurence et Marie-Nuttah échangèrent un regard attristé. Depuis l'incendie, leurs grands-parents se chamaillaient sans cesse. Assise sur le divan, Kiona attendait la fin des hostilités. Andréa y mit un terme en désignant l'horloge.

— Je ne veux pas être en retard à la messe, Joseph. Nous devons y aller, maintenant. Monsieur Jocelyn, voici le plateau pour votre petite malade, deux tranches de brioche et un bol de lait chaud, mais chocolaté, car le lait et le chocolat préviennent la sensation de faim extrême qui provoque des malaises. Vous trouverez le reste de brioche et le pichet de lait sur la table, pour vos petites-filles.

Sur ces mots, elle dénoua les cordons de son tablier et passa une veste en toile légère. Furibonde, Laura la détailla sans pitié, avide de

19. Monsieur Émile Gagnon, maire de Val-Jalbert de 1934 à 1948.

déverser sa rage sur quelqu'un. «Le mariage ne l'a pas rendue plus jolie, celle-là! On dirait qu'elle a encore pris du poids. C'est rebutant, des seins aussi gros et des hanches à l'unisson. Et puis quelle horreur, ces lunettes et ce nez!»

Résigné, Joseph attrapa son chapeau du dimanche à la patère et arrangea son nœud de cravate.

— On vous laisse la maison, vous fermerez la porte en partant. Jocelyn, Laura, les petites, à la revoyure!

Le couple sortit précipitamment. Peu de temps après, un moteur ronronna dans la rue Saint-Georges.

— Je rentre tout de suite, dit Laura. Louis était souffrant, lui aussi, il ne faut pas l'oublier. Laurence et Marie-Nuttah, je compte sur vous. Nettoyez vos tasses, ramassez les miettes sur la table et passez un coup de balai.

Jocelyn, lui, s'occupait de Kiona. Il avait posé le plateau sur une petite table jouxtant le divan.

— Reprends des forces, ma chérie, dit-il gentiment. Tu ne te lèveras pas avant d'avoir avalé tout ça.

— Papa, j'ai quelque chose à te demander, souffla Kiona. C'est très important, je t'assure. Tu ne dois pas refuser.

— Je ne te refuserai rien, voyons!

— Il faudrait m'amener à Péribonka, avec Phébus, dans le camion d'Onésime. Il a déjà transporté Chinook, une fois. Je ne peux pas rester ici. De Péribonka, je prendrai la piste qui va chez Toshan.

Totalement abasourdi, Jocelyn la dévisagea d'un air incrédule.

— Kiona, il n'est pas question que tu fasses un si long chemin à cheval, toute seule.

— Mais je veux que Phébus passe la fin de l'été là-bas, avec moi. Je t'en supplie, papa, c'est très important. Il ne faut pas que je reste à Val-Jalbert.

— Ne sois pas capricieuse, ma petite chérie. Tu n'as pas longtemps à patienter, Hermine revient dans environ dix jours et vous partez toutes les quatre au bord de la Péribonka.

Tout en rangeant la vaisselle, les jumelles tentaient de saisir des bribes de la conversation.

— Il y a un souci, affirma Laurence à l'oreille de sa sœur. Oh! c'est ma faute. Je n'aurais pas dû lui dire de voyager dans le passé.

— Mais elle ne voyage pas dans le passé, idiote! répliqua tout bas Marie-Nuttah. Ce sont des rêves, des images, et peut-être qu'elle les invente.

— Que complotez-vous? interrogea Jocelyn depuis le salon.

— Rien, grand-père, répondirent-elles en chœur selon leur habitude.

L'instant d'après, elles se tenaient toutes les deux sur le seuil de la pièce et fixaient Kiona avec insistance. L'étrange fillette baissa ses yeux d'ambre.

— Je suis obligée de dire la vérité à mon père! s'écria-t-elle tout à coup. Papa, il faut m'aider à quitter le village. Sinon, je pourrais mourir pour de bon.

Train pour Québec, même jour

Hermine était assise en face de Rodolphe Metzner. Ils avaient parlé longuement après avoir bu un café au wagon-restaurant. Tous les voyageurs avaient été récupérés par un autre convoi en direction de Québec.

Après les opéras, les opérettes, les symphonies et les grands ballets classiques, ils en étaient venus à aborder un sujet plus contemporain, l'industrie du disque.

— J'aimerais tant que vous soyez enregistrée, madame! insistait le Suisse de sa voix rauque. Imaginez le plaisir que vous procureriez à ceux qui ne peuvent pas vous écouter dans un théâtre!

— J'en serais enchantée, bien sûr!

— Je vous le répète, je suis à votre disposition. Il vous faudrait venir à New York, où se trouvent mes bureaux et le studio d'enregistrement.

— Je connais bien la ville, j'y suis allée assez souvent. Mais avant de prendre une décision, je dois honorer un contrat d'un nouveau genre. Je tourne dans une comédie musicale à Hollywood. Ce seront mes premiers pas au cinéma et j'avoue que je suis un peu angoissée.

— Vous sur grand écran! s'exclama-t-il. Vous allez devenir une star en quelques jours.

— Oh! ce n'est pas un rôle d'une extrême importance. Il s'agit d'une production modeste. Cependant, même si on m'a contactée pour ma voix, je devrais suivre des cours de danse et de claquettes... Que je m'en aille aussi loin pendant de longs mois, cela contrarie mon mari, mais ai-je vraiment le choix? Ma mère a dépensé tellement d'argent pour moi et mes enfants! Je me sens obligée de l'aider à mon tour, surtout après le coup du sort qui l'a dépouillée de tout.

Rodolphe Metzner approuva d'un signe de tête. Il semblait chagriné, mais Hermine n'en vit rien. Pensive, elle regardait par la vitre du compartiment. « D'ici la fin du trajet, cet homme saura beaucoup de choses sur moi et même sur ma famille, s'étonna-t-elle en son for intérieur. Je ne me suis jamais confiée aussi facilement à un inconnu. Et si c'était une rencontre provoquée par le destin afin de relancer ma carrière ? Il pourrait peut-être remplacer Octave Duplessis. Je n'ai plus d'impresario et cela me manque. Le directeur du Capitole me l'a fait remarquer. »

— Tout à l'heure, reprit Metzner, avant notre débat sur Puccini, vous parliez d'un appartement à Québec que votre mère voulait vendre. Rue Sainte-Anne, je crois ? C'est en plein centre, dans la haute ville ! Il m'intéresserait peut-être.

Hermine tressaillit de surprise. Immédiatement, elle eut honte.

— Monsieur, je ne demande pas la charité. J'aurais dû vous épargner mes confidences. Pourquoi, soudain, auriez-vous besoin d'un logement à Québec ? J'ai bien compris votre situation : vous disposez d'une solide fortune, mais il est hors de question que vous achetiez cet appartement juste pour m'arranger.

Il ouvrit de grands yeux abasourdis et s'esclaffa.

— Quelle impétuosité ! Qui vous dit que je souhaite jouer les chevaliers redresseurs de tort ? J'apprécie beaucoup le Canada, j'y viens fréquemment et chaque fois je séjourne à l'hôtel. Pour être précis, à Québec, je loge au Château Frontenac. Il serait plus simple de posséder un logement que je décorerais à mon idée. Il pourrait éventuellement servir de studio pour les enregistrements d'artistes du pays. Savez-vous que j'ai eu le plaisir d'être présenté à Félix Leclerc ? En voici un, un homme de talent, comédien, chanteur, scénariste. Je l'ai encouragé à se faire connaître en France. Il m'a joué un de ses titres, *Le Train du nord*[20]. Un vrai ravissement…

— Vous avez de la chance ! s'exclama la jeune femme, impressionnée.

— Oui, puisque je côtoie des personnalités d'exception, dont vous et Félix Leclerc.

— Ne vous moquez pas ! dit-elle avec un charmant sourire.

---

20. Ce sera Jacques Canetti, impresario français de passage à Québec en 1950, qui, séduit par la chanson *Le Train du nord*, fera venir Félix Leclerc en France pour enregistrer un disque dont le succès sera immédiat et qui mettra à l'honneur la chanson québécoise.

— Et vous, chère madame, ne soyez pas si modeste. Vous êtes une gloire du pays et cela ne fait que commencer. On vous voit déjà souvent dans les magazines, mais dès que vous aurez brillé devant les caméras, on ne parlera que de vous, Hermine Delbeau, le Rossignol des neiges. Alors, cet appartement, me le ferez-vous visiter? Demain ou après-demain, à votre convenance.

— Je dois réfléchir. Je suis intimement convaincue que vous avez décidé d'acheter ce bien immobilier afin de jouer les mécènes. De plus, il faudrait le vider. Le mobilier est à vendre, mais il y a des effets personnels. Je ne sais pas comment je vais venir à bout de tout ça. D'habitude, je voyage en compagnie de mon mari ou de mon amie Madeleine.

— La nourrice de vos filles?

— Comment savez-vous ça? Je veux dire, ce détail-là!

— Mais, ma chère, il n'y a pas si longtemps, *La Presse* a publié une page entière sur vous, après votre extraordinaire succès dans *Faust*. On y évoquait un seigneur des forêts, votre époux, et la présence à vos côtés d'une nourrice montagnaise prénommée Madeleine.

Hermine le dévisagea, très embarrassée. Cet article datait d'une douzaine d'années.

— Monsieur Metzner, cela remonte à mes débuts. Est-ce que vous vous intéressiez déjà à moi? s'enquit-elle un peu froidement.

— Non, non! C'est bien plus tard que j'ai retrouvé ce journal. Et comme j'ai une excellente mémoire, j'ai retenu ce détail. Allons, madame, je vous en prie, ne craignez rien. Si cela peut vous tranquilliser, j'abandonne l'idée de l'appartement de la rue Sainte-Anne, et même le projet de disque. Je souhaite que vous gardiez un agréable souvenir de notre rencontre. De cette nuit…

— Chut! Nous sommes seuls dans le compartiment, mais ce genre de petite phrase peut prêter à confusion.

Elle se détourna, très mal à l'aise. La magie de la veille s'était envolée. Hermine s'adressait même des repro-ches, stupéfaite d'avoir été aussi amicale avec cet homme toute une soirée et de s'être endormie presque à ses côtés. «Enfin, il y avait le cercle de pierres du foyer entre nous», se dit-elle.

Cela évoqua irrésistiblement un autre feu, celui de sa nuit de noces, dans le cercle des mélèzes. Alors, elle comprit. Rodolphe Metzner lui avait inspiré de la compassion, certes, mais aussi du désir. Elle en fut terrifiée. « D'abord, Ovide, maintenant Rodolphe ! » songea-t-elle. Cela la plongea dans l'angoisse. Elle s'interrogea sur son amour pour Toshan. Peut-être que la passion s'effritait au fil du temps. Y avait-il une autre explication à ces attirances ? « Ce sont toujours des hommes cultivés, passionnés par l'art, et, ce qui me plaît, c'est de discuter musique ou littérature. Toshan ne partage pas mes goûts dans ces domaines. Il prend même ça de haut. Bien sûr, lui, son rêve, c'est l'aviation. »

Ce constat acheva de la bouleverser. Elle adressa un regard mélancolique à son voisin. Il la fixait, un vague sourire sur les lèvres. C'était vraiment quelqu'un de séduisant, aux allures aristocratiques, distingué et d'une courtoisie exquise.

— Pardonnez-moi ! soupira-t-elle.

— Mais vous pardonner quoi ? s'écria-t-il, interloqué.

— J'ai eu l'impression d'avoir été désagréable, à l'instant. Je complique tout, tant j'ai peur de faire des erreurs. Je dis ceci pour l'appartement. Après tout, s'il vous convient, pourquoi vous dissuader de l'acquérir ? Je vous donnerai le nom du notaire qui s'occupe des biens de ma mère, du moins de ce qu'il en reste. Je préfère que ce logement soit habité par vous, au fond.

Hermine se jugea stupide encore une fois. Ses arguments lui semblaient confus.

— Faites au mieux, répondit Rodolphe Metzner. Et, si cela peut vous tranquilliser, je vous pardonne de bon cœur.

Il souriait encore avec un tel air de tendresse que la jeune femme sentit ses joues s'enflammer.

— J'arriverai in extremis pour la répétition de ce soir ! observa-t-elle.

— Et moi, je serai à l'heure pour vous applaudir demain soir. Pourrais-je vous inviter à souper après le spectacle ?

— Oh non ! je suis navrée, mais je suis si épuisée en quittant la scène que je ne sors pas. Je rentre me coucher.

Il hocha la tête pour montrer son accord. Elle respira plus à son aise. Dans quelques jours, elle repartirait pour Val-Jalbert, et Rodolphe Metzner ne serait plus qu'un souvenir. Elle se promit de profiter pleinement de son séjour au bord de la Péribonka et de se consacrer à son mari ainsi qu'à ses enfants.

— Ce n'est pas un crime d'être ami avec un représentant du sexe opposé, lui dit le Suisse doucement. Vous semblez avoir peur ! Un souper n'engage à rien, mais il peut procurer de la détente et du réconfort, au sortir d'une prestation en public.

Hermine prit un air incrédule, mais elle se dit que cet homme-là lisait dans ses pensées.

— J'en suis bien consciente, monsieur. J'avais un ami, un excellent ami, jadis. Il s'appelait Simon. Je vous en ai parlé hier soir. Nous échangions bien des confidences.

— Oui, ce malheureux jeune homme qui est mort dans un camp de concentration. Quelle atrocité, cette guerre! J'ai vu à Paris, avant la projection d'un film, des images tournées par les Américains, quand ils ont découvert l'horreur sans nom de ces camps. C'était insoutenable, tous ces corps squelettiques entassés dans des charniers...

Elle se raidit tout entière à cette évocation. Metzner le vit et se tut quelques secondes.

— Excusez-moi, madame! Je vous attriste.

— Ce n'est rien, je suis si souvent triste! confessa-t-elle sans réfléchir. Mais je préfère ne pas avoir vu ce reportage. Cela me hanterait. J'ai déjà un tel poids sur le cœur! Trop de deuils, de déceptions et de secrets...

Encore une fois, Hermine avait abandonné toute retenue, cédant au besoin étrange de prendre Rodolphe Metzner à témoin de ses chagrins. Il en fut bouleversé.

— J'aimerais pouvoir chasser de votre beau visage cet air soucieux et affligé que vous avez tout à coup. Une artiste comme vous devrait être choyée, comblée, à l'abri des épreuves de la vie.

Il s'enflammait, ce qui faisait trembler sa voix aux intonations basses.

— Aucun être humain ne peut connaître une existence dépourvue d'épreuves, je crois! Et j'ai tort de me plaindre, oui, j'ai tort. J'ai beaucoup reçu, déjà.

Oppressée, elle ferma les yeux et appuya la tête au dossier de la banquette. «Oui, j'ai tort, songea-t-elle. Cela m'a blessée d'apprendre que Simon était mort après avoir été déporté et je suis navrée d'avoir aidé Andréa à composer une fausse lettre pour Joseph. Mais Toshan a estimé que c'était mieux ainsi. Il a même accepté de la rédiger. Je lui fais confiance; il est bien placé pour connaître l'orgueil viril et le sens de l'honneur d'un père. Il faudra absolument que je me rende à Notre-Dame-de-la-Doré dès mon retour pour rencontrer cet homme. J'en saurai peut-être plus sur la mort de Simon.»

Rodolphe Metzner l'observait. Elle lui paraissait fragile, tendre, abandonnée. Il se surprit à rêver de s'asseoir tout près d'elle, de l'entourer d'un bras protecteur et même de goûter au velours de ses lèvres d'un rose délicat. L'instant suivant, il secouait la tête, comme pour en chasser ces pensées indignes d'un gentleman. Il ne s'autorisait qu'à l'adorer, sans jamais espérer la toucher.

Hermine, qui n'avait guère dormi durant la nuit, céda à une bienfaisante somnolence avec, comme la veille, une vague sensation d'être protégée.

Quatre heures plus tard, le train arrivait en gare de Québec.

Rive de la Péribonka, même jour

Une main sur l'épaule de Mukki, Toshan ressentait une satisfaction intense, doublée de soulagement. Enfin, il foulait sa terre après plus de trois mois d'absence. C'était son domaine perdu au fond des bois, loin de tout, le seul endroit où il respirait vraiment à son aise. Il n'en bougerait plus avant la fin du prochain printemps et cette perspective le remplissait de joie.

— Enfin, nous sommes chez nous! affirma-t-il. N'est-ce pas, mon fils? Et toi, Madeleine, es-tu contente aussi?

— Oui, très contente. Et tu sais pourquoi? D'une minute à l'autre, Akali va sortir sur le perron et courir vers nous. Elle m'a tant manqué!

— On a dû lui manquer aussi, avança Mukki en riant. Mais vu que Miss Lolotte avait besoin d'une nounou, Akali a dû se sacrifier. Dis donc, papa, ça a changé, ici! La clairière n'est pas bien entretenue.

La famille appelait ainsi la vaste étendue défrichée qui s'étendait devant la maison, une solide construction en belles planches de mélèzes et d'épinettes. Jadis, il n'y avait là qu'une modeste cabane, celle du chercheur d'or Henri Delbeau et de son épouse montagnaise, Tala. Si les parents de Toshan se satisfaisaient d'un habitat sommaire, leur fils, lui, n'avait eu de cesse d'agrandir, d'aménager et de rendre plus confortable son unique foyer, afin d'y accueillir son épouse et ses enfants hiver comme été.

Ils se tenaient là, à l'orée de la clairière, sous le couvert des arbres, à contempler le paysage immuable et grandiose.

— Et toi, Constant, est-ce que tu vas te plaire, ici? demanda-t-il en riant à son dernier-né qui se lovait contre Madeleine. Allons, parle un peu, dis quelque chose!

— Ne le taquine pas, cousin! s'insurgea la jeune Indienne. Il est épuisé par le trajet, et fiévreux aussi. Ce soir, je lui donnerai de la tisane de feuilles de saule sucrée au miel que nous offre grand-mère Odina. Il doit en rester au moins cinq pots.

Elle observa à nouveau la façade dorée par le soleil sur son déclin. Rien ne révélait des présences humaines. Les alentours étaient silencieux et la corde à linge était inutilisée.

— Papa, tu crois vraiment que Charlotte et Ludwig sont là? s'alarma Mukki. Akali ne sort pas et il n'y a aucun mouvement derrière les fenêtres. En plus, elles sont fermées, par ce beau temps.

— Ça, ce n'est pas surprenant; il vaut mieux les laisser closes pour ne pas être envahis par les moustiques! rétorqua Toshan. Ils doivent faire la sieste. Eh bien, allons-y, nous reviendrons plus tard décharger nos affaires.

Il avait dû emprunter une camionnette à un commerçant de Péribonka et le dédommager de quelques dollars, l'homme qui le conduisait ordinairement jusque-là n'ayant pas pu réparer son véhicule.

— Oui, allons-y! répéta Madeleine en s'avançant d'un pas déterminé.

— Ohé! Y a-t-il quelqu'un? s'égosilla Mukki, d'hu-meur à plaisanter. Miss Lolotte, on arrive!

— Ne l'appelle pas ainsi, le sermonna Toshan. C'était une des habitudes de Simon, et elle détestait ça.

L'adolescent leva les yeux au ciel. Il considérait Charlotte Lapointe comme une grande sœur sur laquelle il avait certains droits, dont celui de la taquiner.

— Elle me forçait à manger de la purée d'épinards, quand j'étais trop petit pour me défendre, se justifia-t-il.

Cela fit sourire les deux adultes.

Tout en marchant, Toshan notait des détails qui l'irritaient. Des détritus jonchaient le sol, un tas de bûches s'était éparpillé et faisait désordre, des ronces grimpaient le long des marches.

— Je ne féliciterai pas Ludwig, bougonna-t-il en se ruant sur le perron.

Il frappa, respectueux de l'intimité du couple à qui il avait prêté la maison en échange d'un entretien régulier.

— Qui est-ce? fit une petite voix effarouchée.

— Toshan! Ouvre donc, Akali!

Il perçut le déclic d'un verrou que l'on tourne, suivi d'un autre bruit plus sourd, comme si on traînait un meuble. Enfin, le battant s'entrebâilla doucement. Un fin visage au teint de bronze apparut, ainsi que de grands yeux noirs qui témoignaient d'un violent désarroi.

— Akali ! s'étonna Madeleine, consciente que sa fille adoptive paraissait mal en point.

— Oh ! maman ! Oh ! maman ! J'ai eu si peur !

Mukki resta muet d'émotion. Il prit Constant des bras de l'Indienne et la poussa en avant. Tout de suite, Akali se jeta au cou de Madeleine et éclata en gros sanglots.

— Là, là, ma petite, calme-toi ! Nous sommes là. Que s'est-il passé ? Dis-nous ! Es-tu seule ?

— Oui, depuis presque huit jours. Je n'en pouvais plus et je n'osais pas sortir, bredouilla l'adolescente. Ni ouvrir les fenêtres, rien.

Toujours blottie contre la poitrine de sa mère, elle suffoquait et avait du mal à reprendre son souffle. En attendant d'en apprendre davantage, Toshan inspectait la cuisine et la grande chambre voisine. Il faisait frais, mais l'air sentait le renfermé et les aliments avariés.

— Mukki, pose Constant et donne-moi un coup de main. Il faut aérer. Ouvre tout en grand. Si tu trouves ce qui pue autant, va le jeter dehors.

— Je n'ai pas pu vider la toilette, expliqua Akali en reniflant.

— Mais où sont Charlotte et Ludwig ? tempêta le Métis. Comment ont-ils pu te laisser ici, seule ? Il leur est arrivé malheur ? Arrête de pleurer, Akali, et explique-nous !

— Ne la brusque pas ! s'indigna Madeleine. Tu vois bien qu'elle est complètement terrifiée ! Prépare plutôt du café ou du thé. Ou plutôt non, de l'eau fraîche, bien fraîche, que je lui bassine le front et les joues. Tu es sale, ma pauvre petite…

Ces mots tendres, destinés à une jolie fille de seize ans, auraient pu prêter à moquerie. Personne n'y songeait devant le triste spectacle que présentait Akali. Elle qui était si soignée, ils la découvraient échevelée, le corsage fermé par une épingle et maculé de taches, l'élocution difficile.

— Calme-toi ! répéta Madeleine. Essaie de respirer à fond. Viens t'asseoir.

La présence de l'Indienne qu'elle chérissait et ses gestes maternels finirent par apaiser l'adolescente. Toshan la scrutait d'un œil inquiet sans cacher son impatience.

— Où sont Charlotte, Ludwig et leur petite Adèle? questionna-t-il encore. Je t'en prie, Akali, fais un effort! Tu peux me renseigner en quelques secondes, il me semble!

Elle acquiesça d'un signe de tête. Au même instant, Constant se dirigea vers elle, les bras tendus.

— Bébé te reconnaît, déclara Madeleine dans l'espoir de détendre l'atmosphère.

— Il ne faut pas qu'il m'approche! s'écria-t-elle. Empêchez-le, prenez-le!

De plus en plus abasourdis, Toshan et sa cousine échangèrent un regard lourd d'interrogations. Mukki souleva son petit frère et le fit sauter sur son bras.

— Adèle est tombée malade et j'ai peut-être attrapé ce qu'elle avait! commença alors Akali d'une voix ébranlée. Au début, Charlotte a cru à un rhume, mais la fièvre montait et la petite se plaignait beaucoup. Il y a huit jours, ils ont décidé de l'emmener chez grand-mère Odina, qui a tant de bons remèdes. J'ai proposé de rester ici à vous attendre tous, car vous deviez arriver. N'est-ce pas, maman! Tu m'avais écrit que Toshan viendrait avec les enfants à son retour de Québec, avant la fin du mois de juillet.

— C'est vrai, mais j'ai dû reporter mon départ, dit le Métis. Il y a eu un grave problème à Val-Jalbert. Nous t'en parlerons ensuite.

— Et puis je suis presque une femme, comme a dit Charlotte, reprit Akali. Je me sentais capable de garder la maison, et Ludwig m'a promis d'envoyer le cousin Chogan me donner des nouvelles d'Adèle. Ils sont donc partis. En plus, Malo les a suivis. Moi, j'aurais préféré avoir le chien, ça m'aurait fait une défense et une compagnie.

— Ne me dis pas, Akali, que tu es dans cet état parce qu'on t'a laissée seule! s'exclama Toshan, exaspéré. Je te rappelle qu'Hermine avait seize ans quand je l'ai épousée, et elle était un peu plus courageuse que toi.

— Ne la gronde pas! dit Madeleine, l'air sévère. Je ne suis pas du tout contente. Charlotte aurait dû penser que ce serait pénible pour ma fille de rester ici sans eux et je me demande pourquoi Chogan n'est pas venu la voir. Je connais mon frère, c'est un homme de parole, qui a la bougeotte en plus. Il se serait fait un plaisir de descendre de la montagne pour rendre visite à Akali.

– J'aurais bien voulu, dit la jeune fille en sanglotant de nouveau. Maman, je ne suis pas peureuse, mais il y a eu autre chose!

– Eh bien, dis-nous!

– Pas devant Mukki, déclara l'adolescente.

– Mukki, va dehors, ordonna Toshan. Et occupe-toi bien de Constant. Fais-le jouer à l'ombre; le soleil tape encore dur.

– D'accord, papa, admit le garçon à contrecœur. Mais je ne suis pas gnochon à ce point-là. J'ai pas envie que ce p'tit monstre souffre d'une insolation.

– File! jeta son père, amusé.

Ce brin de gaîté n'allait pas durer. Akali avoua enfin:

– Deux jours après le départ de Charlotte et de Ludwig, des hommes sont venus. Je cueillais des fleurs, un beau bouquet pour décorer le buffet. Je ne suis pas rentrée dans la maison, car j'en connaissais un. C'était le soir et il faisait si bon, dehors!

Affolée, Madeleine retenait son souffle. Elle pressa la main de sa fille pour la soutenir.

– Ils m'ont dit qu'ils vous cherchaient, Toshan. J'ai répondu sottement que vous n'étiez pas encore là et que je vous attendais. Et puis, et puis… Oh! non, j'ai tellement honte!

Le Métis sentit son sang se glacer. Il en perdit son attitude intransigeante et prit place en face de l'adolescente sur un tabouret.

– Allons, du cran, raconte-nous, souffla-t-il.

– Ils ont raconté des sottises, m'ont débité des compliments, que j'étais bien mignonne, bien jolie. J'ai compris qu'ils avaient bu et j'ai eu peur. Mais, dès que je me suis écartée pour vite monter sur le perron, ils m'ont prise par la taille et ils m'ont embrassée là, et là, partout…

Akali désignait d'un doigt son cou, sa bouche et la naissance de sa gorge. Les yeux dans le vague, elle ajouta, déchaînée, à présent:

– Je me débattais, je hurlais, mais ils étaient plus forts que moi. Je ne pouvais pas m'échapper. Il y en a un qui a déchiré mon corsage et qui m'a pincée… Pincée au sein. L'autre m'a soulevée et il m'a couchée par terre! Ils riaient, ils disaient des choses horribles, qu'ils allaient bien s'amuser avec une petite putain indienne. Pardon, c'est un vilain mot!

Les poings serrés, les mâchoires crispées, Toshan écoutait, la rage au ventre. Il pensait à sa mère, la fière Tala qu'une brute avait violée en la menaçant d'un couteau. L'homme avait payé l'affront de sa vie, tué par le frère de la belle Indienne.

— Mon Dieu, et après ? bredouilla Madeleine, anéantie. Est-ce qu'ils ont…

— Non. J'étais terrorisée, mais j'ai eu une idée. J'ai crié que j'entendais un moteur de camion, que c'était sûrement Toshan. Ils m'ont lâchée et ils ont regardé du côté de la piste. J'ai pu me relever et courir dans la maison. J'ai tourné le verrou et fermé la fenêtre. Les autres ouvertures étaient déjà fermées, puisqu'il allait faire nuit. Bien sûr, ils se sont aperçus que je les avais trompés. Pendant plus d'une heure, ils ont cogné à la porte et aux fenêtres en m'insultant et en disant des choses que je n'oserai jamais répéter.

Akali se tut, agitée de longs frissons. Révoltée et furieuse, Madeleine l'attira contre elle.

— Mine t'a sortie de ce pensionnat où les religieux abusaient de toi, dit-elle tout bas. Et moi qui te croyais à l'abri de ce genre de monstruosités, tu as dû les subir encore, oui, encore une fois.

— Ils sont partis, ensuite, mais, jusqu'au matin, je n'ai pas pu dormir, je veillais ! Je redoutais qu'ils fracassent une des fenêtres et qu'ils entrent. Après ça, je me suis barricadée. J'ai poussé une commode devant la porte et j'ai tout laissé fermé. J'avais l'impression qu'ils se cachaient autour de la maison et qu'ils me guettaient ! Et personne ne venait me sauver, ni Chogan ni Toshan. Alors, je pleurais. J'ai tant pleuré, maman !

— Cet homme, celui que tu connaissais, qui est-ce ? s'enquit Toshan d'une voix dure. Il ne s'en tirera pas indemne, je te le promets, Akali. Je suis chez moi, ici, sur mes terres. Il n'y a ni clôtures ni barrières, mais tout le monde dans le coin sait que je n'aime pas les intrus. Ces types ont souillé ma terre et ils t'ont agressée, Akali. Alors, son nom ? Le nom de celui que tu connais ?

L'adolescente serra les mains de Madeleine de toutes ses forces, tête baissée, les lèvres closes.

— Parle, voyons ! insista sa mère adoptive. Parle, mon enfant chérie !

— Mais oui, que redoutes-tu ? renchérit Toshan.

— Pierre Thibaut, c'était Pierre Thibaut, ton ami, confessa-t-elle tout bas.

— Pierre ? Cet ivrogne ? Cette fois, il a signé son arrêt de mort, gronda le Métis, les traits tendus par une haine farouche.

* * *

Le soleil s'était couché, et les ombres du crépuscule bleuissaient les zones sablonneuses de la clairière. Toshan fumait, assis sur une souche d'arbre. Il avait besoin de solitude pour réfléchir, trouver comment agir au mieux. Son regard noir observa un moment les fenêtres de la maison, toutes éclairées.

« Combien de fois ai-je contemplé cette image qui me faisait chaud au cœur! La façade assombrie, le dessin jaune des vitres dès que Mine allumait les lampes! Je ne pourrai donc jamais avoir la paix? J'étais heureux de rentrer chez moi et d'y attendre l'arrivée de ma femme, de mes filles et de Kiona. Mais non, tout est gâché! Pierre Thibaut! Quel vaurien, celui-là! Il se permet d'insinuer des saletés sur ma femme, alors qu'il a osé venir jusqu'ici tourmenter Akali. Pauvre enfant!»

À l'instar de son défunt père, Toshan avait un sens aigu de l'honneur. Et si Tala avait eu soin de taire à son époux le viol dont elle avait été victime, c'était pour lui éviter de commettre un meurtre et de croupir en prison.

Malgré la colère vengeresse qui l'envahissait, le Métis savait très bien qu'il ne tuerait pas Pierre Thibaut. Il regrettait amèrement de ne pas l'avoir jeté à l'eau, sur le quai de Péribonka, mais il ne tenait pas à être arrêté et jugé. C'était une chose de se battre et d'envoyer son adversaire dans le lac d'une solide bourrade, mais de là à s'en débarrasser définitivement, il y avait un grand pas qu'il ne franchirait jamais. À l'approche de la quarantaine, la sagesse lui venait.

– Je lui flanquerai la raclée du siècle, se promit-il à mi-voix. Et j'espère qu'il ne recommencera pas à s'attaquer aux jeunes filles ou aux femmes.

Il s'immobilisa et écrasa son mégot. Si Pierre, pris de boisson, avait cherché à violer Akali, il n'en était peut-être pas à son premier exploit.

– Hier, il m'a bien jeté à la figure que, n'eût été Simon, il aurait eu Hermine, maugréa-t-il, ébranlé. Bon sang, je suis sûr qu'il a tenté sa chance avec elle. Mais quand? Et où? Pourquoi ne m'aurait-elle rien dit? Je n'ai aucun moyen de la joindre. Je maudis le téléphone, mais il y a des moments où cette invention est utile. Demain, en ramenant la camionnette, j'irai au bureau de poste et j'appellerai rue Sainte-Anne. Si Mine me confirme ce que je pense, je ne réponds de rien. Je ne le tuerai pas, ce salaud, mais il lui faudra du temps pour s'en remettre.

– Papa, tu parles tout seul? demanda Mukki qui revenait de la rivière.

— Je ne t'ai pas entendu, toi! Ah! tu marches nu-pieds, je parie!

— Non, en mocassins, une vieille paire à toi que j'ai dénichée dans la remise. Je me suis baigné, et l'eau était délicieuse. Papa, qu'est-ce qui s'est passé? Je veux dire pour Akali?

Toshan se leva et posa ses mains sur les épaules de son fils.

— Tu n'es plus un gamin... Pierre Thibaut et un chum à lui s'en sont pris à elle. Tu devines ce qu'ils voulaient? Elle a réussi à se réfugier dans la maison, mais elle n'a plus osé en sortir. Que cela te serve d'enseignement, mon fils. Ne touche pas à l'alcool, un poison qui rend les hommes stupides, violents, et qui a décimé les Indiens. Pierre était mon ami, jadis, un brave gars, je t'assure, travailleur, toujours prêt à rendre service. Il finira à l'hospice, rongé par ses démons. Déjà, sa femme l'a mis dehors et il ne voit plus ses enfants. Alors, il boit encore et encore.

— Et Akali refusait que je sache ça? s'écria Mukki.

— Non, c'était de la pudeur, de la gêne, si tu préfères. Distrais-la. Demain, allez au bord de la Péribonka, qu'elle prenne l'air et qu'elle puisse se rafraîchir.

— Où seras-tu, demain? interrogea l'adolescent. Tu vas chercher Pierre?

— Ce sont mes affaires. Toi, fils, je te confie la maisonnée. Mais j'ai d'autres soucis. Constant est fiévreux, et Adèle était malade. Je me demande aussi ce qui a pu retenir Chogan. Je risque de m'absenter trois jours. Après avoir ramené la camionnette, je monterai jusqu'au campement de mon cousin. Je suis préoccupé, Mukki. Viens, rentrons, Madeleine nous a préparé une soupe, des oignons, des pois et du lard.

En apparence, tout était rentré dans l'ordre. La clairière était nettoyée, le perron avait été balayé, et une douce odeur de cuisine leur parvenait de la fenêtre. Akali les accueillit, vêtue d'une robe propre, ses longs cheveux noirs lavés et tressés. Elle avait expliqué à sa mère adoptive qu'elle répugnait à se déshabiller, qu'elle se sentait salie et qu'elle serait restée ainsi encore plusieurs jours. Madeleine l'avait raisonnée et apaisée.

— Vous devez avoir faim? dit-elle d'un ton vif.

— Oh! oui, j'ai nagé une heure, expliqua Mukki avec un large sourire affectueux.

Ils soupèrent aussitôt, mais dans une atmosphère pesante. Très chaud et apathique, Constant s'était couché sans rien avaler.

– Il faudrait l'emmener chez un docteur, soupira l'Indienne à la fin du repas, et prévenir Hermine. Je ne sais pas du tout ce qu'il a. Il ne semble pas souffrir, il ne pleure pas, mais je m'inquiète.

Toshan alla voir son dernier-né trois fois. Le petit avait de la fièvre, certes. Néanmoins, il dormait bien.

– Nous aviserons à son réveil, assura-t-il en s'attablant de nouveau.

Akali servit de la tisane de tilleul, agrémentée de sirop d'érable.

– Cette nuit, je couche dans ta chambre, ma fille, annonça Madeleine. Tu dois te reposer.

L'adolescente s'apprêtait à répondre lorsqu'ils entendirent tous les quatre le ronronnement d'un moteur.

– Qui est-ce, à cette heure-ci ? interrogea Mukki.

– J'y vais, s'écria Toshan. Seul ! Ne sortez pas !

– Mais il y a un cheval, je pense ! dit Madeleine. Oui, j'en suis sûre, j'ai entendu hennir. C'est peut-être Chogan !

– Chogan ? Mais il ne conduit pas, objecta Mukki.

Malgré la mise en demeure de son père, il bondit de sa chaise et se précipita à l'extérieur, sous l'auvent protégeant la terrasse. Il vit distinctement les phares d'un véhicule imposant, sans doute un camion. Des coups frappés dans la cabine le firent sursauter.

– C'est vrai, il y a un cheval, claironna-t-il.

Madeleine, Akali et Toshan le rejoignirent. La nuit était assez claire. Tous reconnurent l'homme qui descendait du camion, un colosse couronné d'une toison rousse, Onésime Lapointe.

– J'avancerai pas plus, brailla-t-il. Dites à Charlotte qu'elle se pointe pas, je l'ai reniée, tabarnak !

L'autre portière s'ouvrit et une silhouette aérienne sauta au sol, vive et gracieuse.

– Kiona ! Oh ! Kiona est là, s'enthousiasma Akali.

– Qu'est-ce que ça signifie ? lança Toshan, ébahi et déconcerté. Mais Jocelyn fait partie du voyage.

Ils n'étaient pas au bout de leur surprise. Onésime avait ouvert l'arrière du camion. Bientôt, Phébus, le cheval de Kiona, caracola entre les sapins, puis, lâché par sa jeune maîtresse, vint trotter dans la clairière. Le poney des enfants suivit le mouvement au galop.

– Ça alors, ils ont aussi amené Basile, remarqua Mukki. Il ne manque que les jumelles, grand-mère et Louis !

– Comme je suis heureuse ! s'extasia Akali.

Les adolescents dévalèrent les marches du perron pour les accueillir. Toshan, lui, demeurait debout à la balustrade en bois, perplexe. Il dit tout bas à Madeleine :

— On dirait qu'un vent de folie souffle sur le Lac-Saint-Jean, cet été. Monsieur Chardin n'avait pas mis les pieds ici depuis sa liaison avec ma mère.

Le monsieur était dit d'un ton légèrement méprisant. L'Indienne caressa le poignet de son cousin :

— Ne remue pas le passé, c'est souvent déplaisant pour la paix intérieure ! Va plutôt lui parler. Il n'est pas venu sans un motif sérieux.

— Mais pourquoi avoir amené le cheval et le poney ?

— Ça, interroge Kiona, elle doit avoir la réponse.

Toshan rejoignit le groupe en pleine discussion. Onésime lui serra la main tout en lançant des coups d'œil furibonds vers la maison.

— Charlotte n'est pas là, indiqua le Métis. Tu peux même entrer boire un verre de vin.

— Non, je suis en beau calvaire contre ma sœur ; je ficherai pas les pieds dans son nid d'amour ! J'vais dormir dans mon char, parce que je m'en retourne au matin avec monsieur Chardin.

Jocelyn observait son gendre d'un air préoccupé. Il était ému aussi de revoir la clairière et cette maison. Treize ans auparavant, Tala et lui avaient cédé à une étrange passion en ces lieux isolés. Tout lui revenait en mémoire, des images, des sons et des parfums d'une acuité douloureuse. « J'ai repris goût à la vie et à l'amour icitte, pensait-il. Je me croyais condamné, mais une belle femme à la peau de miel et au cœur immense m'a sauvé. Tala la louve ! »

— Puis-je savoir ce qui a motivé ce branle-bas ? demanda alors Toshan. Nous nous sommes quittés avant-hier à Val-Jalbert et vous déboulez chez moi avec votre écurie !

— Je n'ai pas eu le choix, trancha Jocelyn. Tout va de mal en pis, là-bas. Louis a une grosse fièvre et des douleurs à la nuque. Un docteur l'a ausculté. Il songe à la poliomyélite.

— Quoi ? s'indigna le Métis. Et vous avez laissé Laurence et Nuttah au village ? Cette maladie est très contagieuse ; il y a une épidémie aux États-Unis. Vous n'êtes pas au courant ?

— Non, pas vraiment, mon gendre. Je n'écoute plus la radio depuis une dizaine de jours, à cause de ce maudit incendie. Nous devons avoir une conversation privée, l'heure est grave. Ne vous inquiétez pas pour vos jumelles, elles logent chez les Marois par précaution. Hermine ne tardera pas et fera le trajet jusqu'ici avec elles. Je suppose que vous ne savez pas que son train a déraillé? Nous l'avons su par la petite, enfin par Kiona, qui n'est plus si petite que ça.

— Elle n'a pas été blessée au moins? Allons, parlez!

— Mais non, elle a même téléphoné au maire de Val-Jalbert pour nous tranquilliser, ce qui a tenu lieu de confirmation au sujet de l'accident du train.

Toshan frissonna. Sa femme aurait pu être grièvement atteinte ou tuée, et il n'en aurait rien su.

— Je vais l'appeler demain et lui recommander de rentrer le plus tôt possible. Tout va de travers, ces jours-ci.

— Je ne vous le fais pas dire, Toshan, renchérit Jocelyn.

Pendant ce temps, Akali serrait Kiona dans ses bras de toutes ses forces. Les deux filles dansaient sur place, en riant de joie. Elles s'étaient connues entre les murs du pensionnat destiné aux enfants indiens de la région, un enfer sur la terre.

— Kiona, dès que tu es là près de moi, je n'ai plus peur de rien et je ne suis plus triste, disait l'adolescente.

— Pourquoi serais-tu triste?

— Elle a eu de graves ennuis! s'enflamma Mukki. On te racontera.

— En plus, la petite Adèle est malade elle aussi, et Constant ne va pas bien du tout, ce soir.

Kiona recula de quelques pas et tendit son beau visage vers le ciel piqueté d'une nuée d'étoiles argentées. Elle avait fui Val-Jalbert pour mettre fin à un phénomène alarmant, ces portes du passé qui refusaient de se refermer, et elle comptait être protégée au bord de la Péribonka. Mais il n'en était rien. Son esprit captait des ondes de malheur et de mort. Elle vacilla sur ses jambes.

— Toshan? appela-t-elle. Je t'en prie, Toshan, viens!

Son demi-frère obéit immédiatement à sa requête. Il avait admis une fois pour toutes les dons paranormaux de la fillette et ne perdait plus de temps à douter. Ils s'écartèrent du camion et allèrent sous un gigantesque sapin.

— Qu'est-ce que tu as, Kiona?

— Oh! j'ai plein de choses à te dire, gémit-elle. Mais, maintenant, ce n'est pas le plus important. Tu dois partir. Cousin Chogan va mourir.

Enfin, je ne sais pas vraiment. Il est en danger, il doit respirer ! Oh ! oui, il faut qu'il respire !

Kiona porta ses mains à sa gorge, puis à sa poitrine, avant de pleurer en silence.

— Prends Phébus, haleta-t-elle. Tu peux le monter, il obéit bien. Je vais le seller. Tu dois y aller, je t'en supplie.

Pris de panique, Toshan n'avait pas l'intention de tergiverser. Dix minutes plus tard, alors que la lune inondait le paysage de sa clarté blafarde, il s'éloignait à cheval.

Ce départ précipité désola Jocelyn, qui se savait à juste titre obligé de rester plusieurs jours, à présent.

— Est-ce loin, le campement de Chogan ? s'informa-t-il.

— À cheval, il y sera demain après-midi, répondit Madeleine.

— J'avais promis à Laura de faire l'aller-retour, de ne pas m'attarder. Et c'est bien normal, mon fils est souffrant, lui aussi. Seigneur Dieu, j'ai la certitude qu'il s'agit de la poliomyélite ! Une maladie difficile à combattre qui peut laisser des séquelles, un membre atrophié ou une paralysie. Elle tue également, même des adultes ! Le docteur de Roberval nous a fait une véritable leçon qui glaçait le sang.

Très pieuse, l'Indienne se signa, épouvantée. Onésime qui écoutait se gratta le menton et grogna :

— Torrieux, j'y comprends rien, moé ! C'est vraiment dangereux, votre polio quelque chose ?

— Il me semble, mon brave, répondit Jocelyn. Pourtant, il paraît qu'elle peut passer inaperçue, qu'on la confond avec un bon rhume ou un coup de froid. Les petits s'en sortent parfois sans dommages. C'est une loterie, en somme.

Le colosse se racla la gorge, le regard voilé. Il scruta la forêt plongée dans l'ombre.

— Et la fille de Charlotte, elle serait malade elle aussi ?

— On ne peut pas certifier que ce soit ça, fit remarquer Madeleine. D'après Akali, la petite avait une fièvre terrible qui ne baissait pas.

— Si le mal touche aux méninges, l'issue peut être fatale, précisa Jocelyn d'une voix accablée.

Kiona avait tout entendu. Tremblante et tourmentée, elle étreignait la main d'Akali, sa grande amie, sa sœur de cœur. Ce qu'elles avaient enduré ensemble au pensionnat les liait à jamais.

— J'ai peur! lui avoua-t-elle. Personne ne peut lutter contre cette maladie dont parle mon père. Elle se répand en Amérique, et elle est déjà là, au Canada. Au mois d'août, il y aura des morts, beaucoup de morts et d'infirmes. Des milliers.

— Et Adèle? Constant? Louis? interrogea son amie. Tu crois qu'ils souffrent de ça?

— Je n'en sais rien et je ne veux pas le savoir, coupa l'étrange fillette. Nous pouvons l'attraper nous aussi.

Jocelyn s'approcha de Kiona et l'entoura d'un bras protecteur. Il se pencha et déposa un baiser sur son front.

— Allons, du courage, ma chérie! Icitte, tu es chez toi, chez Tala. Son âme doit être demeurée au bord de la Péribonka, près des forêts, dans cet endroit qu'elle aimait plus que tout au monde. Il faut prier. Maintenant, je suis fatigué, je voudrais bien me reposer un peu.

Ils se dirigèrent en silence vers la maison. Onésime lança quelques jurons bien sentis dans sa barbe rousse et se résigna à les suivre. Sous ses allures d'ours mal léché, ce rude gaillard s'alarmait pour sa nièce. Il ne comptait pas faire sa connaissance un jour, mais il ne lui souhaitait aucun mal.

— Nous avons de quoi vous coucher tous les deux, annonça Madeleine une fois dans la grande cuisine. Toshan a construit deux autres chambres à son retour de la guerre. Je vais préparer de la tisane; celle-ci est froide, à présent.

Elle désigna d'un geste gracieux le pichet en porcelaine. Akali, qui paraissait avoir oublié son grand chagrin, proposa de faire des crêpes.

— Aviez-vous soupé en route? s'enquit-elle.

— Eh non, nous n'avions même pas un panier de provisions. Cette pauvre Mireille n'a pas repris du service et Laura ne quitte guère le chevet de Louis. Je me ronge les sangs, quand j'y pense. Et icitte, par chez vous, il n'y a aucun moyen d'avoir des nouvelles.

— Il faudra téléphoner du bureau de poste de Péribonka, conseilla Mukki. Ne t'en fais pas, grand-père, Louis est solide.

Encombré de sa large et haute carcasse, Onésime se cala dans un angle, sur un banc. Madeleine alla s'assurer que Constant dormait toujours bien. En revenant, elle alluma des bougies et monta la flamme de la lampe à pétrole suspendue au-dessus de la table.

— On dirait que la fièvre a baissé, déclara-t-elle. Dieu merci, je lui ai donné une infusion de feuilles de saule et du miel.

Jocelyn hocha la tête avec un triste sourire. Il chercha ensuite le regard doré de Kiona, comme pour y puiser un peu de réconfort. Elle le sentit et se tourna vite vers lui.

— Merci, papa! dit-elle tout bas. Ici, je ne suis plus en danger.

Ces quelques mots n'échappèrent pas à Mukki. Il chatouilla la joue de la fillette.

— Tu craignais d'avoir la poliomyélite et de boiter, coquette? plaisanta-t-il, car il était de nature joyeuse.

— Oh! non, Mukki, ce n'est pas ça du tout. Mais je ne pouvais pas rester à Val-Jalbert.

— Pourquoi? lui demanda-t-il à mi-voix, joue contre joue. Dis-moi donc?

— Parce que j'avais ouvert les portes du passé, souffla-t-elle à son oreille.

9
LES SORTILÈGES DE L'AUTOMNE

Val-Jalbert, mardi 30 juillet 1946

Laura sursauta en entendant des pas dans l'escalier. Depuis deux jours, elle n'avait pas quitté le chevet de Louis. Privée de compagnie, elle était sur les nerfs, entre Mireille encore handicapée par ses brûlures et son fils malade.

— Qui est-ce? appela-t-elle. Joss?

Elle avait désespérément envie que ce soit lui. Le cœur survolté, bouche bée, elle guetta la réponse.

— Laura, c'est moi, je suis de retour, fit la voix de son mari dans le couloir.

Tout de suite, elle se leva et courut le rejoindre. Ils ne s'étaient pas quittés en très bons termes, car elle avait désapprouvé son départ précipité et inexplicable en camion avec Kiona, le cheval et le poney. Jocelyn n'avait pas tenu compte de ses protestations et elle lui en avait voulu. Mais tout fut oublié à cet instant.

— Joss, j'avais tellement hâte que tu reviennes! gémit-elle tout de suite. Serre-moi fort, je t'en prie!

Il la vit si ébranlée qu'il lui ouvrit les bras. Laura s'y réfugia et pleura à gros sanglots.

— Allons, allons, je suis là, dit-il, très anxieux. Dis-moi vite comment va Louis. Attendais-tu le médecin? La porte n'était pas fermée, en bas. Ce n'est guère prudent, la nuit tombe.

— Mais il n'y a personne dans ce village. Ce serait plutôt difficile de trouver de l'aide ou du réconfort. Les Marois n'approchent pas d'ici, comme si la maison était infectée, que nous avions la peste ou le choléra! Yvette Lapointe est quand même venue aux nouvelles, mais en restant à distance et en m'appelant. Nous avons discuté ainsi, moi à la fenêtre de l'étage, elle dans la rue. Tout le monde craint la contagion, Yvette pour ses sales petits monstres, de vrais garnements, les Marois pour Marie qui est de retour. Cela dit, ça tombe bien, les jumelles ont une camarade pour se distraire!

Jocelyn continuait de la câliner, se voulant rassurant. Laura leva subitement son visage vers lui et l'embrassa à pleine bouche.

— Je t'aime! souffla-t-elle. Je te demande pardon d'être si souvent détestable. Je suppose que tu pourras me dire plus tard ce qui a motivé ton expédition jusqu'à Péribonka...

Très touché, il eut un sourire indulgent et la garda contre lui.

— Je t'aime aussi. Maintenant, réponds-moi! Comment se porte Louis?

— La fièvre a baissé. Hier, le docteur voulait le faire transporter à l'hôpital, car il y avait un risque de méningite. J'ai appris aussi qu'un vaccin était testé en Amérique, mais qu'il avait provoqué encore plus de décès que la maladie[21].

— Nous parlons toujours de la poliomyélite? avança-t-il.

— Hélas, oui!

— Quand je suis parti de la maison de Péribonka, Constant paraissait aller mieux. Il avait moins de fièvre. Mais la petite de Charlotte, selon Akali, était bien malade. Je n'en sais pas plus. Il aurait fallu pour cela que je reste là-bas jusqu'au retour de Toshan, qui est parti comme un fou à cheval dimanche soir. Kiona lui a dit que Chogan était mourant.

Laura ne fit aucune remarque. Ses traits marqués par deux nuits de veille s'altérèrent davantage.

— Je ne connais pas cette pauvre enfant, mais j'espère qu'elle n'aura pas de séquelles. Le docteur emploie ce mot-là, des séquelles. Certains malades deviennent infirmes.

D'un geste très doux, elle l'entraîna vers la chambre. Jocelyn découvrit Louis endormi, pâle et amaigri. Le garçon respirait bruyamment.

— La forme la plus grave atteint les poumons, expliqua Laura. La mort survient par suffocation. J'ai même noté tout ce que m'a dit le médecin.

— Seigneur, quelle abomination! gémit-il.

— J'ai beaucoup prié, Joss. J'implorais la Sainte Vierge, Dieu le Père et Jésus-Christ d'épargner notre fils. Bien sûr, comme m'a confié le docteur, rien ne prouve qu'il s'agisse de la polio. On peut abréger et dire ça, la polio. Mais avoue que c'est préoccupant. Constant et Adèle ont à

---

21. Authentique.

peu près les mêmes symptômes que Louis. Il paraît que ça se transmet par les éternuements et la toux, bref, la salive. J'ai fait la remarque que les enfants ne voient pas grand monde ici.

— Tu as raison! approuva son mari.

— Seulement, l'incubation est longue, de dix à vingt jours. Joss, voudrais-tu prier avec moi? Nous sommes ses parents, n'est-ce pas! Nous serons peut-être exaucés, à deux.

Attendri et conscient de la frayeur violente qui rongeait son épouse, il accepta aussitôt. Pendant presque une heure, le couple invoqua toutes les puissances divines. Enfin, on tapa à la cloison.

— Madame, c'est-y monsieur qui est là? questionna Mireille d'une voix tremblante. J'ai faim. Vous m'avez rien apporté à manger depuis ce matin.

Laura jeta un regard exaspéré à Jocelyn. Elle se releva, car ils avaient prié à genoux près du lit.

— Les rôles sont inversés. Notre gouvernante s'est déclarée souffrante, elle aussi. Je dois m'occuper d'elle et de Louis. Mais ce n'est pas grave, j'ai assez profité de ses services pour lui rendre la pareille. Surveille le petit, je descends.

Jocelyn lui fit signe qu'il ne bougerait pas. Il s'aperçut alors de la tenue surprenante de sa femme. Laura, toujours si distinguée, était affublée d'une robe d'un jaune défraîchi que dissimulait en partie un tablier gris à l'ancienne qui protégeait le corsage et la jupe. Il nota également les boucles d'un blond platine attachées sur la nuque et le foulard noué autour de son front.

— De quoi t'es-tu accoutrée? demanda-t-il.

— Je me suis vêtue en pionnière! J'aurais passé ma vie dans ce genre de vêtements, si je n'avais pas perdu la mémoire et épousé Franck Charlebois. Comme je l'ai dit à Hermine le lendemain de l'incendie, je crois que je ne méritais pas d'hériter d'une fortune aussi colossale. La preuve, le Seigneur m'a tout repris. Mais il me laissera Louis! J'ai fait vœu d'humilité et de pauvreté si mon enfant guérit sans aucune séquelle.

«Laura marchande même avec Dieu!» songea alors Jocelyn, vaguement amusé, malgré l'angoisse qui lui étreignait la poitrine. Il ne pouvait s'empêcher d'admirer cette femme au caractère d'acier, capable de passer de la plus suave douceur à un paroxysme d'autorité, quand elle ne jouait pas les tyrans en jupon. Eh oui! il l'aimait, en dépit des querelles et des bouderies. La passion physique s'était émoussée depuis longtemps déjà, et ils ne se témoignaient guère de tendresse, mais, à certains moments, un élan les jetait l'un contre l'autre, peut-être pour leur rappeler à quel point ils étaient liés par la force de leur amour.

Dans la cuisine, Laura, quant à elle, ne pensait à rien, concentrée qu'elle était sur les tâches ménagères qu'il lui fallait effectuer. «Plus de Mireille, plus de Madeleine, et même plus de jeunes demoiselles adroites au ménage et à la cuisine! Ciel! je ne croyais pas que Laurence et Marie-Nuttah prenaient autant de choses en charge, même avant l'incendie!»

Ce brasier dément et gigantesque la hantait encore. Ces flammes qui avaient détruit sa belle demeure, ses bijoux, ses toilettes luxueuses et tant d'objets précieux, ces flammes dansaient la nuit derrière ses paupières closes. Souvent, Laura espérait se réveiller et constater qu'elle avait juste fait un abominable cauchemar.

Agitée, elle mit une poêle à chauffer et y versa de l'huile.

«J'avais promis des œufs au lard à Mireille avec du pain beurré. C'est un peu gras, à son âge, mais, après tout, si ça lui plaît, tant pis.»

Il faisait très chaud. Elle essuya du revers de la main des gouttes de sueur sur son front et arrangea une frisette qui l'agaçait. Les joues roses, le regard un peu fixe, elle entreprit de couper des tranches de lard.

— Bien le bonsoir, chère madame! s'exclama quelqu'un, dont le visage se dessina à la fenêtre ouverte sur le crépuscule.

— Oh! Monsieur Cloutier, pardon, Martin! bredouilla-t-elle. Je n'attendais pas de visite si tard!

— C'est pourtant la meilleure heure. La fraîcheur tombe.

— Entrez, l'invita Laura. Je ne suis pas présentable du tout, mais que voulez-vous, c'est ainsi!

— Une femme à ses fourneaux est toujours attrayante, et vous, madame Laura, seriez élégante dans n'importe quel accoutrement, affirma l'historien.

— Ce qui signifie que je suis bel et bien accoutrée, rétorqua-t-elle.

Martin disparut quelques secondes, le temps de gravir les marches du perron et de franchir le seuil de la pièce. Il montra sa guitare, rayonnant.

— J'ai appris de nouvelles chansons.

— C'est très attentionné de votre part, mais ce n'est pas le bon moment. Mon fils Louis est malade, ma domestique se croit à l'agonie et je dois lui préparer son souper. Et mes petites-filles, les jumelles, sont chez nos voisins, une sorte de quarantaine.

— Et pourquoi donc ? s'étonna le visiteur.

— Voyons, vous devez bien être au courant ! Je sais que vous conversez chaque jour avec Joseph Marois.

— Je m'étais absenté. J'ai passé dimanche et lundi à Saint-André-de-l'Épouvante, avec ma chère et tendre épouse Johanne. Pour être sincère, ça ne lui plaît pas trop que je passe l'été icitte.

— Ah ! vous êtes marié ! se troubla-t-elle. C'est bien la première fois que vous en parlez. Je ne vous félicite pas, Martin. Pour un homme marié, vous me faites beaucoup de compliments. Et si j'étais votre femme, je ne vous laisserais pas vadrouiller de la sorte !

Jocelyn descendait l'escalier, intrigué par l'écho de leur conversation.

— Monsieur Cloutier ! fit-il. Je pensais trouver Joseph ou le docteur. L'historien souleva son chapeau de paille.

— J'ai appris des chansons de la célèbre Bolduc, pour faire plaisir à votre gouvernante. Elle était si dépitée, l'autre jour !

— Revenez donc une autre fois, suggéra Jocelyn d'un ton un peu sec. Laura, Louis s'est réveillé et il était ravi de me voir. Il dit qu'il a une faim de loup.

— Merci, mon Dieu, merci ! Joss, il fallait me le dire tout de suite. Quelle bonne nouvelle ! Martin, prenez un siège, vous allez boire quelque chose avec nous. Joss, remonte vite le voir ; moi, je fais chauffer du bouillon. Montez donc aussi, Martin, vous irez saluer Mireille. Elle se morfond dans sa chambre.

— Si ça ne dérange pas…

— Mais non, cela égaiera la maison. N'est-ce pas, Joss ?

— Si tu le dis, Laura… soupira-t-il.

Elle jeta un coup d'œil aux deux hommes qui s'engageaient dans l'escalier. Son cœur de mère battait enfin à son aise. Elle pouvait respirer à pleins poumons après trois jours d'angoisse.

— Des œufs au lard pour Mireille, un bon bouillon de légumes pour mon Louis. Ah ! la peur que j'ai eue !

Tandis qu'elle s'affairait, rose d'excitation, des pas ébranlaient le plancher de l'étage. Le timbre grave et sonore de leur visiteur dominait celui de Jocelyn. Soudain, Laura perçut la voix fluette de son fils, qui semblait vraiment lucide.

— Merci, Seigneur! se réjouit-elle. Je vous promets de ne plus pécher, d'être une femme exemplaire. Je ne me mettrai pas en colère, je serai douce, dévouée et docile.

Rassérénée par ce flot de bonnes intentions, elle mena à bien ses préparations culinaires. Elle avait à peine disposé sur un plateau le résultat de ses efforts que des accords de guitare retentirent dans une des chambres, vite suivis d'une chanson.

C'est le sauvage du nord,
En tirant ses vaches,
Y avait ses bottes aux pieds,
Qui faisaient la grimace.

Tout le long de la rivière,
Les petits sauvages étaient couchés par terre,
Pis y en avait d'autres sur le dos de leur mère,

Tu m'as aimé pis je t'ai aimée.
À présent tu me quittes,
Tu m'aimes plus et pis moi non plus,
Nous sommes quitte pour quitte [22] *...*

Laura trembla d'indignation, parce que l'historien ne l'avait pas attendue pour chanter. Bien que très sensible à sa voix chaude, d'une gravité puissante, elle eut envie de lui crier d'arrêter immédiatement. «Non, c'est très bien comme ça, se sermonna-t-elle. Je dois être réservée et patiente.»

En entrant dans la chambre quelques minutes plus tard, elle découvrit un spectacle étonnant. Louis était assis dans son lit, appuyé à un rempart d'oreillers, et il écoutait Martin Cloutier avec un air enjoué. Mireille battait la mesure, confortablement assise dans un fauteuil, une couverture sur les genoux.

— Doux Jésus, c'est ben le monde à l'envers, madame! s'exclama la domestique en riant. Voilà que vous me servez, astheure! En plus, monsieur Martin chante La Bolduc rien que pour moé.

— Non, pour moé aussi, assura Louis tout bas.

---

22. *Le Sauvage du nord*, chanson de La Bolduc.

L'historien, qui avait terminé le dernier couplet, salua en riant. Laura s'assit avec grâce au chevet de son fils et lui tendit son bol de soupe.

— Hum… Ça sent bon, maman! Dis, maman, je suis guéri? Je serai pas infirme?

— Je suis sûre que non, répliqua-t-elle. Le docteur doit passer demain matin; il t'examinera. Mais, si tu n'as rien aux jambes, il n'y a aucune raison que cela empire! Ne crois-tu pas, Joss?

— Je ne suis pas médecin, Laura. Cela dit, Louis me paraît tiré d'affaire.

— Alors, une autre ritournelle? plaisanta Martin. Comme ça, vos malades seront traités aux p'tits oignons, madame. *Le Jour de l'an*, ça vous plairait? Encore La Bolduc!

— Paix à son âme! gémit Mireille en se signant.

Préparons-nous son père pour fêter l'jour de l'an,
J'vas faire des bonnes tourtières, un bon ragoût d'l'ancien temps.
C'est dans l'temps du jour de l'an, on s'donne la main, on s'embrasse.
C'est l'bon temps d'en profiter, ça arrive rien qu'une fois par année.
Peinture ton cutter, va ferrer ta jument,
On ira voir ta sœur dans l'fond du cinquième rang.
C'est dans l'temps du jour de l'an, on s'donne la main, on s'embrasse,
C'est l'bon temps d'en profiter, ça arrive rien qu'une fois par année!

Bercé par la voix envoûtante de Martin, Louis bâilla à plusieurs reprises. Il se sentait merveilleusement bien, avec la saveur du bouillon de légumes sur les lèvres, le moelleux de ses oreillers et ses parents réconciliés. Quand la chanson fut finie, il demanda faiblement:

— Monsieur, est-ce que vous pourriez jouer de la musique, encore? J'aime tellement la musique!

Laura caressa la main de son fils en souriant, mais ces seuls mots eurent le don de l'angoisser. Elle ne souffrait pas que soient associés la musique et Louis. C'était sa lutte secrète, son obsession, jusqu'à fermer à clef le piano en prétextant que l'instrument n'était plus accordé. Cela tenait à sa terreur d'avoir un jour une révélation précise sur la filiation de l'enfant, comme si certains dons ou inclinations se transmettaient obligatoirement par le sang.

« Je me tourmente peut-être pour rien, se dit-elle. Qui n'apprécierait pas la musique? Tout le monde sur terre aime entendre de jolis airs et de belles chansons. Louis est le fils de Jocelyn. Pourquoi en serait-il autrement? Mais il ressemble tant à Hans! Ce regard clair un peu absent, ses cheveux fins et son front... »

Pendant qu'elle méditait sur la question, Martin Cloutier s'approcha et lui fit une sorte de révérence pleine de bonhomie.

— Je reviendrai, chère madame, quand vous serez moins tracassée par la santé de votre petit gars, déclara-t-il. Je voulais juste faire plaisir. Je retourne chez moi.

— Doux Jésus, pour avoir fait plaisir, ça, y a pas de doute! s'écria Mireille. Et vous chantez si bien, monsieur! Ah! quelle voix! Ça, c'est une belle voix! Je ne m'en lasserais pas! J'serai d'aplomb la semaine prochaine et je vous ferai des beignes. Il fait encore chaud, mais tant pis, y a rien de meilleur que mes beignes.

Jocelyn prit les devants, soulagé. L'historien avait la politesse de ne pas s'attarder.

— Je vous raccompagne, monsieur Cloutier, proposa-t-il.

Martin adressa un cordial sourire à Louis et à la gouvernante. Il s'attarda sur Laura, flattée. Dès que les deux hommes eurent quitté la pièce, Mireille sifflota :

— Ah! vous, madame!

— Eh bien, quoi?

— Rien, rien, mais même en tablier et sans vos fards sur la figure, vous fascinez les messieurs.

Louis pouffa, amusé. Sans perdre son calme, Laura répondit en embrassant son fils :

— Le seul monsieur à qui je veux plaire, c'est mon Louis, mon grand garçon de douze ans. Tu vas mieux, chéri. Quelle bénédiction! Mireille, il semble n'avoir plus du tout de fièvre.

— Mais le bécotez pas trop, madame. Si vous attrapez la maladie, on va être ben découragés!

— Je suis de la mauvaise graine. Je n'ai jamais été malade de ma vie. Les microbes ont peur de moi.

— Ce que tu es drôle, maman! dit l'enfant, charmé. Dis, puisque je suis guéri, tu voudras bien m'offrir une guitare pour mon anniversaire, l'an prochain?

— Nous verrons. Il y a presque onze mois à attendre. Je préférerais t'acheter un train électrique avec tout le décor.

— Il en a déjà un, madame, fit remarquer la domestique. Dites donc, vos œufs au lard, ils sont très bons.

Laura tapota les draps du lit en déclarant :

— En Belgique, je cuisinais pour mes grands-parents et mon frère, sans oublier mes parents, bien sûr ! Je pourrais te surprendre, ma pauvre Mireille ! Et toi, mon Louis, cherche ce qui te comblerait, à la place d'une guitare.

Jocelyn était de retour. Il gratta sa barbe brune, parsemée de fils d'argent. Il avait remarqué l'entêtement de sa femme à éloigner leur fils du moindre instrument.

— Laura, commença-t-il avec tendresse, pourquoi empêches-tu Louis de faire de la musique ? Il tient ça de moi. Quand j'avais son âge, le curé me demandait de jouer pendant la messe, sur son harmonium. J'avais le goût du solfège et je retenais des morceaux par cœur, sans avoir besoin des partitions. Hermine te le dirait, nous aimons causer opéra ou art lyrique. C'est de famille, voyons !

— Ah oui ? Mais j'ignorais tout ça, Joss. Excuse-moi, tu ne m'avais jamais parlé de tes prédispositions de musicien avant ce soir. Pourtant, nous sommes mariés depuis plus de trente ans !

D'une main enjôleuse, il la prit par la taille. L'élan d'amour qu'elle avait eu auparavant le laissait troublé et émoustillé. Consciente de l'excitation de son mari, Laura se fit câline.

— C'est un doux soir, n'est-ce pas ! affirma-t-elle. Louis semble guéri, Mireille va mieux et, si Hermine arrive à vendre l'appartement de la rue Sainte-Anne, c'est promis, nous achèterons bientôt une guitare. Monsieur Cloutier sera de bon conseil.

Ils en discutèrent encore un peu, au chevet de leur fils. La gouvernante regagna sa chambre en insinuant qu'une tisane de tilleul lui ferait grand bien.

— Je la lui servirai, souffla Jocelyn à l'oreille de Laura. Ensuite, nous irons au lit. Je suis fatigué.

— Pas trop, j'espère ! répliqua-t-elle tout bas dans un souffle.

Ils échangèrent un sourire. Louis s'était rendormi, le teint frais et l'air apaisé. C'était vraiment un doux soir d'été.

Rive de la Péribonka, vendredi 2 août 1946

Kiona venait de s'agenouiller au bord du cercle de cendres qui marquait depuis des années l'emplacement où Toshan allumait un grand feu, certains soirs, au début de l'été ou de l'automne. Penchée en avant, la fillette avait le visage crispé par l'affliction. Il avait plu la veille, une pluie fine et persistante.

— Non, non, non! geignait-elle.

Avec des gestes lents, presque solennels, elle prit de la cendre humide au creux de ses mains et s'en barbouilla les joues, le front et le menton. Enfin, elle se mit à chanter d'une voix basse et monocorde en langue montagnaise.

— Mais qu'est-ce qu'elle fait? se demanda Madeleine, qui l'observait d'une fenêtre. Akali, surveille bien Constant, ne le quitte pas une seconde.

L'Indienne se précipita sur la terrasse, dégringola les marches du perron, rejoignit Kiona et la releva en la saisissant par la taille.

— Petite, tu me fais peur, à chanter ainsi! Et dans quel état tu t'es mise, enfin? Mais tu pleures! Pourquoi? Kiona, dis-moi!

— Chogan est mort. Ton frère est parti pour le grand sommeil! Tu ne le reverras pas, Madeleine. La maladie l'a emporté, le brave Chogan, si fort et si valeureux!

— Comment? De quoi parles-tu? Mon frère! Oh! non, non, pas Chogan!

Kiona sanglotait. Elle avait l'impression de perdre un à un les membres de sa famille montagnaise. Après sa mère, Tala, c'était Chogan qui s'en allait.

— Je l'aimais beaucoup, Madeleine, sais-tu! Il m'avait offert des mocassins en peau d'orignal brodés de coquillages pour mes dix ans. Et j'ai de la peine pour toi aussi, car tu l'aimais encore plus.

La nourrice serra Kiona de toutes ses forces, le regard tourné vers le ciel. Elle ne pouvait pas douter des assertions de la fillette.

— Quand? bredouilla-t-elle. Quand est-il mort?

— Je n'en sais rien, mais il n'est plus là, sur notre terre. Je me promenais sur le sentier de la rivière et j'ai senti comme un battement d'ailes sur moi, une caresse. Ensuite, j'ai su, j'ai compris. Le vent me répétait: « L'esprit du brave Chogan s'est envolé. »

Incapable de maîtriser son chagrin, Madeleine s'abandonna aux larmes. Cela expliquait l'absence de Toshan qui se prolongeait.

— Nous devons prier, Kiona, prier Jésus notre Seigneur, qui ouvre son cœur et protège tous les hommes dans le monde, Indiens ou Blancs, parvint-elle à articuler.

— Si tu veux, prie, toi! Mais je n'en ai pas très envie. Peut-être que Charlotte va mourir aussi et sa petite Adèle. Les dieux sont méchants. Manitou ou Jésus, ils n'ont pas pitié de nous ni des enfants, des tout petits enfants.

— Ne dis pas des choses pareilles! la sermonna Madeleine. Constant est guéri. Adèle doit aller mieux, sans doute.

Kiona se dégagea avec colère. Elle s'apprêtait à prendre la fuite quand Mukki déboula dans la clairière.

— Papa arrive avec grand-mère Odina et Charlotte. Je les ai aperçus à travers les arbres, sur la pente, là-bas, à l'est. Venez, on va les accueillir.

— Et Adèle? s'alarma Madeleine. As-tu vu la petite?

— Non, ils sont encore trop loin. Je sais que Charlotte monte Phébus et qu'ils avancent très lentement. Tu viens, Kiona, on court à leur rencontre? Mais qu'est-ce que tu as sur la figure?

— D'abord exalté, il perçut soudain la tension qui habitait la fillette et l'Indienne. Il les regarda tour à tour, hésitant à les interroger.

— Chogan est mort, répéta Kiona. Je le pleurais. Alors, j'ai mis de la cendre sur mon visage. Je suis tellement triste!

Décontenancé, Mukki garda le silence. Il avait remarqué combien Toshan, grand-mère Odina et Charlotte semblaient abattus et prostrés. Tout s'expliquait.

— Eh bien, dit-il, allons-y quand même pour savoir si c'est vrai et pour prendre de leurs nouvelles.

— Non, je n'irai pas! tempêta la fillette. J'en ai assez! Je me suis enfuie de Val-Jalbert pour être tranquille, ne plus avoir peur, mais même ici le malheur nous rattrape. Je voudrais voir Mine, ma Mine chérie. C'est la seule qui me console.

Sur ces mots, Kiona partit en courant sur le sentier de la rivière, dans la direction opposée à la forêt. Mukki fit le geste de la suivre, mais Madeleine le retint.

— Laissons-la se calmer. Donne-moi le bras, enfant, que j'aie la force de t'accompagner.

Elle avait mis beaucoup de tendresse dans le terme enfant, qui était en fait la signification en langue indienne du prénom de l'adolescent.

— Crois-tu possible que ton frère soit vraiment mort?

— Kiona s'est-elle déjà trompée? Non, jamais.

Québec, même jour

Hermine savourait du thé de Chine à la terrasse du Château Frontenac. Les eaux du Saint-Laurent miroitaient au soleil en ce milieu d'après-midi chaud et ensoleillé. Elle avait admiré la finesse de la tasse en porcelaine blanche agrémentée de motifs bleus en songeant que sa mère possédait un service à thé aussi beau, à Val-Jalbert, avant l'incendie.

— À quoi pensez-vous, chère amie ? questionna Rodolphe Metzner.

— Toujours aux mêmes choses, ces choses si précieuses que les flammes ont détruites, là-bas.

Sa voix avait faibli. Elle ne pouvait évoquer son cher village fantôme sans un réel attachement et une vague nostalgie.

— J'espère que vous viendrez un jour au pays du Lac-Saint-Jean, mon pays, ajouta-t-elle. C'est un endroit vraiment singulier, Val-Jalbert, cette vaste cité ouvrière désertée. Surtout l'hiver, quand la neige nous isole. On a alors l'impression d'être au bout du monde. Il y a tant de maisons à l'abandon, ainsi qu'un grand magasin fermé qui offrait un service d'hôtel et de restaurant, par le passé ! J'ai hâte de rentrer, maintenant. Ce soir, je chante pour la dernière fois au Capitole. Je suis soulagée.

Le Suisse jeta un regard affligé vers l'horizon immense, sans rien voir des côtes dentelées de l'île d'Orléans et du vol des goélands. Il respira cependant avidement l'air frais qui montait du fleuve.

— Ma compagnie vous a-t-elle importunée ? s'alarma-t-il.

— Oh ! non, grâce à vous, le temps a passé plus vite et j'ai découvert Québec, que je croyais connaître.

— Je garderai un souvenir magique de ces jours-là, assura-t-il. Votre pâtisserie vous plaît-elle ? Je peux en commander une autre, si celle-ci n'est pas de votre goût.

— Cet éclair au café est excellent, mais je n'ai pas faim. Je suis encore embarrassée et vous savez bien pourquoi.

Hermine eut un petit rire désolé. Elle portait une robe en mousseline de soie à pois blancs d'un bleu profond. Un collier de perles valorisait la chair nacrée de son cou. Elle attirait l'attention des autres clients avec ses cheveux relevés en chignon et ses lunettes noires masquant ses yeux d'azur.

— On vous admire ! confessa Rodolphe Metzner. On vous prend pour une star ! Vous en serez bientôt une après ce tournage à Hollywood.

— Ne dites pas de bêtises et cessez un peu de me flatter. Je vous disais que j'étais encore mal à l'aise, à cause de l'appartement de la rue Sainte-Anne. Vous l'avez acheté pour une somme exorbitante, sans doute par pure générosité. Ma mère sera ravie, mais, moi, cela me gêne.

— J'ai bien le droit de jouer les mécènes! rétorqua-t-il avec un sourire rêveur. Pourquoi se priver de dépenser?

— Maman répétait cela bien souvent. Résultat, elle est sur la paille!

L'expression parut enchanter Metzner.

— Madame Laura Chardin pourra se loger et se vêtir décemment, grâce à un bienfaiteur anonyme. Hermine, vous m'avez redonné le goût de vivre, surtout en me racontant toutes ces anecdotes sur votre famille. Aussi, je suis ravi de vous aider. Et puis désormais, je connais bien votre père, un peu grognon, mais au cœur d'or, ainsi que vos enfants. Je crois voir Mireille à ses fourneaux et votre voisin Joseph qui fume sa pipe sous son auvent, dans un fauteuil à bascule, une chaise berçante, comme vous dites. Sans oublier Kiona, cette fillette dont vous parlez avec tant de tendresse.

— Oui, Kiona… Ne répétez pas ce que je vous ai dit sur elle, je vous en prie. Jamais je ne m'étais dévoilée ainsi. Il faut croire que vous avez l'art d'écouter et de susciter les confidences.

— Je sais garder un secret. Le surnaturel m'intéresse. Après le décès de mon épouse, j'ai même fait du spiritisme.

— J'ai lu quelques articles sur le sujet, mais avec Kiona ces pratiques sont superflues.

— Dans ce cas, vous avez tous de la chance.

— Je ne sais pas si c'est une chance!

Ils se turent un moment. Puis Hermine se leva et prit son sac à main.

— Je reviens, dit-elle, le temps de me repoudrer le nez. Je voudrais aussi téléphoner à Val-Jalbert. Si je peux joindre le maire, il informera mes parents pour la vente.

— Ce serait mieux de leur faire la surprise, observa-t-il.

— Peut-être, puisque je prends le train demain. Enfin, je n'en sais rien. À tout de suite.

Il la suivit des yeux, et son expression changea. C'était le regard brûlant d'un homme fou amoureux. Dès qu'elle fut à l'intérieur du luxueux établissement, il sortit de sa poche intérieure un rectangle de papier bleu, le télégramme qu'il avait réussi à intercepter. Cela s'était produit la veille, rue Sainte-Anne, lorsque Metzner allait pénétrer dans l'immeuble. Le facteur s'était présenté et s'apprêtait à sonner.

— Vous montez chez qui? avait-il interrogé.

— Madame Hermine Delbeau. C'est ma sœur. Donnez, je lui remettrai son courrier.

— Ah non, monsieur, c'est en mains propres!

Mais les scrupules de l'homme s'étaient évaporés devant quelques billets de banque.

— Si c'est votre sœur, y a pas de soucis. Merci bien, ça m'évite de grimper au troisième.

Sans aucune gêne, Rodolphe Metzner avait décacheté et lu le message. Laura demandait à sa fille de rentrer de toute urgence à Roberval, une certaine Adèle étant hospitalisée et le petit Constant, malade. Hermine ne lui avait pas dit un mot sur Charlotte et Ludwig par prudence, car le jeune Allemand redoutait d'être arrêté, même si la guerre était terminée. Rodolphe ignorait donc l'identité et l'âge de cette Adèle, mais il savait qui était Constant.

«Je ne veux pas qu'elle parte plus tôt que prévu, s'était-il alarmé. Son fils ne doit pas être bien souffrant.» En sa compagnie, il se sentait renaître, après des années de tristesse et de solitude, malgré quelques relations tarifées avec de jolies femmes. Hermine avait pour lui toutes les qualités. Elle lui inspirait un infini respect, une profonde admiration et un début de passion dont il savourait les méandres romantiques à souhait. Il excusait son geste en se persuadant qu'il agissait pour son bien à elle. «Je voudrais tant la voir rire, danser en robe du soir, briller de mille feux! C'est une déesse. Et sa voix! Elle doit rester encore un peu à Québec», s'était-il répété.

Absorbée par son travail et la pensée des siens, la chanteuse le considérait comme un nouvel ami, galant et prévenant, qui demeurait cependant à sa place et ne lui faisait pas la cour. Ils avaient de plus projeté un contrat selon lequel Metzner deviendrait son impresario, succédant ainsi à Octave Duplessis, balayé du monde des vivants par le vent de la guerre.

«Mais que fait-elle? s'interrogea-t-il tout bas. Pourvu qu'elle ne puisse joindre personne à Val-Jalbert!»

Préoccupé, il se leva et marcha d'un pas vif jusqu'à la balustrade de la terrasse Dufferin, assez proche de leur table. Là, il déchiqueta en menus morceaux le télégramme qu'il jeta dans le vide. La brise du fleuve les fit voleter, et ils tombèrent doucement, dérisoires, presque invisibles. Rodolphe se retourna et aperçut Hermine qui revenait. Elle avançait vers lui avec une grâce délicieuse, sur ses talons hauts.

— Eh bien, cher ami, appela-t-elle, vous ne terminez pas votre thé?

— Si, bien sûr! assura-t-il, apaisé de la voir souriante et détendue. Avez-vous téléphoné à votre mère?

— Non, je n'ai pas pu obtenir la communication avec notre maire, monsieur Fortin.

Ils s'assirent à nouveau, Hermine pensive, Metzner rassuré. À une table voisine, d'élégantes Québécoises bavardaient ostensiblement, avec de grands rires destinés à captiver la gent masculine. Metzner leur jeta un coup d'œil agacé par leur côté tapageur. Il fixa Hermine d'un air extasié.

— Alors, êtes-vous prête pour jouer Mimi encore une fois? s'enquit-il d'un ton caressant.

— Oui, mais je suis étonnée de l'enthousiasme du public. Il est rare de donner autant de représentations. Lizzie, notre fidèle régisseuse, prétend que des spectateurs sont venus de Montréal.

Ils relancèrent la conversation sur un sujet qui les passionnait tous deux, l'opéra, notamment les œuvres de Giacomo Puccini, leur compositeur préféré. Mais cela ne dura pas. Hermine se figea soudain, bouche entrouverte, le souffle court. Elle avait gardé ses lunettes de soleil, si bien qu'il ne vit pas l'éclat de panique qui traversa ses superbes prunelles bleues.

— Qu'avez-vous? s'alarma-t-il.

— Oh! mon Dieu! Non, bredouilla-t-elle en guise de réponse.

Elle venait de voir Kiona, son ravissant visage maculé de cendre grise, un fard sinistre sur lequel les larmes avaient dessiné des traces plus claires. La fillette sanglotait, debout au bord d'une rivière. Dans le même temps, sa voix avait vibré dans l'esprit d'Hermine: «Chogan est mort, Mine, viens vite! J'ai besoin de toi!»

— Je dois prendre le train, déclara-t-elle à Metzner, totalement abasourdi. Je vous en supplie, aidez-moi. Je vais téléphoner au directeur du Capitole, qu'il fasse appel à Caroline Roberts, une soprano qui m'a déjà remplacée. Il faudrait un taxi, que je passe rue Sainte-Anne récupérer ma valise. Il y a un train en fin de journée; je connais les horaires par cœur. Je voyage si souvent sur cette ligne! Seigneur, si je me doutais!

Quelqu'un est mort, chez moi. Rodolphe, j'ai vu Kiona, là, sur la terrasse Dufferin. Elle a besoin de moi.

— Mais enfin, vous n'allez pas partir ainsi sur la base d'une hallucination! s'indigna-t-il. Pardonnez-moi, d'une vision!

— Ce n'est pas ça. Je vous l'ai pourtant expliqué. Kiona projette son image dans l'espace; elle a ce pouvoir. Le frère de mon amie Madeleine est mort, comprenez-vous? Oh! je perds de précieuses minutes.

Il acquiesça d'un signe de tête consterné. Il n'était pas question pour lui de la laisser en pleine détresse.

— Soit, je vais tout mettre en œuvre pour votre départ. Bien sûr, c'est une très mauvaise nouvelle, certes…

Rodolphe en perdait son éloquence habituelle. Son idole s'apprêtait à disparaître. Il en était choqué, même terrassé.

— Moi qui avais prévu un dîner après le spectacle! ajouta-t-il tout bas.

La jeune femme le regarda d'un air absent. Plus rien ne comptait pour elle, hormis l'appel désespéré de Kiona. Le paysage coloré, l'animation joyeuse alentour, le service à thé de luxe, toutes ces choses s'étaient ternies, comme couvertes de cendres à l'instar des joues de la fillette. Hermine avait l'impression d'être plongée dans la brume. Elle éprouvait jusqu'au malaise le désir forcené de pouvoir abolir la distance, de s'envoler jusqu'à sa précieuse petite sœur.

— Je me moque bien de dîner ou de chanter! trancha-t-elle. Excusez ma franchise, ma vraie vie est là-bas, près de mon mari, de nos enfants, de ma famille, et Chogan en faisait partie.

Il s'efforça de lui sourire, appela le serveur et régla la note. Ses traits affichaient une compassion un peu feinte, car il refusait d'accepter ce coup du sort. Cela n'avait servi à rien de cacher le télégramme et de chercher à détourner le destin.

Dans le taxi, Hermine ne desserra pas les lèvres. Ce n'était pas de la froideur; elle luttait simplement contre le désarroi qui la rongeait.

— Je crois être assis à côté d'un ravissant fantôme, dit-il. Chère amie, je voudrais vous épauler dans cette épreuve, mais, hélas! je ne sais pas comment. Je vous remercie pour ces quelques jours de gaîté et de légèreté. Si je comprends votre chagrin, laissez-moi néanmoins vous conseiller de ne pas renoncer à nos projets. Votre carrière doit monter en flèche et je m'y emploierai.

— Merci, Rodolphe, je suis désolée. Ne vous inquiétez pas, j'ai votre carte de visite avec vos numéros de téléphone. Je tiens moi aussi à enregistrer un disque. Je vous contacterai vite, si je n'ai pas à affronter d'autres événements pénibles. Ce décès me surprend. Chogan avait trente-quatre ans seulement. Que s'est-il passé? Est-ce un accident, ou une maladie? Je l'ignore! Je ne le voyais pas souvent, mais je suis terriblement triste.

La jeune femme ferma les yeux un instant. «Combien de fois, au bord de la belle rivière Péribonka, ai-je chanté pour Chogan, grand-mère Odina, Aranck et ses petits! Ils m'écoutaient, éblouis et heureux, dans la lumière de ces grands feux que Toshan allumait. Toshan, où es-tu? J'ai si peu pensé à toi ces derniers jours, oui, si peu!»

Rodolphe Metzner lui prit la main très délicatement, du bout des doigts.

— Courage, un jour, vous serez comblée, et le chagrin n'existera plus, dit-il. Vous êtes une étoile, une lumière sur cette terre.

— C'est très attentionné, mais la vie comporte ses joies et ses peines, répliqua-t-elle en dégageant sa main. J'ai cessé de croire en un monde meilleur. Mais il y a tant de gens plus à plaindre que moi!

Ils échangèrent un long regard. Hermine pleurait. Metzner renonça à essuyer ses larmes. Il redoutait un mouvement de recul.

— Je ne vous abandonnerai jamais, promit-il. Vous avez trouvé votre ange gardien.

Elle eut envie de l'embrasser, de se perdre dans un baiser interdit. Cet homme la troublait d'une façon particulière, subtile, intime, différente de l'attirance que lui avait inspirée Ovide Lafleur.

— Il me tarde d'être auprès de mon mari, déclara-t-elle comme pour se réfugier derrière un bouclier contre sa propre faiblesse. Je vous le présenterai un jour: Toshan, le seigneur des forêts, comme l'a surnommé une amie journaliste.

— Le seigneur des forêts, répéta-t-il dans un souffle. J'en serai ravi et flatté.

En parfait gentleman, il sut faire taire l'orage de jalousie qui grondait en lui. Hermine n'en soupçonna rien.

Deux heures plus tard, ils se séparaient sur le quai de la gare.

Rive de la Péribonka, même jour

Mukki dévala la pente en courant. Toshan, lui, s'était arrêté. Il tenait Phébus par sa longe. Le cheval, nerveux, émit un hennissement farouche. Accoutumée à galoper de toute sa puissance, Kiona sur son dos, la bête n'aimait pas marcher au pas. Grand-mère Odina affichait un air de profond chagrin. Elle était chargée comme un mulet de tout un attirail, ballots de fourrures, ustensiles de cuisine et sacs en toile. Quant à Charlotte, elle pleurait en silence.

— Papa, appela l'adolescent, où sont Ludwig et Adèle ?

— Je vous le dirai plus tard ! rétorqua Toshan. Rebrousse chemin, mon fils, va préparer la remise pour le cheval. Il y a du grain dans un sac. Mets un seau d'eau aussi. Va, je t'en prie.

Malgré sa déception, Mukki s'empressa d'obéir. Cela donna le temps à Madeleine de rejoindre son cousin. Il la prit contre lui et l'embrassa sur le front.

— Chogan nous a quittés, annonça Toshan. Je pense qu'il a été atteint du même mal que les enfants, mais il n'a pas résisté[23].

— Je sais ! répliqua la jeune Indienne. Kiona me l'a dit.

— Évidemment ! Allons vite à la maison, Charlotte n'en peut plus.

Dans un élan de pure compassion, Madeleine voulut saisir la main de la future mère, dont le ventre proéminent tendait une robe en cotonnade grise, sale et rapiécée. Mais celle-ci la repoussa avec lassitude.

— Ce n'est pas la peine d'avoir pitié de moi, dit-elle entre ses dents, le visage fermé. Dieu donne, Dieu reprend, vas-tu me rabâcher ! Je n'ai pas envie d'entendre ça !

Ces paroles glacèrent le sang de Madeleine. Elle imagina le pire. Adèle avait-elle succombé à la fièvre, comme Chogan ?

— Que s'est-il passé ? s'écria-t-elle. Toshan, Odina, parlez-moi ici, maintenant, sinon je ne pourrai pas faire un pas, j'ai la poitrine broyée dans un étau.

— Charlotte souffre dans son corps et son âme, répondit le Métis. Elle ne sait plus que penser. Laisse-la ! Ne crains rien, Adèle est vivante. Je t'expliquerai. Patiente un peu.

Sur ces mots, il se remit en route, les traits durcis, le regard voilé. Odina hocha la tête et, en plaçant un doigt sur sa bouche, indiqua à Madeleine qu'elle resterait muette.

Ce fut donc un bien triste cortège qui arriva dans la clairière, devant la maison dont les planches d'épinette rutilaient au soleil. Akali écarta un pan de rideau pour observer ce qui se passait, mais, soucieuse d'obéir à sa mère adoptive, elle se garda de sortir. Madeleine ne tarda pas à

---

23. La poliomyélite peut atteindre des adultes et, si les poumons sont paralysés, le patient meurt de suffocation.

entrer en soutenant Charlotte par la taille. La silhouette déformée de la future mère faisait peine à voir. Son ventre était énorme.

— Tu vas t'allonger tout de suite, insista Madeleine d'un ton doux et ferme. La naissance approche. Grand-mère Odina sera à tes côtés, tu ne risques rien.

— Je veux Ludwig près de moi, et il ne sera pas là! Oh! Dieu tout-puissant, je suis assez punie!

— Ne dis pas de stupidités, répliqua la nourrice. Personne n'est puni ici-bas.

Charlotte répondit d'un sanglot pitoyable. Elle se laissa conduire dans la grande chambre réservée d'ordinaire à Hermine et à Toshan. L'Indienne l'aida à se dévêtir, lui bassina les joues et les tempes avec un linge imbibé d'eau de Cologne et démêla ses boucles brunes.

— Où sont Ludwig et Adèle? osa-t-elle enfin demander. Si j'attends les précisions de mon cousin, je deviendrai folle.

Allongée entre des draps frais, les cheveux coiffés, Charlotte avait l'impression de renouer avec la vie. Les yeux encore dans le vague, elle respira profondément avant de parler.

— C'était abominable, confia-t-elle. L'agonie de Chogan, des heures de souffrance! Et ma toute petite fille, mon Adèle, en proie à la fièvre, inconsciente. Les tisanes de grand-mère Odina n'avaient servi à rien. Quand Toshan est arrivé, nous étions tous en pleine détresse, égarés. Mais il y a eu une sorte de miracle, oui, un miracle. Le lendemain matin, un hydravion a survolé le campement, de ceux qui transportent des touristes dans la région. Aranck et Toshan ont jeté des feuillages sur le feu. Cela a donné une épaisse fumée blanche. Ils ont aussi agité les bras et fait des signes. Le pilote a pu se poser plus loin, sur un petit lac. Toshan a pris le cheval et est parti au galop.

— Mais pourquoi donc? interrogea Madeleine, trop déconcertée pour comprendre.

— Il voulait que ces gens transportent Adèle jusqu'à un hôpital. Son état s'aggravait. Tout est allé très vite, ensuite. À cause de ma grossesse, je n'étais pas capable de monter dans cet avion, un engin peu confortable, sensible aux turbulences. Ludwig est parti. Et maintenant je suis terrifiée, car je n'ai aucune nouvelle, ni de mon enfant ni de l'homme que j'aime. Si on découvre, à Roberval, qu'il est allemand, un prisonnier allemand de surcroît, il sera arrêté.

De gros sanglots terrassèrent la jeune mère. Elle tendit les bras vers Madeleine qui l'enlaça et la berça contre sa poitrine.

— Courage, Charlotte, courage! lui dit-elle. Dieu est bon. Même si toi, à cet instant, tu en doutes, je suis sûre que tout s'arrangera.

— Comme pour Chogan, ton pauvre frère? Il a enduré un martyre avant de rendre l'âme. Je crois entendre encore le râle qui s'échappait de lui. Cela m'obsède.

Ce n'était guère délicat de la part de Charlotte d'insister sur ce point, mais Madeleine n'en tint pas compte. Son frère était en paix désormais, délivré des douleurs horribles qui l'avaient accablé.

— Chogan ne croyait pas en Notre-Seigneur Jésus-Christ, dit-elle d'une voix nette. Cependant, je vais prier pour son salut, pour qu'il puisse s'élever vers le ciel. Et toi, Charlotte, tu devrais dormir un peu. Adèle est en de bonnes mains, à l'hôpital. Ils la guériront.

Dans la pièce voisine, Toshan tenait le même discours à Mukki et à Akali, de façon aussi succincte. Le Métis avait pris Constant sur ses genoux, infiniment soulagé de retrouver son dernier-né presque rétabli.

— L'épidémie va se répandre dans tout le pays! dit soudain grand-mère Odina en montagnais.

Tous la comprirent, car Mukki lui-même connaissait la langue de ses ancêtres paternels. Mais Akali s'écria:

— Et Aranck, où est-elle? Et ses enfants?

— Son mari les a conduits plus haut dans la montagne, où il a un refuge sûr. Il redoutait la contagion. À présent, il faut que je prévienne Hermine, qu'elle revienne le plus vite possible, à temps pour les couches de Charlotte, surtout. Où est Kiona?

Madeleine les rejoignit. Elle avait entendu la question et désigna l'extérieur d'une main lasse.

— Kiona a le cœur plein de révolte et de chagrin.

Pour ne pas heurter les jeunes croyances d'Akali et de Mukki, elle n'osa pas ajouter que la fillette reniait Dieu et toutes les divinités bienfaitrices de l'univers.

— Bien sûr, trancha Toshan d'une voix dure. Je ne peux pas le lui reprocher. Moi-même, à la fin de la guerre, j'ai perdu la foi en la bonté humaine. Je peux citer en exemple les ravages causés par les deux bombes atomiques que l'armée américaine a larguées sur le Japon. C'était une infamie!

— Certains ont agi comme des monstres, d'autres ont lutté pour la justice, mon cousin. Ne sois pas trop sévère.

Ils s'affrontèrent du regard un moment avant de baisser les yeux. Kiona entra alors sur la pointe des pieds. Elle était trempée. Ses cheveux ruisselaient, et ses vêtements étaient alourdis par l'eau.

— Mais qu'est-ce que tu as fait? s'étonna Akali.

— Je me suis baignée dans la rivière, rétorqua-t-elle. Ce n'est pas défendu! Toshan, as-tu pris soin de Phébus? A-t-il du grain et de la paille propre?

— Je m'en suis occupé, dit Mukki. Ton cheval n'était même pas en sueur. Il avait plutôt envie de se dégourdir les jambes.

Kiona approuva en silence. Elle disparut dans la chambre qu'elle partageait d'habitude avec les jumelles.

— Je plains cette fillette, dit Toshan. Je n'aimerais pas être en communication constante avec les esprits des morts ou être victime de visions et de prémonitions. La vie est bien assez dure comme ça.

— Mère, est-ce que je peux aller consoler Kiona? demanda Akali.

— Mais oui, va!

Grand-mère Odina jugea bon de donner son avis. Elle le fit dans un français fort correct.

— Kiona a reçu ses dons du grand Esprit; il ne faut pas la plaindre. Devenue femme, elle sera un soleil sur cette terre en proie au mal et aux ténèbres. Sa lumière nous réconforte déjà depuis sa naissance.

Elle ponctua ses propos d'un clignement de paupières et demanda à manger. Madeleine éprouva un réel soulagement à préparer un repas. Son cœur saignait en songeant à son frère Chogan, enseveli au pied d'un sapin par les soins de Toshan. Elle se promit de se rendre avant l'hiver sur sa tombe et de l'agrémenter de cailloux blancs ainsi que d'une petite croix.

Roberval, le lendemain matin

À peine descendue du train, Hermine confia sa valise à la consigne de la gare et prit la direction du bureau de poste. Elle téléphona au maire de Val-Jalbert afin de lui confier un message pour ses parents. Après l'avoir saluée, Émile Gagnon s'empressa de lui apprendre les derniers événements.

— Allez tout de suite à l'Hôtel-Dieu, madame Delbeau. Votre mère s'y trouve depuis hier, au chevet d'une petite fille de votre connaissance, Adèle. L'enfant est atteinte de la poliomyélite.

Il discuta encore un peu, mais Hermine écourta la conversation. « Qu'est-ce que ça signifie ? s'apeura-t-elle en sortant dans la rue. Pourquoi ne m'a-t-on pas prévenue ? »

Elle pressa le pas. Elle avait somnolé durant presque tout le trajet, dans un pénible état d'anxiété. Jamais encore le voyage ne lui avait semblé aussi long. À présent, confrontée à la menace d'une maladie méconnue et redoutable, elle aurait voulu voir immédiatement Constant, ses filles et son mari. Elle avait un besoin forcené de rassembler les siens, de pouvoir veiller sur eux, de leur dire son amour.

« Ma famille était en pleine adversité, tandis que je me laissais vivre à Québec. Rodolphe Metzner me traitait en princesse et, moi, j'appréciais ses idées fantaisistes et ses goûts de luxe. »

Un vent frais soufflait sur le lac Saint-Jean et apportait le parfum âpre et sauvage des forêts, des champs et de l'eau vive. Son pays natal l'accueillait. « Je ne partirai plus. Je renonce à ma carrière, j'en ai assez, songea-t-elle. La guerre m'a séparée de Toshan et, maintenant que nous pourrions passer nos jours l'un près de l'autre, je prévois d'autres voyages, j'espère de nouveaux contrats et je cède au charme d'un homme encore une fois. »

Ces pensées teintées de remords lui tinrent compagnie tout en la convainquant qu'il était temps de réagir, de changer le cours du destin. Mais, au moment de pénétrer dans l'hôpital, des larmes d'angoisse la submergèrent.

— Et si Adèle était morte ? s'interrogea-t-elle à mi-voix.

Cependant, elle entra sans hésiter, décidée à affronter le pire. Dans le vaste hall régnait l'agitation habituelle à ce genre d'établissement : un défilé de sœurs en voile noir et robe blanche, de même que d'infirmières en blouse et coiffe réglementaires. L'air sentait fort le désinfectant et le savon. On lui indiqua la salle réservée aux enfants malades.

— Au second étage, madame !

Hermine gravit l'escalier en hâte. Sur le palier, la première personne qui lui apparut ne fut nulle autre que Laura.

— Ah ! quand même ! jeta-t-elle sèchement. Je t'attendais hier. Tu aurais pu prendre un train plus tôt.

— Maman, je t'en prie, ce serait à moi de te réprimander. Tu aurais dû me téléphoner au théâtre ou m'envoyer un télégramme.

— C'est bien ce que j'ai fait! La preuve, tu es enfin là!

— Je suis là grâce à Kiona.

Après cette entrée en matière assez rude, elles s'em-brassèrent du bout des lèvres. Hermine porta une main à sa poitrine, comme pour comprimer les battements de son cœur.

— Maman, je n'ai reçu aucun télégramme, mais peu importe, me voici. Comment va Adèle? Et Charlotte?

— Il n'y a ici que son… son mari, disons le mot, pour faire simple, bien qu'ils ne soient pas mariés du tout, ces deux-là. Mais je comprends mieux Charlotte: son Allemand est un bel homme. Il pourrait faire du cinéma, avec des yeux aussi bleus et son visage d'ange. Très bel homme, vraiment!

— Quelle importance cela a-t-il? rétorqua Hermine, irritée, avant de chercher des yeux la porte de la salle.

— Il ose à peine parler au docteur et à l'infirmière, ajouta Laura. Et, quand il parle, son accent se remarque. Toshan a eu tort de l'expédier à Roberval.

— Si tu restes discrète, maman, personne ne saura que Ludwig est allemand. Maintenant, dis-moi comment va Adèle.

Elle avait pris un ton cinglant pour prononcer les derniers mots. Laura fondit en larmes sans parvenir à répondre. Terrifiée par la réaction de sa mère, Hermine la saisit par le poignet.

— Elle est morte? Mon Dieu, non!

— N'aie pas peur, la petite est sauvée! Mais…

— Mais quoi?

— Tu verras bien! Viens!

Quelques minutes plus tard, la gorge nouée, la jeune femme traversait l'allée tracée par deux rangées de lits étroits dressés face à face. Elle aperçut Ludwig au fond de la pièce. Il se tenait tête basse, les mains jointes sur ses genoux. Vite, elle alla vers lui et effleura son épaule. Cela ne l'avait pas empêchée de capturer la bouleversante image d'une toute petite fille nichée entre des draps blancs, dont les boucles brunes se détachaient sur l'oreiller.

— Oh! Hermine, vous êtes là? balbutia le jeune homme. Comme c'est gentil! Je suis tellement malheureux!

— Maman m'a dit qu'Adèle est sauvée?

— Elle restera infirme! avoua-t-il dans un souffle. Regardez!

Il souleva un pan de literie, dévoilant ainsi la jambe droite de l'enfant, qui présentait une nette déformation au niveau du genou et du mollet. Hermine retint un cri de consternation. Elle se mit à pleurer à son tour.

— Je suis désolée, souffla-t-elle d'une voix faible. Mais peut-être pourra-t-on l'opérer plus tard?

— Non, les docteurs disent que non.

— Gardez espoir, monsieur, dit doucement Laura. La médecine progresse chaque jour que Dieu fait.

Adèle se réveillait. C'était une ravissante poupée aux joues rondes et au regard bleu vert qui évoquait irrésistiblement Charlotte par le dessin des lèvres et du nez. Hermine se pencha et lui caressa la joue.

— Bonjour, mignonne! Est-ce que tu me reconnais?

L'enfant, encore ensommeillée, approuva d'un signede tête. Elle se tourna vers son père et lui fit un sourire.

— Je suis là, mon petit ange, je suis là, ne crains rien. Bientôt, je t'emmènerai voir maman.

— Maman? hoqueta Adèle avec une grimace de chagrin. Je veux ma maman!

— Écoute papa, il dit la vérité, affirma Hermine. Moi, tout à l'heure, je t'apporterai un cadeau. Il faut te reposer.

Quelqu'un toussota près du lit. Une infirmière s'était approchée sans bruit et assistait à la scène.

— Madame Delbeau? dit-elle à voix basse. Puis-je vous parler?

— Mais oui!

Elles s'éloignèrent en se jaugeant mutuellement. Hermine avait déjà eu affaire à cette femme, lors de la longue hospitalisation de Toshan, à son retour de France. Elle l'avait également croisée quand Jocelyn avait eu une crise cardiaque. Une fois dans le couloir, l'infirmière déclara à mi-voix:

— Je me vois dans l'obligation de vous demander qui est cet homme, madame. Mes collègues et moi-même, nous avons des doutes sur sa nationalité. Une des sœurs prétend qu'il est allemand, à cause de son accent.

— Vous faites erreur, répliqua Hermine. Cet homme travaille pour mon époux; il exploite ses terres au nord de Péribonka. C'est un émigré d'origine danoise qui a souffert de la guerre comme nous tous, peut-être davantage encore. Je réponds de lui, soyez sans inquiétude.

— Dans ce cas, j'en informerai mes supérieurs, madame! Je vous remercie d'être venue. La situation était compliquée, d'autant plus que la petite fille a été gravement atteinte. Elle doit rester ici encore deux semaines, passer des examens et, par la suite, il faudrait qu'elle soit bien soignée, à faible distance de l'hôpital.

— Nous ferons le nécessaire. Restera-t-elle vraiment infirme?

— Doux Jésus, c'est quasiment certain! L'épidémie de poliomyélite s'étend en Amérique. Il y a eu de très nombreux cas similaires par le passé, aussi. Les atteintes sont irréversibles.

Mortifiée par la nouvelle, Hermine pensa à Charlotte qui s'apprêtait à donner la vie de nouveau. «Elle doit ignorer la vérité, au moins quelques semaines, sinon elle perdra courage», se dit-elle.

L'infirmière prit congé en la saluant. Horriblement triste, elle regagnait la salle lorsque Ludwig en sortit, la mine abattue.

— Votre mère m'a conseillé de prendre l'air, expliqua-t-il. Elle s'occupe d'Adèle.

— Eh bien, je vous accompagne. Nous devons discuter.

Ils s'installèrent sur un banc, en face du lac dont l'eau argentée se parait de vaguelettes couronnées d'écume. Les goélands menaient un vrai tapage en multipliant leurs acrobaties aériennes.

— Quel beau paysage pour un sinistre jour! observa Ludwig. Quand Charlotte saura la vérité, elle sera au désespoir.

— Je crois qu'il vaut mieux attendre qu'elle ait accouché pour la lui dire. J'ai répondu de votre identité auprès de l'hôpital, vous n'avez pas à vous préoccuper à ce sujet. Ne me démentez surtout pas: vous êtes notre employé sur les terres de Toshan et vous êtes un immigré danois durement éprouvé par la guerre. Ils ne chercheront pas plus loin, j'ai bonne réputation en ville. Mais Adèle va séjourner ici et je ne sais pas quoi faire. J'avais promis à Charlotte d'être à ses côtés pour ses couches et je suis pressée de revoir mon petit Constant, qui est là-bas avec mon mari. Mais je voudrais vous épauler dans cette terrible épreuve. Dites-moi comment vous êtes arrivé à l'hôpital, ma mère n'en a pas eu le temps.

— Nous avons décidé de partir chez Chogan, commença le jeune Allemand. Adèle avait de la fièvre et elle se plaignait beaucoup: «Bobo, maman, j'ai bobo tête!» Charlotte a pensé que grand-mère Odina l'apaiserait avec ses tisanes. Mais nous avons trouvé Chogan très malade. Il s'était alité dans une hutte à l'écart des autres et il souffrait beaucoup. Adèle n'a pas guéri du tout ; cela s'aggravait même. Et Toshan est arrivé sur le cheval de Kiona. Il est arrivé pour fermer les yeux de Chogan et célébrer ses funérailles. On dit ça, les funérailles ?

— Oui, oui ! approuva Hermine, anéantie.

— Votre mari était alarmé par l'état de notre fille, et il l'a sauvée de la mort, j'en suis sûr. Il a réussi à faire atterrir un petit avion. Le pilote et les passagers ont accepté de m'emmener jusqu'à Roberval.

— D'accord, concéda-t-elle. Mais vous avez bien dit le cheval de Kiona ! Comment est-ce possible ? Phébus est à Val-Jalbert, avec le poney !

— Ah ! Vous n'êtes pas au courant ? Votre père, monsieur Jocelyn, a conduit Kiona et les deux bêtes chez vous, au bord de la Péribonka, il y a plus d'une semaine. Je sais que Constant était malade aussi, et Louis, votre frère !

— Oh ! Seigneur ! Et je n'ai rien soupçonné ! gémit Hermine.

Elle adressa un regard désorienté au ciel d'un bleu intense, parsemé de nuages cotonneux. Prise de panique, elle chercha une solution.

— Ludwig, que puis-je faire ? Je dois absolument partir là-bas, m'assurer de la santé de Constant.

— Et moi, je voudrais être auprès de Charlotte sans quitter Adèle !

Repris par le souci poignant qu'il avait de son enfant, il se leva d'un bond. Hermine le suivit, accaparée par une foule de questions plus alarmantes les unes que les autres.

— Ludwig, appela-t-elle au milieu du grand escalier, je voudrais parler à ma mère. Si elle pouvait me rejoindre en bas… Et j'ai un achat à faire pour votre fille. Je ne serai pas longue.

Laura descendit sans tarder. En l'observant, Hermine prit conscience du changement de sa mère, vêtue très modestement d'une robe beige en toile, chaussée de sandales bon marché, les cheveux décolorés trahissant des fils blancs. Il n'y avait pas que son apparence. L'orgueilleuse Flamande arborait des traits tirés et une expression émouvante.

— Pauvre maman ! soupira-t-elle en lui prenant la main. Tu sembles épuisée.

— Oh ! ce n'est pas le plus grave, ça ! Voir cette enfant si petite condamnée à être infirme, cela me broie le cœur. Je pensais ne jamais la connaître, ou dans quelques années seulement. Mais c'est la petite de Charlotte, notre Lolotte de jadis. Tu te souviens, ma chérie, nous l'avons recueillie, éduquée et choyée. Elle était ta sœur de cœur, comme tu le répétais. Et donc ma fille aussi, au fond. Ce bout de chou avec sa jambe déformée, mon Dieu, quel sort injuste, quelle catastrophe! Tu vas me juger égoïste encore une fois, mais je suis tellement soulagée que Louis soit rétabli, sans séquelles! Il a été malade, vois-tu!

Un sanglot lui échappa. Attendrie, tout autant qu'effarée, Hermine étreignit sa mère.

— Je sais, maman, Ludwig me l'a dit. Pour Adèle, je suis terrifiée. Cependant, elle vivra. Nous devons nous consoler ainsi. Mais j'ai besoin de tes conseils. Je t'en supplie, je me sens tiraillée de tous côtés, déchirée même.

Elle lui résuma le cruel dilemme qui la torturait. Calmée, Laura l'entraîna vers une salle du rez-de-chaussée où les visiteurs pouvaient avoir du café ou du thé et acheter des biscuits et des sucreries.

— Nous réfléchirons plus efficacement après avoir pris une boisson chaude. Ton père m'avait confié que Constant était atteint de fièvre, mais, quand il a quitté votre maison de Péribonka, ton bébé chéri allait bien. Ne te tourmente pas trop. Chogan est mort, le malheureux... Je ne l'avais jamais rencontré, mais je partage ton chagrin. Le médecin qui a soigné Louis m'a informé de ce genre d'issue fatale de la polio, par suffocation. Mon Dieu, quelle terrible maladie!

Laura se tut, tremblante. Hermine avala d'un trait un café tiède et amer. Cela la revigora.

— Maman, j'ai quand même une bonne nouvelle, dit-elle d'un ton peu accordé aux circonstances. L'appartement de la rue Sainte-Anne est vendu. Je me suis servie de ta procuration pour signer les documents et j'ai un gros chèque dans mon sac. C'est peut-être un signe favorable ou le simple hasard. Dans le train, j'ai fait la connaissance d'un certain Rodolphe Metzner, un fervent mélomane de nationalité suisse. Il voudrait devenir mon impresario, me décrocher des contrats à New York ou à Genève, produire un disque aussi.

— Parfait, nous avons encore un peu de chance, nota sa mère sans paraître enthousiasmée. Le chèque est-il à mon nom?

— Évidemment!

— Dommage! Je le déposerai à ma banque, mais aussitôt après je ferai virer l'argent sur ton compte. Je ne veux plus être ni aisée ni riche. Tu me trouves fatiguée? Oui, je le suis. J'ai veillé sur Louis jour et nuit;

Mireille se lamente et ne quitte pas la chambre. Je fais le ménage, la cuisine, la lessive, mais c'est bien. J'ai promis à Dieu de mener une existence humble et rude si Louis guérissait. Je ne veux pas tricher.

— Maman! De là à t'éreinter… Tu as droit à ton confort et tu peux te faire aider! protesta Hermine. Tu pourrais acheter une maison à Roberval, même modeste, et payer une employée quelques heures par semaine.

Laura redressa la tête, superbe malgré tout. Elle dit d'un ton ferme:

— Si Charlotte consent à me laisser son logement, je m'en satisferai. Et j'ai la solution à tes problèmes. Tu peux partir pour Péribonka avec Ludwig, s'il y consent. Je me charge d'Adèle. Dès que possible, je l'emmènerai sous le toit de sa mère à Val-Jalbert et je la garderai durant sa convalescence. Louis sera ravi: il aime bien les petits. Et ne t'inquiète pas pour Laurence et Nuttah. Andréa Marois les héberge afin d'éviter la contagion. Elles seront enchantées de te suivre là-bas. Cela te convient?

— Je pense que c'est la meilleure idée du monde, maman. Je te remercie, vraiment…

Elle était tranquillisée, mais, en entendant citer le nom d'Andréa, un autre souci l'opprima. «J'avais promis de passer par Notre-Dame-de-la-Doré en rentrant au bord de la Péribonka! Je ne peux pas me défiler. Si par malheur Joseph recevait la visite de cet homme, celui de la lettre!»

Pensive et les nerfs à vif, elle serra plus fort la main de Laura. Celle-ci se dégagea avec douceur pour désigner du menton une personne derrière leur table.

— Nous avons de la visite, Hermine.

La jeune femme se retourna et découvrit Ovide Lafleur en costume gris et chapeau.

— Mesdames, quelle bonne surprise! dit-il de sa voix enjôleuse.

Hermine le dévisagea, contrariée mais aussi troublée. Elle dut admettre une évidence: l'instituteur ressemblait étrangement à Rodolphe Metzner.

10

RETOUR AU BORD DE LA PÉRIBONKA

Roberval, dimanche 4 août 1946

Laura était remontée au chevet d'Adèle après avoir jeté un coup d'œil soupçonneux à Ovide Lafleur. Restée seule avec lui, Hermine éprouva une très grande gêne.

— Je ne souhaitais pas vous revoir, jeta-t-elle d'un ton indifférent. Mais, puisque vous êtes là, autant vous demander de vos nouvelles.

— Vous n'y êtes pas obligée, chère amie, dit-il. Néanmoins, je vous confie volontiers que j'ai reçu un petit héritage qui m'a permis d'acheter une automobile d'occasion. Cette voiture me rend de grands services. J'ai pu obtenir un poste dans une école plus éloignée de mon domicile. Enfin, je continue à batailler pour la fermeture des pensionnats indiens. La guerre qui a dévasté le monde devrait servir de leçon contre l'intolérance et les injustices. Cela ne vous intéresse peut-être plus?

Hermine quitta son siège, le visage altéré par l'émotion. Ovide jouait la dérision et elle en souffrait.

— Je n'ai pas changé d'opinion, affirma-t-elle. Mais, en ce moment précis, d'autres choses me préoccupent. L'épidémie de poliomyélite, surtout. Ma famille a été touchée.

— J'en suis désolé! Moi-même, je viens de rendre visite à un de mes anciens élèves qui a attrapé le mal aux États-Unis. Hermine, ne me fuyez pas tout de suite. Savez-vous que votre mari et moi avons fait la paix?

— Par quel hasard?

— C'était sur le quai de Péribonka, il y a quelques jours. Toshan attendait en vain quelqu'un pour le conduire sur ses terres. Je passais par là, Pierre Thibaut aussi. Lui et votre époux se sont battus. Un combat effarant. J'ai bien cru que l'un des deux finirait inconscient au fond du lac!

Hermine devint blême. Elle n'osait imaginer la raison de la querelle, ou bien elle l'avait déjà devinée.

— Lequel ? interrogea-t-elle d'une voix faible.

— À votre avis ?

— Cela ne m'amuse pas, Ovide ! Qui a eu le dessus ?

— Votre seigneur et maître, ma chère ! Cela vous surprend ? Personnellement, je n'aimerais pas du tout expérimenter ses foudres vengeresses.

— Mais quittez donc ce ton moqueur ! s'irrita-t-elle. Seriez-vous mon ennemi, à présent ? J'en ai assez, je sors. Je dois acheter une poupée pour une petite fille très malade.

— Un dimanche ?

— Thérèse Larouche ouvre sa boutique, au retour de la messe. J'avais remarqué en vitrine une poupée de chiffons, cousue par une femme de la ville.

— Je serais flatté de vous véhiculer, comme on dit.

— Sans façon, je n'ai pas envie que l'on nous voie ensemble, même si vous affirmez être en bons termes avec Toshan, ce qui m'étonne beaucoup de sa part.

Lafleur lui emboîta cependant le pas. Ils furent vite à l'extérieur, en plein vent. Malgré le franc soleil, il ne faisait pas très chaud.

— Bientôt, l'automne, puis notre redoutable hiver ! déclara-t-il. Hermine, excusez-moi, je fanfaronnais sottement, en éternel adolescent que je suis. Mais, sans rire, votre mari m'a même serré la main en m'affirmant que j'étais un type correct, un adversaire appréciable en somme.

La jeune femme poussa un soupir exagéré, tandis qu'un sourire naissait sur ses lèvres. Ovide Lafleur avait toujours eu l'art de l'égayer.

— Je demanderai confirmation de la chose à Toshan dès que je le reverrai, et ce sera sûrement ces jours-ci, demain ou après-demain. Mais j'y pense, Ovide, vous pourriez en effet me rendre un service en me conduisant à Notre-Dame-de-la-Doré cet après-midi. Au moulin Demers, plus précisément. Je gagnerais un temps précieux. Cela m'éviterait de rentrer à Val-Jalbert pour solliciter ce brave Onésime Lapointe.

— Ce sera avec grand plaisir ! Mais qu'allez-vous faire là-bas ?

— Je dois rencontrer quelqu'un pour un entretien qui pourrait s'avérer assez douloureux.

— Alors, au retour, j'aurai peut-être à vous réconforter, plaisanta-t-il.

Hermine préféra ne pas répondre. Elle était lasse autant de dialoguer que de batailler. Pas un instant elle ne s'interrogea sur ce qui l'avait poussée à solliciter ainsi Ovide Lafleur. Lui, de son côté, sut se montrer réservé. En sa compagnie, la jeune femme fit l'acquisition de la poupée de chiffon, tout en bavardant un peu avec Thérèse Larouche, cette commerçante sympathique qu'elle connaissait depuis des années. Puis ils retournèrent à l'hôpital.

— Je fais vite! assura-t-elle. Je dois prévenir ma mère et donner son cadeau à Adèle.

Il la tranquillisa d'un sourire rêveur. Le seul fait d'être en sa compagnie procurait à l'instituteur une amère satisfaction. Il pouvait de nouveau la contempler, saisir au gré de ses gestes un peu de son parfum, frais et printanier, se souvenir aussi, encore et encore, de ce lointain jour d'hiver où il l'avait tenue dans ses bras, presque nue, livrée à ses caresses. Cet épisode voluptueux et inoubliable de leur relation, Ovide le revivait souvent, trop souvent. Les nuits d'insomnie, il y ajoutait une scène, s'imaginant nu également et assez hardi pour prendre vraiment possession d'elle. Il déplorait de n'avoir pas profité de l'occasion. «J'ai eu des scrupules, je ne voulais pas lui imposer mon désir d'homme», se disait-il.

Le temps avait passé. Il avait conscience que plus jamais il n'aurait l'opportunité de la faire sienne et, à cause de cela, il lui vouait une passion constante, aiguisée par la frustration.

Hermine ne le fit pas attendre très longtemps. Elle revint vers la voiture, le visage auréolé de satisfaction. En prenant place sur le siège avant, elle lui confia:

— La petite Adèle était si heureuse! Sa joie m'a mis du baume au cœur. Pauvre mignonne! Quand je pense qu'elle restera infirme. C'est tellement injuste!

— J'en conviens, mais la médecine trouvera sans doute le moyen de l'opérer! observa-t-il. Il faut avoir la foi, dans certains cas.

— Je me garderai de dire ce genre de choses à sa mère. Elle a dû surmonter tant d'épreuves!

Ovide démarra. C'était une lumineuse journée d'été. Dès qu'ils sortirent de Roberval, le paysage alentour leur parut d'une beauté primitive, malgré les champs cultivés et les coupes de bois au bord de la route. Hormis ces preuves de l'activité humaine, la forêt bleuissait les collines, et au-delà du lac les montagnes se découpaient, grandioses, éternelles puissances de roches et de vallées sauvages.

— J'aurais aimé découvrir cette région avant l'arrivée de colons, affirma l'instituteur, me promener ici à l'époque où les Indiens coexistaient en parfaite harmonie avec la nature. Ils vivaient en paix de la chasse, de la pêche et de la cueillette. Il n'y avait sûrement pas de querelles pour la récolte des bleuets, alors que maintenant, entre nos compatriotes, c'est la foire d'empoigne.

Bien qu'instruite et lectrice assidue, Hermine fronça les sourcils. Elle ignorait l'expression.

— Que voulez-vous dire? questionna-t-elle.

— En France, on emploie ces mots pour désigner une mêlée, un affrontement où chacun tente d'obtenir la meilleure part d'un bien précieux, quitte à voler son voisin. Les gens de Roberval, au moment de la maturité des bleuets, agissent un peu ainsi.

— C'est vrai! approuva-t-elle, peu intéressée par le sujet.

La jeune femme redoutait sa rencontre avec Marcel Duvalin. Il lui semblait que cet inconnu allait révéler un pan d'une vérité insupportable sur la fin tragique de Simon.

— À quoi songez-vous? demanda Ovide. Je parie que c'est à votre mari!

— Faux! trancha-t-elle. Autant vous expliquer ce qui me conduit à Notre-Dame-de-la-Doré. Il y a quelques jours, peu après cet effroyable incendie à Val-Jalbert, Andréa Marois a reçu une lettre d'un homme qui avait été prisonnier au camp de Buchenwald. Il prétendait avoir des précisions sur la mort de Simon Marois. Vous souvenez-vous de lui, mon frère d'adoption, l'aîné de la famille? Nous le croyions disparu pendant la bataille de Dieppe. En fait, il a été déporté.

— Oh! je suis navré! Cela a dû causer un terrible choc à son père. Décidément, les crimes contre l'humanité dont Hitler est responsable ne sont pas prêts de s'effacer de nos mémoires.

— Simon et cet homme, l'auteur de la lettre, étaient marqués d'un triangle rose, parce qu'ils étaient invertis. Je vous avais déjà avoué les penchants de mon ami. Les nazis jugeaient bon de torturer ces malheureux.

Ovide Lafleur demeura silencieux quelques minutes. S'il admirait la beauté et l'intelligence d'Hermine, il appréciait aussi sa tolérance et son ouverture d'esprit. L'existence qu'elle avait menée jusqu'à présent, partagée entre le monde du spectacle, les Indiens montagnais et une mère émigrée assez extravagante, y était sans aucun doute pour beaucoup. Peu de femmes dans la région, même instruites et charitables, possédaient sa liberté de pensée.

— Vous êtes courageuse, de vouloir des détails, reconnut-il.

— J'espère notamment recommander à ce monsieur Duvalin de ne pas rencontrer Joseph Marois. Notre voisin a eu son lot d'épreuves ces dernières années ; il n'a pas besoin de découvrir qui était réellement son fils.

— Pourquoi pas ? Le mensonge n'est jamais une solution !

— Ah ! dans ce cas, il fallait avouer à mon mari notre après-midi dans votre écurie, se moqua-t-elle.

— Et j'aurais terminé ma misérable vie dans le lac, bien amoché de surcroît. Non, Toshan m'a serré la main, il m'a fait des compliments. À quoi bon gâcher cette bonne volonté en lui révélant une anecdote sans importance, hygiénique, en somme ?

— Quel vilain mot ! s'écria Hermine, outrée.

Mais ils ne purent s'empêcher de rire. Après qu'ils eurent traversé Saint-Félicien, un gros village bâti au bord de la rivière Ashuapmushuan, l'instituteur donna un bref cours d'histoire à sa passagère.

— Jadis, les Indiens utilisaient cette rivière comme voie de transport pour rejoindre le lac Mistassini ou la baie d'Hudson. Les coureurs des bois l'empruntaient eux aussi. Maintenant, il y a des routes et le train. Et savez-vous en quel honneur on a baptisé la municipalité ainsi ? En souvenir d'un frère martyrisé sous le règne de l'empereur Maximilien.

— Je l'ignorais ! répondit doucement Hermine. Bien… Quand nous serons à Notre-Dame-de-la-Doré, je trouverai Marcel Duvalin. Peut-être est-il reparti !

— Cela vous soulagerait ?

— Non, pas vraiment. Mais je suis tellement ébranlée, effrayée même. Comment vous expliquer ? J'ai un peu l'impression que je vais revoir Simon, enfin, dans le regard de cet homme, par la force des mots qu'il dira.

Soucieux de la distraire, Ovide évoqua alors les pionniers québécois qui s'étaient installés dans la région.

— L'abondance des saumons était telle, du côté de Notre-Dame-de-la-Doré, que les colons avaient surnommé le cours d'eau qui leur fournissait une provende quotidienne la « rivière aux saumons », ou bien la « rivière aux dorés », sans doute parce que les poissons présentaient des reflets de cette couleur. Il y a là-bas un vieux moulin à scie hydraulique, un des premiers établis par ici. Il fonctionne toujours. Bref, c'est un plaisant coin de chez nous.

Il n'obtint comme réponse qu'un soupir anxieux. Hermine fixait la route et le clocher d'une église parmi la ramure légère des bouleaux et des érables.

— Nous approchons, Ovide ! s'exclama-t-elle. Mon Dieu, mon cœur va éclater. Je deviens trop sensible avec l'âge.

L'instituteur éclata de rire en l'entendant tenir des propos dignes d'une dame d'une soixantaine d'années. Il crut bon de répliquer :

— Vous êtes à votre plus bel âge, cependant, ma chère Hermine, au summum de votre beauté et de votre séduction. Ne jouez pas les grands-mères trop vite, allez !

Il ralentit et se gara en bordure d'un bois, tout près du moulin. Sans bien réfléchir, cédant à une impulsion, il se pencha et l'embrassa avec une extrême délicatesse sur les lèvres.

— Je ne pouvais plus résister. Considérez ceci comme un viatique, lui dit-il tout bas à l'oreille.

— Vous n'avez pas le droit, Ovide ! protesta la jeune femme, ulcérée. Combien de fois devrai-je le répéter ? J'ai été faible pendant la guerre et je le regrette encore, mais, là, c'est terminé. Je suis heureuse avec Toshan, je l'aime et je ne vous accorderai plus rien.

Il fit le sourd et glissa son bras droit autour de ses épaules tout en reprenant sa bouche avec plus d'autorité. Il força le barrage de ses petites dents nacrées d'un élan impérieux. Malgré son indignation, Hermine s'abandonna un court instant à ce baiser délicieux qui lui conférait à nouveau l'éternel pouvoir féminin, celui du désir suscité, irrésistible. Mais elle se dégagea presque immédiatement.

— Vous abusez de ma nervosité et ma vulnérabilité. Ce n'est guère en votre honneur ! Je continuerai à pied, monsieur Lafleur.

Elle ouvrit vivement la portière et s'éloigna. Il l'observa, amusé, satisfait d'avoir retrouvé la saveur de ses lèvres. La connaissant, il estima pertinent de la laisser un peu seule.

La jeune femme aperçut bientôt une bâtisse imposante en bois, construite au bord d'une rivière dont la chanson douce se mêlait aux trilles des oiseaux. Deux hommes travaillaient là, en gilet de corps.

Ils fendaient des bûches. À quelque distance encore, elle attira leur attention.

— Excusez-moi, messieurs. Est-ce que l'un de vous serait Marcel Duvalin?

Le plus grand lui fit signe. Il était très mince et avait le crâne tondu.

— C'est moi, oui. Bonjour, mademoiselle!

Vêtue d'un tailleur beige et chaussée de souliers à talons, elle s'aventura dans un espace herbu agrémenté de quelques rosiers en fleurs. L'apparition d'une fille aussi jolie et distinguée à cet endroit avait quelque chose de surprenant, et cela se lisait sur les traits figés de Duvalin et de son compagnon de labeur.

— Vous êtes-vous égarée? demanda ce dernier. On a pas souvent de la visite, icitte!

— Si cette jeune personne était perdue, elle ne deman-derait pas après moi, Ovila. Que puis-je pour vous?

Embarrassée par le regard vif de son interlocuteur, elle avoua tout bas:

— J'étais une grande amie de Simon Marois et une voisine de longue date de sa famille. J'ai lu la lettre que vous avez envoyée à son père. Je tenais à vous rencontrer, monsieur.

— Appelez-moi Marcel. Venez, je vais vous offrir un verre de citronnade. Il y a une petite table là-bas, sous l'auvent. Nous pourrons discuter à notre aise.

— Oh! je ne me suis pas présentée. Hermine Delbeau!

Elle lui tendit la main, qu'il étreignit avec une sorte de ferveur étrange. Marcel Duvalin avait dû être un jeune homme séduisant avant la guerre. Mais il portait encore sur son visage émacié les stigmates de graves privations et, au fond des yeux, le reflet des horreurs dont il avait été témoin. Tout dans son attitude et ses gestes trahissait une exaltation anormale.

— C'est gentil d'être venue, dit-il en lui avançant une chaise en fer. Asseyez-vous. Je vais chercher deux verres et la bouteille de citronnade, au frais dans l'eau de la rivière. Patientez, mademoiselle, patientez!

— Ne vous faites pas de souci pour moi, dit-elle, animée par une poignante compassion.

Elle songea à Ovide qui, apparemment, avait décidé de l'attendre dans son automobile. «Au moins, il ne s'impose pas. Il a toujours été discret», pensa-t-elle.

Le dénommé Ovila avait repris sa tâche. Muni d'une solide hache, il cognait de toutes ses forces sur une grosse bûche à l'écorce brune. Ce bruit rythmé résonnait dans l'air chaud et apaisait un peu l'angoisse d'Hermine. Marcel la trouva sagement assise, l'air rêveur.

— Voilà. En août, dans ce coin de pays, on a souvent soif, dit-il en riant, ce qui dévoila une dentition gâtée. Alors, vous avez fait le trajet de la part de monsieur Marois ? J'espère que ma lettre ne l'a pas trop abattu.

La jeune femme hésitait à confesser la vérité. Elle pesa le pour et le contre, puis choisit la franchise.

— En fait, non, Marcel. Je suis désolée, mais, l'épouse de Joseph Marois et moi-même, nous n'avons pas osé lui montrer votre missive. Enfin, j'ai cédé aux suppliques de cette dame, très conformiste et très pieuse, qui redoutait la réaction de son mari. Joseph était mon tuteur quand j'étais fillette. Je peux vous assurer que c'est un homme coléreux, armé de principes rigoureux. Quelqu'un de borné, aussi. Seigneur, cela me gêne beaucoup de vous le dire, mais nous avons recopié votre lettre en supprimant ce qui se rapportait à l'homosexualité de Simon. Je n'en suis pas fière, car je l'aimais et il s'était ouvert à moi sur ce point. Il m'avait appris ses penchants et sa souffrance d'être différent. J'ignore même s'il a eu une petite part de bonheur sur cette terre.

Hermine ne put retenir ses larmes. Elle revoyait Simon avec une précision inouïe, ce sinistre jour d'été où il avait tenté de se pendre, durement ébranlé par la mort de sa mère, Betty.

— Ne m'en veuillez pas, Marcel ! Simon était un frère pour moi. Je l'ai réconforté bien souvent. Il m'adorait et je le lui rendais bien.

Il s'était installé en face d'elle et la fixait avec une expression blasée.

— Je ne suis pas surpris, mademoiselle, répondit-il enfin.

— Madame. Je suis mariée et mère de quatre enfants. Cependant, c'est toujours flatteur d'être appelée ainsi.

— Passons, coupa-t-il. Nous parlions de Simon Marois. Encore une victime des conventions, des traditions et de la religion. Personne excepté vous, c'est ça, n'était au courant de ses penchants ? Bien sûr, nous sommes des pervers et des déchets de la société.

— Je ne pense pas ça du tout ! affirma-t-elle. Mais bien des gens, comme Joseph Marois, ont des jugements hâtifs, basés sur de vieux principes. Je vous assure, Marcel, que moi, au moins, j'accepte les différences; je les ai toujours acceptées. Simon était un garçon exceptionnel, charitable, drôle, sportif et dévoué!

— Vous pourriez ajouter très courageux, car il faut un immense courage pour provoquer sa propre mort, la mettre en scène comme il l'a fait là-bas, dans ce camp où la notion d'humanité n'existait plus. Nous étions de la chair à expérimentation, des objets dont on usait avant de les jeter à la chambre à gaz. Si j'ai écrit à monsieur Marois, c'était surtout pour lui faire savoir que son fils a défié les SS, qu'il a su leur échapper.

Marcel Duvalin tremblait de tout son corps. Il bredouilla:

— J'ai vu de telles monstruosités que je dois prendre des comprimés pour dormir ou m'éreinter en travaux physiques.

La jeune femme nota la maigreur de ses poignets et de ses épaules. Violemment émue, elle eut presque honte de sa santé éclatante.

— J'ai lu des articles sur les camps de concentration et j'ai été terrifiée. Vous étiez prisonnier en enfer. Mon Dieu, comme je vous plains!

— Laissez Dieu de côté, madame. Il n'a guère protégé ses fidèles durant ces années de carnage. J'ai perdu la foi à Buchenwald, la foi en l'homme et la foi en Dieu. Pourtant, je suis revenu, j'ai survécu et maintenant je m'efforce de secouer les consciences. Il ne faudra pas oublier, jamais, jamais!

Il tapa du poing sur la table. Hermine acquiesça d'un signe de tête.

— Que pouvez-vous me dire sur Simon? demanda-t-elle tout bas.

— Peu de choses! Moi, je ne lui ai pas adressé la parole. Nous n'étions pas dans le même baraquement. Je l'avais remarqué dès mon arrivée. Il était beau – je devrais dire encore beau –, bien qu'amaigri, blême, semblable à tous les fantômes en pantalon et veste rayés qui partaient chaque matin en corvée. On nous faisait casser des cailloux. Cela ne servait à rien, vous m'entendez? À rien du tout! On travaillait sous la surveillance des kapos[24] et des soldats qui, fusil en main, étaient prêts à abattre le plus faible ou le plus effronté. Et il y avait ces maudits chiens, dressés pour attaquer, mordre aux endroits stratégiques les porteurs du triangle rose. Oui, Simon Marois est mort en héros, sans avoir été livré aux expériences atroces que les médecins nazis menaient, sans avoir été sali et humilié. Ah! Je me souviens d'un détail. Un autre détenu m'avait confié que le jeune Québécois – on le surnommait ainsi – recherchait

---

24. Dans les camps, un kapo était un détenu qui avait une fonction de surveillant.

un certain Polonais, Henrik, son amant dans une ferme, je crois ; ceci, avant qu'ils soient tous deux déportés.

Les joues inondées de larmes, Hermine jeta un regard de gratitude vers le ciel d'un bleu pur. Peut-être que Simon, son cher Simon, avait pu aimer et être aimé !

— Je vous remercie, dit-elle d'une voix faible. Pardonnez-moi encore une fois d'avoir osé changer votre lettre. Mais je crois que Simon n'aurait pas souhaité que son père découvre la vérité, sa vérité.

— Il n'est plus là pour donner son avis, n'est-ce pas ! ironisa Marcel Duvalin. Ne vous inquiétez pas, je m'en moque, au fond. J'ai agi par souci de justice. En ce bas monde, la justice est une valeur qui se perd.

— Sans doute, approuva-t-elle en se levant. Eh bien, je ne veux pas vous importuner davantage. En plus, on m'attend ; un ami qui m'a conduite ici. Sachez que j'ai lu et relu votre lettre et que je garde dans mon cœur les derniers cris de celui que je considérais comme mon frère. Au revoir, Marcel. Et encore merci pour votre démarche.

Il paraissait regretter son départ précipité, mais il ne chercha pas à la retenir. Les traits tendus, il la raccompagna jusqu'à la route.

— Je suis désolé, dit-il. J'ai peut-être été un peu brusque. Ce n'est pas facile de reprendre la vie ordinaire après l'enfer des camps. Je crois qu'au fond on en veut aux gens normaux, à ceux qui n'ont pas vu l'horreur absolue. Savez-vous que des prisonniers se sont laissés mourir quand les Alliés les ont libérés ? Tout ça parce qu'ils ne supportaient pas ce qu'ils lisaient dans le regard de leurs libérateurs. Cela leur donnait l'impression intolérable de ne plus appartenir au genre humain[25]. Ciel ! Certains étaient pareils à des squelettes qui tenaient debout on ne sait comment. Et la crasse, les dents tombées, ou cassées, les poux et l'odeur de la mort, partout, partout… Pardonnez-moi, je n'ai pas à vous imposer ce discours.

Anéantie, incapable de répondre, Hermine fit signe qu'elle ne lui en voulait pas.

— Soyez heureuse, madame ! ajouta-t-il. La région a de quoi consoler et faire rêver à un éventuel paradis terrestre. C'est un lieu historique, ici, un des premiers moulins à scie hydrauliques du pays. Je m'y plais. Ovila m'a raconté qu'à la saison les saumons remontent la rivière, que l'eau en est tout agitée.

---

25. Authentique.

— Sans vouloir être indiscrète, qu'est-ce qui vous a amené au Québec? parvint-elle à demander après avoir maîtrisé son émotion.

— Avant la guerre, j'étais professeur de lettres à la Sorbonne et je compte reprendre mon poste dans un an. J'avais envie de fouler la terre de Maria Chapdelaine, l'héroïne de Louis Hémon, décédé tragiquement au Canada[26]. Par chance, je correspondais avec un cousin d'Ovila. Ils m'ont invité à séjourner chez eux.

— J'ai lu ce roman dans mon adolescence. Il est sublime.

— Je vous l'accorde. Aussi beau que ces bois, cette rivière, ce village et ce moulin, où mon âme a trouvé un peu de repos.

Ils se serrèrent la main en souriant. Ovila lança un «à la revoyure» sonore entre deux coups de hache.

— Votre mari? interrogea Marcel Duvalin en désignant Ovide, toujours au volant de sa voiture, à une soixantaine de mètres d'eux.

— Non, un ami de la famille qui a eu la gentillesse de me servir de chauffeur, souligna-t-elle. Encore merci pour votre compréhension et pour ce que vous m'avez dit sur Simon.

— C'était si peu, vraiment!

— Pour moi, c'est très important, répliqua-t-elle avec un nouveau sourire plein de douceur. Je l'aimais tant!

Elle s'en alla d'un pas rapide, la gorge nouée, et s'empressa de remonter dans l'automobile de l'instituteur. Dès qu'il eut démarré, elle éclata en sanglots.

— Voyons, mon petit, observa Ovide, c'était si pénible que ça?

— Oui, je n'en pouvais plus d'être confrontée à ce malheureux, décharné et agité d'un feu bizarre. Je me suis sentie insolemment vivante en face de lui. Il me parlait parfois de façon assez rude. Seigneur, c'est fini, je me suis acquittée de cette promesse.

Ovide fit demi-tour et reprit à vive allure la route du retour vers Saint-Félicien.

— Où désirez-vous que je vous conduise, à présent? Hermine, calmez-vous, sinon je me gare dans un chemin et je vous embrasse encore, ou pire...

Elle lui décocha un coup d'œil furibond entre deux hoquets pitoyables.

---

26. Louis Hémon (1880-1913), écrivain français, célèbre pour son roman *Maria Chapdelaine* qui dépeint la vie rurale au Lac-Saint-Jean.

– Je vous l'interdis! Rentrons à Roberval. J'ai hâte de revoir mes filles, mon père et mon frère Louis. Demain, je prendrai le bateau pour Péribonka. Maman a décidé de veiller sur Adèle, de sorte que je pourrai me consacrer à mes enfants. Constant a été malade, lui aussi.

– Et si je vous conduisais? proposa-t-il.

– À Péribonka? Demain? Non, ce ne serait pas convenable. Je me débrouillerai seule. De plus, une fois au village, il faudra que je suive la piste forestière; votre voiture risquerait d'être endommagée. Il faut une camionnette. Je m'arrangerai avec Onésime, si je renonce au bateau.

– Onésime vient d'être embauché à la scierie Gagnon et frères, à Roberval. Il sera moins disponible, désormais. Je l'ai croisé ce matin très tôt rue Marcoux.

Hermine séchait ses larmes à l'aide d'un fin mouchoir de batiste. Ovide lui décocha un rapide regard et fondit de tendresse. Elle avait l'art d'être très féminine, mais enfantine aussi, et cela le perturbait. Il l'aimait toujours, il ne cesserait sans doute jamais de l'aimer.

– Vous me plaisez tant! avoua-t-il. Et je minimise mes sentiments, afin de ne pas vous effaroucher. Plaire est un faible mot. Vous êtes celle avec qui j'aurais voulu tout partager. Oui, j'aurais aimé vivre avec vous chaque jour, m'éveiller près de vous… Je me rends malade à imaginer quel bonheur ce doit être de vous découvrir à l'aube, toute chaude et douce de sommeil. Votre corps, vos lèvres délicates…

– Taisez-vous! le coupa-t-elle. Ovide, je vous en prie, ne dites pas des choses pareilles. Quand admettrez-vous que je suis mariée? Votre acharnement à m'aimer me chagrine. Il m'empêche de vous fréquenter, ce qui serait possible si nous étions amis, si vous aviez su rester un ami de la famille.

Il fit la grimace, lui signifiant ainsi que cette affection ne lui convenait pas.

– Toshan a bien de la chance et moé, j'ai ben de la misère! plaisanta-t-il.

– Oh! vous êtes déçu au point de jouer les vrais Québécois! s'écria-t-elle. Ovide, vous réussissez toujours à me faire sourire. Pourtant, je suis si triste, à cause de Marcel Duvalin, de Simon et des leurs! Comment les camps de concentration ont-ils pu être mis en place? Comment les soldats allemands qui y étaient affectés ont-ils pu accepter ce qui s'y passait? Pourquoi obéir à Hitler?

— Le führer éliminait tous les opposants à son régime et à ses idées, observa l'instituteur. Un bon moyen de regrouper autour de lui des éléments incorruptibles.

— Cela me dépasse, soupira-t-elle. La guerre a fait des millions de morts et il a suffi de la folie meurtrière d'un seul homme déterminé pour en arriver à ce résultat. Alors que le monde est si beau, et que la vie peut se montrer si agréable!

La jeune femme contemplait le paysage qui les entourait, immense et magnifique. Elle chérissait la nature dans son ensemble, les rivières, les arbres, le ciel et ses nuages, ses couleurs changeantes selon les saisons.

— Je voudrais qu'il neige, dit-elle. Que l'hiver vienne vite et m'enferme auprès des miens, loin de tout, que mes uniques priorités soient de cuisiner, de broder un coussin, de lire et de jouer avec Constant. Mais il n'en sera rien, hélas. Je dois tourner cette comédie musicale à Hollywood, me séparer encore de Toshan. Auparavant, il faut que j'assiste Charlotte pendant ses couches. La malheureuse, quand elle saura pour Adèle…

Accablée, elle retint un nouveau sanglot. Ovide freina brusquement et se gara sur le bas-côté de la route.

— Hermine, du cran! ordonna-t-il. Ne vous laissez pas abattre! Je pense pour ma part que les femmes sont plus fortes que nous, capables de surmonter de terribles épreuves, à condition qu'elles reçoivent de l'amour et de la compassion.

Sur ces mots, il l'attira contre lui et l'embrassa à pleine bouche, vibrant d'un désir qu'il ne cherchait plus à dominer. Si elle y consentait, il était prêt à la coucher sur la mousse du bois voisin et à la faire sienne au mépris de tout. Il perçut son abandon, mais, l'instant d'après, elle le repoussait.

— Je vous en supplie, Ovide, arrêtez! Je me reprocherais des années durant d'avoir trahi mon mari.

C'était l'aveu de son propre désir et il le prit comme une minuscule victoire.

— Je ne recommencerai pas, je vous le promets. J'avais envie de vous communiquer un peu de passion et d'amour, pour vous consoler. Si je vous ai tentée, je suis bêtement heureux.

Elle lui offrit un adorable sourire, tandis qu'un éclat singulier brillait dans ses larges prunelles bleues.

– Rentrons maintenant, Ovide. Je ne vous en veux pas. Mais soyez sage. Vous avez promis.

Durant le trajet, l'instituteur disserta littérature d'un ton détaché. Hermine l'écoutait à peine, profondément stupéfaite de ne pas éprouver de véritable culpabilité. «C'est mon meilleur ami avec Madeleine, pensait-elle. Il m'a soutenue pendant la guerre, il a sauvé Kiona et Akali, il a souvent été présent auprès de mes enfants… Quelques baisers, est-ce si grave? Je me sens mieux, je n'ai plus envie de pleurer.»

Cependant, elle s'inquiétait d'être aussi sensible au charme d'Ovide après avoir été attirée par Rodolphe Metzner. Elle fut d'autant plus pressée de retrouver Toshan.

– Votre offre est-elle toujours valable? demanda-t-elle à l'entrée de Roberval.

– Pour demain? Oh oui! Je n'ai qu'une parole.

– Dans ce cas, nous vous attendrons, moi et mes filles, devant le petit paradis, à l'heure qui vous convient. Merci, Ovide.

Il jubilait. Elle descendit de voiture devant l'hôpital et s'éloigna en lui adressant un signe de la main.

Val-Jalbert, le lendemain

Laurence et Marie-Nuttah étaient assises à l'ombre d'un pommier, dans le parterre du petit paradis. Les jumelles avaient dit au revoir à Louis, encore alité et très chagriné de se retrouver seul parmi trois adultes.

– J'vais m'ennuyer, avec Mireille qui placote toute la journée, papa qui ronchonne et maman. J'aurais préféré partir avec vous. Moé, je n'y suis jamais allé, dans votre maison au bord de la Péribonka. C'est quand même étrange! Jamais, jamais…

– Tu viendras bien un jour, avait répondu Marie-Nuttah. Tu devrais être heureux, déjà, d'avoir guéri de la poliomyélite sans aucune séquelle. Maman nous a dit que la petite Adèle serait sûrement infirme toute sa vie.

Louis avait hoché la tête. Laura était venue la veille avec Hermine et lui avait appris qu'elle accueillerait bientôt la fille de Charlotte. Cela l'avait contrarié, car il était égoïste et capricieux.

Mais, pour l'instant, les deux sœurs avaient d'autres préoccupations. Leur valise était bouclée, posée à leurs pieds, et elles guettaient impatiemment le bruit d'un moteur.

— Monsieur Ovide est trop complaisant de nous emmener, soupira Laurence avec un fin sourire. Je pourrai lui rendre les livres qu'il m'a prêtés l'an dernier et en parler un peu pendant le voyage.

— Tu as une façon de dire monsieur Ovide qui me fait froid dans le dos, fit remarquer la fantasque Marie-Nuttah. Je suis pas sotte, je vois bien que tu es amoureuse de lui.

— Pas du tout! Es-tu folle? D'abord, on ne peut pas être amoureuse, à mon âge.

— Maman a rencontré papa quand elle avait à peine quinze ans, et toi, tu en auras treize à Noël!

— J'apprécie monsieur Lafleur, rien d'autre, Nuttah. Et puis zut! laisse-moi en paix!

Hermine sortit au même instant, en pantalon de toile bleue et corsage rose. Elle avait noué un foulard fleuri sur ses cheveux blonds après les avoir tressés.

— Notre chauffeur se fait attendre! cria-t-elle à ses filles, mais je ne lui ai pas donné d'heure précise. Nous achèterons des provisions à Roberval et, ce soir, je préparerai un festin. Ludwig en aura bien besoin. Il va souffrir d'abandonner Adèle.

— Il vient avec nous? s'étonna Laurence.

— Oui, j'avais oublié de vous le préciser. C'est une situation douloureuse pour lui. Il doit choisir entre sa petite et Charlotte, qui va accoucher très bientôt.

Jocelyn rejoignit sa fille sur le perron. Il scruta l'azur limpide et inspecta l'horizon.

— Laura exagère, bougonna-t-il. Elle passe son temps à l'hôpital. Sais-tu quand elle est partie, ce matin?

— Avec Onésime, vers six heures, répondit Hermine. Allons, papa, ne te fâche pas! Maman se montre dévouée et très charitable. Tu ne peux pas lui en tenir rigueur. Et elle se rendra à la banque aujourd'hui déposer le chèque que je lui ai donné presque de force. Elle voulait que je gère cet argent, mais c'était stupide. Vous pourrez passer l'hiver dans d'excellentes conditions.

— Cette vente rapide ne me dit rien qui vaille. Je serai rassuré quand l'argent sera changé en beaux billets. Cela me semble douteux, l'histoire de ce monsieur Metzner. Une telle générosité vis-à-vis de parfaits étrangers...

– Mais, papa, il sera mon impresario et, encore mieux, il va me faire enregistrer des disques. Grâce à lui, nous sommes tous tirés d'affaire.

Hermine embrassa son père sur la joue. Sa barbe drue, poivre et sel désormais, la piqua un peu.

– Cher papa, ne te tourmente pas. Je reviendrai à la fin du mois de septembre, sans doute avec Toshan qui ramènera Adèle à ses parents. Charlotte et Ludwig vont rester chez nous jusqu'au printemps.

– Fais-lui un bécot de ma part, à notre Lolotte, plaisanta-t-il. J'espère que la naissance ne sera pas trop difficile.

Un coup de klaxon vrilla l'air tiède et, trois minutes plus tard, une automobile assez modeste, équipée néanmoins d'un porte-bagages sur le toit, se gara à proximité. Ovide en sortit, habillé d'une salopette en jean et coiffé d'une casquette du même tissu. Il affichait un grand sourire. Son teint hâlé rayonnait, alors que des boucles d'un châtain foncé voletaient sur sa nuque. Ses yeux verts resplendissaient. Laurence en eut le souffle coupé. Sa sœur s'empressa de lui donner une tape sur l'épaule.

– Ferme la bouche, idiote, tu vas avaler des mouches ! marmonna-t-elle à son oreille. Et lève-toi, il faut dire bonjour !

Elles s'approchèrent de l'instituteur, l'une les joues en feu, l'autre la mine frondeuse. Elles étaient sveltes et gracieuses dans leur robe en cotonnade fleurie.

– Mesdemoiselles ! s'exclama Ovide. Mais vous êtes de vraies jeunes filles ! Des bouquets de roses en fleurs !

– Ne les flattez pas ainsi, s'interposa Hermine. Voulez-vous boire une tasse de café ?

– Non, je vous remercie. Bonjour, monsieur Chardin.

– Bonjour ! répliqua Jocelyn en serrant la main du jeune homme. Soyez prudent, surtout ; vous prenez en charge ma fille et mes petites-filles. Hermine, donne-nous des nouvelles. Et dis à Kiona qu'elle me manque. Enfin, je te fais confiance.

– Et si je reçois du courrier, essayez de le renvoyer à l'auberge de Péribonka. Toshan ira le récupérer.

Il y eut encore des embrassades et des recommandations. Enfin, la voiture démarra en soulevant des nuages de poussière.

* * *

Une heure plus tard, Andréa Marois se souvint avec une pointe d'agacement qu'elle avait entendu l'écho d'un moteur du côté de la route régionale. Depuis un bon moment, elle observait de son regard de myope les détails de la moustiquaire qui protégeait une des fenêtres de sa cuisine. Cela l'aidait à garder son calme. Hermine lui avait rendu une brève visite la veille, au crépuscule, afin de raconter son expédition à Notre-Dame-de-la-Doré. Elle voulait aussi savoir si Joseph avait lu la fausse lettre du fameux Marcel Duvalin. Andréa avait répondu que non.

– J'attends encore ; je ne peux pas me résoudre à la lui remettre. Mon pauvre époux aura un tel choc en apprenant que son fils est mort dans les camps ! Je me dis que ce n'est peut-être pas la peine qu'il le sache. Puisque ce monsieur Duvalin n'ira pas plus loin dans ses démarches, à quoi bon !

– Toshan et moi avons accepté de rédiger une autre lettre et nous l'avons fait par amitié pour Joseph. Il a le droit de connaître une partie de la vérité !

La réaction de la belle Hermine Delbeau avait contrarié Andréa. Depuis, l'épouse de l'ancien ouvrier se rongeait les sangs. Elle craignait de détruire leur paisible bonheur, un quotidien rythmé par les repas et des discussions anodines, le soir, sous l'auvent. Cette vie conjugale dont elle avait tant rêvé, elle, la vieille fille qui s'était crue condamnée au célibat, il lui semblait impossible d'en altérer la sérénité.

« Après tout, pourquoi rouvrir une blessure qui a mis si longtemps à cicatriser ? songea-t-elle. Joseph a bien assez pleuré ses deux fils. »

Un pas feutré la fit sursauter. Marie Marois, sa belle-fille, frêle adolescente de quatorze ans, venait d'entrer dans la pièce.

– Maman, demanda-t-elle, est-ce que tu me donnes la permission d'aller à Roberval à bicyclette ? Lambert Lapointe vient aussi ; sa mère l'envoie acheter du sucre.

Ordinairement, Andréa aurait refusé tout net. Mais là, tourmentée, elle consentit presque aussitôt.

– D'accord, mais tu seras de retour pour mettre la table, et sans faute !

– Oui, maman. Merci beaucoup.

De nature affectueuse, Marie embrassa sa belle-mère et sortit.

Demeurée seule, Andréa remarqua :

— Quand j'y pense, Hermine m'a à peine remerciée d'avoir gardé ses filles plus d'une semaine. Qui sait, sans moi, les jumelles auraient pu attraper la maladie ! Ah ! ces gens riches se croient tout permis ! Enfin, riches… Laura Chardin n'a plus rien, à présent que sa maison a brûlé. Elle n'a plus le choix, elle met la main à la pâte et s'éreinte à la lessive, comme nous toutes.

Pendant ce temps, à l'étage, Joseph terminait sa toilette. Il portait un collier de barbe grise et une moustache. Cependant, préoccupé par son apparence, il avait soin de raser son cou et ses joues. En chemise blanche, l'ancien ouvrier observait son reflet dans un petit miroir suspendu au-dessus d'un lavabo. Selon une habitude qui lui était chère, il parlait tout bas à sa première épouse, la jolie Betty.

— Ah ! je sais pas si tu me vois, de là-haut, ma Betty, mais je vieillis. J'étais pas si ridé, jadis. Je me demande si je te plairais encore… J'espère que tu n'es pas fâchée que je me sois remarié ! C'est une brave personne, Andréa, faut pas être jalouse. Elle s'occupe bien de Marie, ça oui. Notre fille sera institutrice. Tu pourras être fière !

Joseph prévoyait se rendre au cimetière. Les rosiers de la cour croulaient sous une nuée de grosses fleurs parfumées aux couleurs exquises, du rouge intense au jaune pâle. Il en avait cueilli la veille, et le bouquet était au frais dans un seau d'eau.

— Je t'aime toujours, ma petite Betty ! souffla-t-il.

Sur ces mots, il ouvrit la grande armoire de la chambre, puis un tiroir où Andréa rangeait ses boutons de manchette. Il en choisit une paire en métal argenté, un cadeau de Simon. Des larmes lui piquèrent les yeux immédiatement.

— Calvaire ! Tu me manques, fiston !

L'ouvrier enfila un gilet et se saisit d'une cravate noire. Il se voulait élégant pour prier sur la tombe de sa femme. Une fois fin prêt, il referma les battants du meuble et respira à fond pour maîtriser les battements trop rapides de son cœur, durement éprouvé ces dernières années. La perte de Betty et de ses deux fils Armand et Simon, ainsi que le départ d'Edmond dans une mission à Madagascar, une île du bout du monde à ses yeux, tout cela l'avait miné. Il lui restait sa fille Marie et sa seconde épouse, Andréa.

« Une brave femme, ça oui ! se dit-il. Mais elle ne me fera pas oublier ma belle Élisabeth. »

Paupières mi-closes, Joseph revit la silhouette déliée d'une très jeune fille aux frisettes d'un blond pâle, au nez mutin, à la taille bien fine et aux lèvres d'un rouge vif. Il l'avait aimée avec une passion jalouse, sans la rendre vraiment heureuse, en fin de compte.

« Oui, j'étais autoritaire et âpre au gain, je buvais un peu trop de caribou, ma Betty, tu me le reprochais assez souvent ! Mais, au lit, on ne s'ennuyait pas, dis… Tu avais des cuisses toutes soyeuses, bien galbées, et de jolis seins. Dans le plaisir, tu poussais de petites plaintes, on aurait dit que tu avais mal. »

Une chaleur soudaine monta au front de l'ancien ouvrier. Il se jugea bien bête de faire revenir de pareils souvenirs. Ce n'était guère moral ni très respectueux à l'égard d'Andréa.

Sa seconde femme entra dans la chambre au même instant, une expression angoissée derrière ses lunettes.

— Où vas-tu, si élégant, Joseph ? interrogea-t-elle alors qu'elle connaissait déjà la réponse.

— Mais tu le sais bien ! jeta-t-il sèchement. Je t'ai avertie hier soir, après le souper. Aujourd'hui, c'est la date anniversaire de la mort de Betty. Aussi, je lui porte des fleurs.

Andréa Marois se raidit, envahie par sa jalousie stupide, dont elle avait d'ailleurs honte, à l'encontre d'une morte.

— Ah ! fit-elle. Je pourrais t'accompagner ?

— Non, non, c'est un rendez-vous où je vais seul, et j'ai pas besoin de témoin pour verser ma larme. Prépare-nous plutôt un bon déjeuner. Je mangerai ben une omelette aux patates avec du lard grillé.

Il voulut lui caresser la joue, mais elle recula, figée dans sa réprobation.

— Attends donc, Joseph. Tu as reçu une lettre, ce matin.

— Une lettre ? J'ai pourtant pas vu le facteur !

— Tu étais occupé à te rendre présentable, dit-elle d'un ton amer. Tiens, regarde, je ne sais pas qui est l'expéditeur, un dénommé Marcel Duvalin.

Il se passa alors quelque chose d'ahurissant, qu'Andréa regretterait longtemps. Durant des mois, elle revivrait l'instant où sa vie conjugale aurait basculé dans un cauchemar perfide. Au moment où son mari prenait l'enveloppe, elle s'aperçut avec horreur qu'elle s'était trompée. Mais il était un peu tard pour faire marche arrière. Dans sa précipitation au rez-de-chaussée, elle avait pris la véritable missive de Duvalin, cachée dans un meuble du salon avec la fausse lettre rédigée par Toshan.

— Tu n'y vois pas bien. Je peux te la lire? bredouilla-t-elle en espérant se sortir de ce mauvais pas. Tiens, descendons, tu t'installeras dans ton fauteuil près de la fenêtre avec ta pipe, et moi, je lirai.

— Qu'est-ce que tu as, Andréa? Tu es pâle à faire peur et tu trembles! Je le connais pas, moé, ce type. Et puis, j'y vois ben assez, les matinées de soleil. Dis donc, tu l'as déjà ouverte, la lettre?

— Pour t'aider, Joseph! gémit-elle, prise d'un vertige de panique. En bas, j'ai pris le coupe-papier et voilà! Sinon, tu déchires les enveloppes comme un sauvage.

Elle tendit la main, un éclair d'affolement dans les yeux. Intrigué, Joseph sortit la feuille et la déplia. Il n'y avait plus rien à faire. Andréa se signa, épouvantée.

— Doux Jésus! se troubla-t-elle. Écoute, ne lis pas ça! Je vais tout t'avouer, oui. J'ai lu cette lettre; je n'aurais pas dû…

— Sûr que tu l'as lue, elle est datée d'une quinzaine de jours, tabarnak! J'aime pas ces manières, ma femme, je te préviens! Torrieux! tu as de la chance que je ne boive plus une goutte, parce que là, je t'aurais peut-être ben crissé une volée!

Andréa demeura muette, frappée de stupeur et d'incrédulité. Elle ne comprenait pas pourquoi ni comment une telle erreur avait pu se produire.

« C'est de l'étourderie, mais alors…, à ce point! songea-t-elle, résignée au pire. Il fallait que je la brûle, cette lettre! Je ne devais pas la conserver. Dieu que je suis niaise! »

Joseph ne prit pas la peine de s'asseoir. Sourcils froncés, un rictus de colère sur le visage, il déchiffra les lignes tracées par Marcel Duvalin. Au fur et à mesure, ses traits s'affaissaient et sa bouche s'ouvrait, tandis que son regard brun se voilait. D'abord, il avait appris la mort de Simon à Buchenwald, ce qui, en soi, pouvait le choquer profondément. Ensuite, il découvrit les mots relatifs à l'homosexualité de son fils et ce fut le coup de grâce. L'ouvrier ne jura pas, ne poussa pas un cri, mais, d'une voix rauque, méconnaissable, il déclara:

— Seigneur Dieu! Ce sont des menteries, rien que des sales menteries! Où il est, ce Duvalin, que je lui arrange le portrait? Raconter des saletés pareilles! Tu as lu ça, Andréa? Réponds! Tu as lu?

— Oui, Joseph! Bien sûr que ce sont des mensonges! Tu n'as pas pu élever un garçon de ce genre, tu t'en serais aperçu!

— Ah! ça, oui! Simon, y avait pas plus coureur de jupon que lui, toujours une blonde au bras, et même qu'il s'était fiancé à Charlotte! Sans la guerre, il serait icitte, mon fils, avec une ribambelle d'enfants.

Malgré cette belle assurance, Joseph Marois tremblait de tous ses membres. Il alla s'asseoir au bord du lit et relut la lettre. De grosses larmes coulaient le long de son nez et sur ses joues tannées. Il ne voulait croire qu'une chose : Simon était mort en héros, en bravant les soldats d'Hitler.

— Tu as lu ça, Andréa? Qu'il clamait bien haut, Simon, qu'il était un enfant du Lac-Saint-Jean, un petit gars de Val-Jalbert? Un beau jeune homme comme lui, capable de tenir tête à ces fumiers de SS, faut pas me dire que c'était un malade, un inverti, non! Le triangle rose, je t'en ficherais, moé, de leurs triangles roses!

Il eut un sanglot pitoyable, se leva et sortit de la pièce. Andréa, qui s'attendait à une crise de fureur et à des hurlements, le suivit, en partie rassurée. C'était simple : il suffisait de conforter Joseph dans la théorie d'un mensonge. « J'aurais dû y penser avant, se reprocha-t-elle. Nier en bloc le contenu de cette maudite lettre! »

Une fois dans la cuisine, cependant, elle vit son mari vaciller, une main à son front. Il marmonnait d'incompréhensibles récriminations.

— Sers-moi un verre d'eau, Andréa, je te prie, haleta-t-il. Salir la mémoire de mon fils, quelle honte! Ce type-là, il serait à Notre-Dame-de-la-Doré. J'y vais tout de suite. Faut qu'il me présente des excuses.

— Non, à quoi bon, Joseph? s'affola-t-elle. Voyons, calme-toi, tu transpires! Comprends-tu pourquoi je n'ai pas osé te montrer la lettre? Je savais bien que tu serais choqué.

Il approuva d'un air absent. Simon, l'aîné des fils Marois, un pervers? un inverti? une tapette? Ses idées s'ordonnaient. « Oui, il en a eu, des fiancées! se disait-il. Mais pas de mariage, jamais. Il me les amenait icitte. Seulement, je l'ai jamais vu en bécoter une. Et puis, Charlotte, elle aussi il l'a laissée en plan et elle a ben pleuré, la pauvre fille. Tiens, y en a une qui saurait la vérité. C'est Mimine. Ces deux-là, ils placotaient en sourdine bien souvent. »

Fort de ses déductions, Joseph respira un grand coup et sortit sur le perron.

— Mimine! hurla-t-il. Oh! Mimine, faut que je te parle!

— Joseph, ne crie pas si fort! l'avertit Andréa. Elle est partie, Hermine.

— Mimine, montre-toi donc! Tu vas pas me dire des menteries, toé aussi!

Joseph dévala les marches et s'élança en avant, au milieu de la rue Saint-Georges. Il gesticulait en appelant à tue-tête.

— Mimine, viens me le dire en face, que Simon Marois était pas normal. Allez, viens!

Il marchait vite, en plein soleil, tout vêtu de noir. Effarée, Andréa le suivait sans oser l'arrêter.

— Où cours-tu comme ça? gémit-elle. Joseph, rentre à la maison, tu te donnes en spectacle!

Elle eut conscience de l'inanité de ses paroles, le village étant quasiment désert. Mais elle avait l'impression que des gens les épiaient derrière toutes ces fenêtres aux vitres cassées, où subsistaient parfois des rideaux de lin grisâtres.

— Es-tu devenu fou? cria-t-elle encore. Joseph, écoute-moi. Tu devais porter des fleurs à ta femme, à Betty!

Le prénom le fit ralentir. Il se retourna soudain et fixa Andréa d'un œil furibond.

— Faut pas chercher, c'est sa faute à elle. Betty, elle le couvait, son petit Simon, toujours à le cajoler, à lui laver les cheveux et à le pomponner! Faut lui demander à elle aussi. Betty, Mimine, approchez un peu!

Ces vociférations étaient parvenues jusqu'à Jocelyn. Il se rua dehors et s'avança dans la direction des appels. Il avait reconnu la voix de son voisin et ami, mais le timbre aigu, inusité, lui donnait de sérieuses raisons de s'inquiéter.

— Mimine, où es-tu passée?

Joseph éclata en sanglots. Il se sentait vulnérable, humilié, blessé dans ce qu'il avait de plus honorable: ses deux fils morts à la guerre. Le souffle court, il vacilla sur ses jambes en faisant quelques pas désordonnés. Andréa hurla de frayeur quand il tomba lourdement en avant.

Jocelyn était arrivé à temps pour assister à la scène. Il avait vu le grand corps mince et musclé de l'ancien ouvrier s'affaisser, comme dépossédé de toute énergie.

— Jo! cria-t-il. Jo!

Il se pencha, épouvanté. Joseph Marois ne donnait plus aucun signe de vie. Andréa, elle, s'était mise à prier.

Vers Péribonka, même jour

Hermine guettait avec impatience les toits de Péribonka. Elle avait apprécié le voyage en voiture, tout en espérant que Toshan ne lui en tiendrait pas rigueur. À l'arrière, Ludwig dormait depuis deux heures au moins, la tête appuyée au montant de la portière. Le jeune père, abattu par des nuits de veille, se reposait enfin. Quant aux jumelles, elles avaient contemplé le paysage, mais en silence, hormis quelques chuchotements ponctués de petits rires. Ovide, lui, ne s'était pas gêné pour discuter une bonne partie du trajet. Là encore, après avoir jeté un énième regard dans son rétroviseur, il fit constater à Hermine :

— Vos filles vous ressemblent beaucoup. Excepté la couleur des cheveux. Je les observe à mon aise, sans même me retourner. Nuttah tient néanmoins de Toshan, mais Laurence est tout à fait votre portrait. Cela ne vous vexe pas, mesdemoiselles ?

— Non ! bafouilla Laurence, rose d'émotion.

— Je vous offrirai une limonade, à l'auberge, renchérit-il. Je suis désolé, j'ai surtout parlé avec votre mère. Si je jouais un peu mon rôle d'instituteur, maintenant ? Avez-vous une idée du métier que vous souhaitez exercer plus tard ?

— Bonne question ! nota Hermine. Au début du siècle, et peut-être même il y a vingt ans, jamais on aurait demandé ça à des adolescentes. La vie d'une femme était toute tracée. Se marier, avoir des enfants, faire le ménage et la cuisine... Alors, les filles ? Que répondez-vous à monsieur Lafleur ?

Laurence fit un gros effort pour prendre la parole. Elle était beaucoup plus timide que sa sœur, qui en profita et la devança.

— Moi, ça me plairait, l'école ménagère ! Je n'ai pas de don particulier, je ne sais pas dessiner et je n'ai pas la belle voix de maman. Et, si je trouve un mari très riche, je ne ferai rien du tout.

— Nuttah, tu exagères, de tenir des propos pareils, la sermonna Hermine, outrée. Tu prétendais récemment vouloir piloter un avion. Le rêve de Toshan, aussi.

— Ah ! s'étonna Ovide. Pourquoi pas ? Il y a eu des précédents, de gracieuses aviatrices.

— Mais je serai peut-être institutrice, se récria Marie-Nuttah, espiègle. Et toi, Laurence ?

— Je voudrais continuer à dessiner, illustrer des livres pour les tout-petits ou bien peindre des paysages ! Ce n'est pas un vrai métier.

– Mais si, assura Ovide. Une future artiste, en somme!

Il lui adressa un large sourire, toujours par le biais du rétroviseur. Laurence baissa vite la tête, ravie. Attendrie, Hermine pivota sur son siège et contempla ses filles.

– Vous ferez ce qui vous passionne le plus, dit-elle. Mais c'est la dernière année que vous échappez au pensionnat.

– Le dernier hiver de liberté! soupira Marie-Nuttah. Je suis bien contente, et je suis pressée qu'il neige.

– Mais tu vas vraiment partir en Californie au mois d'octobre? interrogea Laurence. Ce sera triste, tout l'hiver sans toi, maman.

– Je n'ai pas le choix.

Ovide était au courant du projet de tournage à Hollywood. Il s'enthousiasma.

– C'est le début de la gloire! Vous verrez, mesdemoiselles, le Rossignol de Val-Jalbert va subjuguer le monde du cinéma, après avoir séduit les amateurs d'opéra. Je ne manquerai pas ce film, Hermine, soyez-en certaine. Une comédie musicale! Vous voici sur les traces de Ginger Rogers, une ravissante blonde, comme vous, qui a remporté l'oscar de la meilleure actrice il y a cinq ans, pour son rôle dans *Kitty Foyle*.

– Ginger Rogers est surtout une extraordinaire danseuse, précisa Hermine. Jamais je n'aurai son talent dans ce domaine. Déjà, je vais être obligée de suivre des cours de claquettes, des heures et des heures.

Elle se tut, pensive. Elle avait du mal à s'imaginer à des kilomètres et des kilomètres de son pays, dans une région où il faisait constamment beau et chaud. «J'emmène Constant, et Madeleine m'accompagne, se raisonna-t-elle. Nous pourrons nous promener sur la plage et nous baigner. Madeleine à Hollywood! Elle sera éblouie.»

Ovide lui lança un regard de côté. Il imagina sans peine ce qui la rendait songeuse.

– Vous adorerez la Californie, prédit-il. Ensuite, vous aurez tant de contrats là-bas que toute la famille déménagera et nous serons privés des plus jolies filles du Lac-Saint-Jean, nous autres, pauvres Québécois!

Les jumelles pouffèrent, car le compliment les concernait également. Tirée de ses méditations, Hermine s'irrita.

– Vous nous flattez trop, et jamais je n'irai vivre aux États-Unis... Ah! nous sommes arrivés!

Elle était partagée entre la joie et l'angoisse, à cause de Charlotte dont la grossesse était à terme. Ludwig sursauta dès que l'instituteur coupa le moteur. Il devait ressentir les mêmes craintes qu'elle, car il dit tout de suite :

— Je me tourmente pour ma femme. Il faut se dépêcher.

— Nous allons juste nous dégourdir les jambes et boire un rafraîchissement, le rassura Hermine. Nous serons vite auprès de Charlotte.

Elle avait présenté Ludwig à Ovide en expliquant simplement qu'il était le mari de son amie et qu'il travaillait pour Toshan. Par mesure de prudence, elle avait dévoilé sa nationalité danoise.

— Un émigré qui s'établit ici, disait-elle.

L'instituteur avait des doutes, mais il sut les cacher. Cela ne le concernait pas. La seule chose qui l'intéressait vraiment, c'était Hermine, sa voix chaude et douce, son profil exquis et son parfum. Ils s'attablèrent devant l'auberge pour jouir du spectacle du quai, où plusieurs embarcations de taille moyenne étaient amarrées. Plus loin, sur l'eau, un grand bateau blanc se profilait, réservé aux croisières sur le lac Saint-Jean.

Ils burent la limonade promise et bavardèrent un peu. Mais Ludwig ne dit mot. Son attitude contenue et son expression anxieuse trahissaient son malaise.

— Eh bien, repartons, décida enfin Ovide. La piste est sûrement praticable, il n'a pas plu depuis un bon moment. Je vous emmène au fond des bois !

— Je vous indiquerai où nous déposer, répliqua Hermine. Toshan et Mukki reviendront chercher nos bagages. J'ai hâte d'être à la maison ; c'est mon véritable foyer.

— Il faudrait la baptiser notre cabane de luxe, proposa Marie-Nuttah. J'aime bien, quand on dit le petit paradis. Maman, comment veux-tu appeler notre maison de la Péribonka, dis ?

— Je n'en sais rien, ma chérie.

— Le grand paradis ! plaisanta Ovide.

— Mais oui, s'écria Laurence. C'est joli ! N'est-ce pas, maman ? Le grand paradis !

— Si ça vous convient… conclut leur mère. Alors, en route pour le grand paradis.

Elle se voulait joyeuse, mais son appréhension ne faisait que croître. Il lui faudrait affronter la détresse de Charlotte, la souffrance de

Madeleine qui venait de perdre son frère et aussi le chagrin de Kiona et de Toshan. Ce fut la gorge serrée qu'elle reprit place dans la voiture.

* * *

Les ultimes kilomètres défilèrent dans une ambiance moins joyeuse. Laurence et Marie-Nuttah se réjouissaient de retrouver Akali, Kiona et Mukki, mais elles avaient de la peine pour Charlotte, à cause de la petite Adèle. Sans se concerter à haute voix, elles communiquaient par des signes et des regards, se préparant à consoler toute la famille.

— Ici, arrêtez-vous ici, dit soudain Hermine. Ce n'est plus très loin.

— D'accord, chère amie! soupira Ovide.

L'instant de la séparation était imminent. Il en souffrait en caressant le vain espoir qu'elle l'inviterait à souper, à visiter ce mystérieux domaine perdu dans la forêt.

— Saluez Toshan de ma part, ironisa-t-il en souriant.

— Je n'y manquerai pas. Je vous remercie de tout cœur, Ovide. C'était très aimable de votre part de nous conduire jusqu'ici. Si la situation était ordinaire, je vous aurais proposé de venir à la maison, mais là, avec le décès de Chogan, l'état de Charlotte et…

— Chut! la coupa-t-il. Ce n'est pas le moment idéal, je le sais. Une autre fois!

Toujours serviable, il les aida à porter leurs valises et deux sacs en toile garnis de provisions, dont Ludwig s'empara.

— On ne peut pas les laisser dans le bois, les ours viendraient tout manger, précisa le jeune Allemand en surveillant son accent. Merci, monsieur Lafleur.

— Des ours? Alors, je me sauve!

Hermine et ses filles éclatèrent de rire, amusées par la mimique faussement effrayée de l'instituteur. Il hésita une poignée de secondes, puis s'approcha des jumelles.

— Permettez-moi de vous embrasser, mesdemoiselles. Je ne vous reverrai pas avant le printemps, hélas!

Chacune eut droit à une bise sur la joue. Laurence en fut bouleversée, ce qui agaça Marie-Nuttah. Mais Hermine, distraite et préoccupée, ne vit rien.

— À la revoyure! dit-elle le plus joyeusement possible. Venez, mes chéries, nous allons surprendre tout le monde. Papa ne nous attend pas si tôt.

Ludwig s'était déjà mis en chemin. Ovide redémarra son automobile et agita une main en guise d'au revoir.

— À bientôt, dit-il à voix basse. Si vous en avez l'occasion, donnez-moi des nouvelles, une petite lettre de temps en temps.

— C'est promis! s'écria Laurence. Et vous aurez également des dessins.

Il la remercia d'un nouveau sourire un peu triste et fit demi-tour.

— Vite à la maison! dit Hermine.

Tout en marchant, elle s'efforça de distraire ses filles et surtout de lutter contre la sensation d'affolement qui lui broyait la poitrine.

— Je vous parie que Madeleine a préparé un ragoût de pommes de terre et d'oignons avec du canard sauvage. Akali et Kiona doivent se promener au bord de la rivière. Et Constant, mon petit bonhomme! Il va être tellement content de nous voir! Je l'ai quitté plus d'une semaine, le pauvre.

— Papa et Mukki seront sans doute dehors, à couper du bois, remarqua Marie-Nuttah. Et Charlotte? Maman, tu crois que le bébé est né?

— Non, pas encore! Vous pourrez aider à installer le berceau.

Elles empruntaient un sentier tracé par les innombrables allées et venues des Indiens et de la famille, ceci depuis des années. Un vent tiède agitait le feuillage des érables et des bouleaux, tandis que les sapins et les épinettes exhalaient leur parfum si particulier de résine et de sève amère. La terre était sèche sous leurs pas, et des brindilles craquaient.

Laurence aperçut un renard qui se glissait sous les buissons et cela lui parut de bon augure. Mais, en approchant de la clairière, toutes trois virent Ludwig immobilisé, ses boucles blondes irradiées par la lumière dorée du soleil à son déclin. Le jeune homme avait posé les sacs et restait les bras ballants.

— Qu'est-ce qui se passe? lui demanda Hermine à l'instant précis où elle comprenait ce qui l'avait paralysé ainsi.

Des hurlements perçants s'élevaient de la maison, des cris de douleur à glacer le sang. La cheminée fumait, le cheval et le poney broutaient, mais il n'y avait aucun humain dehors.

— Mon Dieu! dit-elle. C'est Charlotte!

– Oui, c'est Charlotte! répéta Ludwig.

Il fut comme libéré d'un sortilège et il se rua en courant vers la vaste habitation. Malade de peur, horrifiée, Hermine hésita. Elle distinguait entre les clameurs démentes un chant lancinant et d'autres voix.

– Grand-mère Odina est là, balbutia-t-elle. Laurence, Nuttah, il vaut mieux que vous restiez à l'extérieur. Je ne sais pas pourquoi Charlotte hurle aussi fort. Seigneur, protégez-la!

– Mais, maman, elle n'est pas en danger, protesta Laurence. Sinon, Kiona nous aurait prévenues. Nous n'avons pas vu Kiona, n'est-ce pas?

Sa mère dut en convenir, sans éprouver de réconfort. Son imagination s'emballa. Et si Kiona n'était plus là?

– J'y vais! dit-elle. Je vous en supplie, n'entrez pas.

Elle traversa à son tour la clairière, le cœur serré et la bouche sèche. Les hurlements avaient cessé. Soudain, Toshan fit irruption sur le perron, effaré, les traits défaits. En voyant son épouse en bas des marches, il hoqueta:

– Enfin, tu es là, mais c'est trop tard. Hermine, elle va mourir, personne ne peut endurer ça sans mourir!

Il dévala l'escalier et la saisit par les épaules.

– Va lui dire adieu! supplia-t-il.

– Non, non! Tu mens! Charlotte ne mourra pas.

Furieuse et désespérée, elle le bouscula et se précipita à l'intérieur. Tout son être, corps et âme, se révoltait.

– Assez de malheurs! se répétait-elle très bas. Il y a eu assez de malheurs…

11

LE CERCLE DE PIERRES BLANCHES

Rive de la Péribonka, lundi 5 août 1946

«Charlotte ne peut pas mourir, je le refuse!» se répétait Hermine en pénétrant dans la grande chambre, certaine cependant de découvrir le pire, à savoir Charlotte exsangue et agonisante. Mais la jeune femme, lovée contre la poitrine de Ludwig, avait encore les yeux ouverts. D'une voix très faible, à peine audible, elle l'appela:

— Mimine, ma petite Mimine, tu es là… Je ne voulais pas partir sans te revoir. Oh! mon Dieu, je suis bien punie!

Il y avait à son chevet grand-mère Odina, qui psalmodiait un chant guttural et se balançait d'avant en arrière, un tison de bois fumant entre les doigts. Une odeur assez âcre de résine chaude flottait dans l'air. Madeleine était assise près de la table de chevet. Un chapelet dans les mains, elle priait tout bas du bout des lèvres, la tête basse.

— Lolotte, s'inquiéta Hermine, qu'est-ce qui se passe? Courage, Charlotte, je suis là, maintenant. Tu ne vas pas nous quitter. Tu as mal, très mal?

Elle prit place au bord du lit, angoissée, mais refusant de croire à une issue fatale.

— Je souffre le martyre, affirma la future mère. Les douleurs ont commencé hier en fin de journée, et toute la nuit j'ai cru que je serais délivrée, mais non. Et depuis, ça continue. Je n'en peux plus.

— L'enfant n'est pas prêt, déclara alors grand-mère Odina. Il viendra en temps voulu, mais Charlotte se fatigue et son sang coule. Oui, il coule et emporte ses forces, un peu de son âme.

La vieille Indienne fit une grimace alarmante qui semblait signifier que tout était perdu.

— Mais, Odina, lui as-tu fait boire tes tisanes, celles que tu m'avais préparées quand j'ai mis Mukki au monde? demanda Hermine.

— Ma fille, j'ai usé de tout mon savoir. Je l'ai massée, j'ai appliqué du baume où il fallait. Je crois que l'enfant se présente par les fesses. Là est le souci.

— Pourtant, depuis que Ludwig est là, je me sens mieux, annonça Charlotte. Il me manquait tant! Mais je voudrais voir ma petite Adèle. Où est-elle, dites-moi?

En larmes, Ludwig embrassa sa compagne sur le front et sur les cheveux tout en la serrant plus fort contre lui.

— Adèle est encore hospitalisée, répondit Hermine. Maman ne la quitte pas une seconde et, dès que le docteur l'autorisera, elle l'emmènera à Val-Jalbert pour sa convalescence, chez toi, au petit paradis. Ne te fais aucun souci, Charlotte.

La jeune mère soupira sans même protester. Tout à coup, elle lança un regard terrorisé vers la fenêtre et se remit à hurler.

— Oh! ça revient! Au secours, aidez-moi, ça recommence! J'ai mal, j'ai trop mal!

Tétanisée, la bouche ouverte sur un long cri, Charlotte se roula sur le côté. Madeleine se leva et entraîna Hermine à l'extérieur de la pièce.

— C'est abominable, elle hurle ainsi depuis ce matin. Et j'ai beau prier, je ne la sauverai pas, gémit-elle tout bas à l'oreille de son amie.

— Ce ne sont pas des prières qui peuvent la sauver, Madeleine. Vous êtes tous là, terrifiés et impuissants, mais Toshan aurait dû monter le cheval et aller chercher un docteur à Péribonka. Je l'ai croisé sur le perron et, à l'écouter, Charlotte était condamnée, déjà perdue. Mais c'est faux! Dans un hôpital, les médecins pourraient pratiquer une césarienne, et Charlotte ne mourrait pas en couches. Depuis hier, vous auriez pu réagir, trouver une solution.

Hermine était aussi furieuse qu'effrayée. Elle concevait mal qu'on se contente de prier ou d'invoquer les esprits dans un moment pareil. Elle reprit:

— Mais moi, je ne la laisserai pas partir, je vais me battre! D'abord, où sont les filles, Akali et Kiona? Elles sont parties se promener avec Constant?

— Oh non, Mukki garde le bébé; il l'a emmené jouer dans le sable au bord de la rivière. Mais pour Kiona… Comment te dire? Seigneur Jésus, si tu savais! Akali veille sur elle, car elle dort dans sa chambre. D'un sommeil étrange!

— Elle dort? Avec ces hurlements épouvantables?

— Ce matin, Kiona a dérobé des herbes dans les sachets de grand-mère Odina et elle s'est confectionné une tisane. Ce sont des plantes qui endorment. Elle aurait dit à Akali que c'était pour elle le seul moyen de ne rien deviner du sort de Charlotte. Kiona ne va pas bien du tout, Mine, depuis la mort de Chogan. Elle renie Dieu et Manitou ; elle est très en colère !

— Mais c'est une maison de fous, ici ! Toshan prend la fuite comme un lâche dès que j'arrive, et personne ne songe à aller chercher un docteur. Les jumelles qui sont encore dehors ! Elles doivent se tourmenter. Madeleine, va les voir et explique-leur ce qui se passe. Je t'en prie, tranquillise-les. Et, par pitié, n'annonce pas la mort de Charlotte. Elle vit encore, elle m'a parlé. Puisqu'elle perd du sang, il faut lui donner beaucoup à boire, du thé, du bouillon, de viande de préférence, ou du vin !

— Du vin !

— Oui, du vin, du caribou ou de la bière, n'importe quoi qui la fortifie, l'apaise et l'aide à reconstituer le sang perdu. J'ai lu ça quelque part. C'est utile, les heures de train. J'apprends beaucoup de choses dans les revues que j'achète à Québec. Mais Toshan en sait sûrement autant que moi, lui qui bouquine tout l'hiver. Pourtant, il n'a pas réagi, rien de rien !

Hermine n'en dit pas plus. Elle frémissait d'indignation tout en se lavant les mains soigneusement. Les cris et les plaintes de Charlotte résonnaient en elle, tout proche, et cela vrillait ses nerfs.

— Je retourne à son chevet, dit-elle d'un ton préoccupé. Toi, Madeleine, prépare ce que je t'ai demandé, et n'oublie pas d'aller réconforter Laurence et Nuttah.

— Bien sûr, aie confiance, ma chère Mine. Que tu es courageuse, toi ! J'étais totalement anéantie.

La jeune femme haussa les épaules et passa dans l'autre pièce. Elle avait réfléchi et il lui restait à exprimer son idée. Grand-mère Odina était penchée sur Charlotte, occupée à frictionner ses tempes avec une lotion de sa composition.

— Comment va-t-elle, Odina ? s'enquit Hermine. Rien de nouveau ? L'as-tu auscultée ?

— Je viens de regarder. Il y aurait une petite chance si Charlotte avait encore un peu de force. Pour le premier, c'était pénible, mais Adèle était un petit bébé et elle est passée quand même. Là, ce doit être un gros garçon, et mal placé.

— Il faudrait l'aider à pousser, et puis inciser!

— C'est quoi, inciser? s'inquiéta Ludwig.

— Couper les chairs… répliqua Hermine, confuse d'évoquer l'intimité de son amie. La sage-femme me l'a proposé, pour Constant, qui était gros également, presque neuf livres. J'ai refusé, cela me faisait peur, mais souvent, c'est le seul moyen de permettre la sortie de l'enfant. Tu devras recoudre la plaie de Charlotte, par la suite.

— Moi, je ne le ferai pas! s'écria Odina en gesticulant. Ce sont des manières de Blancs, de découper une femme à cet endroit!

Sur ces mots, la vieille Indienne quitta la chambre, son imposante silhouette se balançant à chaque pas.

— Ne vous disputez pas! supplia Charlotte en haletant. La douleur s'est atténuée, mais elle va revenir très vite. Je ne veux plus souffrir, je préfère mourir. Ludwig, tiens-moi fort, j'ai si peur! Hermine, chante, s'il te plaît. Tu te souviens? La chanson des anges. Mon Dieu, je ne serai plus là à Noël! Je voulais tant voir Adèle en extase devant le sapin! Elle ne comprenait pas bien, l'an dernier. Hermine, je t'en supplie, chante pour moi.

— Ma Lolotte chérie, je veux bien essayer, bredouilla la jeune femme, qui luttait pour ne pas sangloter. Si ça te fait plaisir…

Trois anges sont venus ce soir,
M'apporter de bien belles choses,
L'un d'eux tenait un encensoir,
Le deuxième un bouquet de roses!
Noël, Noël, nous venons du ciel…

Elle chantait doucement, incapable de libérer sa voix. Puis, envahie par un immense chagrin, elle osa chanter plus haut, plus fort, et c'était comme une prière qui s'élevait vers Dieu.

Noël, Noël, nous venons du ciel!

Charlotte avait fermé les yeux. Madeleine entra, déconcertée. Elle apportait un bol de bouillon et un verre de vin.

— Est-ce vraiment le moment de chanter? interrogea-t-elle.

— Oui, sans doute, répondit Hermine. Charlotte est ma sœur, ma petite sœur. Elle m'a implorée de le faire. Comment lui refuser cette joie ?

Bouleversée, elle s'assit à côté du couple enlacé et couvrit de légers baisers le visage de la jeune femme, d'une pâleur de craie.

— Lolotte, rappelle-toi quand tu errais à l'étage du couvent-école, à Val-Jalbert ! Tu étais quasiment aveugle, à cette époque, et tu avais cassé le verre d'un cadre, près de mon lit. C'était le cadre qui protégeait le portrait de sœur Sainte-Madeleine, mon ange gardien, emportée par la grippe espagnole ! Tu étais si amaigrie ! Un chaton égaré, les cheveux emmêlés ! Notre histoire a commencé ce soir-là, alors que les religieuses allaient quitter le couvent-école. Et j'avais chanté pour elles *Ce n'est qu'un au revoir, mes sœurs !*

— Je me souviens ! souffla Charlotte.

— Si tu dois t'en aller, nous quitter, je suis sûre que ce ne sera qu'un au revoir et que nous nous retrouverons un jour, dans un ailleurs merveilleux… Mais je ne veux pas te perdre ! Fais un dernier effort, je t'en prie, pour Adèle et pour nous tous. Il n'y aura pas de Noël cette année si tu nous abandonnes. Écoute bien, maintenant. Nous allons t'assister, Ludwig, Madeleine et moi. Tu dois mettre cet enfant au monde !

— Je n'y arriverai pas. C'est trop dur, Mimine. Depuis hier, j'endure un calvaire.

Hermine prit le verre de vin et le fit boire à son amie.

— Tu es plus calme ; tu ne t'agites plus, tu ne cries presque plus. C'est bon signe, il faut être décontractée pour ce travail-là. Es-tu prête ? Ludwig, mettez-vous derrière elle pour la soutenir en position assise.

Charlotte cligna des paupières en tentant de se redresser.

— Allons-y ! balbutia-t-elle.

Odina pointa son nez au même instant. Avec son visage couleur de pain brûlé à la peau sillonnée de rides profondes, ses longues nattes grises et ses habits de cuir, elle semblait sortir d'un autre âge.

— Tu as raison, Kanti, il faut chanter, et puis couper. J'ai pris les ciseaux, là, que j'avais fait bouillir pour le cordon. C'est Toshan qui m'a dit qu'il fallait les mettre dans l'eau bouillante. Les Blancs sont parfois plus dégourdis que nous !

— C'est une excellente initiative, Odina, je te remercie. Viens, nous aurons besoin de toi aussi.

Hermine eut un faible sourire, puis elle entreprit de sauver Charlotte et son enfant.

Quelques minutes plus tard, Toshan, qui essayait de dompter ses nerfs en fendant des bûches, crut percevoir les vagissements d'un nouveau-né. Il s'immobilisa, les mains crispées sur le manche de sa hache. Laurence et Marie-Nuttah, qui rangeaient le bois dans la remise, l'interrogèrent du regard.

— Vous avez entendu la même chose que moi, les filles? questionna-t-il, stupéfait.

— Quoi, papa? dirent-elles en chœur.

— Un bébé qui pleure. Restez ici, je vais voir. Bon sang, ce serait un miracle!

Il courut jusqu'à la maison sans oser se réjouir tout à fait. Charlotte avait peut-être mis son enfant au monde, mais elle avait pu y laisser la vie. À peine entré, il faillit heurter de plein fouet grand-mère Odina qui portait un beau poupon rougeaud enveloppé d'un tissu blanc.

— Un garçon! l'informa-t-elle. Sans ton épouse, Toshan, il n'aurait jamais vu ce jour d'été.

— Et Charlotte? souffla-t-il.

— Elle est inconsciente et elle a aussi perdu beaucoup de sang. Mais elle respire encore. Maintenant, je dois laver ce petit homme.

— Je peux te venir en aide, proposa-t-il. J'avais fait chauffer de l'eau, et Madeleine avait préparé une cuvette.

La vieille Indienne secoua la tête.

— Tu veux m'apprendre mon métier, Toshan? J'ai accueilli tant de bébés depuis des années que tu ne me seras pas utile. Va donc complimenter ta femme, Kanti, ta femme soleil, qui te fait l'honneur de t'aimer!

Contrarié par la boutade de sa grand-mère, le Métis fit la grimace. Néanmoins, il l'admirait beaucoup et il lui caressa l'épaule avant de s'aventurer dans la chambre. Il régnait là un calme surprenant. «Un silence de tombe», pensa-t-il. Ses yeux se posèrent sur Charlotte en premier lieu et il la découvrit inconsciente et livide. Ludwig la fixait avec une expression poignante, presque hallucinée, tout en sanglotant sans bruit. Hermine et Madeleine, debout d'un côté du lit, pleuraient aussi.

— Est-ce qu'elle est…? balbutia-t-il.

— Non, approche, soupira sa cousine. Mais cela ne tardera pas.

— Tais-toi donc! s'indigna Hermine. L'enfant est né et sa mère vivra, j'en ai la certitude, parce que cela ne peut pas être autrement. Tu comprends ça, Madeleine? Écoutez-moi bien, tous, Charlotte ne peut pas mourir.

Toshan voulut réconforter sa femme en la prenant dans ses bras, mais elle le repoussa avec impétuosité. Elle lui en voulait trop de ne pas avoir cherché à sauver Charlotte à n'importe quel prix.

— Non, j'ai encore à faire. Et ce n'est pas en restant les bras croisés qu'elle s'en sortira. Je veux la laver et la réchauffer. Dès qu'elle se réveillera, je la ferai boire.

— Mine chérie, accepte la réalité: Odina m'a dit que Charlotte avait perdu trop de sang, répliqua-t-il. Des couches aussi difficiles sont souvent fatales. Je n'y suis pour rien.

— Évidemment que tu n'y es pour rien! Mais, crois-moi, si j'étais arrivée un peu plus tard, demain ou après-demain, pour découvrir mon amie sans vie, sacrifiée au nom de ta résignation devant la fatalité, jamais je ne t'aurais pardonné!

Submergée par une révolte toute féminine, elle lui faisait face. Ses prunelles bleues s'assombrirent.

— T'es-tu toujours contenté de ça, Toshan, la fatalité? Il me semble qu'en France tu as presque perdu le goût de vivre après l'assassinat de Simhona et de son fils, tes protégés. Mais le sort de Charlotte ne paraît pas t'angoisser et, en plus, tu la condamnes en quelques mots devant l'homme qui l'adore et qui espère, lui! Il suffit que le bébé soit là, en bonne santé, même s'il ne connaît pas sa mère dans ce monde-ci? Oh! Toshan, tu manques de cœur, de foi, tu manques de tout! Sors d'ici, tu ne feras que nous nuire!

Furieux à son tour d'être rabroué ainsi en présence de Ludwig et de Madeleine, il s'empressa de quitter la pièce. Toute tremblante après cette diatribe vengeresse, Hermine se pencha sur Charlotte. Elle souleva le drap et la couverture, épouvantée par la mare sanglante qui s'étendait sous le corps de son amie.

— Madeleine, va remplacer Odina. Tu sais t'occuper d'un nouveau-né. Dis-lui de venir, je t'en supplie.

Hermine avait bataillé de son mieux, usant de son expérience de mère. Après avoir donné vie à cinq enfants, elle s'était jugée capable de jouer les sages-femmes. «Et si j'avais commis une erreur? s'inquiéta-t-elle. Non, c'était la seule solution, la délivrer de ce magnifique petit garçon.»

Oui, elle peut en mourir, mais elle peut aussi reprendre des forces et voir grandir Adèle et ce bébé. »

Odina réapparut, une grimace aux lèvres. Elles se comprirent sans un mot. L'Indienne procéda à un nouvel examen, puis elle massa vigoureusement le ventre de Charlotte.

— Le flot de sang s'arrête ! déclara-t-elle après d'interminables minutes. Maintenant, il faudrait qu'elle reprenne ses esprits et qu'elle mange. Ludwig, va donc saluer ton fils, nous allons nettoyer tout ça.

D'un geste solennel, elle désigna le lit et le seau en fer qui contenait le placenta. Hermine se souvint alors d'une coutume indienne. Cette masse d'un rouge foncé devait être enterrée au pied d'un arbre, mais ni jetée ni brûlée. Plus tard, le fils du jeune couple saurait qu'à cet endroit reposait un peu de lui.

— Je ne veux pas quitter Charlotte, objecta le père. Si elle s'en va et que je ne suis pas là ?

— La mort ne viendra pas, fit une voix frêle.

Ils se retournèrent tous les trois vers la porte. Kiona se tenait sur le seuil, un peu échevelée, vêtue d'une tunique à franges, jambes nues. La fillette à la chevelure de feu et au teint de miel rayonnait, tandis que ses étranges prunelles d'ambre luisaient d'une joie farouche.

— Ma mère, Tala la louve, avait tracé un cercle de pierres blanches autour de la maison. Je l'ai retrouvé ce matin à l'aube. Un cercle bien plus grand que celui tracé autour de la clairière. Nous sommes sous sa protection, ici. Charlotte sera sauvée.

— Kiona ! appela Hermine à voix basse. Kiona, viens, ma chérie !

L'instant suivant, elles s'enlaçaient en riant et en pleurant. Ludwig les rejoignit, très ému.

— Dis-tu la vérité, petite ? hoqueta-t-il. Je sais que tu as des dons venus du ciel. Je voudrais tant te croire !

— Tala m'est apparue en rêve, indiqua Kiona. Elle m'a souri, elle était si belle, si joliment auréolée de clarté ! C'est un signe favorable, j'en suis sûre.

Fortement impressionnée par ces paroles, Odina ferma les yeux. Tala était née de sa chair à l'époque de sa jeunesse, quand ses nattes brunes et sa lourde poitrine comblaient de joie son époux.

— Si ma fille Tala la louve t'est apparue dans un songe, je pense moi aussi que Charlotte vivra, affirma-t-elle.

D'une petite sacoche en cuir, elle extirpa alors une fiole en verre à demi remplie d'un liquide incolore. Sans hésiter, la vieille Indienne la déboucha et fit couler la mystérieuse boisson entre les lèvres de la jeune mère inerte.

— Eau-de-vie! révéla-t-elle.

— Il ne faut pas, Odina! De l'alcool si fort? s'effraya Ludwig.

Charlotte cligna des paupières, avant d'avoir un faible soubresaut. Enfin, elle posa un regard abasourdi sur le plafond.

— Je suis encore là? s'étonna-t-elle tout bas.

Ce fut un immense soulagement pour eux tous, mêlé cependant d'un doute accablant. Reprendre connaissance ne signifiait pas qu'elle était sauvée. Mais au moins, ils pourraient l'alimenter et la gorger de bouillon de viande. Elle voulut tendre la main, mais son bras demeura à la même place.

— Je ne peux plus bouger, constata-t-elle. Qu'est-ce qui m'arrive?

— Tu n'as plus de forces du tout, expliqua Odina. Bois encore!

— Plus d'eau-de-vie! objecta Hermine. Tu es là, avec nous, ma Lolotte, et tu dois te reposer. Ludwig, sortez un peu, maintenant. Quand vous reviendrez, vous aurez tout loisir de cajoler votre femme.

Il obéit en envoyant à Charlotte un baiser du bout des lèvres. Toshan l'accueillit avec un timide sourire. Il assistait à la toilette du bébé.

— Approche, Ludwig, ton fils est splendide, dit-il gentiment. Comment se porte Charlotte?

— C'est un véritable miracle, elle est revenue à elle. Grâce à Hermine!

Le jeune père affichait sur son beau visage d'ange les marques d'une nuit d'insomnie, doublée d'une anxiété infinie. Apitoyée, Madeleine lui conseilla de faire du café.

— Quel magnifique chérubin! s'exclama-t-elle. Potelé et vigoureux!

Le bébé lançait par intermittence de brefs vagissements. Ses yeux gris-bleu étaient entrouverts, et un duvet blond couvrait son crâne bien rond.

— Un fils, j'ai un fils! s'extasia Ludwig. *Mein Gott*[27], je voudrais tant qu'Adèle soit ici, près de nous et en bonne santé, pas infirme! Mais je dois remercier Dieu, si Charlotte reste en vie. *Ich liebe dich*[28], mon petit Thomas!

27. *Mon Dieu*, en allemand.
28. *Je t'aime*, en allemand.

Lorsqu'il était violemment ému, sa langue natale lui revenait aux lèvres. Madeleine et Toshan échangèrent un sourire.

— Vous le baptiserez Thomas ? s'enquit l'Indienne. C'est ravissant.

— Prénom français et allemand ! Charlotte avait choisi Thomas pour un garçon, Marguerite pour une fille.

Il pleurait de joie et de détresse mêlées. Akali fit irruption, la mine préoccupée.

— Excuse-moi, maman, d'être restée dans ma chambre, j'avais tellement peur ! Mais, depuis un moment, j'entends le bébé.

— Le pire est derrière nous, affirma Madeleine. Tiens, prends ce petit homme, Akali, pendant que je vide l'eau dehors.

Toshan s'enhardit à caresser la joue du nouveau-né, d'une douceur de soie. Il se reprocha de ne pas avoir assez profité de ses enfants les premiers jours de leur existence. Les jumelles entrèrent sur la pointe des pieds.

— Madeleine nous a fait signe, dit Laurence.

— Oui, approchez, fit leur père. Venez saluer ce bel enfant.

Autour du nouvel arrivant sur terre, ce fut un concert de murmures extasiés. Akali rayonnait, fière de le porter. Kiona, qui voulait aussi voir le bébé, accourut. Un vent de pure gaîté balaya les angoisses, les peurs et les peines.

— Il vous ressemble, Ludwig, nota Laurence. Et Adèle ressemble à Charlotte. Est-ce qu'elle va bien, la maman, au fait ?

— Elle est très faible, dit-il. Mais j'ai tant prié, elle sera sauvée. Kiona le sait.

Troublée, la fillette approuva en silence. Elle n'en doutait pas moins du sens exact de sa vision. Tala avait pu se montrer pour emmener Charlotte dans l'au-delà.

— Si Kiona le sait, nous pouvons respirer, renchérit Akali. Elle ne se trompe jamais.

— Enfin, ça pourrait se produire, dit l'intéressée. Je suis sûre d'une chose, le cercle de pierres blanches de ma mère nous protège du malheur.

Agacé, Toshan leva les yeux au ciel.

— Ce cercle a disparu depuis longtemps, Kiona ! Ne raconte pas de bêtises. J'ai foi en tes dons et en tes visions, mais, des galets blancs disposés sur le sol, c'est matériel, réel. Or, ils ne sont plus là.

— Je parle d'un autre cercle, Toshan. Il fait le tour de la maison et de la clairière. Je m'en suis aperçue hier et, ce matin très tôt, j'ai retrouvé tout le tracé.

— Peut-être as-tu raison, répondit-il afin de ne pas la contrarier. Tala était une mère aimante et dévouée. Elle veille sûrement sur nous tous.

Hermine les rejoignit au même instant. Elle prit la main de Ludwig.

— Je crois que c'est à vous de présenter Thomas à sa maman. Charlotte a bu le bouillon tiède et elle réclame du vin coupé d'eau. C'est vraiment bon signe.

— Est-ce que nous pouvons aller l'embrasser? questionna Marie-Nuttah.

— Il est préférable d'attendre demain. Charlotte a perdu beaucoup de sang et elle est exténuée au point d'être incapable de bouger un petit doigt. Grand-mère Odina compte bien interdire la chambre à tout le monde, sauf à l'heureux papa.

Mukki entra à son tour, Constant juché sur ses épaules. Il ignorait le retour de sa mère.

— Maman, quelle bonne surprise! Regarde qui est là, Constant! Tu as vu ça? La plus belle des mamans du monde est revenue. Et il y a un bébé en plus!

Cette fois, ce fut l'allégresse. Hermine câlina son petit garçon tout en embrassant bien fort son aîné sur les joues.

— Nous sommes tous réunis, enfin! s'exclama-t-elle. Je suis avec toute ma famille! Mon Dieu, j'en avais tellement envie, à Québec!

Un peu à l'écart, Toshan savourait lui aussi ces minutes de fête. «Je suis béni des dieux! songeait-il. J'ai une épouse exceptionnelle et des enfants adorables dont je n'ai pas à rougir, loin de là.» Mais une petite voix intérieure lui soufflait qu'il y avait une fausse note quelque part. Et il savait où... Hermine ne l'avait pas encore embrassé ni touché. À peine l'avait-elle regardé.

Hôtel-Dieu de Roberval, même jour

Andréa Marois patientait sur un banc dans un des couloirs du vaste hôpital de Roberval. Assis près d'elle, Jocelyn Chardin attendait également le médecin qui avait promis de leur donner des nouvelles de Joseph.

— Nous avons fait le plus vite possible, dit-il à la malheureuse épouse, qui ne cessait de pleurer. Allons, ayez confiance, notre brave Jo était encore vivant en arrivant icitte.

— Vivant, mais pour combien de temps? gémit-elle. Mais je vous remercie, vraiment. Grâce à vous, nous avons pu le transporter immédiatement.

— Nous avons eu de la chance que ma voiture démarre au quart de tour, alors qu'elle n'avait pas été entretenue depuis un moment.

Deux docteurs auscultaient Joseph, qui se trouvait dans un alarmant état d'inconscience. L'attente devenait éprouvante.

— Andréa, pourquoi mon vieil ami s'est-il mis dans une telle fureur? Je n'ai pas rêvé, je l'entendais crier depuis le petit paradis. Au début, je ne savais pas de qui il s'agissait; j'ai fini par reconnaître sa voix. Nous ne sommes pas si nombreux, de toute façon, à Val-Jalbert.

Elle hocha la tête en cherchant ce qu'elle pourrait inventer pour justifier l'attitude de son mari. Il n'était pas question de dévoiler la vérité à Jocelyn Chardin.

— Oh! Vous savez, Joseph a beaucoup abusé de la boisson par le passé et il est encore sujet à de grandes colères. Quelque chose l'a irrité. Je n'ai pas pu le raisonner. Il s'est emporté au point de perdre l'esprit, oui, de paraître fou. La preuve, il appelait votre fille, et même sa première femme. Cela m'a tout l'air d'une attaque. Doux Jésus, nous avions bien besoin d'une telle calamité!

Sa bouche tremblait, tandis qu'elle joignait les mains en reniflant. Apitoyé, Jocelyn lui tapota le bras:

— Il faut garder espoir. Ah! voici un docteur.

Le médecin fut bref. Joseph avait en effet été victime d'une attaque. Il fallait le garder en observation afin d'évaluer les suites de l'accident.

— Votre époux a repris connaissance, c'est encourageant, madame. Sa vue n'est pas affectée, mais il ne peut pas parler, ce qui est une conséquence fréquente. Nous allons suivre l'évolution de son état.

— Est-ce que je peux le voir? implora Andréa.

— Bien sûr!

Jocelyn voulait demander si sa visite serait importune, mais Laura accourait.

— Qui est malade? s'exclama-t-elle. Une infirmière m'a dit qu'elle t'avait vu, Joss! Andréa, vous pleurez? C'est Marie?

— Non, mon époux! Une attaque! Excusez-moi, je me rends à son chevet.

Laissant le couple Chardin, elle suivit le docteur. Joseph lui parut méconnaissable. Il avait le teint livide, les traits contractés et la bouche déformée du côté gauche. Le lit d'hôpital disparaissait sous ce grand corps toujours robuste.

— Eh bien! Joseph, observa-t-elle, tu m'as fait peur, mon pauvre homme!

En larmes, elle s'assit sur la chaise posée près de l'étroite couche et, timidement, elle prit la main de son mari.

— Seigneur Dieu! gémit-elle.

Il l'avait faite femme, quelques années auparavant. Andréa ne put s'empêcher d'y penser. Elle le revoyait dans la chambre d'hôtel où ils avaient passé leur nuit de noces. Elle se souvenait de sa frayeur lorsqu'elle s'était vue confrontée à l'imminence de l'acte sexuel. Elle se rappelait aussi le plaisir éprouvé. «Tu m'as donné du bonheur, Joseph! songea-t-elle. Une maison aussi, un foyer. Une gentille belle-fille, ta petite Marie. Que deviendrons-nous, toutes les deux, sans toi?»

Il ne lui prêtait aucune attention et ne la regardait pas. Pourtant, ses doigts glissèrent de ceux d'Andréa. C'était volontaire. Elle comprit alors qu'il était encore en colère.

— Je te demande pardon, dit-elle très bas. J'aurais dû brûler cette lettre. Oh! oui, mon Dieu, comme je me fais des reproches!

Andréa se tut, car une religieuse approchait. L'immense bâtisse bruissait de sons divers, de rumeurs et parfois de plaintes. Joseph essaya en vain d'articuler un mot. Il ferma les yeux, terrifié d'être là. Personne ne sut qu'il déplorait d'être en vie. Ce fut son unique pensée ce jour-là.

Dans le couloir, Laura écoutait les explications de Jocelyn. Dès qu'il en eut terminé, elle déclara:

— Ça ne me surprend guère! C'est un tempérament sanguin, quelqu'un d'emporté. Quand il était saoul, il faisait peur à ses enfants. Simon a été battu bien souvent, Armand aussi. Hermine me l'a avoué, jadis.

Ils discutèrent encore un peu de leur voisin et ami, puis Laura supplia son mari de rendre visite à la petite Adèle.

— Elle viendra chez nous dans une semaine. Joss, cette enfant est si ravissante, une poupée, un petit ange!

— De là à t'en enticher! bougonna-t-il. Je ne suis pas vraiment d'accord pour l'héberger. Tu ne m'as même pas demandé mon avis.

— Je te rappelle que je désirais adopter Charlotte. C'est sa fille, donc ma petite-fille. Enfin, c'est tout comme. J'aurais honte de rejeter cette innocente à cause des bêtises de sa mère. Et encore, des bêtises... Elle a trouvé le grand amour. Depuis quand est-ce un crime?

— Avec un Allemand! jeta-t-il à voix basse.

— Tu m'ennuies, Joss! Viens! J'ai réagi comme toi pendant la guerre, mais dans certaines circonstances il faut montrer un peu de tolérance.

Cinq minutes plus tard, Jocelyn fondait de tendresse devant la fillette endormie, sa poupée nichée contre son cœur. Ébloui, il détailla la délicatesse de son visage avant d'effleurer ses boucles brunes d'un geste paternel. Laura ne fit aucune remarque, mais elle triomphait intérieurement.

— Alors? s'enquit-elle après ce bref silence.

— Je vais lui préparer une chambre dès que je serai rentré à Val-Jalbert, dit-il. Nous prendrons soin d'elle. Tu as pris la bonne décision, Laura. Le petit paradis était bien triste et bien vide. Ce sera un nid douillet pour cet oisillon.

Ils se sourirent, attendris. Depuis sa naissance, Adèle avait rarement connu le confort et la sécurité d'un toit, d'un véritable foyer. Ils le savaient tous deux et se promettaient de veiller sur l'enfant le temps nécessaire.

Rive de la Péribonka, fin de journée

Charlotte dormait. Toute la maisonnée se relayait pour la veiller, et la consigne était de porter une extrême attention à sa respiration, à la couleur de ses joues et à la chaleur de son front. Ludwig dormait sur une fourrure au pied du lit, à même le sol. Accablé par un surplus d'émotions et de nuits sans sommeil, le jeune père n'en pouvait plus. On respectait cependant le temps de repos dont il avait besoin.

Chacun s'était attribué un rôle: grand-mère Odina berçait le bébé contre sa lourde poitrine. Le nouveau-né suçait son pouce sans songer à réclamer une tétée. Madeleine, elle, tenait à préparer un bon repas. Tout en cuisinant, elle anticipait l'heure où ils seraient tous attablés devant un plat fumant et alléchant. Il y aurait maintes discussions, des rires et des larmes encore peut-être, mais de bonnes larmes, dues à l'infini soulagement qu'ils éprouvaient tous.

Les jumelles s'étaient retirées dans la chambre qu'elles allaient partager avec Akali et Kiona. Les quatre filles avaient beaucoup de choses à se raconter. Il était question de la mort brutale de Chogan, causée par la poliomyélite, de la petite Adèle désormais infirme, mais aussi du départ brusqué de Kiona une quinzaine de jours auparavant.

— Tu ne nous as rien expliqué, la sermonnait Laurence. Et grand-père t'a emmenée aussitôt avec le cheval et notre poney. Pourquoi?

— J'étais en danger. Quand j'ai vu Mine dans le passé, le jour de la fermeture de l'usine, je me suis sentie mourir. C'était horrible. J'ai tout raconté à mon père. Il a compris que j'avais raison, que je devais m'éloigner de Val-Jalbert.

— Tu aurais pu nous informer, quand même! s'indigna Marie-Nuttah. En plus, nous avons dû habiter chez les Marois, et ce n'était pas très amusant. Enfin, heureusement, Marie est rentrée de chez ses grands-parents. Oh! qu'elle est raisonnable!

Akali écoutait, ravie d'être en compagnie de ses amies. Elle les aimait toutes les trois de manière inconditionnelle, et cela, depuis des années.

— Je voudrais bien voir tes dessins, Laurence, supplia-t-elle. Kiona m'a dit que tu en avais fait de jolis pour les offrir à Hermine.

— Oui, je les ai là, dans une sacoche. Je dois les terminer. J'ai beaucoup travaillé d'après d'anciennes photographies, puisque Kiona était partie…

— Montre-les maintenant, dit Marie-Nuttah. Nous avons le temps, avant le souper.

Laurence s'exécuta, flattée au fond de susciter un tel intérêt. Leurs conciliabules reprirent de plus belle. Kiona était déjà pardonnée.

Pendant ce temps, Hermine prenait le frais sous l'auvent qui abritait la terrasse en bois. Toshan se tenait près d'elle. Il n'osait engager la conversation. Il avait l'impression qu'un gouffre s'ouvrait entre eux, qu'il devait se hâter de franchir avant d'être entraîné dans l'abîme.

— Mine, ma chérie, tu as fait des miracles aujourd'hui. Charlotte semble sauvée, à l'heure qu'il est.

— Je serai vraiment rassurée demain matin, répondit-elle tout bas. On ne sait jamais ce qui peut se passer durant la nuit. Elle a perdu beaucoup de sang. Beaucoup trop.

Déconcerté, il acquiesça d'un signe de tête. Tout ce qui touchait à la naissance d'un enfant le rebutait un peu, car il cultivait une image idyllique de la femme et de la mère. Pour lui, le meilleur moment demeurait celui où l'on découvrait son épouse en chemise de nuit propre, dans un lit changé et douillet, le poupon blotti contre le sein qui le nourrirait des mois durant.

— Finalement, l'accouchement se termine bien, fit-il d'un air distrait. J'ai cru que nous allions la perdre. Mais il y a une chose qui m'échappe, c'est ton attitude à mon égard. M'accabler de reproches ainsi, devant ma grand-mère et Ludwig, évoquer cette malheureuse Simhona, c'était de mauvais goût, et je ne pense pas mériter autant de reproches de ta part.

Hermine toisa son mari avec une vague rancœur.

— J'étais hors de moi. Depuis le temps que duraient les douleurs, tu aurais dû aller chercher un médecin dans les environs, toi qui te déplaces si vite, par n'importe quel moyen, quand tu veux. Je t'avoue que cela m'a rendue à moitié folle. Toshan, j'ai toujours l'impression que, si je n'étais pas arrivée cet après-midi par le plus grand des hasards, vous auriez laissé Charlotte mourir.

— Grand-mère Odina recommandait de patienter. Je lui ai fait entière confiance; elle a mis au monde une ribambelle d'enfants.

— Patienter? Quelle sottise! Dans un cas pareil, il faut absolument trouver de l'aide. Odina elle-même aurait pu y songer et t'expédier à Péribonka. En plus, tu avais le cheval de Kiona. Finalement, sais-tu ce que j'ai été obligée de faire?

— Mine, calme-toi! s'insurgea-t-il. On dirait une furie!

— Parce que je suis furieuse. Il suffisait de réfléchir et de se concerter. Vois-tu, Toshan, à trois, nous avons réussi à mettre ce petit garçon au monde. Ludwig, sur mes conseils, appuyait sur le ventre de Charlotte, Odina a incisé les chairs avec des ciseaux désinfectés. J'ai pu attraper le bébé dans mes mains, et je l'ai tiré doucement vers moi. J'ignore où j'ai puisé la force de faire ça, mais je l'ai fait pour sauver une personne que j'aime et donner une chance à cet être innocent! Et maintenant je revis sans cesse ces instants étranges, si particuliers, où j'ai dépassé les notions de pudeur et de peur, ces hésitations qui peuvent tuer quelqu'un. Je suis contente, oui, mais tellement déçue par ton attitude! Tu n'es même pas venu m'épauler, tu t'es enfui et tu t'es mis à fendre du bois!

Il leva les bras au ciel, ébahi par autant de reproches.

— Mine, je n'avais pas ma place dans la chambre. Ne sois pas injuste ! Et puis c'était la confusion et l'épouvante. Les hommes peuvent s'affronter dans des combats à mains nues, sauter en parachute, user d'armes à feu redoutables, mais, devant une femme en couches, ils sont souvent démunis et terrifiés.

Elle pleurait sans bruit. Il la saisit par la taille pour l'attirer contre lui.

— Tu es à bout de nerfs, ma chérie, souffla-t-il à son oreille. Pardonne-moi si je t'ai déçue. J'espérais tant te revoir et tu es là, enfin là ! À quoi bon se chamailler ? Nous avons à parler, Mine.

— Non, non et non, je n'en ai pas envie ! tonna-t-elle en le repoussant.

Malgré son angoisse lancinante au sujet de Charlotte, elle s'octroya le droit de dévaler les marches du perron et de s'éloigner dans la clairière. Le crépuscule gommait d'ombres bleues les détails du paysage. « J'ai besoin d'être seule, se disait-elle en marchant droit vers la lisière de la forêt. Toshan, lui, ne pense qu'à me reprendre et à m'entraîner dans notre lit. Il se moque de mes émotions et de mes angoisses. »

Hermine avait conscience de se montrer effectivement injuste envers son mari, mais elle n'arrivait pas à déloger la colère de son cœur. Tremblante de nervosité, elle alla s'asseoir sur une souche d'arbre.

— Mine ! l'interpella-t-il.

Il l'avait suivie, bien décidé à obtenir certaines clartés sur ce qu'il désignait comme l'affaire Pierre Thibaut.

— Mine ! répéta-t-il d'une voix moins ferme, comme s'il redoutait d'être rejeté, condamné aux ténèbres et à la pire des solitudes.

— Viens, je ne t'ai pas interdit de me rejoindre, laissa-t-elle tomber.

Dans l'obscurité naissante, il ne distinguait que la masse lumineuse de sa chevelure blonde et son clair visage dont il connaissait les traits sur le bout des doigts.

— Tu ne m'as pas embrassé en arrivant, lui reprocha-t-il. C'est insolite, ça ! Mine, est-ce que tu m'aimes encore ?

Incapable de lui répondre, elle eut un bref sanglot nerveux. Toshan s'installa à ses côtés.

— De toute façon, c'est une bénédiction que tu sois revenue si vite, commença-t-il. Tu me manquais. Et il y a eu cette maladie. Constant était fiévreux et j'ai eu très peur pour notre petit gars. Chogan, lui, n'a pas pu lutter.

Soudain, Hermine eut honte. Toshan avait une immense affection pour son cousin. Comment avait-elle pu occulter la cruauté de ce deuil? Elle se radoucit tout de suite.

— Tu dois avoir bien du chagrin, reconnut-elle. Excuse-moi pour la scène que je t'ai faite, c'était exagéré. Mais tu peux me comprendre, l'état de Charlotte m'affolait. Il s'est passé tant de choses, ces derniers jours! Et j'ai vu Adèle à l'hôpital. Seigneur! la pauvre mignonne, sa jambe est toute déformée.

Il s'enhardit à lui caresser la joue avec une infinie délicatesse.

— Le malheur a frappé notre famille; ce serait le moment d'être sincères l'un envers l'autre et plus unis que jamais, Hermine. Tu es froide et distante. Avant, dès que tu étais triste ou inquiète, tu te réfugiais dans mes bras.

Elle le regarda ardemment, puis ferma les yeux. Il devina que c'était une reddition et une supplique.

— Ma petite femme coquillage! bredouilla-t-il en l'enlaçant. Je ne te rends pas très heureuse, n'est-ce pas? Moi, l'éternel grincheux, exigeant et jaloux. Mais aussi l'homme qui t'aime plus que tout.

— Toshan, Toshan! Serre-moi fort, garde-moi et protège-moi! implora-t-elle, déjà apaisée de retrouver la fugace odeur de tabac de sa chemise et le parfum musqué de sa peau mate.

— Je suis là, n'aie pas peur.

Elle pleura encore, tandis que la chaleur du corps de son mari se communiquait à sa propre chair. C'était merveilleusement rassurant d'être enfin câlinée, d'accepter sa faiblesse et de se soumettre à cette fervente étreinte. Il l'embrassa doucement sur les lèvres avec respect.

— Ma chérie, ma toute belle! Nous avons quelques minutes en tête-à-tête. J'ai une chose grave à te dire. Mais raconte-moi d'abord ce que tu as fait à Québec. Ah! Il y a eu cet accident de train... J'ai eu peur pour toi. Comment as-tu trouvé le moyen de venir ici? Ton père?

Déterminée à ne pas mentir, du moins sur certains points, Hermine déclara aussitôt:

— C'est Ovide Lafleur qui nous a déposées au bout de la piste forestière. Il possède une voiture, à présent. Grâce à lui, j'ai pu aussi rendre visite à Marcel Duvalin, l'homme qui a été témoin de la mort de Simon à Buchenwald. Quant à l'accident du train, il m'a permis de rencontrer un personnage très sympathique, peut-être mon futur impresario, un veuf inconsolable d'une cinquantaine d'années, mélomane, et d'origine suisse.

Elle raconta rapidement ce qui concernait Rodolphe Metzner, en travestissant un peu la vérité cette fois.

— Il a racheté l'appartement de la rue Sainte-Anne pour y établir un studio d'enregistrement. Il produit des disques.

— Mais c'est sensationnel! s'enthousiasma Toshan. En cette période de crise, il faut profiter de chaque opportunité.

— Toi, tu penses toujours à t'acheter un avion?

— Oui, un petit modèle, facile à diriger, affirma-t-il. Bien… À présent, j'ai une autre question.

Elle quémanda un baiser dans l'espoir de déjouer ce qui s'annonçait. Il se détourna un peu.

— Je suppose qu'il s'agit de Pierre Thibaut, dit-elle. Ovide m'a rapporté un incident sur le quai de Péribonka.

Toshan évita de la brusquer. Elle était encore sur la défensive. Il pesa ses mots et adopta un ton paternel.

— Je dois savoir. Ne crains rien, quoi qu'il en soit, je n'irai pas étrangler cet ivrogne, car croupir en prison me déplairait. Seulement, il prétendait que, sans l'intervention de Simon, je ne sais quand d'ailleurs, il aurait pu te conquérir, enfin, obtenir tes faveurs.

— Je doute que Pierre, surtout pris de boisson, s'exprime aussi bien, répliqua-t-elle.

— Tu vois ce que je veux dire, Mine. Je ne tiens pas à te répéter ses paroles à lui, fort inconvenantes. Raconte, je t'en prie.

Perturbée, la jeune femme hésita de nouveau. Toshan ne l'avait pas habituée à autant de sagesse.

— C'était au début de la guerre, dans la maison de Roberval. J'étais seule. Pierre est entré et, là, il a essayé de m'embrasser. Il empestait la bière. Je l'ai raisonné de mon mieux, mais il insistait en disant n'importe quoi. Il t'a même insulté, toi qui le considérais comme ton chum, ton meilleur ami. Par chance, Simon est arrivé et l'a mis dehors. C'est tout.

Elle perçut le frémissement nerveux de son mari. Malgré toute sa bonne volonté, le Métis se laissait gouverner par une rage froide.

— Hermine, est-ce qu'il t'a touchée? Je l'ai vu à l'œuvre, un soir, avec une pauvre fille aussi ivre que lui. Et tu ignores ce qui s'est passé ici. Quand je suis arrivé avec Madeleine et Constant, Akali s'était barricadée dans la maison, en état de choc, totalement terrifiée. Pierre

Thibaut était venu avec un de ses acolytes, tous deux fin saouls. Ils ont essayé d'abuser d'elle, mais elle a pu leur échapper et se réfugier à l'intérieur. Après ça, elle est restée cloîtrée comme une petite bête affolée. Alors, ne cherche pas à épargner, ce salaud. Dis-moi ce qu'il t'a fait. Je ne le tuerai pas, même si j'en ai bien envie, mais il recevra une leçon dont il se souviendra longtemps.

— Mon Dieu, il a osé s'en prendre à Akali, elle qui a déjà souffert de la perversité des hommes! Quel porc! Autant te dire la vérité, dans ce cas. Oui, il s'est montré brutal. Il voulait coucher avec moi.

Hermine eut un frisson de dégoût rétrospectif. Jamais elle n'avait pu éliminer de sa mémoire les gestes orduriers de Pierre Thibaut, le contact de ses mains calleuses sur ses seins et entre ses cuisses. À l'époque, elle s'était sentie souillée et humiliée. Sans la gentillesse de Simon et les conseils avisés de Tala, elle aurait eu du mal à vaincre cette épreuve.

Son mari serra les poings, les mâchoires contractées sous l'effet d'une rage irrépressible.

— Le contraire m'aurait étonné, tempêta-t-il. Le salaud, le fumier!

— Je t'en prie, si tu le croises à nouveau, domine-toi. Je ne veux pas que tu commettes un geste irréparable, implora-t-elle, sachant Toshan assez impulsif, malgré tout, pour filer sur-le-champ à Péribonka ou à Riverbend laver son honneur.

— Je bénis Simon, oui, je le remercie, où qu'il soit, de t'avoir défendue, dit-il entre ses dents. Tu trembles, Mine, tu es bouleversée! Un jour ou l'autre, Pierre paiera cher ce qu'il a fait.

Terrassé par l'émotion, il reprit sa femme contre lui et la couvrit de baisers très doux. Il l'avait aimée de tout son être jusqu'à présent, mais il ressentait ce soir-là un amour encore plus profond, plus vaste, dépouillé de cette exigence de possession qui l'avait si souvent tenaillé.

— Hermine, si je te perdais, j'en mourrais, affirma-t-il, la gorge nouée. Ne me quitte plus, ma chérie. Nous devons rester ensemble. Trop de gens ont envie de t'arracher à moi.

Cet aveu trouva un écho particulier dans le cœur et l'esprit de la chanteuse. Elle songea à Ovide, puis à Rodolphe Metzner. Peut-être avait-elle eu les mêmes appréhensions que Toshan, loin de lui. Et la colère qui l'avait dressée contre son mari avait dû prendre sa source dans les doutes qui la traversaient parfois sur la pérennité de leur couple.

« J'ai été attirée par ces hommes, constata-t-elle en son for intérieur. J'aurais pu céder à Ovide et j'ai eu envie d'embrasser Rodolphe! Toshan voit juste: il faudrait que je reste auprès de lui. »

— Mon amour, dit-elle afin de le rassurer, tu ne me perdras pas et, si cela devait arriver, je te demande d'être fort et d'élever nos enfants. Tu n'auras pas le droit de mourir... Oh! c'est stupide de penser à ça! Nous sommes tous les deux, chez nous, sur les terres du grand paradis. C'est le nom qu'ont choisi les jumelles. Et personne ne veut nous séparer, personne...

Plus tard, Hermine se souviendrait de ces paroles, qu'elle avait prononcées en toute bonne foi, et verserait des larmes amères. Pour l'instant, elle n'avait qu'un désir, renouer les liens invincibles qui l'attachaient à Toshan, son bien-aimé depuis des années.

— Viens, rentrons, dit-elle après un long baiser. Je ne m'en irai pas d'ici avant deux mois. Une éternité! Viens, mon amour, on doit se demander où nous sommes. Et Charlotte? Mon Dieu, je l'abandonne!

Elle se leva et le prit par la main. De la fenêtre, Madeleine distingua leurs silhouettes, très proches l'une de l'autre. L'Indienne eut un petit sourire réjoui, car elle rêvait toujours d'harmonie et de sérénité pour ceux qu'elle chérissait. Dès qu'ils entrèrent, elle leur dit tout bas:

— Mukki a donné à manger à Constant, qui dort déjà dans ma chambre. Grand-mère Odina a nourri le bébé avec un peu d'eau bouillie sucrée au sirop d'érable. Il a très bien accepté de boire au biberon que tu avais acheté, Mine. Quant à Charlotte, elle dort aussi, d'un bon sommeil réparateur.

— Tu es certaine qu'elle ne perd plus de sang? s'apeura Hermine.

— Odina a contrôlé. Tout va bien, nous allons pouvoir souper. Les filles ont mis la table.

Toshan jeta un coup d'œil sur l'alignement des assiettes en faïence blanche et des verres. Il nota les touches de couleur créées par les serviettes rouges, pliées en triangle.

— Nous sommes nombreux, nota-t-il.

— Oui, dix exactement, si Ludwig partage notre repas. Il ne s'est pas encore réveillé, le pauvre! indiqua Madeleine.

Hermine adressa un regard plein de reconnaissance à son amie. La pièce était accueillante, propre et bien rangée. Un feu rougeoyait dans la cheminée en galets, et un fumet alléchant s'échappait d'une grosse marmite en fonte.

— Comme c'est bon d'être ici! s'exclama la jeune femme. N'est-ce pas, Toshan?

— Surtout parce que tu es là, toi, ma chérie, répliqua-t-il. Je fais un piètre gardien du foyer.

Amusée, Madeleine haussa les épaules, mais Hermine fixa son mari avec passion. Il l'avait reconquise par la magie des baisers échangés et la chaleur de son corps d'homme. Perturbée, elle anticipait l'instant qui les isolerait du reste de la maisonnée, au creux d'un lit. L'irruption de Kiona, suivie d'Akali et des jumelles, lui changea les idées. Mukki réapparut à son tour, les bras encombrés de trois bûches.

— Les soirées deviennent fraîches, dit l'adolescent. Et j'ai l'intention de faire des crêpes en dessert.

— Tu te mets à la cuisine? s'étonna son père.

— Pourquoi pas! Il faut fêter la venue au monde du petit Thomas. On pourrait boire du cidre!

Alertée par le bruit des discussions, grand-mère Odina quitta le chevet de Charlotte et les rejoignit. Elle avait attaché le bébé sur son opulente poitrine à l'aide d'un large foulard.

— L'enfant dort, comme ses parents, annonça-t-elle. Il se sent bien, au chaud contre moi.

— Tu as raison, assura Hermine qui contempla lenouveau-né d'un air fasciné. Il est magnifique, cet angelot!

— Tu mériterais d'être sa marraine, lança Toshan.

— S'il reçoit le baptême! rétorqua Madeleine. Il faudrait y penser, pour Adèle aussi, qui n'a pas reçu les sacrements.

La vieille Indienne fronça les sourcils, agacée. La religion des Blancs ne lui inspirait pas confiance. Cependant, elle préféra garder son opinion pour elle.

— Je m'assois, dit-elle seulement. Qu'as-tu préparé, Sokanon?

En appelant Madeleine par son prénom indien, Odina montrait son mécontentement au sujet du baptême. Sa petite-nièce ne fut pas dupe.

— Des haricots au lard, chère Odina. Avant, je servirai du poisson poché. Mukki devient un fin pêcheur; il m'a rapporté des dorés et un brochet. La Péribonka pourrait nourrir la famille tout l'été.

Toshan complimenta son fils. Il était fier de son aîné, entraîné depuis l'enfance à la vie dans les bois, mais également habitué aux rues de Québec et à la rigueur du collège.

— Tu peux continuer à pêcher, ajouta-t-il. Nous fumerons du poisson pour l'hiver. Il est temps aussi de faire l'inventaire des provisions. À ce propos, j'ai l'intention d'acheter des poules ces jours-ci. Tu m'aideras, Mukki, à construire un poulailler robuste, équipé contre les prédateurs en tous genres. Nous aurons des œufs frais régulièrement.

— Bien sûr, papa, c'est une bonne idée, ça!

Ils prirent place autour de la table, excepté Hermine qui fit une courte visite à Charlotte. La jeune accouchée dormait toujours, le teint un peu coloré et la respiration régulière.

«Dieu merci, tu es encore avec nous, ma petite Lolotte, songea-t-elle en caressant les cheveux de son ancienne protégée. Ce serait effroyable si tu étais morte… Non, je ne dois pas y penser, c'était impossible. Je veillerai sur toi aussi longtemps que je le pourrai. »

Remplie d'un soudain désarroi, elle retourna auprès des siens. Cela lui paraissait une épreuve insurmontable de partir au mois d'octobre pour la Californie, de passer l'hiver en exil, loin d'eux.

— Est-ce que Charlotte va mieux, maman? s'inquiéta Laurence.

— Mais oui, ne crains rien!

Le repas débuta dans un calme relatif. Mukki avait décidé de taquiner Akali au sujet de ses lectures qu'il estimait trop enfantines.

— C'est vrai, tu lis encore des revues pour fillettes, expliqua-t-il. Tu dois t'attaquer à des romans sérieux.

— Je n'en ai pas envie, rétorqua Akali, un peu fâchée.

Marie-Nuttah voulut s'en mêler, si bien qu'elle renversa la louche remplie de ragoût sur la nappe.

— Que tu es maladroite! pesta Toshan. Pour ta peine, tu seras de corvée de lessive, et ce n'est pas une partie de plaisir.

— Mais, papa, je n'ai pas fait exprès! Mukki est énervant, à la fin, il se moque d'Akali sans arrêt pour un oui pour un non. J'allais le pincer, et la louche a tourné dans ma main.

— Tu n'as pas à pincer ton frère, intervint Hermine. Dans un cas pareil, cherche une répartie cinglante, c'est beaucoup mieux.

— Une répartie cinglante! répéta Kiona, ses beaux yeux d'ambre pétillant de malice. Facile! Il suffit de dire à Mukki qu'il joue aux billes avec Constant, alors qu'il se croit un grand garçon, presque un homme.

— Imbécile! protesta l'intéressé. On m'a chargé d'occuper Constant; j'ai sorti ma collection de billes. Mais, en vrai, je n'y joue plus.

Furibond, Mukki jeta un bout de pain à Kiona qui l'esquiva. Marie-Nuttah éclata de rire. Ils étaient nerveux, éprouvés par cette longue journée d'angoisse sur laquelle avait pesé la menace d'une éventuelle tragédie. Madeleine s'en mêla.

— Chut! Moins de bruit! Vous finirez par troubler le repos de Charlotte.

La mise en garde porta ses fruits. Grand-mère Odina reprit du ragoût, puis elle réclama du café. Kiona bondit de sa chaise.

— Je le prépare! s'écria-t-elle.

Hermine la suivit du regard. L'étrange fillette si chère à son cœur avait totalement changé depuis quelques heures. La jeune femme attribua ce revirement inespéré à la présence des jumelles et à l'état de santé moins inquiétant de Charlotte. Elle se trompait.

« Merci, maman, d'être enfin venue me voir, pensait Kiona en versant de l'eau bouillante sur la poudre brune. Je suis si heureuse! Tu m'as guidée vers le cercle de pierres blanches, et maintenant je n'ai plus peur, je sais que tu es avec moi! »

Les fantômes et les apparitions faisaient partie de l'existence de cette enfant aux cheveux flamboyants. Là, sur les terres de Toshan, elle s'était jugée hors de danger et, si les âmes errantes de Val-Jalbert ne l'importunaient plus, elle côtoyait néanmoins d'autres défunts, dont Tala. La belle Indienne s'était manifestée la veille, derrière la remise à bois. Kiona en avait eu le souffle coupé: Tala en tunique de daim brodée de coquillages, plus jeune que dans son souvenir, ses traits altiers parés d'une aura étincelante. « Merci, maman, se dit-elle encore. J'ai dit à Mine que je t'avais revue en rêve, parce que ça lui fait moins peur. Les gens n'aiment pas trop les revenants. J'ai lu ça dans un livre; on dit aussi les revenants. Maman, d'où reviens-tu? »

Kiona eut un charmant sourire, le nez dans les vapeurs odorantes du café brûlant. Elle était rassurée, sachant que sa mère avait rejoint le monde des esprits et qu'elle pouvait veiller sur eux tous.

La soirée se termina par la dégustation d'une pile de crêpes que chacun accommoda à son goût, Madeleine ayant disposé au centre de la table un pot de confiture de bleuets, du miel et une bouteille de sirop d'érable. Ludwig fit son apparition, l'air ensommeillé. On lui servit aussitôt sa part de haricots gardée au chaud, puis son dessert.

— Vous êtes tous si aimables! dit-il, une fois rassasié.

— Avez-vous touché le front de Charlotte? s'enquit Hermine. Elle peut avoir de la fièvre.

— Non, je crois qu'elle n'a pas de fièvre, répondit-il avec un doux sourire. Vous l'avez bien soignée. Vous tous, si aimables, vraiment!

On sentait le jeune Allemand au bord des larmes. Exilé loin de son pays natal, au sein de contrées sauvages, il avait désespérément besoin de retrouver une famille. C'était chose faite, et son cœur était inondé d'une immense gratitude.

— Mes parents me manquent souvent, confessa-t-ilensuite. Charlotte leur a envoyé une photographie d'Adèle, celle que vous avez prise au printemps, Hermine. Nous faisons attention, pour les lettres. Moi, je n'écris pas, je ne mets pas mon nom.

— Il faudra résoudre cette question un jour ou l'autre, nota Toshan. Je me renseignerai mine de rien afin de connaître le sort réservé à un prisonnier en cavale, maintenant que la guerre est terminée.

— Merci, merci! répéta Ludwig.

La discussion revint très vite sur l'approvisionnement indispensable pour passer l'hiver au bord de la Péribonka. Cela paraissait préoccuper le maître des lieux beaucoup plus que les années précédentes.

— Nous serons nombreux, ici. Il est hors de question, Ludwig, que Charlotte et toi retourniez dans la montagne avec les deux petits. Vous demeurerez chez moi. Toi aussi, grand-mère. Mukki prendra le chemin du collège de Roberval début octobre, mais les jumelles, Madeleine et Akali resteront là. Nous serons huit, et d'importantes réserves sont nécessaires: de la farine, du lard, du sucre et du lait en poudre.

— Soyez prudents avec l'eau que vous consommez, aussi, ajouta Hermine. Faites-la bien bouillir. Cette maladie, la polio, se transmettrait aussi par des eaux souillées. Je ne vis plus, moi, maintenant.

Son mari acquiesça d'un air grave. Kiona s'écria alors:

— Et moi, je peux hiverner avec vous, ici?

— Non, tu rentreras à Roberval bientôt, trancha Toshan. Jocelyn est ton père, il me semble!

— Papa me laissera faire ce que je veux, assura la fillette.

— Kiona, ce n'est pas prévu. Et il en va de même pour le cheval et le poney. Je ne pourrai pas les nourrir durant les mois de neige.

— Jamais je ne remettrai les pieds à Val-Jalbert! répliqua-t-elle. Mine, s'il te plaît, dis oui!

Déconcertée, la jeune femme ne sut que répondre. Soucieuse de respecter l'autorité de Toshan, elle abonda dans son sens.

— Mais, ma chérie, ta place est auprès de papa! Andréa te donnera des cours, puisque, toi et les jumelles, vous n'entrez à l'école que l'an prochain. Onésime viendra te chercher en camion. Comme cela, il ramènera Phébus et Basile à Val-Jalbert. Toshan dit vrai, nous n'avons ni foin ni paille, ici.

Kiona promena un regard affolé autour d'elle, puis, sans demander la permission de se lever de table, elle se rua dehors.

— Qu'est-ce qui lui prend? questionna Mukki.

— Je vais lui parler, dit Hermine.

Elle sortit à son tour. Elle se reprochait de ne pas avoir accordé quelques minutes à sa demi-sœur depuis son arrivée. Cela pouvait se comprendre, compte tenu des circonstances, mais elle s'en voulait quand même. Kiona n'était pas loin. Elle était assise sur la dernière marche du perron.

— Allons, ma chérie, dis-moi ce qui te tourmente autant, commença-t-elle en s'asseyant à ses côtés. Je n'ai pas eu le temps de te remercier. Sans toi, je ne serais pas rentrée précipitamment. Tu m'es apparue, à Québec, et tu avais peur.

— Je t'ai appelée au secours si fort! confessa Kiona. Je savais que Chogan venait de mourir et je voyais des ombres noires autour de Charlotte. J'étais perdue, Mine! Oui, j'avais peur, peur de souffrir beaucoup trop! Je ne pouvais presque plus respirer, ce jour-là, près de la rivière.

Hermine la serra contre elle et embrassa ses cheveux au parfum ténu de forêt. La détresse de cette fillette adorée l'ébranlait au plus profond de son cœur et de son âme.

— Tu as toujours su me consoler, Kiona, et moi, je n'étais pas là, je ne suis plus jamais là pour toi. Tu dois affronter tant de choses singulières depuis ton plus jeune âge! Je n'aurais pas ton courage, je t'assure, si je croisais des esprits errants, des fantômes.

— Des fantômes, il y en a plein à Val-Jalbert. Ils se montrent à moi sans arrêt, même le jour, au soleil. Mine, je t'en supplie, il faut que je reste ici cet hiver. Je t'en prie, dis-le à Toshan! Papa, lui, sera d'accord, parce qu'il sait que j'ai peur, là-bas. Onésime pourra venir chercher mon cheval et Basile, mais je ne m'en irai pas. Je suis heureuse avec Akali et les jumelles. Ce sont mes cousines, au fond.

— On peut considérer que oui, constata Hermine.

Les liens de parenté se révélaient complexes, chez les Chardin-Delbeau. Jocelyn s'était penché sur cet imbroglio un soir pour conclure que Kiona était en fait la tante ou demi-tante de Mukki, Laurence, Nuttah et Constant. Mais il avait préféré le terme de cousins et cousines, dont la fillette usait volontiers.

— Toshan acceptera, j'en suis convaincue, ma chérie, assura Hermine. Rentrons, tout le monde va se coucher. Dans le pire des cas, tu as environ deux mois à passer au grand paradis, le nouveau nom de notre domaine.

Kiona noua ses bras autour du cou d'Hermine et déposa un léger baiser sur sa joue.

— Je suis bien tranquille que tu sois là. Ici, tu ne risques plus rien.

— Je ne risquais pas grand-chose à Québec! Certes, il y a eu l'accident du train, mais je n'ai eu que des égratignures et une bosse. Viens vite, je suis épuisée.

Mais une bonne heure s'écoula encore avant que le silence ne se fasse dans la maison. Des chuchotements et des rires s'échappaient de la chambre partagée par les jumelles, Akali et Kiona. Madeleine éteignit les lampes à pétrole qui prodiguaient une si douce luminosité et s'installa dans la petite pièce réservée jadis à Tala. Constant y dormait au creux d'un lit construit en belles planches d'érable par Toshan. Odina avait élu domicile au chevet de Charlotte. La vieille Indienne tenait à coucher sur trois épaisseurs de fourrure, à même le parquet. Elle prit contre son sein le nouveau-né, qui semblait décidé à être d'une extrême discrétion. Ludwig eut droit à un lit de camp, tout près de sa compagne. Mukki hérita d'une banquette en bois dans la cuisine, non loin de la cheminée, que des coussins garnis de laine rendaient confortable. Enroulé dans une couverture, il se jugeait bien loti.

— J'aime m'endormir en admirant les braises du feu, avoua-t-il à ses parents. C'est ce que je regrette le plus, au pensionnat.

Cela fit sourire Hermine. Elle sentait sur sa taille la main chaude de son mari, et il la conduisit ainsi vers une autre chambre.

— Voici notre nid, dit-il en refermant la porte. Je t'ai préparé un baquet d'eau chaude, du savon et une serviette.

— Merci, Toshan, dit-elle à voix basse, bizarrement intimidée.

Elle avait émis l'hypothèse de s'allonger à côté de Charlotte afin de la surveiller jusqu'à l'aube. Le beau Métis l'en avait dissuadée.

– Tu lui rendras visite, si tu es trop inquiète, mais ne me prive pas de nos retrouvailles.

Elle avait cédé et à présent elle observait le décor qui les abritait, comme si ce cadre lui était inconnu. Une unique bougie éclairait les cloisons de planches, agrémentées de tentures bariolées, aux couleurs franches et vives. Deux peaux d'ours servaient de carpette. La fenêtre était ouverte sur la nuit d'été, mais voilée par un rideau en lin. Il y avait peu de meubles : un coffre, une table et deux tabourets.

– Quelle joie d'être ici ! dit-elle tout bas.

Malgré la gêne inexplicable qui ralentissait ses gestes, elle se déshabilla. Toshan ouvrit sa valise et fouilla parmi les vêtements.

– Que cherches-tu ? interrogea-t-elle.

– Une chemise de nuit en soie. Il fait chaud.

Elle cacha sa surprise. D'ordinaire, en cette saison, elle dormait nue, ce qui séduisait son mari. Et, nue, Hermine l'était déjà, pressée de se rafraîchir. Debout, les pieds dans le baquet, elle s'arrosa à l'aide d'une coupelle en fer émaillé après s'être soigneusement savonnée. Le ruissellement de l'eau tiède sur son corps lui parut une bénédiction.

– Veux-tu de l'aide ? proposa Toshan.

Elle acquiesça d'un signe de tête, déconcertée par la retenue dont il faisait preuve. Bien souvent, lorsqu'elle se lavait, il en profitait pour la caresser, en avant-goût de leurs ébats à venir.

– Tu es superbe ! constata-t-il. Une statue de nacre, de lait et de miel !

Aucun geste exprimant le désir n'accompagna cependant ces compliments chuchotés d'un ton fervent. Hermine en conçut une sorte de déception teintée d'incrédulité, mais elle dissimula ses sentiments.

– De plus en plus belle ! ajouta son mari. Ton corps a changé ; il s'est épanoui.

– Mais je n'ai pas grossi ! objecta-t-elle, subitement ramenée à leur intimité coutumière.

Il eut un petit rire troublé et, sans répondre, il lui tendit la serviette.

– Avant, tu adorais me sécher ! déplora-t-elle.

– Avant, je me suis souvent comporté en mâle indélicat, qui te considérait comme sa propriété et s'adjugeait tous les droits. Je ne tiens plus à être cet homme-là, Mine !

Néanmoins, il l'aida à sortir du baquet et entreprit d'essuyer son dos et ses épaules avec une tendresse nouvelle.

— Tu me crois insensible et égoïste, reprit-il, mais la souffrance de Charlotte m'a donné à réfléchir sur la condition des femmes. Vous mettez nos enfants au monde dans la douleur, au risque de mourir parfois. Bien des maris s'en moquent. Ils exigent leur plaisir, le fameux devoir conjugal. Je t'ai traitée comme ça et je le déplore. Plus jamais je ne t'imposerai mon désir, ce sera à toi de choisir le moment.

— Ah ? fit-elle, totalement incrédule.

— Je serais déshonoré si tu me compares un jour à un rustre comme Pierre Thibaut. Je te le dis : j'ai beaucoup réfléchi, même à tes relations amicales avec Ovide Lafleur. Lui, c'est bien le genre à séduire une femme grâce à sa conversation et à son intelligence. Je me trompe ?

Hermine joua la perplexité, de crainte de se trahir. Toshan glissa un pan de tissu éponge le long de ses cuisses fermes et douces.

— Une femme se mérite, surtout une belle créature à ton image, qui me fait l'honneur de m'aimer, selon grand-mère Odina. Elle aussi m'a ouvert les yeux sur ma conduite.

Cette fois, elle pouffa, amusée.

— Toshan, mon amour, tu n'as jamais été ainsi. Je ne t'ai pas demandé de changer, même si ton comportement m'a souvent blessée, ton mutisme, tes colères froides et tes caprices.

Il la regarda, vaguement alarmé. Si Hermine brandissait les défauts dont il voulait se débarrasser, ils auraient du mal à se réconcilier tout à fait.

— Je sais tout ça, trancha-t-il en l'embrassant sur le front. Allonge-toi, tu dois être épuisée. Je vais me laver aussi.

Un peu étonnée, elle suivit son conseil. Étaient-ce les mystères de la nature féminine ou l'esprit de contradiction, mais elle n'était pas sûre d'apprécier la métamorphose de Toshan.

— Je t'ai aimé tel que tu étais, dit-elle à mi-voix. Et je t'aime toujours autant.

Hermine le contemplait. Il était nu à son tour ; la flamme de la bougie jetait sur son dos musclé des reflets d'or, tant il avait la peau mate et cuivrée. C'était un bel homme, les épaules carrées, les hanches étroites et les jambes robustes. Elle sentit une onde de chaleur naître au creux de son ventre et une langueur bien connue se répandre en elle, voluptueuse. Un détail la bouleversa, qu'elle n'avait pas remarqué jusqu'alors. Les cheveux noirs et lisses de son mari frôlaient sa nuque, et une mèche dansait sur son front. Un vertige la pritlorsqu'elle se souvint de leur nuit de noces, qui demeurait inscrite dans sa chair de femme en lettres de passion et de plaisir confondus.

— Toshan! appela-t-elle.

Balayés Ovide Lafleur et Rodolphe Metzner! Elle subissait de nouveau le pouvoir que le Métis avait sur la jeune vierge de jadis, si pudique et confiante.

Il marcha vers le lit, une expression recueillie sur le visage. Mais il s'arrêta un instant pour mieux l'admirer. Elle était couchée sur le côté, une main soutenant sa tête. Sa souple chevelure blonde parait d'une clarté douce sa gorge et la naissance de ses seins. Une hanche ronde dessinait une courbe ravissante sous le drap. Et ses grands yeux d'azur le fixaient, pleins d'une attente éperdue. D'un doigt, il suivit le contour charmant de ses lèvres roses et charnues, et il effleura l'ovale de ses joues.

— Ma belle épouse! souffla-t-il. J'avais si faim de toi! Tu hantais mes rêves, nue et offerte, mais jamais aussi attirante que ce soir. J'ose à peine te toucher, de peur que tu disparaisses.

— Ne sois pas sot, et viens vite, répondit-elle d'une voix altérée par la montée du désir dans chaque fibre de son corps. Mon amour, tu m'as tellement manqué, tu me manques tant dès que je m'éloigne de toi!

Toshan s'allongea près d'elle. Il patienta encore avant de quêter son consentement sur sa bouche. Avide, agacée par cette attitude qui la déroutait, elle l'enlaça et se plaqua contre lui. Elle perçut la tension de son sexe d'homme à hauteur de son ventre traversé de frissons voluptueux. C'était déjà une promesse d'extase, de pure jouissance. Amant ardent, savant et habile, il l'avait rarement déçue.

— Viens! répéta-t-elle. J'ai besoin de toi!

Tout son être jubilait, fébrile. Elle échappa à son étreinte pour repousser le drap et se dresser à genoux, au-dessus de lui. Il se prêta au jeu en glissant prestement entre ses cuisses ouvertes pour un baiser audacieux, dans la chaleur moite de son intimité. Le parfum de miel de sa toison dorée le fit frémir d'une joie farouche. Submergée par mille sensations exquises, Hermine retint des plaintes langoureuses, une main sur sa bouche pour mieux les étouffer. Elle se cambra, totalement abandonnée aux lèvres voraces de Toshan. Il allait la mener ainsi au bord ultime du plaisir, mais elle se dégagea, haletante.

— J'ai l'impression que je vais m'évanouir, confessa-t-elle très bas en s'allongeant à nouveau. Oh! mon amour, mon amour, c'était si bon…

Il ne répondit pas, impénétrable, concentré sur la folie charnelle qui brûlait au creux de ses reins. Sa bouche se referma sur la pointe de son sein droit, qu'il mordilla, lécha et embrassa avant de combler l'autre mamelon, durci par l'excitation.

— Mes fruits préférés! proféra-t-il d'une voix rauque. Ah! ta poitrine! La plus belle que j'ai vue, touchée et possédée!

Elle aurait voulu le blâmer, car il évoquait par là ses autres conquêtes, du temps de sa jeunesse, mais elle s'abandonnait à un véritable orage sensuel, pareil à un océan déchaîné qui lui ôtait toute volonté. Elle ne pouvait guère parler, encore moins réfléchir, attentive à ce déferlement intérieur capable de la changer en femelle soumise, de la libérer de toute pudeur. Ses doigts se lovèrent autour de la virilité triomphante de son mari et se firent caressants, insistants. Il capitula et, égaré par une joie délirante, renonça à la ménager.

— Mine, Mine, ma petite femme coquillage! souffla-t-il à son oreille en se couchant sur elle.

Elle respirait par saccades, paupières mi-closes, enfiévrée par ses baisers où elle sentait, ténu, son propre parfum de femme un peu sucré. Toshan la pénétra alors lentement, ivre de désir. Il se figea un instant, avant d'aller et venir sur un rythme de plus en plus rapide.

— Il n'y a que toi, que toi, assura-t-elle tandis que son visage se tendait vers lui, magnifié, transfiguré par un bonheur extrême.

Abandonnée, arquée et palpitante, elle cédait à une douce folie. Il répondit d'un grognement rauque et s'enfonça en elle un peu plus, avec une frénésie à peine contenue. Ils ne furent plus qu'un, peau contre peau, souffle contre souffle.

— Enfin! dit-il très bas. Toi et moi, Mine. Je voudrais rester en toi toute l'éternité. C'est si doux, si chaud.

Ils vibrèrent à l'unisson, chacun attentif aux mouvements de l'autre, à l'éblouissement du plaisir, semblable à un feu d'artifice dont les mille étoiles pétillaient en eux et autour d'eux. Cependant, Toshan se retira brusquement.

— Reste! supplia-t-elle, égarée, avec l'affreuse sensation d'un vide intolérable.

— Je ne veux plus te faire d'enfants. Tu pourrais en mourir!

— Non, je t'en prie, reviens.

Tout à coup, elle se releva et lui tourna le dos, appuyée sur ses paumes. Il eut la vision adorable de ses fesses offertes et du sillon doré de son dos. Hermine savait qu'il appréciait cette position très proche de la nature, que certains bigots jugeaient condamnable. Ils la pratiquaient souvent lors de leurs promenades en tête-à-tête dans la forêt.

— Mine! bredouilla-t-il en caressant à pleines mains ces rondeurs satinées qu'elle lui présentait.

Il n'avait pas encore répandu sa semence, mais il était conscient de ne pas pouvoir tenir longtemps. Ce fut avec une faible plainte extatique qu'il reprit possession d'elle. Il se garda d'être trop brutal, afin de l'amener au paroxysme du plaisir. À demi aveuglée par sa longue chevelure, la jeune femme dut mordre le coin d'un oreiller pour ne pas crier. Elle devint légère, comme si elle flottait, tout entière livrée aux spasmes qui agitaient le ventre de son mari.

Ils s'effondrèrent en travers du lit, vaincus et extasiés. Ce fut le moment délicieux des mots tendres et des baisers passionnés.

— Mon amour, j'espère avoir un bébé de toi. Tu m'as rendue si heureuse!

— Mine chérie, tu me rends fou. Fou de toi!

Cela se poursuivit la moitié de la nuit. Les joutes amoureuses succédaient aux fantaisies improvisées dont ils souriaient dans la pénombre et aux baisers ardents, tendres ou complices. Ils étaient juste assoupis quand on frappa à la porte. Hermine sursauta.

— Il faut venir! disait Ludwig. Vite, Charlotte est brûlante. Beaucoup de fièvre! Vite!

12

UN PARFUM DE NEIGE

Rive de la Péribonka, mardi 6 août 1946

En entendant les mots balbutiés par Ludwig, Hermine enfila à la hâte un peignoir en soie et se précipita à l'extérieur de sa chambre. Elle se reprochait déjà d'avoir abandonné son amie au profit d'une nuit d'amour.

— Est-ce qu'elle est lucide? interrogea-t-elle.

— Non, elle ne nous reconnaît pas, répondit le jeune Allemand, affolé. Qu'est-ce qu'elle a?

— Une infection a pu se déclarer!

Elle n'en dit pas davantage, mais des paroles effrayantes résonnaient dans son esprit. La sage-femme de Val-Jalbert qui avait présidé à la naissance des jumelles l'avait mise en garde contre la terrible fièvre puerpérale, capable d'emporter une jeune accouchée en quelques heures. Le mal se déclenchait si des saletés, même infimes, contaminaient l'intimité de la mère, surtout en cas d'incisions.

— Nous avons pourtant fait très attention! gémit-elle. Mais c'est Odina qui l'a recousue. Seigneur, cette fois, je ne sais plus quoi faire.

Toshan venait de les rejoindre au chevet de Charlotte. Le visage de la jeune mère était luisant de sueur. Elle délirait, ses boucles brunes plaquées à son front et à son cou. Odina l'observait avec des gestes qui trahissaient son impuissance.

— Tu penses à une infection, Hermine? demanda le Métis. Alors, il faudrait de la pénicilline. Les Alliés en utilisaient pour les grands blessés pendant la guerre. Le médicament est presque au point. Je vais prendre le cheval pour aller à Péribonka. Le médecin du village en a peut-être dans sa pharmacie.

— Oui, je t'en prie, fais vite, le plus vite possible! s'écria Hermine.

— Je suis un cavalier très ordinaire, mais je n'ai pas d'autre moyen de locomotion, hélas.

Drapée dans un châle en laine, Madeleine entra au pas de course et leur adressa des regards accablés.

— Kiona est partie! les alerta-t-elle. Je n'ai pas pu la retenir. Elle a sellé Phébus et pris une lampe à pile. Une vraie petite furie, bien déterminée!

— Bon sang! s'emporta Toshan. Décidément, elle devient infernale. Bien sûr, elle n'a pas demandé la permission, sachant que nous aurions refusé.

— Kiona compte galoper jusqu'à Péribonka, indiqua Madeleine. C'est elle qui a réveillé Ludwig pour lui dire que Charlotte était en danger. Que voulez-vous faire contre ce genre de choses? Nous ne serons jamais comme cette enfant-là, qui pressent l'invisible, la vie comme la mort.

Hermine se signa, terrassée par une nouvelle angoisse en imaginant le parcours que devait effectuer Kiona, âgée de douze ans, en pleine forêt et de nuit.

— Mon Dieu, si le cheval s'effraie à cause d'une bête sauvage et que la petite tombe!

— Je crois que ce n'est plus une petite, rectifia Toshan.

— D'accord, tu as raison. Occupons-nous de Charlotte. Madeleine, ranime le feu, il nous faut de l'eau bouillie. Odina, l'as-tu examinée?

— Oui, et je n'ai rien vu de surprenant! Le mal doit se trouver à l'intérieur du corps.

Anéanti, Ludwig s'était assis au bord du lit. Il tenait la main de Charlotte dans l'espoir de lui communiquer sa force et son amour. Hermine, quant à elle, décida de rafraîchir la jeune femme à l'aide d'un mouchoir imbibé d'eau. C'était dérisoire et elle le savait.

— Nous ne pouvons plus que prier, dit-elle enfin.

* * *

Debout sur les étriers, Kiona incitait Phébus à galoper plus vite encore. Penchée en avant, elle sentait la crinière du cheval lui effleurer par instants le cou ou le menton. Cette course folle dans la nuit lui donnait l'impression de pouvoir agir, de braver le destin. Peut-être qu'elle arriverait trop tard à Péribonka, pas avant l'aube, en tout cas, mais au moins elle se serait battue pour sauver Charlotte.

— Va, va! criait-elle. Va, Phébus!

Ce n'était guère prudent, la piste étant par endroits creusée d'ornières ou parsemée de cailloux. Mais Phébus était un animal de race et une bête résistante. Le bruit sec de ses sabots sur le sol faisait fuir les habitants du bois, en maraude à cette heure nocturne.

«Pourvu qu'on ne croise pas la mère ourse que j'ai aperçue l'autre soir avec ses petits! Et pas d'orignal, surtout pas d'orignal! Toshan a dit qu'un vieux mâle traînait le long de la rivière!» Elle aurait voulu prier Jésus ou Manitou de lui éviter de mauvaises rencontres, mais sa foi était éteinte, anéantie par trop de chagrin.

— Personne ne le comprend, ça! hurla-t-elle. Personne! Maman est morte et, même si je la vois, ça ne change rien, rien, rien! Je ne peux ni la toucher ni l'embrasser.

De gros sanglots l'agitèrent. Elle se mit à rêver qu'elle galopait ainsi des heures, des jours, des semaines, afin de sécher ses larmes au vent de la course et de ne s'arrêter que quand elle serait devenue grande. L'enfance ne l'intéressait plus.

— Oh non! s'exclama-t-elle au détour d'un virage. Là, là, Phébus, au trot!

Des phares déchiraient les ténèbres, pareils à deux gros yeux jaunes et bien ronds. Si le cheval ne ralentissait pas, il heurterait le véhicule de plein fouet. Kiona pesa de tout son poids sur la selle en se renversant un peu en arrière, puis elle tira sur les rênes. Phébus fit un écart de côté et fonça entre les arbres, évitant de justesse le camion.

— Du calme! Je t'en prie, arrête-toi!

De toute la puissance de son esprit, elle lui insuffla son autorité et son affection. Il ne devait pas la désarçonner. Très vite, le bel animal se calma. Mais le chauffeur avait coupé le moteur et sautait au sol.

— Qu'est-ce que tu fais icitte au milieu de la nuit, toé! tonna-t-il. Mais... J'te reconnais!

— Onésime! s'enflamma Kiona. Oh! quelle chance j'ai!

— De la chance, ouais! De pas être en bouillie!

Onésime Lapointe pouvait ronchonner tout son saoul, Kiona s'en moquait. La providence lui envoyait le frère de Charlotte. C'était un signe d'importance, à son avis.

— Il faut que tu m'emmènes à Péribonka tout de suite! s'écria-t-elle. Chez le médecin, pour ta sœur! Elle a accouché ce matin d'un beau petit garçon, mais elle a failli mourir!

— Torrieux! Si je m'en doutais!

— Maintenant, elle a une grosse fièvre.

— Ben voyons donc! Et on t'a envoyée toute seule chercher le docteur?

— Je suis la meilleure cavalière de la famille. Mais on ira plus vite en camion.

Sans attendre de réponse, Kiona dessella son cheval et lui ôta la bride de la bouche. Elle lui tapota l'encolure.

— Retourne à la maison, Phébus. File, file!

Elle savait qu'en agissant ainsi elle déclencherait la panique générale, que Mine et Toshan croiraient à un accident, mais cela ne comptait pas. Onésime la scrutait, indécis, en grattant sa barbe rousse d'une main nerveuse.

— Vite, allons-y! implora-t-elle.

Le colosse obtempéra. Il avait souvent maudit sa sœur de s'être si mal conduite, mais il ne souhaitait pas la voir mourir en pleine jeunesse. Cramponné au volant, la mine contractée, il effectua un demi-tour laborieux, puis il se confia sans gêne à Kiona.

— Charlotte, je l'ai rayée de mon cœur, parce que c'est une niaiseuse et qu'elle a sali notre nom. S'enticher d'un Allemand pendant la guerre! Se lier à lui, enceinte en plus! Ça, j'pourrai pas lui pardonner. Mais…

— Mais quoi? insista la fillette.

— Baptême! Je l'ai quasiment vue naître, Charlotte. Même que ma pauvre mère Aglaé poussait des cris à fendre le cœur. Et puis, je l'ai vue grandir. Elle était ben mignonne, toute fine avec les cheveux bouclés, bien bruns. Mais, vers ses quatre ans, elle est devenue presque aveugle, et ça me peinait, sais-tu.

Kiona connaissait l'histoire de Charlotte. Cependant, elle se garda de couper la parole à Onésime. Malgré sa haute stature, ses colères et sa grosse voix, c'était un brave homme, pris au piège d'une éducation paysanne, dominée par la crainte de Dieu et du curé, et alignée sur des principes du siècle dernier.

— Charlotte, c'est un drôle de caractère, reprit-il. Capricieuse, coquette et menteuse… Enfin, les défauts des jolies créatures de son genre! Mais j'y peux rien, moé, c'est ma petite sœur. Le bon Dieu l'a bien punie d'avoir fauté! Paraît que son Adèle est infirme à vie, et voilà qu'elle a failli mourir.

Il se tut un long moment, pensif. La voix de Kiona le fit sursauter:

— Au fait, Onésime, que faisais-tu sur la piste forestière en pleine nuit? Elle ne mène que chez Toshan!

— Tu fais ta curieuse, toé, petite belette! C'est Yvette, ma femme, qui a trié des affaires de nos petits, du linge pour les bébés et de la layette. Elle en avait une malle remplie. Hier, elle me dit comme ça: «Onésime, j'aurai plus d'enfants, mais ta sœur va bientôt accoucher et il y a la pauvre Adèle qui a eu la polio. Tu devrais porter tout ça chez Toshan au bord de la Péribonka. Ta sœur le prendra quand elle descendra de chez les sauvages.»

— Les Indiens sont pas des sauvages! s'indigna Kiona.

— Ben ça, j'en sais rien, moé. Mais je pouvais pas la contredire, Yvette, sinon elle m'aurait étourdi avec ses paroles. Et puis, comme dit monsieur le curé de Roberval, un saint homme, les enfants de Charlotte, y sont innocents des fautes de leur mère. Faudrait même, d'après lui, que je raisonne ma folle de sœur pour qu'elle épouse son Boche.

— Onésime, tu n'as pas dit au curé que Charlotte vivait avec un prisonnier allemand?

— Non, je suis pas crétin, quand même! J'ai causé d'un émigré à qui Toshan avait donné une job sur ses terres.

Kiona poussa un soupir de soulagement. Le camion tressautait à chaque cahot, et son moteur faisait un bruit désagréable, mais le village se rapprochait, et cela soulageait l'étrange fillette, dont les yeux d'ambre brillaient d'impatience.

— Vois-tu, conclut Onésime, j'avais l'idée d'arriver à l'aube, de poser la malle à l'entrée de vot' clairière, là-bas, et de klaxonner. Ensuite, je serais reparti vite fait.

— Non! Je pense que tu serais venu jusqu'à la maison boire un café pour prendre des nouvelles de ta sœur, avança Kiona. C'était ta vraie idée.

— Baptême, y a pas moyen de placoter avec une petite sorcière comme toé! T'as lu dans ma tête, c'est ça?

— Un peu! avoua-t-elle avec un sourire.

Une heure plus tard, après avoir discuté des ours, du vieil orignal aux bois gigantesques et de l'hiver à venir, ils longeaient au ralenti la rue principale de Péribonka. Le ciel, d'un gris cotonneux, pâlissait. On leur indiqua l'adresse du docteur Damasse, et ce fut Onésime qui se chargea de lui parler du cas de Charlotte. Le médecin s'empara d'une mallette et le suivit aussitôt.

À la même heure, Hermine se désespérait. Mukki, qui s'était levé avant le jour, avait assisté au retour de Phébus, sans selle ni harnachement.

— Si elle était tombée! affirma Toshan, le cheval serait encore bridé et sellé. Et je crois qu'il ne l'aurait pas quittée. Kiona a le don d'inspirer aux animaux un attachement remarquable.

— Mais que s'est-il passé, dans ce cas? gémit Madeleine.

Il eut un geste d'impuissance. Quant à Charlotte, elle avait retrouvé ses esprits, car la fièvre avait un peu baissé grâce à l'initiative de grand-mère Odina. La vieille Indienne avait entièrement lavé la jeune femme à l'eau froide et ouvert la fenêtre.

— Dites, est-ce que je vais mourir? questionna tout bas la malheureuse. Ludwig, tu prendras soin d'Adèle et de Thomas. Mimine, tu lui paieras un billet de bateau, qu'il puisse rejoindre sa famille en Allemagne. Les petits seront bien traités, là-bas.

Les yeux gonflés et noyés de larmes, Charlotte puisait dans ses dernières forces afin d'organiser un futur dont elle ne ferait plus partie, pensait-elle.

— Je voudrais être enterrée à Val-Jalbert, près de maman. Il faudra planter un rosier blanc sur ma tombe et mettre une croix toute simple, en bois blanc. Ludwig, j'aimerais tant me confesser... Un prêtre ne viendra pas ici, je le sais bien. Madeleine, toi qui es si pieuse, je voudrais que tu écoutes tous mes péchés et que tu pries pour moi, beaucoup! J'aurai besoin de tant de prières, là-haut!

Hermine pleurait sans cesse en silence, assise au bord du lit. Toute la maisonnée entourait Charlotte: Akali, Laurence, Marie-Nuttah et Mukki. Toshan avait pris Constant sur ses genoux, le garçonnet ayant été réveillé par les allées et venues des uns et des autres. Odina, elle, berçait Thomas sur son sein. Le bébé avait eu droit à deux biberons d'eau sucrée et il semblait s'accommoder de cette boisson.

— Vous entendez? clama soudain Mukki. Un bruit de moteur! Je vais voir!

L'adolescent se précipita dehors. Il y eut un mouvement général en direction du perron. Hormis Ludwig et Odina, demeurés au chevet de la jeune accouchée, tout le monde assista à l'arrivée d'Onésime

Lapointe et de Kiona, qui escortaient un homme en costume gris et chapeau portant une sorte de valise noire.

— Le docteur Damasse, indiqua Hermine. Dieu soit loué!

Néanmoins, elle se figea sous le coup de l'émotion, car c'était ce médecin qui avait délivré le permis d'inhumer son petit Victor, sept ans auparavant. Elle se revit, âme et corps endoloris, allant jusqu'au village avec Toshan pour procéder aux formalités nécessaires. «Victor aurait eu sept ans cet automne», songea-t-elle en essayant de se représenter l'enfant à cet âge-là.

La perte d'un nouveau-né était une blessure de femme inguérissable. Elle maîtrisa son trouble pour conduire le docteur dans la grande chambre. Grelottante, Charlotte les accueillit d'un pauvre sourire.

— Je vais vous ausculter, madame! dit-il. Monsieur est le mari, je suppose. Il faudrait qu'il sorte. Et fermez donc cette fenêtre.

Seule Hermine fut autorisée à rester. Angoissée, elle se détourna pendant l'examen. Le diagnostic l'effrayait déjà.

— Bon, ce n'est pas la fièvre puerpérale, qui ne se déclare pas si vite après l'accouchement, déclara tout haut le médecin. Je préfère quand même administrer de la pénicilline à cette jeune dame, par précaution. Le médicament miracle!

— Oui, il paraît, reconnut Hermine.

— Il n'y a pas longtemps que nous l'utilisons en thérapie. Avant la guerre, la pénicilline servait surtout à nettoyer le matériel chirurgical. Mais tout change! Contre les infections, cette substance donne des résultats étonnants.

— Mais qu'est-ce que j'ai, alors, docteur? s'alarma Charlotte.

— Doux Jésus! Vous avez eu un accouchement difficile, à en croire la fillette rousse qui m'a parlé de votre état pendant le trajet. La montée de lait peut causer aussi de la fièvre, mais c'est un peu tôt. Il faut boire beaucoup, du bouillon, du thé, et rester alitée plusieurs jours, même trois semaines. Surtout, personne ne doit troubler votre repos.

— Elle n'est plus en danger? questionna Hermine sans oser se réjouir.

Bravant les conseils du docteur Damasse, grand-mère Odina entra dans la pièce. Elle portait le bébé.

— Le père a dit qu'il fallait examiner son enfant, dit-elle froidement.

— J'y aurais sans doute pensé tout seul, plaisanta-t-il. Au fait, qui a incisé madame et l'a recousue aussi soigneusement? Du bel ouvrage.

La vieille Indienne bougonna un «C'est moi!» en jetant un coup d'œil hautain au médecin.

— Je travaille le cuir depuis mes huit ans, ajouta-t-elle.

La boutade fit sourire Hermine, mais Damasse ouvritde grands yeux abasourdis. «Où suis-je tombé? s'interrogeait-il. Des Indiennes de trois générations, ce type blond qui rappelle les Danois ou les Belges, et cette drôle de gamine, rousse au teint mat, une curiosité génétique!»

Cependant, il avait entendu certaines rumeurs sur Toshan Delbeau, métis lui aussi, et sa propriété isolée dans les bois. Cela suffisait à expliquer quelques détails, comme les fourrures en guise de tapis et les tentures de facture indienne qui agrémentaient les cloisons.

— Vous avez une belle maison, dit-il aimablement. Jadis, ce n'était qu'une baraque de chercheur d'or, n'est-ce pas?

— En effet. Mon époux a construit tout ça de ses mains, au fil des ans, confirma Hermine.

Le docteur hocha la tête tout en procédant à l'examen du petit Thomas.

— Un solide gaillard, qu'il faudra vite mettre au sein, affirma-t-il. Bien… Je vous laisse de l'aspirine pour votre malade. Un comprimé à midi et un demain. La fièvre a baissé, il lui faut seulement du calme, du repos et une nourriture saine et abondante.

Pendant qu'il rangeait ses instruments, Charlotte tendit la main vers Hermine. Elle parvint à lui étreindre les doigts :

— Mimine, est-ce que je divague encore? J'entends la voix de mon frère, à côté.

— Onésime est bien là! Il a conduit le docteur Damasse jusqu'ici.

— Et il doit me ramener à Péribonka, ajouta le médecin.

— Mon frère! se troubla Charlotte. Alors, il a vu son neveu. Hermine, peux-tu lui demander de venir me parler?

— D'accord!

Elle ne se faisait guère d'illusions sur la réponse d'Onésime, connu pour son intransigeance en matière de convenances. Il avait clamé assez souvent qu'il ne pardonnerait jamais à sa sœur! Elle entra dans la cuisine et découvrit une scène singulière. Le colosse roux et Ludwig étaient assis face à face, séparés par la table. Ils buvaient le café que leur avait servi Akali.

— Comment va-t-elle? demanda le jeune Allemand.

— D'après le docteur, Charlotte est tirée d'affaire, proclama-t-elle gaiement. Le bébé est en excellente santé. Nous pouvons enfin respirer.

— Merci, mon Dieu! exulta Madeleine.

— Ben, j'peux crisser mon camp d'icitte, astheure! maugréa Onésime. Vous direz à ma sœur que j'ai amené une malle pleine de vêtements de la part d'Yvette. Et puis, aussi, qu'elle se dépêche de se marier pour plus vivre dans le péché!

Hermine lui toucha l'épaule d'un geste décidé et amical.

— Mon cher Onésime, Charlotte vous réclame. Je ne sais pas trop ce que vous faisiez par ici, mais, puisque vous êtes chez nous, vous n'allez pas repartir sans avoir discuté un peu avec votre sœur. Elle a vraiment failli nous quitter.

— Ça lui ferait plaisir, monsieur, insista Ludwig, qui était impressionné par la carrure du personnage et son air renfrogné.

— Vous, j'ai pas besoin de votre avis! pesta Lapointe. Soyez déjà ben content que je vous aie pas crissé une bonne volée pour avoir déshonoré Charlotte!

— Paix sur la terre aux hommes de bonne volonté! s'exclama Kiona d'un ton réfléchi. C'est dans les livres saints, n'est-ce pas, Madeleine?

— Toi, ne fais pas ta maligne! intervint Toshan. Après ton escapade de cette nuit, tu mériterais d'être sévèrement punie.

— Mais, papa, Kiona a eu raison! affirma Laurence. Elle devait prévenir le docteur. Chaque seconde comptait.

— Oui, c'était un acte héroïque, renchérit Marie-Nuttah. Il faut la féliciter et la récompenser.

À la surprise générale, Onésime éclata de rire. Il pointa l'index en direction de Toshan:

— Delbeau, vous ferez jamais la loi icitte avec toutes ces filles! Et avec ces dames!

Sur ces mots, il se leva du banc, l'air moins enjoué. Hermine le supplia de ses beaux yeux bleus.

— J'y vais, calvaire! Par où c'est, la chambre?

— Venez, je vous y conduis. Je vous laisserai seul avec elle.

Le médecin s'était attardé auprès de sa patiente. Il les croisa sur le seuil de la pièce.

— Si vous pouvez patienter deux minutes, docteur, je veux causer un peu à Charlotte qui est de ma famille, expliqua Onésime.

— Vous prendrez bien un café ou un thé pendant ce temps, docteur? proposa Hermine.

Il accepta volontiers, car il avait été tiré du lit au lever du jour. Ainsi, le frère et la sœur se retrouvèrent en tête-à-tête.

— Bonjour, Onésime, bredouilla Charlotte.

Il la dévisagea sans oser avancer vers le lit. Elle avait changé. Elle semblait amaigrie et affichait un teint hâlé. Ses cheveux étaient plus longs que par le passé. Elle tenait son bébé serré dans ses bras.

— T'as pas embelli, dis donc! constata-t-il.

— Merci du compliment! répliqua-t-elle, amusée. Toi, tu as grossi. Yvette cuisine-t-elle mieux que jadis?

— Ah! ça non! s'esclaffa-t-il. Mais je casse la croûte ailleurs que chez nous, dans un restaurant près de l'usine où j'ai une job. Et ça paye bien.

Charlotte eut un petit rire complice. Elle tendit la main:

— Approche, Onésime! Je suis tellement heureuse de te revoir et que tu aies accepté de me parler!

— Vrai, t'es contente?

— Oh oui! Cinq ans loin de tout, ce n'est pas toujours facile, mais c'était mon choix.

Il se décida à marcher jusqu'au lit. Là, il prit place sur le fauteuil où Odina veillait ordinairement la jeune mère.

— J'pouvais pas refuser, Charlotte. T'as bien assez de malheur comme ça! Peut-être ben que Dieu t'a fait payer tes erreurs, ça, on le saura jamais. Faudrait demander à la petite sorcière, Kiona. J'suis pas rassuré quand elle est dans les parages.

— Onésime, Kiona est un ange gardien. Je l'aime beaucoup.

Il fit la grimace, les yeux rivés au crâne rond et duveteux de son neveu.

— Comment tu l'appelles, déjà?

— Thomas!

— Monsieur le curé m'a dit de te pardonner. Moé, je veux ben, mais à une condition. Faudrait te marier avec ton Boche.

— Ne le traite pas de Boche! Son nom, c'est Ludwig, et il n'a causé de tort à personne. Comment lui reprocher d'avoir été mobilisé dès le début de la guerre? Et tout de suite fait prisonnier, expédié icitte, dans un camp? Nous nous marierons plus tard, Onésime. Sa situation n'est pas sûre; il n'a plus de papiers d'identité. Je n'ai pas envie qu'on le mette en prison ou qu'on le renvoie en Allemagne.

— Si vous passez en douce devant le curé, il ne réclamera pas de paperasses, mais tu seras en règle avec Dieu et l'Église.

Charlotte soupira, gardant pour elle le fait que Ludwig était de religion protestante.

— Nous le ferons, grand frère, admit-elle d'une voix enfantine. Et je t'inviterai au repas de fête. Avec Yvette et les garçons. Est-ce qu'ils vont bien ?

— De fichus p'tits monstres ! Je les dresse à coups de ceinture, sinon, ils font que des bêtises. Enfin, ils vont mieux que ta pauvre Adèle ! Quel calvaire, cette maladie…

— Elle est pratiquement guérie, objecta Charlotte.

— Sans doute, mais infirme à vie, répliqua-t-il.

— Quoi ? Qu'est-ce que tu racontes ? Adèle n'est pas infirme, Ludwig me l'aurait dit, Hermine aussi.

Onésime comprit qu'il avait commis une sérieuse maladresse. De toute évidence, on n'avait rien dit à sa sœur au sujet de son enfant. Embarrassé, il se gratta la barbe.

— Moé, je l'ai su par monsieur Chardin, hier matin, quand il revenait de l'hôpital. Seigneur, j'en ai été tout retourné. Je croyais que tu étais au courant.

Les lèvres pincées, Charlotte nia de manière brusque. Pourtant, elle comprenait.

— Quand Hermine et Ludwig sont arrivés, j'étais dans les douleurs et je hurlais comme une bête à l'agonie. Ils n'ont pas osé m'annoncer la mauvaise nouvelle. Cela m'aurait enlevé ce qui me restait de courage. Maintenant, je sais… Et puis, infirme, c'est un grand mot, ça ! Où est-elle atteinte ?

— Une jambe, à ce qu'il paraît !

— Et alors ? observa-t-elle. Une jambe, on peut la cacher sous une jolie robe, et ça n'empêche pas de profiter des plaisirs de la vie. Ma petite à moi, elle verra les couchers de soleil sur la rivière et elle écoutera les oiseaux chanter à l'aube. Tu penses bien, Onésime, que je l'aimerai encore plus fort, Adèle. Elle ne manquera de rien, jamais ! Une jambe de travers, est-ce que ça l'empêchera aussi de jouer à la poupée ou de lire de beaux livres illustrés ? Elle sera tellement gâtée, ma petite perle, qu'elle ne souffrira jamais de son infirmité. Tu vois, Onésime, ça me donne de la détermination, cette histoire-là ! Je vais vite guérir et je reprendrai ma mignonne icitte pour la câliner, lui promettre qu'elle sera heureuse. Oh! Seigneur! je voudrais tant la serrer dans mes bras, avec Thomas! Il fallait me la ramener. Je suis sa maman, je suis la seule capable de la protéger!

Un sanglot la fit taire. Blême, elle pleura tout haut, jusqu'à en suffoquer.

— Ben voyons donc, te laisse pas aller au chagrin de même, t'auras pas de lait pour le garçon! Charlotte, du cran!

Embarrassé par sa masse imposante, le colosse s'assit au bord du lit. Il caressa la joue de sa sœur en essuyant ses larmes. Elle s'empara de cette main et la porta à sa bouche. C'était une lourde main calleuse, labourée de crevasses grisâtres, tavelée de brun par la mécanique. Mais Charlotte se souvenait de sa triste enfance, lorsque, presque aveugle, son frère aîné la guidait dans les rues de Val-Jalbert.

— Merci d'être là, Onésime, merci! Tu es ma seule famille!

Elle parvint à se redresser, son bébé lové au creux de son bras, pour se blottir contre lui.

— Pardon, pardon! gémit-elle. Je t'ai fait honte, je t'ai causé du souci. Mais je suis punie, oui, bien punie!

Alertée par les pleurs de son amie, Hermine entra sans bruit. Elle vit Onésime qui berçait Charlotte doucement, avec une tendresse inattendue chez cet homme rude et colérique.

— Je m'inquiétais, déclara-t-elle en guise d'excuse. Le docteur s'impatiente, et toi, Lolotte, tu dois te reposer.

— De toute façon, j'allais partir. À la revoyure, p'tite sœur. Soigne-toi ben!

Il sortit précipitamment. Charlotte se rejeta en arrière sans arrêter de sangloter.

— Je sais la vérité, pour Adèle, dit-elle d'un ton amer. Vous n'avez pas pu me l'avouer… Je ne vous en veux pas.

— Seigneur! soupira Hermine. Je t'en supplie, calme-toi.

Ce fut au tour de Ludwig d'entrer. Il avait tout entendu et s'empressa de consoler sa compagne. Bientôt, ils pleurèrent ensemble. Hermine sortit, le cœur serré.

Il y eut bien des discussions ce jour-là. On commenta autour du repas de midi la réconciliation de Charlotte et d'Onésime, qui n'était pas si redoutable, en somme. On parla aussi de la visite du docteur Damasse. Mais Kiona demeura le centre d'intérêt. Elle dut raconter ce qui l'avait poussée à seller Phébus pour une folle galopade nocturne.

— Je me suis réveillée toute tremblante. J'avais fait un rêve dont je me souvenais en détail. Tala, ma mère chérie, me disait que la mort rôdait. J'ai pensé à Charlotte et je suis allée dans la chambre. Elle geignait et était brûlante. J'ai secoué Ludwig et je lui ai promis de ramener un docteur. Madeleine a voulu m'empêcher de partir, mais j'ai désobéi. Voilà! J'ai sellé le cheval très vite et je l'ai lancé au galop.

La fillette dut avouer de quelle façon elle avait croisé la route d'Onésime, ainsi que l'accident évité de peu. Tous frissonnèrent de peur rétrospective.

— Je ne courais aucun risque, assura-t-elle en souriant. J'avais une mission sacrée!

Elle prononça cela très sérieusement, son ravissant visage au teint de miel empreint de dignité, un éclat de fierté dans ses yeux d'ambre. Du plus petit au plus grand, ils la regardaient tous avec une sorte de vénération instinctive. Kiona leur apparaissait comme un être surnaturel, pareil à ces fées ou ces lutins des contes, dotés à la fois de malice et de ruse, chargés de secourir les pauvres humains, ou bien de leur faire endurer quelques tourments.

Mukki rompit le charme en posant une question très cohérente.

— Mais pourquoi t'a-t-il fallu prendre le cheval, toi qui peux projeter ton image dans l'espace et même parler à ceux que tu vas voir?

— Es-tu bête! s'esclaffa-t-elle. Je ne connaissais pas du tout le docteur Damasse. Je ne savais pas où était sa maison. Non seulement je ne pouvais pas y apparaître, mais cela n'aurait certainement pas convaincu un étranger. Et puis, ça ne marche qu'avec les gens que j'aime très fort, ceux qui sont de mon sang, aussi. J'ai remarqué ça.

— Dans ce cas, ce n'est pas très pratique, plaisanta l'adolescent.

Troublée, Hermine comprenait bien ce que venait de dire Kiona. Sa demi-sœur s'était souvent montrée à elle afin de l'informer d'un danger ou d'un malheur. Elle avait pu aussi se manifester auprès de Toshan, quand il était dans la Résistance, en Europe.

— Tu ne seras pas punie, dit-elle, mais ne recommence pas, Kiona. J'ai eu tellement peur quand Phébus est rentré ici, dessellé, sans toi! De plus, selon le docteur, Charlotte n'était pas vraiment en danger. C'était un accès de fièvre consécutif à la naissance.

— Disons que tout est bien qui finit bien, conclut Toshan. À ce propos, il faut aller récupérer tout ça, la selle et la bride. Mukki, viens avec moi, ça nous fera une belle balade.

Ils sortirent au coude-à-coude en riant. Jamais leur ressemblance n'avait été aussi indéniable. Madeleine constata :

– Tel père, tel fils !

Akali acquiesça la première d'un signe de tête, puis ce fut un concert d'approbations. Rassérénée après ces longues heures d'angoisse, Hermine annonça qu'il fallait préparer un petit festin pour le souper.

– Des truites grillées et des beignes ! Et de la soupe !

Le repas fut fidèle aux attentes de la jeune femme, qui pouvait enfin jouer les maîtresses de maison. Encore très affaiblie, Charlotte bénéficia d'un plateau bien garni dont elle ne put avaler que la moitié. Ce soir-là, tous se couchèrent très tôt, délivrés de la pénible angoisse qui les avait oppressés durant deux jours.

La joue nichée sur l'épaule de son mari, Hermine était songeuse. Ils avaient ouvert la fenêtre, équipée d'une moustiquaire, sur une nuit claire et étoilée. Les bois alentour résonnaient de mille bruits ténus, des craquements, de petits cris et parfois des hululements. Les bords de la Péribonka abritaient nombre d'animaux et d'oiseaux. Le couple était habitué à ce discret concert nocturne.

– Onésime n'est pas malin d'avoir dit à sa sœur qu'Adèle était infirme ! observa enfin le Métis.

– Elle l'aurait su dans les jours à venir. Au fond, elle a bien réagi. Je croyais qu'elle serait désespérée, mais non. Sa petite est vivante, elle ne retient que ça.

– À juste titre !

Toshan chercha ses lèvres avec une infinie douceur. Elle répondit à son baiser. Ils étaient nus tous les deux, plus avides de tendresse que de plaisir.

– Tu es épuisée, Mine, souffla-t-il à son oreille. Il faut te reposer ; tu t'es tellement démenée depuis hier ! Demain, nous pourrons profiter un peu de nos enfants. Une baignade en famille serait agréable.

– Oh oui ! Cela me tente beaucoup. Je m'endors, mon amour. Réveille-moi à l'aube en m'embrassant...

Il eut un sourire ému dans la pénombre. Hermine se montrait d'humeur caressante le matin, alanguie par le sommeil, toute chaude et offerte.

– Promis ! dit-il tendrement.

Dans la chambre voisine, Madeleine priait, à genoux sur une peau d'orignal, un chapelet entre les mains. Constant dormait en suçant son pouce dans un petit lit en bois.

« Merci, Seigneur Jésus, d'avoir épargné Charlotte et son bébé. Merci, Sainte Vierge Marie, de veiller sur nous, pauvres pécheurs. Je viens à vous le cœur plein de reconnaissance pour vos bienfaits. »

L'Indienne se signa d'un air mélancolique. Elle faisait preuve quotidiennement de patience, de gentillesse, de dévouement, mais parfois elle cédait à une profonde tristesse et au doute. Malgré sa foi indéfectible, Madeleine s'interrogeait sur son choix de vie. « Combien de femmes verrai-je mettre au monde un beau poupon, tandis que mon ventre à moi ne portera plus d'enfant ? J'ai la joie d'être la mère adoptive d'Akali, mais je n'oublierai jamais ma petite fille à moi que j'ai si peu connue et qui s'est éteinte loin de moi, chez les sœurs de Chicoutimi. »

Très jeune, Madeleine avait été violentée par un des policiers chargés de la conduire dans un pensionnat pour enfants indiens. Plus tard, encore adolescente, elle avait été mariée par ses parents à un homme de son peuple, brutal et despotique. Son expérience de l'amour physique, agressive et douloureuse, était à l'origine de sa ferveur religieuse. Cependant, il lui arrivait de rêver au mariage. « J'aurais bien le droit ! se disait-elle en enfilant sa longue chemise de nuit en calicot gris boutonnée au col. Je ne suis ni vieille ni laide. Mais qui fera battre mon cœur ? »

Elle s'allongea, le drap sagement remonté jusqu'au menton, les mains bien à plat de chaque côté de son corps qui n'avait jamais vibré sous les caresses. « J'ai été sottement amoureuse de Pierre Thibaut, il y a dix ans, et c'était une grave erreur. D'abord, il était marié et père de famille. Ensuite, il buvait déjà trop. Mine prétend qu'il est devenu un individu peu recommandable. Son épouse l'a mis à la porte. »

L'Indienne se rappela furtivement le visage d'Ovide Lafleur. Toshan lui avait suggéré, il n'y avait pas si longtemps, de tenter sa chance auprès de lui. Mais, tout séduisant qu'était l'instituteur, tout instruit et dévoué qu'il était au peuple montagnais, Ovide n'inspirait à Madeleine qu'une sincère estime.

« Si je pouvais aimer quelqu'un de mon peuple, un homme aussi valeureux et bon que Chogan ! Chogan, mon frère, à qui je n'ai pas pu dire adieu… Il est mort. Mon Dieu, ayez pitié de lui ! » Elle pria à nouveau. Dans la tourmente tragique créée par l'accouchement difficile de Charlotte, elle avait occulté le décès prématuré de son frère aîné. Destructeur, le chagrin la terrassa. Elle étouffa ses sanglots au creux de son oreiller.

De l'autre côté du couloir, Akali, Kiona, Laurence et Marie-Nuttah venaient de souffler la chandelle qui les éclairait pendant la cérémonie du coucher. Les quatre filles avaient bavardé à leur aise en se brossant mutuellement les cheveux. La plupart du temps nattés ou relevés en chignon, ils ondulaient à présent sur le blanc de leurs chemises. Elles disposaient chacune d'un étroit lit en fer. Épuisées autant que les adultes par les événements de la journée, elles s'étaient souhaité bonne nuit et gardaient le silence, ce qui n'empêchait pas leurs pensées respectives de vagabonder.

Laurence se remémorait le trajet de la veille dans la voiture d'Ovide Lafleur, des heures à contempler son profil distingué, à guetter l'instant où il lui adresserait un regard par le biais du rétroviseur. Et quel regard! Des yeux couleur des jeunes feuilles au printemps.

« Dans trois ans environ, j'aurai seize ans, calculait-elle, l'âge où maman a épousé papa à l'ermitage Saint-Antoine, à Lac-Bouchette. Ovide est plus vieux que moi, mais ça ne me gêne pas. Il est si beau et si intelligent! »

Elle souriait, s'imaginant en robe blanche, une couronne de fleurs d'oranger autour du front. « Il fera la classe et moi je lui préparerai de bons repas. Je dessinerai, aussi. Je pourrais peindre des aquarelles de paysage pour gagner ma vie. Bien sûr, il faudrait qu'il tombe amoureux de moi. Il n'est toujours pas marié. Qui sait! » Elle aurait voulu pouvoir rayer ces trois années d'attente.

Akali ne songeait pas à un éventuel fiancé. Elle rêvait d'étudier et d'être institutrice auprès des enfants du peuple montagnais. Le traumatisme qu'elle avait subi dans le sordide pensionnat d'où Hermine l'avait arrachée n'était pas tout à fait guéri. Cela l'incitait à se méfier de la religion des Blancs et à écouter de préférence les récits de grand-mère Odina. L'adolescente se voyait debout derrière un pupitre, en jupe noire et corsage blanc, une pile de livres à sa portée. « J'enseignerai avec bienveillance, patience et tolérance », se promit-elle.

Marie-Nuttah, quant à elle, s'interrogeait précisé-ment sur ce qu'elle ferait plus tard. Depuis qu'Ovide Lafleur lui avait posé la question dans la voiture, elle cherchait une idée. Mais rien ne l'intéressait vraiment.

«Je n'ai pas envie de me marier, d'avoir des enfants et de tenir un intérieur, comme dit Yvette en pinçant les lèvres. Non, je veux rester libre, pensait-elle en mordillant l'ongle de son pouce gauche. Je pourrais devenir infirmière…Non, c'est parfois répugnant de s'occuper des malades. Institutrice, non, il y aura déjà Laurence qui fera ce métier, j'en suis sûre, peut-être Akali et Kiona aussi.»

Elle avait en effet peu d'attirance pour les bébés et les enfants en général. Les animaux ne la passionnaient pas davantage. «Qu'est-ce que je vais faire?» s'alarma-t-elle avant de saisir le poignet de Kiona, sa voisine de lit.

— Hé! Kio? Réponds! Tu me vois faire quel travail, quand je serai une femme?

— Je t'interdis de déformer mon prénom, Nuttah! pesta la fillette. Et puis, zut! je ne vois rien. Tu es contente? Tu ne feras rien du tout. Laisse-moi dormir, là!

Désappointée, Marie-Nuttah envisagea un avenir bien maussade, sans époux ni enfants, sans métier non plus, donc sans un dollar en poche. Il lui faudrait compter sur la charité de ses parents.

— Kiona, interrogea-t-elle encore tout bas, si tu ne vois pas mon avenir, est-ce que ça veut dire que je vais mourir bientôt?

Elle reçut en réponse une tape sur la main suivie d'une remarque cinglante.

— Mais non, ça veut dire que tu seras assise au milieu de nulle part à te tourner les pouces ou à te ronger les ongles. Ils sont pas beaux du tout, d'ailleurs, tes ongles.

— Chut! souffla Akali. Quand vous serez à l'internat, on vous punira si vous parlez autant le soir.

— J'ai deviné! triompha Marie-Nuttah. Je tiendrai un magasin, oui, une boutique avec de jolies choses, des bijoux, des écharpes et du parfum. À Québec ou à Chicoutimi.

Ravie, elle s'apaisa et ferma les yeux pour mieux se représenter son commerce: des boiseries peintes en vert pomme et en rose, des étagères ouvragées et une belle vitrine pour les flacons précieux. Deux minutes plus tard, elle s'endormait.

Kiona le devina en écoutant sa respiration. Laurence aussi s'était assoupie. Akali, elle, veillait encore, mais cela ne gênait pas l'étrange fillette. Comme souvent, une fois couchée, elle analysait telle une scientifique tout ce qu'il lui arrivait d'anormal, de paranormal, selon l'expression de son père. «J'ai revu maman, mais en rêve. Elle me demandait de me lever et d'aller au secours de Charlotte. Mais j'ai pu faire ce rêve parce que Mine se préoccupait sans cesse, qu'elle recommandait à tout le monde de toucher le front de Charlotte pour s'assurer qu'elle n'avait pas de fièvre. J'ai aussi senti qu'Onésime avait envie de revoir sa sœur. Hélas! ça ne prouve rien. N'importe quel grand frère, même très fâché, peut se décider à pardonner.»

De plus en plus souvent, Kiona s'interrogeait sur ses fameux pouvoirs. En cachette, elle avait parcouru des livres traitant de ces phénomènes que Jocelyn s'était achetés. D'une intelligence très précoce, elle s'acharnait à répertorier les manifestations dont elle était responsable ou qu'elle subissait.

«La bilocation, ça, c'est certain, commença-t-elle. Mine m'a vue à Québec sur cette grande terrasse au pied du Château Frontenac. Et dans bien d'autres endroits. Surtout à Val-Jalbert. Toshan aussi m'a aperçue, en France. Mais pour le reste…»

Le reste! Kiona pensait aux défunts qui se montraient à elle sans prévenir, n'importe où, comme Simon Marois dans la maison de Laura Chardin, et la douce Betty au fond du cimetière, un soir d'hiver, à Val-Jalbert. Il y avait aussi ce qu'elle avait vu dans l'ancienne cité ouvrière, des scènes colorées, animées et bruyantes, qui se formaient en une seconde et dont elle faisait partie contre sa volonté. Cela la terrifiait.

«Ce sont peut-être des hallucinations, espéra-t-elle de toute son âme. Je suis malade, un mal rare et encore méconnu. C'est pour ça que je vois ces choses. Je n'ai pas ouvert les portes du passé, non et non! C'est invraisemblable.»

Des larmes coulaient le long de ses joues. Elle les essuya d'un geste rageur. «Je ne pourrai jamais rentrer à Val-Jalbert. Pourtant, j'aime bien le petit paradis et j'aime mon père. Mais, si je retourne là-bas et que je revois Hermine au même âge que moi, ça me tuera, je le sais. Et personne ne peut me venir en aide. Enfin, si, mon père. Il a compris à quel point j'avais peur.»

C'était la stricte vérité. Jocelyn avait perçu chez sa fille une profonde détresse, doublée d'une terreur sans nom. Pour cette simple raison, il avait consenti à la conduire au bord de la Péribonka avec son cheval et le poney. «Cher papa, merci! Demain, je t'écrirai une longue lettre pour te dire combien je t'aime!»

Kiona soupira, ébranlée. Elle toucha le médaillon ayant appartenu à sa grand-mère paternelle, Aliette, que l'on disait sorcière et qui avait émigré au Canada pour fuir son marais poitevin natal, de l'autre côté de l'océan.

«Maman, protège-moi! supplia-t-elle. Je voudrais être comme les autres, ne plus rien voir, ne plus rien deviner!»

Mais Tala la louve demeura invisible. Une image traversa alors l'esprit de Kiona. Elle reconnut immédiatement Delsin, ce garçon montagnais qui s'était enfui du pensionnat grâce à elle. Quatre ans s'étaient écoulés, mais elle ne l'oubliait pas, certaine que leurs destins étaient liés. Il nageait au milieu d'une rivière, ses cheveux noirs luisants d'humidité. L'espace d'une seconde, il lui fit face en souriant, puis il disparut.

— Oh! non, Delsin! dit-elle. Non!

— Chut! insista à nouveau Akali. Dors donc, Kiona!

— Excuse-moi, j'ai rêvé!

Charlotte avait entendu l'exclamation de la fillette, car les deux chambres étaient mitoyennes, et la cloison de planches n'était pas épaisse. Elle tendit l'oreille, mais le silence était revenu. Elle embrassa du bout des lèvres le front de son bébé qui tétait goulûment. Ludwig les admirait, étendu près d'eux sur le grand lit.

— Notre fils est gourmand! constata-t-il.

— Et aussi beau que toi.

— Je suis très heureux d'avoir ma petite famille! Ne te tourmente pas, j'irai vite chercher Adèle, qu'elle fasse connaissance avec son frère.

— Qui ne sera pas boiteux, lui! Oh! Ludwig, je tiendrai le coup, quand je la verrai, ma poupée, mais j'ai le cœur déchiré. Notre pauvre chérie, pourquoi le sort l'a-t-il frappée, elle? Constant et Louis n'ont pas eu de séquelles! Crois-tu que Dieu nous a punis?

— C'est ton frère Onésime qui a dit ça, et toi, tu le penses un peu. Il ne faut pas, nous n'avons rien fait de mal en nous aimant si fort.

L'existence difficile que la jeune mère menait depuis sa fuite de Val-Jalbert en pleine guerre l'avait durcie. Les traits émaciés, le teint bruni par le grand air, le froid et le soleil, Charlotte ne ressemblait plus à cette jolie fille insouciante, autoritaire, qui exaspérait souvent son entourage. Là encore, elle affrontait sans se plaindre la nouvelle épreuve qui l'accablait.

— Il faudra faire attention, éviter une autre grossesse, déclara-t-elle d'un ton décidé. Et puis, c'est trop pénible pour des petits, la vie dans la montagne, chez les Indiens.

— Toshan nous héberge tout l'hiver, avança Ludwig. Après, si tu voulais, on pourrait partir pour l'Allemagne, dans mon pays. Mes parents seraient heureux de nous loger. Ma mère te ferait son gâteau au chocolat, avec des cerises confites dedans, et mon père confectionnerait des jouets en bois pour ses petits-enfants.

Elle le regarda, émue et toujours éperdument amoureuse.

— Rien ne me retient vraiment icitte, observa-t-elle. Si c'est possible, je te suivrai, Ludwig.

Il la remercia d'un sourire angélique. Elle pensa que c'était le plus bel homme de la terre et qu'il l'adorait.

— Thomas s'est endormi, dit-elle. Je vais en profiter pour dormir aussi. Je suis épuisée.

— Dors, ma chérie! J'éteins la bougie.

Charlotte apprécia l'obscurité. On pouvait y pleurer sans bruit, serrer les poings et maudire le destin.

«Oh! oui, je n'aurai plus de bébé, songeait-elle en son for intérieur. Endurer un tel calvaire tous les deux ans, être difforme avec le ventre rebondi et des seins énormes, ça non! J'ai trop souffert, là, et je souffre encore. Odina m'a tailladé les chairs et les a recousues. Quelle horreur! Plus jamais! Mais je ne veux surtout pas perdre Ludwig. Une autre femme, plus belle et plus jeune, pourrait le séduire.»

Cela l'incita à choisir de se cacher quelques années encore au fond des bois, sur les pentes rocheuses où Chogan avait établi son campement. Mais l'Allemagne la tentait. Les parents de Ludwig étaient de braves gens. Ils habitaient à l'écart d'une petite ville, dans un chalet. «Nous verrons! pensa-t-elle. Pourvu que je sois avec mon amour et nos enfants, je me moque de l'endroit.»

Un bref soupir lui échappa. Aussitôt, son compagnon, toujours éveillé, lui caressa les cheveux en glissant ses doigts dans ses boucles brunes.

— *Ich liebe dich!* souffla-t-il. Courage, Charlotte, nous serons heureux quand même.

Un sanglot lui répondit.

Installée dans la cuisine à même le sol, la vieille Odina écoutait le ronron de la discussion. Elle avait laissé le couple en tête-à-tête afin de sauvegarder leur intimité. De sa banquette, Mukki lui adressa un signe de la main.

— Ils doivent être bien tristes à cause de leur petite! dit-il tout bas à sa grand-mère.

— Oui, bien sûr qu'ils sont tristes! Moi aussi, je le suis. Dors, Mukki. Demain, ton père te met au travail.

— Je sais, grand-mère.

Il s'agita un peu, remonta la couverture jusqu'à ses épaules et ferma les yeux. Tout de suite, il revit Akali telle qu'elle était à la fin de l'après-midi, dorée par le soleil couchant. L'adolescente l'aidait à faire griller des truites dehors, sur un lit de braises. Elle avait des gestes posés et gracieux. Il était ébloui par sa chevelure lisse, d'un noir bleuté, et par sa peau cuivrée.

«Ravissante Akali, jolie Akali!» fredonna-t-il en esprit.

Quand elle s'était penchée pour saler les poissons, il avait aperçu, dans l'échancrure de son corsage, la naissance de ses seins, un trait sombre entre deux rondeurs charmantes. Cela l'envoûtait, tout autant que ses lèvres d'un rouge sombre et ses pommettes hautes. Akali ignorait qu'elle avait fait une première victime. À l'aube de ses quatorze ans, que la famille fêterait le mois prochain, Mukki était tombé amoureux.

Rive de la Péribonka, deux semaines plus tard

Hermine observait avec étonnement le calendrier de l'année, accroché au-dessus du buffet. Quinze jours s'étaient écoulés depuis la naissance de Thomas, et elle avait l'impression que l'événement datait de la veille. Elle en fit part à Madeleine, occupée à éplucher des pommes de terre pour le souper.

— Le temps passe trop vite, ici. Je me demande où j'ai la tête.

— Entre ton mari et les enfants, tu es toujours occupée. Pourtant, quelque chose ne trompe pas. Les soirées sont de plus en plus fraîches. Finies les baignades dans la Péribonka…

— Il faudrait que Charlotte se lève quelques minutes, demain. Nous pourrions l'installer dans une chaise longue. Il fait bon, l'après-midi.

— Après ce qu'elle a souffert et tout le sang qu'elle a perdu, Odina estime qu'un repos d'un mois est nécessaire.

— C'est vrai, mais elle a repris des forces et des couleurs! Je lui conseillerais de faire des efforts et de marcher un peu. Tiens, écoute, une poule chante bizarrement. Elle a dû pondre. Je vais aller voir ça de près avec Constant.

Toshan avait mené à bien son projet de poulailler. Il œuvrait du matin au soir, inlassable, afin de faire en sorte que la famille ait les provisions nécessaires durant l'hiver. Mukki sur les talons, il allait à la chasse ou à la pêche et fumait de la viande et des poissons sur des claies de bois sous lesquelles brûlaient des herbes et de la mousse. Ce jour-là, il était parti de très bonne heure pour le village de Péribonka, à cheval. Au retour, Phébus, muni de larges sacoches, porterait sur ses flancs des réserves de pois, de lard, de haricots secs, de farine et de lait en poudre.

— Mon mari renoue avec la vie des pionniers de jadis, dit Hermine sur le seuil de la maison. Cela me fait tellement plaisir! Il n'est pas fait pour les villes et les soirées mondaines.

— Non, sa place est ici, assura Madeleine.

Tout potelé, rose et blond, Constant jouait, assis par terre. L'enfant empilait des cubes qu'il renversait ensuite d'un coup de poing. Un rire en grelot lui échappait chaque fois qu'il voyait s'effondrer la pyramide.

— Viens, mon chéri, lui dit sa mère. Nous allons rendre visite à ces dames, les poules. Et nous verrons peut-être papa arriver!

— Non! rétorqua-t-il.

— Tu ne sais dire que ça! Non, toujours non! Madeleine, il devrait parler, à son âge.

— Il dit déjà maman, papa et Mukki. Ne t'inquiète pas, il causera bien assez tôt!

Hermine n'aimait pas contrarier ses enfants. Elle sortit seule, réjouie à cause du ciel limpide, de l'air vif et des derniers rayons de soleil qui éclairaient les frondaisons des arbres. Vêtue d'un chemisier à carreaux et d'une salopette en jean, cette toile bleue dont le commerce se développait à grande vitesse, elle avait attaché ses cheveux sur la nuque. Sans aucun maquillage, elle paraissait très jeune. Un doux sourire éclairait son ravissant visage.

Le poulailler était bâti contre la remise à bois et clôturé par un solide grillage. Les volailles disposaient d'une cabane sur pilotis pour la nuit. Mukki était chargé d'enfermer les poules chaque soir, une tâche qu'il accomplissait de bon gré. Un renard rôdait dès le crépuscule; l'adolescent l'avait montré à Constant.

Des éclats de rire résonnaient à la lisière de la forêt. Hermine distingua des silhouettes claires. Les quatre filles ramassaient des branches mortes pour allumer le feu durant les longs mois d'hiver. Akali devait cueillir des bleuets à la demande de Madeleine.

— On dirait que Mukki est avec elles, observa Hermine. Je le croyais à la pêche! Il aura changé d'idée.

Elle dénicha trois œufs à la coquille orangée qu'elle rangea dans un panier. Ces gestes familiers lui rappelaient son enfance, quand elle vivait chez les Marois et nourrissait les poules, les canards, le cochon et la vache Eugénie. «Je travaillais dur, à l'époque, se souvint-elle. Mais j'aimais ça, surtout lorsque je brossais le cheval, ce brave Chinook.» L'animal était mort de vieillesse à la fin du printemps. Hermine soupira, attristée, au moment précis où un hennissement retentit de l'autre côté de la clairière. Toshan rentrait au bercail. Elle s'élança à sa rencontre, ravie.

— Mine, tu as une lettre, dit-il.

— De qui? De maman, je parie!

— Gagné! admit-il en se laissant glisser au sol. Bon sang! Je n'apprécie pas l'équitation. Si tu as encore de l'argent, j'ai trouvé une moto à acheter, vraiment bon marché.

— Tes ancêtres montagnais préfèrent sans doute te voir à cheval! s'esclaffa-t-elle.

— Moi, je suis pour le progrès dans certains domaines. En attendant de survoler le pays, je serais content de pouvoir me déplacer rapidement. Enfin, ce n'est pas urgent; j'ai prévu autre chose pour l'hiver.

Elle ne l'interrogea pas sur ce nouveau projet, trop pressée de lire la missive de Laura. Mais Toshan la retint par le bras.

— Il me faut un baiser et de l'aide pour ranger nos provisions. J'ai aussi rapporté de la viande fraîche, une pièce de bœuf. Ça fera du bien à Charlotte. Cuite au four sur un lit d'oignons, ce sera un régal pour nous tous.

— C'est une merveilleuse idée, mon amour.

Ils s'embrassèrent, heureux comme des enfants. Mukki accourait, curieux d'inspecter le contenu des sacoches.

— Un coup de main, papa?

— Volontiers, fiston.

Hermine s'éclipsa, la précieuse enveloppe serrée sur son cœur. En la décachetant, elle découvrit à l'intérieur une autre enveloppe qui lui était adressée et provenait de Californie. Elle la mit de côté et, assise dans la chaise berçante du perron, le panier à œufs posé à ses pieds, elle commença à lire la prose de Laura.

Ma chère fille,

J'ai confié cette lettre à notre maire, qui se rendait à Péribonka pour affaires. Je sais qu'il se trouvera une bonne âme pour vous la faire parvenir. J'espère aussi que tu me répondras le plus vite possible. J'ai très hâte d'avoir de vos nouvelles, surtout de Charlotte. J'en ai eu par Onésime, qui m'a raconté en bougonnant dans sa barbe sa réconciliation avec sa sœur. Voilà une bonne chose de faite!

Nous avons la petite Adèle à la maison depuis une semaine, mais une infirmière vient l'ausculter le matin. Dis bien à Charlotte que sa fille se rétablit doucement et que le pire est passé. C'est une enfant adorable et joyeuse, qui babille toute la journée. Je lui ai dressé un lit de fortune dans la cuisine. Ainsi, elle a de la compagnie toute la journée. Mireille s'évertue à la distraire; elle lui raconte des histoires et lui confectionne des sucreries à base de mélasse ou de sirop d'érable. Ton père en est gâteux, Louis aussi. Ton frère est guéri. Il gambade autour du petit paradis en profitant du beau temps.

J'ai déposé le chèque de ce monsieur Metzner à la banque de Roberval, mais je me montre économe, sois tranquille. J'ai seulement acheté des chaussures d'hiver et un joujou pour Adèle.

Martin Cloutier nous rend souvent visite. Quel brave homme, si humain et si sympathique! Figure-toi qu'il chante des comptines à notre petite malade, qui l'applaudit en riant.

Tout va donc pour le mieux. Surtout, que Charlotte se repose bien, après son pénible accouchement. Adèle réclame sa maman, parfois. Aussi, je lui ai donné une photographie de celle-ci, prise avant la guerre. Pauvre bout de chou, elle dort avec, et le cliché est déjà froissé.

En outre, j'ai reçu la lettre ci-jointe, que je me suis autorisée à ouvrir, craignant qu'elle ne contienne un message important qui nécessiterait une réponse urgente. Ma chérie, tu vas être désappointée. Ils ont donné ton rôle dans la comédie musicale à une actrice connue. Voilà un contrat mirobolant qui te passe sous le nez, hélas! Ne sois pas trop déçue, tu auras d'autres opportunités; tu es si talentueuse! Je rêvais de t'admirer sur grand écran, mais ce sera pour une autre fois. Je pense aussi que Rodolphe Metzner ferait un bon impresario et, puisqu'il est producteur de disques, je te recommande de rester en contact avec lui.

Je dois aussi te donner des nouvelles de notre malheureux Joseph. Si tu le voyais! Notre voisin n'est plus que l'ombre de lui-même. Quand tu es partie avec les filles pour Péribonka, il a dû être hospitalisé à la suite d'une attaque. Maintenant, il dépend entièrement d'Andréa, qui l'installe le matin sous l'auvent, une couverture sur les genoux. Seigneur! Il fait peine à voir, les traits déformés, la bouche de travers, la lèvre inférieure pendante. Il ne marche pas sans le soutien de son épouse et de sa fille Marie, qui lui est très dévouée. Elle lui fait la lecture, lui donne à boire ou à manger, mais il ne manifeste aucun sentiment et garde le regard fixe. Cependant, ton père est d'accord avec moi, je lis de la fureur dans son regard brun, pas si éteint qu'il n'y paraît.

Le docteur prétend qu'il finira par retrouver ses facultés, qu'il parlera et redeviendra normal. Je le souhaite de tout cœur, car Andréa vit un calvaire. J'ai dû la consoler plusieurs fois. Elle débarque ici en larmes et à bout de nerfs.

Il me semble que tu as emporté ton appareil photo. Prends des clichés du bébé de Charlotte et de vous tous, et envoie-moi la pellicule. Je la ferai développer à Roberval.

Je suis impatiente de te revoir et de t'embrasser. Je suppose que c'est toi qui accompagneras Mukki pour la rentrée au collège.

Papa se joint à moi pour vous assurer de toute son affection et vous adresser bien des baisers. Kiona lui manque beaucoup, mais il refuse de la faire revenir à Val-Jalbert. Va comprendre ces deux-là!

Je t'embrasse encore, ma fille chérie,

Ta maman, Laura

Hermine replia la feuille de papier couverte d'une écriture serrée, un peu difficile à déchiffrer. C'était dans l'ensemble une lettre rassurante et pleine d'amour. La jeune femme était cependant consternée par ce qui était arrivé à Joseph Marois. Elle se promit d'écrire à Andréa pour la réconforter. Avec un soupir, elle prit la seconde enveloppe et en étudia le contenu. Il s'agissait d'une rupture de son contrat hollywoodien, quelques lignes brèves sans aucune explication détaillée sur la décision de la firme cinématographique. Le directeur du Capitole et Lizzie, préposée à la régie, l'avaient mise en garde contre les caprices des réalisateurs et des producteurs. Elle ne s'étonna pas de leur décision. Une évidence la frappa aussitôt: elle pouvait passer l'hiver là, dans leur maison, en famille.

— J'en avais tellement envie! se réjouit-elle, ébahie.

Une joie puérile l'inonda. Elle rejoignit Toshan dans la remise qui abritait leurs provisions.

— Mon chéri, je ne vais plus à Hollywood. Ils ne veulent pas de moi. Je suis là, avec vous, jusqu'au printemps.

Sur ces mots, elle se pendit à son cou. Ravi, le Métis la souleva et la fit tournoyer. Mukki éclata de rire.

— Formidable! Tu restes ici, maman? Je suis trop content. Je cours l'annoncer aux filles.

— Toi, tous les prétextes sont bons pour te défiler! maugréa son père, un large sourire démentant ce reproche. Va vite!

Ils étaient seuls dans le bâtiment baigné des ombres du soir. Toshan embrassa passionnément sa femme en plaquant ses mains sur sa taille.

— Oh! toi, toi! dit-il à son oreille. Toutes ces nuits en perspective, dans notre grand lit! Je suis comblé.

— Mais je n'aurai pas l'argent pour ton avion…

— Je m'en fous, de mon avion, proclama-t-il en imitant l'accent québécois, je préfère t'avoir tout à moi durant des mois.

— Je ne te quitte plus, promit-elle, lovée entre ses bras.

En la sentant si proche, il couvrit son visage de baisers légers comme s'il ne pouvait pas résister à la tentation. Elle ferma les yeux, chaque fibre de son corps de femme enfiévrée par la présence de Toshan.

— Mon éternel et merveilleux amant! déclara-t-elle, rose d'émotion.

— Quel beau compliment! Si nous allions faire un tour à la rivière, rien que nous deux…

— Ah! non, désolée! fanfaronna-t-elle. Je choisis l'instant et le lieu, désormais. C'est toi qui as décidé de cette loi. Je vais vite lire la lettre de maman à Charlotte, qu'elle ait des nouvelles d'Adèle. À plus tard…

Elle lui échappa, rieuse, libérée de l'angoisse de la séparation. Une fois dans la chambre de Charlotte, après lecture du courrier en provenance de Val-Jalbert, son bel enthousiasme retomba.

— Laura ne me rendra jamais Adèle, tempêta la jeune accouchée avec un rictus haineux qui l'enlaidissait. Pourquoi as-tu accepté cet arrangement, Hermine? Tes parents sont ruinés et ils ont peur de se retrouver seuls, sans divertissements. Louis sera pensionnaire bientôt. Ce n'est pas la vieille Mireille qui égaiera leurs soirées.

— Tais-toi donc! s'indigna Hermine. C'est très généreux de la part de maman d'avoir accueilli ta fille. Elle avait besoin d'un endroit confortable pour sa convalescence.

Grand-mère Odina berçait le petit Thomas. Elle chantonna plus fort, dans l'espoir de couvrir l'écho de l'altercation. Ludwig était dehors, ce qui expliquait sans doute la véhémence de Charlotte.

— Je sais ce que je dis, reprit-elle. Toshan doit aller chercher mon enfant. C'est la mienne et je veux qu'elle soit icitte, avec moi.

— Tu as bien le même caractère que ton frère! Mon mari n'est pas à ton service. Nous avions prévu de te ramener Adèle quand Mukki partira pour le collège de Roberval.

— Dans un mois? Pas question, je veux ma petite avant! Je demanderai à Ludwig, si vous ne voulez pas m'aider.

— C'est ça, et si jamais il avait des ennuis en cours de route, tu te lamenterais encore et tu nous accuserais. J'ai l'impression que tu es rétablie pour de bon, Lolotte. Disons que tu as repris du poil de la bête!

Elle avait insisté sur le Lolotte, qui exaspérait son amie depuis pas mal d'années.

— Oh! toi! rétorqua la jeune femme. Tu t'en moques d'être privée de tes enfants, tu es toujours absente, à Québec, à Montréal ou à New York. Tu manques d'instinct maternel! Pas moi. Si ta mère garde Adèle trop longtemps, ma petite m'oubliera, elle ne me reconnaîtra plus. À son âge, on s'attache à ceux qu'on côtoie au quotidien. En plus, elle est infirme, une future boiteuse! Tu as compris ça?

Charlotte fondit en larmes. Furibonde, elle arracha la lettre des mains de son amie et la réduisit en petits morceaux.

— Voilà! fulmina-t-elle, au bord de l'hystérie. Tu peux répondre à Laura que ma fille n'est pas à vendre. Je ne veux pas de sa charité!

Ludwig entra, alerté par les hurlements de son amoureuse. Il l'enlaça et l'embrassa sur le front.

— Que se passe-t-il?

— Je veux Adèle, là, tout de suite! gémit-elle. Laura Chardin va me la voler.

— Mais non, mais non, la rassura-t-il en la cajolant. Adèle est en sécurité, là-bas. Ne pleure pas, ma chérie! Notre fille sera là pour Noël. Je lui fabriquerai un cheval à bascule.

Charlotte renifla et, après un dernier regard noir à Hermine, elle se nicha au creux de l'épaule de Ludwig.

— D'accord, tu as raison, concéda-t-elle.

Confrontée à cette métamorphose surprenante, Hermine retint un sourire amusé. Rien ne changerait sa chère Lolotte, capable du pire comme du meilleur.

— Tu as de la chance d'avoir un homme aussi patient, jeta-t-elle en quittant la pièce.

Un mot vibrait dans son cœur: Noël. Elle décida que ce serait le plus beau Noël de leur vie, à elle et à tous les siens.

Rive de la Péribonka, mi-novembre 1946

C'était un jour ordinaire. Tous les habitants du grand paradis attendaient l'arrivée de l'hiver. La forêt s'était enflammée des plus beaux rouges en octobre, un incendie de couleurs assorti du jaune d'or des bouleaux et du vert bleuté des épinettes. Il y avait eu quelques chutes de neige, mais, après quelques jours de soleil, il en restait peu de traces. Malgré des nuits déjà froides, il faisait encore doux. Hermine et Madeleine avaient mené à bien une grande lessive, afin d'avoir du linge propre pour plusieurs semaines. À présent, secondées par les jumelles et Akali, elles étendaient draps et torchons sur des fils tendus entre la remise à bois et un pilier de l'auvent.

— J'espère que tout sera sec ce soir, zézaya l'Indienne, une pince entre les dents.

— Oh! oui, il y a du vent, répondit Laurence. Maman, j'ai préparé des lettres. Il faudrait que papa aille les poster à Péribonka.

— Ton père est très occupé. Il tient à terminer son traîneau avant les premières neiges. Un véritable chef-d'œuvre, digne du traîneau de Jocelyn Chardin.

— Et il gravera vos initiales sur les poignées comme avait fait grand-père? s'enquit Marie-Nuttah.

— Peut-être bien, observa Hermine.

Le passé ressurgissait. Au moment de sa naissance, Jocelyn avait acquis un magnifique traîneau en bois verni avec lequel il avait pris la fuite vers les contrées désertes du Nord. Il croyait avoir causé la mort d'un homme qui harcelait Laura.

« J'ai voyagé avec mes parents, pas plus âgée que Thomas, pensa-t-elle. Mais Toshan a brûlé le traîneau de papa quand il a su que Tala portait leur enfant. Mon Dieu, c'était il y a plus de douze ans. Kiona a été conçue ici, d'après ce que je sais, sur le sable et l'herbe de la clairière. »

Elle secoua la tête pour ne pas imaginer sa belle-mère défunte en train de faire l'amour avec son propre père.

— Bon, le linge est étendu. Maintenant, corvée de petit bois ! Avec un peu de chance, nous ramasserons aussi quelques baies. Même flétries, elles peuvent s'accommoder en gelée ou dans les sauces.

Hermine se révélait une maîtresse de maison compétente et efficace. Elle avait fait des confitures, enchantée de voir des bocaux s'aligner sur les étagères de la remise. Des filets de poisson avaient été mis dans du gros sel, promesses de repas simples et succulents, accompagnés de pommes de terre ou de fèves au bouillon.

— J'ai pris un panier, annonça Akali. Nous sommes prêtes, Mine. Dommage que Mukki ne soit pas là ! Il trouve toujours des champignons ; c'est encore un peu la saison.

— Mukki doit étudier, mon enfant, lui dit Madeleine. Il reviendra aux fêtes.

Elles se mirent en chemin, les deux femmes en fin de cortège, peut-être pour le plaisir de contempler les trois filles qui marchaient d'un bon pas et bavardaient sans cesse. Il manquait Kiona.

— Elle a encore disparu ! déplora Hermine. Mais où va-t-elle, chaque jour que Dieu fait ? Je l'ai interrogée, mais elle me répond que c'est un secret.

— Pourquoi te tourmenter ? dit tout bas l'Indienne. Elle ne court aucun danger, escortée par quatre chiens de bonne race. Toshan a fait des folies. Les malamutes coûtent cher.

— Mais ce sont d'excellents chiens de traîneau, proches des loups ! En plus, ils n'aboient pas[29]. Kiona les a apprivoisés en une semaine, si ce n'est moins. Et puis, j'avais des économies. Je ne peux rien refuser à mon mari ; je suis tellement heureuse d'être ici ! Nous avons vu s'envoler les outardes et j'ai pu coudre et broder au coin de la cheminée. Constant commence à parler, grâce à Adèle. Leurs conversations me font rire aux larmes.

Charlotte avait retrouvé sa fille à la date prévue. L'enfant ne pouvait pas encore se déplacer seule. Elle passait son temps assise sur un tapis, entourée de jouets. Constant ne la quittait guère. Les deux petits s'amusaient beaucoup ensemble et faisaient la joie de tous.

---

29. Comme les huskys, les malamutes, croisés de loup, hurlent, mais aboient très rarement.

— Oh! écoute, maman! s'exclama soudain Marie-Nuttah. J'entends des hurlements de chien. Kiona n'est pas loin.

— Tant mieux, le vent se lève et je suis frigorifiée, répliqua la jeune femme. Je ne rêve pas, il fait un froid terrible depuis quelques minutes.

— Le vent du Nord, observa Madeleine. Regarde tous ces nuages, il n'y a déjà plus de soleil.

Elles frissonnèrent sous les assauts redoublés du terrible noroît. Les grands arbres s'agitèrent, abandonnant leurs dernières feuilles. Un vol de corneilles stria le ciel duveteux, une nuée d'oiseaux noirs dont les appels rauques se firent étourdissants.

— Il faut rentrer, dit Hermine. Nous ne sommes pas assez couvertes. Voici le bonhomme hiver.

— Mine, attendez-moi, fit une voix lointaine. J'arrive.

Kiona dévalait un monticule moussu entre des troncs d'érables. Elle tenait en laisse quatre grosses bêtes au pelage beige et gris et aux yeux dorés.

— Toshan m'a demandé de les entraîner tous les jours! cria-t-elle à tue-tête. Je leur apprends les ordres pour l'attelage.

Hermine approuva en silence. Elle venait de noter une chose déroutante: sa demi-sœur avait exactement le même regard d'ambre que les malamutes. Renonçant à s'étonner, elle savoura cette vision : une fée de l'automne, nattes rousses et teint de miel sauvage, habillée de vêtements en peau d'orignal, qui n'avait aucun mal à maîtriser des animaux de taille impressionnante. «Ma précieuse Kiona!» songea-t-elle.

La fillette était d'humeur enjouée. Dès qu'elle les eut rattrapées, elle désigna les nuages de plus en plus denses, d'un gris de plomb.

— Vous sentez? Il y a dans l'air comme un parfum de neige. La vraie neige, celle qui change tout le paysage. Demain, le paysage sera tout blanc et nous serons bien à l'abri. N'est-ce pas, Mine?

— Oui, c'est vrai. Allez, tout le monde à la maison! Il faut préparer les décorations pour le sapin de Noël.

Un cri de joie générale salua ces paroles. Les premiers flocons voletèrent à la tombée de la nuit. Un nouvel hiver prenait possession des contrées, dans la région du Lac-Saint-Jean.

13
LE TRAÎNEAU DE TOSHAN

Rive de la Péribonka, jeudi 19 décembre 1946

Hermine était assise en tailleur sur le grand lit où elle dormait près de Toshan depuis bientôt cinq mois. Au fil des semaines, ils avaient réappris à vivre étroitement unis, complices, amis et amants, ainsi que parents attentifs. La jeune femme ne se lassait pas de discuter avec les jumelles ou de laver son petit Constant. Quant au Métis, il appréciait pleinement cette calme vie de famille, baignée d'harmonie et non dénuée de rebondissements en tous genres.

Ce soir-là, dans la douce lumière d'une lampe à pétrole à l'abat-jour d'opaline rose, le couple faisait l'inventaire des cadeaux de Noël, étalés sur la couverture.

— Pour grand-mère Odina, j'ai la montre dont elle rêvait, observa Hermine. Je ne sais pas pourquoi elle avait tellement envie d'une montre, mais l'essentiel est de lui faire plaisir.

— Et je lui ai acheté une boîte de chocolats, ajouta Toshan. Elle est si gourmande ! Et pour Mukki ?

— Maman a commandé le livre qu'il voulait tant sur les poissons d'eau douce. Tu le prendras discrètement chez elle. Je pense qu'elle l'a emballé. Oh ! Seigneur, penser que tu pars demain matin ! Es-tu sûr de rentrer à temps ?

— Mine, je serai absent trois jours environ. Mukki et moi, nous arriverons le 23, sans faute, je te le promets.

— Les vacances sont trop courtes, déplora-t-elle. J'ai hâte d'embrasser notre grand fils et de le serrer contre moi. Akali lui a tricoté une écharpe superbe.

Elle souleva une mallette en bois verni qu'elle tendit à son mari. Il l'ouvrit avec précaution.

— J'ai bien fait de l'acheter cet été à Québec, remarqua-t-elle à voix basse. Laurence sera folle de joie. Tu as vu tous ces pinceaux et ces tubes de gouache? Mais Marie-Nuttah me pose toujours un problème, au moment des cadeaux. Elle n'a jamais envie de rien.

— D'autant plus que nous avons fêté leurs treize ans il y a trois jours. Tu te souviens du Noël 1933? Avec ton père et Joseph Marois, nous avions organisé une guignolée et nous avions fait la quête pour le vieil Eusèbe. Je n'avais jamais autant bu de ma vie.

— Oui, et moi, j'étais obligée de garder la chambre. Les jumelles venaient de naître. Madeleine les nourrissait, vu que je n'avais pas de lait. Quelle mauvaise mère je suis!

Il la fit taire d'un baiser. D'un doigt, il montra ensuite un paquet vert, enrubanné de rouge.

— Moi, j'offre ça à notre Nuttah. Je l'ai trouvé à l'épicerie de Péribonka, un coup de chance.

— Et c'est quoi?

— Un appareil photo d'occasion et des pellicules. J'ai remarqué que Nuttah veut souvent t'emprunter le tien et, comme tu refuses, elle boude.

— Je fais ça, moi? s'étonna Hermine. Oui, sûrement, elle est si maladroite et désordonnée! Je me méfie. Tu as eu une bonne idée.

Il glissa une main sous sa longue robe en laine bleue, effleura ses bas et s'aventura plus haut, là où la chair soyeuse de ses cuisses était dénudée.

— Toshan, un peu de patience, on doit terminer l'inventaire ce soir. Comme ça, s'il manque quelque chose, tu pourras l'acheter à Roberval. Surtout, renseigne-toi à l'auberge, sur le quai de Péribonka. La glace n'est peut-être pas encore assez solide sur le lac.

— Il a gelé dur ces derniers jours, Mine, je passerai sans souci. Les chiens m'obéissent à merveille. Mon traîneau est graissé, prêt pour le départ. Alors, où en sommes-nous?

— J'offre à Charlotte mes boucles d'oreilles en saphir; elle en rêve depuis des années. Je ne les porte plus. Pour Ludwig, j'hésite entre le couteau suisse que tu as choisi et un bonnet en cuir à oreillettes. Le pauvre garçon est si mal équipé pour le froid! Je me demande comment il a pu conserver ses doigts et ses oreilles, les hivers précédents.

— Bah, les Indiens ont leurs secrets contre les engelures. Ils ont initié Ludwig. Offrons-lui les deux, le couteau et le bonnet.

— Charlotte n'aura qu'un cadeau, dans ce cas!

— Oh! elle se plaindra comme d'habitude. Je lui prendrai un sachet de confiseries à Roberval ou des peignes pour ses cheveux. Hier, elle déplorait d'avoir égaré les siens, enfin ceux que tu lui avais prêtés. Dépêchons-nous, je dois me coucher tôt et honorer ma belle épouse.

Hermine eut un petit rire réjoui. Ils continuèrent leur joyeuse occupation en échangeant des baisers et des caresses furtives.

— Nous sommes si nombreux! dit soudain la jeune femme en s'étirant. J'en ai assez. Autant ranger tout ça dans le coffre et dormir. Cela m'occupera demain soir.

— Je veillerai à ramener du chocolat et des bonbons, ajouta Toshan. Et le dictionnaire pour Akali.

Ils s'empressèrent de cacher leurs trésors, infiniment heureux à la perspective de ce Noël dans leur maison de la Péribonka. La lampe fut bientôt éteinte, et ils se retrouvèrent nus entre les draps tièdes.

— Je suis un peu triste que tu partes, confessa-t-elle. Surtout, sois attentionné avec mes parents. Les pauvres, ils seront seuls avec Louis pour les fêtes. Dans sa dernière lettre, maman m'écrit que Mireille s'est décidée à partir chez sa vieille cousine.

— Ils auront profité de Mukki ces jours-ci, puisqu'il m'attend au petit paradis. Mine chérie, n'aie pas peur. Moi, je suis enchanté de retrouver ma passion de jadis: mener des chiens splendides à travers le pays enneigé.

— Je sais, mon amour. Tu redeviens celui de ma jeunesse, mon beau Métis aux longs cheveux noirs.

Elle plongea ses doigts fins dans les mèches lisses qui recouvraient à nouveau la nuque de son mari.

— Ta jeunesse! s'esclaffa-t-il. Tu es encore toute jeune et si tendre, si douce! Je te désire toujours autant, tu en as la preuve chaque nuit.

Pour démontrer sa sincérité, il appuya sa joue entre les seins de sa femme, tandis que sa bouche happait un mamelon, le tétait et l'embrassait. D'une main, il parcourut tout ce beau corps offert à la peau veloutée et s'attarda sur le ventre un peu bombé avant d'explorer d'un doigt son sexe déjà humide et chaud. Elle laissa échapper un bref gémissement en cambrant les reins, déjà avide et affolée.

Mais Toshan s'arrêta net et émergea du fouillis de la literie.

— As-tu entendu? remarqua-t-il.

— Quoi?

– Les chiens ! Ils hurlent à la mort… Enfin, en espérant que ce sont bien les chiens !

Il ralluma prestement la lampe, enfila un pantalon et un pull, puis ouvrit la fenêtre après avoir tiré le rideau en gros drap de laine qui coupait les courants d'air.

– Mais, Toshan, tu vas faire refroidir la pièce !

Une clarté étrange auréolait la silhouette de son mari. Le clair de lune se reflétait sur la neige tombée en abondance depuis le début du mois.

– Des loups ! tempêta-t-il. Malheur, c'est à cause de la chienne en chaleur que j'ai enfermée à l'écart des autres. Ils sont là, tout près.

– Alors, ferme vite ! Que redoutes-tu ? Ils ne peuvent pas entrer dans tes cabanons. Les planches sont solides et les portes aussi.

Excédée, elle se leva et remit sa robe, des chaussons, et un peignoir bien chaud. Toshan la prit contre lui et, de sa main libre, montra les formes sombres qui trottaient derrière la maison. Les malamutes menaient un beau tapage ; ils avaient senti la présence des bêtes.

– Il n'y en a que deux, observa Hermine. Simon aimait les loups… Ils ne feront rien de mal, ils ont faim.

– Faim d'une femelle, oui !

– Ou des dindons que tu as tués ce matin et que Madeleine a entreposés dehors, dans la remise, vidés et plumés. Qu'est-ce que je servirai le soir de Noël si les loups me les abîment ?

Toshan jura entre ses dents, sur le qui-vive. Hermine comprenait mal l'agitation de son mari, accoutumé à croiser des bêtes sauvages.

– Cela me rappelle ma mère, Tala la louve, commenta-t-il comme s'il ordonnait ses pensées. Elle était très attachée à ces animaux qu'elle vénérait. Je pense même qu'elle leur donnait à manger quand elle habitait seule ici.

– Mon amour, tu en trembles ! Cela remonte à une dizaine d'années, l'existence solitaire de Tala. Tu crois que ce sont les mêmes loups ?

– Mais non, Mine, je ne suis pas idiot ! Un enfant pourrait imaginer ça, pas moi. Oh ! bon sang !

Toshan avait adopté ce juron pendant son séjour en France et l'utilisait de plus en plus, par dédain des fameux jurons du pays.

– Regarde, là-bas !

Hermine aperçut à son tour une silhouette emmitouflée, d'assez petite taille, qui avançait vers les loups, de la neige jusqu'aux genoux. La lumière fantomatique de la lune ajoutait au côté irréel de la scène.

— Mon Dieu, c'est sûrement Kiona. Il n'y a qu'elle pour agir en dépit du bon sens, s'affola-t-elle. Toshan, je t'en prie, fais quelque chose. Elle est folle, complètement folle! Prends ton fusil et tes bottes, sors, vite, vite!

— Ce serait trop long; il y a plus simple.

Au mépris de la maisonnée endormie, du moins en apparence, il cria de toutes ses forces:

— Kiona! Reviens ici! Kiona! C'est dangereux.

— Kiona! appela aussi la jeune femme. Je t'en prie!

Cependant, à leur grande surprise, la fillette accéléra son allure, penchée en avant. Les loups détalèrent, mais l'un d'eux se retourna, inquiet.

— On dirait qu'il l'attend! remarqua Toshan. C'est à n'y rien comprendre.

Au même instant, on frappa à la porte de leur chambre, qui s'ouvrit aussitôt sur Akali, Laurence, Nuttah et Kiona, toutes quatre en pyjama et l'air stupéfait.

— Papa, pourquoi tu cries aussi fort? questionna Laurence.

— Heureusement qu'on ne dormait pas encore! renchérit sa sœur. Et Kiona est là.

— Je le vois bien! s'étonna-t-il. Mais qui est-ce, dehors, alors?

— Oui, qui est-ce? répéta Hermine en ayant soin de fermer leur fenêtre.

— Vas-y, dis-leur, soupira Akali en poussant son amie en avant.

Kiona considéra avec sérieux le couple interloqué. Elle baissa les yeux un instant, manifestement contrariée d'être tenue de dévoiler son secret.

— C'est Delsin, un garçon que je connais, un Montagnais. Il était au pensionnat. Je l'avais aidé à s'enfuir parce qu'un des religieux allait le fouetter. Son oncle a établi un campement en amont de la rivière. L'autre jour, en promenant les chiens, j'ai discuté avec eux, enfin, avec Delsin et son oncle. Il n'a plus que lui pour famille.

— D'accord! dit Toshan en levant les bras au ciel. Mais que fabrique-t-il ici le soir? Et a-t-il le pouvoir d'envoûter les loups? J'espère que oui, sinon il pourrait avoir des ennuis avec ces bêtes!

La fillette darda son regard doré sur son demi-frère. Elle répliqua en riant :

— Ce ne sont pas des loups ; tu aurais besoin de lunettes, Toshan ! Son oncle possède des chiens coupés de huskies. Ils ont suivi Delsin.

Hermine secoua la tête, franchement exaspérée. Elle toisa Kiona et, pour la première fois, peut-être, la semonça.

— Réponds donc à Toshan ! Que vient faire ce Delsin autour de la maison ? Il peut nous rendre visite le jour, nous lui offrirons du thé et des biscuits. Kiona, tu deviens invivable ! Je ne sais jamais quand tu dis la vérité ou quand tu mens. Tu nous ferais avaler n'importe quelles fadaises.

— Je crois deviner, ajouta son mari. Ce garçon et son oncle crèvent de faim et tu leur as indiqué une bonne adresse. Je parie qu'il manque des provisions. C'est un peu la même histoire qu'à Val-Jalbert, quand tu volais de la nourriture pour Ludwig.

— Pas du tout ! assura la fillette.

Les jumelles suivaient attentivement le débat avec un sourire en coin. Moins espiègle, Akali semblait très gênée. Elle le fut davantage encore lorsque Madeleine vint aux nouvelles.

— Faites moins de bruit, dit-elle. Le bébé pleure à cause de vous. Charlotte est furieuse.

Kiona tenta de reculer pour s'enfuir, mais Laurence l'en empêcha.

— Arrête de mentir, lui souffla-t-elle à l'oreille. On n'a rien fait de mal. Si tu ne veux pas parler, je le fais à ta place. Papa, maman, Delsin voulait voir le sapin de Noël ; il n'en avait jamais vu. Nous l'avons fait entrer par notre fenêtre et nous l'avons emmené dans la cuisine. Grand-mère Odina ronflait, elle n'a rien entendu.

— Et, si ses chiens n'avaient pas retrouvé la trace de Delsin, vous non plus vous n'auriez rien su ni entendu, ajouta Marie-Nuttah. C'est bien de la charité chrétienne, de montrer un sapin décoré à un orphelin qui mène une si dure existence.

Hermine remarqua le ton ironique. Elle ne sut que répondre, désarmée et très en colère. Les sentiments de Toshan n'étaient pas plus indulgents.

— De mieux en mieux ! fulmina-t-il. Bon sang, quelle mouche vous a piquées, vous quatre ? Ce garçon pouvait venir admirer l'arbre de Noël demain, pas à cette heure-ci, dans notre dos en plus. Si c'est une de vos brillantes initiatives, je ne vous félicite pas. Et vous avez de la chance que ce soit le temps des fêtes, car vous mériteriez une sévère punition. Ce n'est que partie remise, vous êtes prévenues. Je déteste les mensonges et les cachotteries.

Curieusement, ces mots eurent le don de faire pleurer Kiona. Ce n'était pas de la comédie, car de gros sanglots la secouaient.

— Ça fait des années que je le cherchais, Delsin! hoqueta-t-elle. J'ai rêvé de lui souvent et, là, je l'ai enfin retrouvé, mais vous me faites du chagrin, vous me réprimandez. Mine, pourquoi tu m'as parlé si durement? Toi, Mine! Je te déteste!

Kiona virevolta et sortit de la pièce en courant, laissant les adultes médusés.

— Elle nous a dit que Delsin sera son mari, plus tard. révéla Akali.

— C'est pour ça qu'on a eu envie de le connaître, renchérit Marie-Nuttah.

— Son mari! soupira Hermine. Et quel âge a-t-il, ce pauvre enfant?

— Seize ans, répondit Laurence.

Cette fois, Toshan et la jeune femme furent irrités. Un adolescent s'était introduit dans la chambre des filles et, sans les hurlements des chiens, ils n'en auraient rien su, comme l'avait précisé Laurence.

— Allez vous recoucher! ordonna Madeleine. Akali, tu me déçois. Je ne te pensais pas capable d'être dissimulatrice. Je suis désolée, Mine, c'est l'aînée, elle aurait dû nous avertir ou interdire aux autres de laisser entrer ce garçon.

— Nous en discuterons demain, trancha Hermine. Tout ça me dépasse.

Les jumelles et Akali s'éclipsèrent, confuses. Toshan se déshabilla à nouveau et se mit au lit. Mais il n'était plus d'humeur à batifoler. Hermine, quant à elle, n'avait aucune envie de dormir, meurtrie qu'elle était par l'exclamation de Kiona. Elle embrassa son mari et sortit de la chambre. Le «Je te déteste» de sa demi-sœur résonnait douloureusement dans son cœur.

Maussade, elle se glissa dans la cuisine sur la pointe des pieds. Le feu agonisant, changé en une épaisse couche de braises rougeoyantes, dispensait assez de lumière. Tout de suite, elle sentit la subtile fragrance du sapin dressé entre les deux fenêtres. C'était un parfum balsamique, forestier, dont elle chérissait le symbole rituel. Depuis sa petite enfance, l'odeur particulière des résineux demeurait associée à la merveilleuse fête de Noël qui célébrait la naissance du Christ. Les sœurs du couvent-école avaient soin de respecter cette tradition, et leurs élèves participaient gaiement à la décoration de l'arbre.

Malgré sa corpulence, grand-mère Odina avait élu domicile sur la banquette garnie de coussins. Elle ne bougeait pas de la nuit et déclarait se trouver bien à son aise. Un ronflement régulier, encore discret, rythmait sa respiration.

— Je te déteste! se répéta à voix haute Hermine, les larmes aux yeux. C'est pourtant normal de la sermonner! On ne se conduit pas ainsi. Et jamais elle ne m'a parlé de ce Delsin. Pourquoi? Son futur mari… Faut-il la croire? Ou bien est-ce une excuse vite trouvée pour se justifier?

Elle prit place au coin de l'âtre, une construction en galets polis par les eaux vives de la Péribonka. Ses yeux bleus se posèrent sur le grand sapin que Toshan avait coupé deux jours auparavant et qu'ils avaient décoré tous ensemble la veille. «Je fredonnais *Il est né le divin enfant* et *Les Anges dans nos campagnes*, à la demande de Charlotte. Et j'ai promis de chanter *Minuit, chrétiens*, le soir du 24…»

Hermine s'en voulait d'avoir causé du chagrin à Kiona. Elle se perdit dans la contemplation du sapin rutilant. Les guirlandes en papier métallisé captaient les derniers reflets orange du foyer, et les boules de verre en reflétaient l'image; elles luisaient doucement. Une étoile en papier doré couronnait la cime de l'arbre. Des angelots en carton-pâte, d'une jolie couleur ivoire, étaient suspendus au bout des branches. Et, encore neuves, de minuscules chandelles sur un socle à pinces attendaient le grand soir pour être allumées et éblouir les plus petits, Adèle et Constant.

«Que peut représenter un sapin de Noël pour un jeune Indien orphelin qui a beaucoup souffert durant son enfance? s'interrogea-t-elle. Il a connu la peur, la faim, le froid, l'injustice et la violence. Un soir, on l'emmène ici, bien au chaud, devant cet arbre scintillant de lumières. De la beauté et de la magie rien que pour lui! La beauté des choses peut soulager bien des peines enfouies. Elle nous donne la force d'espérer.»

— Delsin, enfant des démons! fit une voix derrière la jeune femme. Je l'ai vu, tout à l'heure; j'ai fait semblant de dormir.

— Odina? Pourquoi dis-tu ça?

— Je le sais, c'est tout. Ses parents étaient de mauvaises personnes. Il est mauvais, et son âme est noire!

— Non, Kiona le saurait dans ce cas, objecta-t-elle. Et qui serait doux et bon après avoir subi les sévices de ces frères pervers, dans ces pensionnats de la honte ?

— Fais à ton idée, maugréa la vieille Indienne. Je t'aurai prévenue. Tiens ce gars-là loin des filles.

Ces mots firent frémir Hermine. Elle se leva sans oser répondre. Peu après, elle entrait sans bruit dans la chambre où couchait Kiona. Il y régnait un parfait silence. Pourtant, elle avait la certitude que la fillette était éveillée.

— Ma petite sœur chérie, pardonne-moi ! bredouilla-t-elle en avançant la main vers son lit. Est-ce que je peux m'allonger à côté de toi ?

— Oui !

Elle se glissa près de Kiona et la prit dans ses bras avec tendresse.

— Tu me détestes vraiment ?

— Encore un peu ! Dans les livres, les enfants font souvent des bêtises, ou bien ils ont des aventures captivantes en cachette des adultes. Cela nous amusait d'accueillir Delsin. Il a eu des biscuits à la cannelle et du gâteau au miel. J'en avais mis une part dans ma poche. C'est tout collant au fond, maintenant.

— Je laverai ton pantalon, petite folle ! Alors, c'était un jeu, rien d'autre ? Akali nous a dit autre chose. Il paraît que Delsin serait ton futur mari.

Kiona nicha sa joue au creux de l'épaule d'Hermine avant d'avouer à voix basse :

— Pas mon mari, mon amoureux ! Je ne veux pas me marier, mais, là-bas, il y a quatre ans, au pensionnat, dès que mon regard a croisé celui de Delsin, j'ai eu une vision. Nous étions grands et très amoureux. On se baignait dans une rivière et on riait. Je pensais toujours à lui.

— Grand-mère Odina affirme que c'est un mauvais garçon et que son âme est noire.

— Je sais ! rétorqua la fillette d'un ton empreint de regret. Moi, je devrai l'aider à devenir meilleur. Ce ne sera pas facile. Si seulement j'étais normale !

— Peut-être que tu t'es trompée, Kiona, qu'il n'arrivera rien de semblable !

— Je voudrais bien, Mine. J'en ai assez d'avoir des visions et des pressentiments. Tiens, au mois d'août, j'ai eu une image dans la tête : Delsin qui nageait et me souriait. Après, j'étais sûre qu'il n'était pas loin et je l'ai cherché, d'abord à cheval. Je suis tombée sur leur campement au bord de la rivière. Au début, ils se méfiaient. Ils m'ont crié de m'éloigner, mais, peu à peu, ils m'ont acceptée. En fait, je leur apportais du café et du sucre. Ensuite, Onésime est venu chercher Phébus et le poney. Je ne pouvais plus y aller. Delsin a commencé à traîner autour de la clairière, le soir. Il surveillait Akali. Il me parlait d'elle après.

— Ton acharnement à promener les chiens de Toshan, c'était pour le rencontrer ?

— Oui, Mine !

— Kiona, ma chérie, je préfère que tu ne revoies pas ce garçon.

— Oh ! son oncle va décabaner[30] bientôt. Il trappe et fait le commerce des fourrures. Delsin ne reviendra pas. Au début, il ne m'a même pas reconnue. Il me considère comme une gamine. Mais Akali l'impressionne beaucoup ; il se souvenait d'elle.

— C'est faux ! intervint l'intéressée dans le noir.

— Tu devrais être heureuse, il est tellement beau ! fit la voix de Marie-Nuttah.

— D'accord, personne ne dort ici ! remarqua Hermine. Bon, puisque nous causons, est-il si beau que ça, notre visiteur de la nuit ?

— Oh ! oui ! s'enfiévra Laurence en s'asseyant. Si tu le voyais, maman ! Plus beau que papa !

— Non, impossible ! Je vous en prie, ne recommencez jamais ça ! En plus, ce Delsin me paraît peu recommandable. Bon, il est tard, nous parlerons de l'incident demain.

— Merci d'être venue, Mine ! dit Kiona doucement. Je serai sage bientôt.

Hermine l'embrassa avec tendresse, puis ce fut le tour des jumelles et d'Akali. Elle prenait conscience de la responsabilité qui lui incombait à l'égard de ces ravissantes enfants qui deviendraient vite des jeunes filles. Lorsqu'elle put enfin s'allonger auprès de son mari, il était plongé dans un profond sommeil. Caressante, elle se lova contre lui.

« À nous deux, mon amour, nous vaincrons toutes les difficultés ! » songea-t-elle.

---

30. Chez les Indiens, changer de place un campement.

Mais cela ne l'empêchait pas de s'inquiéter pour Kiona. Qui était réellement Delsin ? Elle n'aurait la réponse que des années plus tard.

Le lendemain matin, toute la maisonnée, excepté Charlotte et Adèle, assistait au départ de Toshan. Les malamutes étaient harnachés ; le chien de tête, fébrile, prêt à s'élancer, grattait la neige d'une patte ; derrière lui s'alignaient un autre mâle plus jeune et deux femelles. L'attelage faisait plaisir à voir, mais le traîneau de Toshan suscitait encore plus d'admiration.

— Quel bel ouvrage ! s'enthousiasma Madeleine. Mon cousin, tu devrais en fabriquer d'autres et les vendre.

— Ah ! non, jamais ! Ce traîneau reviendra à mes fils. C'est une pièce unique et ça le restera.

En anorak et bottes fourrées, Hermine déambulait autour de la « merveille », selon le terme flatteur de Ludwig. Elle caressait de sa main gantée les courbes élégantes du dosseret, sculpté de motifs en rapport avec la forêt : pomme de pin, feuille d'érable et de bouleau. À la grande déception des jumelles, Toshan s'était abstenu de graver ses initiales et celles d'Hermine sur les poignées en bois poli. Laurence le sermonna à nouveau, alors qu'il coiffait son chapeau de fourrure et enfilait ses mitaines.

— Tu aurais dû, papa. C'est si romantique !

— Désolé, ma fille, je n'ai pas de temps à perdre. Vous n'avez rien oublié ?

Il tapota sa veste, dont la poche intérieure abritait une pile d'enveloppes. C'étaient des cartes de vœux préparées par Hermine et Charlotte, une lettre destinée aux parents de Ludwig et une liste d'achats indispensables.

— Pense à mon tabac, Toshan, lui cria grand-mère Odina, emmitouflée dans une cape en fourrure.

Exalté à l'idée de cette longue course vers Roberval et Val-Jalbert, il promit d'un sourire rayonnant.

— Préparez-nous un festin en nous attendant. Mine chérie, sois prudente et tiens-moi sous clef ces quatre demoiselles. Ludwig, tu seras le seul homme à bord. Je te confie tout ce petit monde. Tu sais où je range mon fusil et les munitions.

— Oui, Toshan, je les défendrai goutte que goutte.

— Coûte que coûte ! rectifia Akali en riant. Comme c'est drôle !

Le jeune Allemand eut un geste d'impuissance et se mit à rire lui aussi. C'était vraiment un très bel homme, au visage d'une rare perfection, aux traits purs auréolés de boucles d'un blond pâle. Pour Akali, il avait les plus beaux yeux bleus de la terre. Elle voyait en lui l'ange Gabriel, ou un archange échoué parmi eux.

Toshan se campa sur l'extrémité des patins et fit claquer sa langue.

— Attends! se récria Hermine. Un dernier baiser!

Elle se pendit à son cou et posa ses lèvres glacées sur les siennes, étonnamment chaudes. Kiona, qui tenait la main de Marie-Nuttah, resserra son étreinte, touchée par la scène.

— Constant, dis au revoir à papa, dit Madeleine, le petit garçon sur un bras.

L'enfant agita la tête, les joues rougies de froid. Les chiens s'élancèrent et la neige crissa. Toshan était parti. Ils le virent disparaître entre les troncs d'arbre, et chacun se sentit un peu orphelin.

Ils rentrèrent en silence, réconfortés de se retrouver dans la vaste cuisine aux cloisons de bois clair, où subsistait toujours une bonne odeur de soupe, l'essentiel des repas étant constitué de légumes mijotés. Hermine retenait ses larmes. Elle aurait donné cher pour accompagner son mari dans son expédition en traîneau. Mais elle était la maîtresse des lieux et, durant son absence, elle devait gérer le quotidien.

— Il faut nous organiser, dit-elle, attablée devant un bol de thé. Ludwig, vous remplacerez Toshan pour ce qui est du bois et du poulailler, si cela ne vous ennuie pas.

— Ça me convient tout à fait.

— Vous comprenez, nous devons cuisiner pour le soir de Noël. J'ai des projets faramineux!

— Faramineux? répéta-t-il. Je ne sais pas ce que ça veut dire.

— Ambitieux, expliqua Charlotte qui sortait de sa chambre. Ou merveilleux. Thomas vient de téter et il dort. Ne parlez pas trop fort.

La jeune mère s'assit près de la cheminée. Elle portait une jupe ample en tissu écossais et un gilet vert qui moulait sa poitrine aux rondeurs un peu lourdes. Ses boucles brunes retenues par un ruban noir, elle affichait une expression distante. Malgré tous ses efforts, Charlotte n'admettait pas l'infirmité de sa petite Adèle. Cela la rendait désobligeante. «Nous allons être enfermés ici tout l'hiver, pensa Hermine en observant son amie. Si elle ne change pas d'attitude, ce sera vraiment déplaisant pour nous tous.»

— Et nous, maman? demanda Laurence. Comment pouvons-nous t'aider?

— Il y a la vaisselle et l'entretien des feux. Les poêles ne doivent ni s'éteindre ni s'emballer. Vous ferez aussi de la pâtisserie. Akali, si ça te va, tu surveilleras les deux petits.

Grand-mère Odina approuva la distribution des tâches, dont elle était exempte. La vieille Indienne s'activait du matin au soir, mais à la couture. Elle avait apporté dans ses ballots une grande quantité de peaux à tanner, à couper et à assembler, comme si elle voulait habiller toute la famille.

— Nous sommes heureux, ici, au grand paradis, observa Kiona. Tu te souviens, Mine, quand j'habitais Roberval avec maman? Charlotte et Simon avaient coupé une épinette pour me faire un sapin de Noël. Il était éclairé par des ampoules électriques de couleur. J'ai passé des jours assise sur le tapis. Je regardais mon arbre sans arrêt.

— Oui, je m'en souviens très bien. Tala t'avait aménagé un lit dans la pièce. Tu t'endormais, ravie!

— J'ai écrit une lettre à Louis et une à papa. Tu crois que ça leur fera plaisir?

— Sans aucun doute, ma chérie.

Kiona la gratifia d'un de ses adorables sourires éblouissants et rêveurs. Elle prit un livre sur une étagère et s'installa au pied du grand sapin odorant, aux décorations scintillantes.

— Aujourd'hui, je lis! annonça-t-elle.

— Et que lis-tu? demanda Marie-Nuttah.

— *Peter Pan*, de James Barrie! Je l'ai déjà lu, mais c'est une histoire qui me plaît. Peter Pan vole dans le ciel, il vit dans un pays imaginaire avec des enfants perdus. Des enfants qui ne deviennent jamais grands. Moi aussi, je vole, parfois. Et j'aimerais bien avoir douze ans toute ma vie…

Cette déclaration provoqua un léger malaise. Charlotte haussa les épaules, Hermine retint un soupir, et Madeleine se signa discrètement. Kiona, déjà en pleine lecture, n'y prêta pas attention.

Dehors, il neigeait en abondance, une pluie drue de flocons immaculés.

Val-Jalbert, dimanche 22 décembre 1946

Mukki regarda encore une fois par la fenêtre du petit paradis. La nuit tombait, et son père n'arrivait toujours pas. L'adolescent ignorait le jour exact où Toshan s'était mis en route, et l'angoisse le taraudait.

Il avait confiance en son père, capable de se tirer de n'importe quelle situation difficile, mais il redoutait surtout de ne pas être à temps au bord de la Péribonka.

— Grand-mère, papa a pu avoir un accident, dit-il d'une voix inquiète. S'il tarde encore, nous ne serons jamais à la maison le soir de Noël.

— Ne te tourmente pas, Mukki! répliqua Laura. Veux-tu du thé?

— Non, merci!

Confortablement assis dans un fauteuil, Jocelyn replia le journal qu'il feuilletait.

— Occupe-toi, mon garçon, au lieu de tourner en rond. Tu connais ton père! Il rencontre souvent d'anciens chums, il placote à l'auberge ou sur le port de Roberval.

— Par ce froid? s'étonna Mukki. Non, ce n'est pas normal.

Louis descendit l'escalier, l'air renfrogné. En quelques mois, le jeune frère d'Hermine avait beaucoup changé. En raison d'une poussée de croissance, il paraissait efflanqué, tout en os, comme disait Laura. De plus, un de ses professeurs du collège avait détecté un problème de vue et il portait à présent des lunettes.

— Moé, je suis pas pressé qu'il arrive, Toshan! remarqua-t-il. Je vais m'ennuyer ferme, icitte, sans Kiona et sans Mukki.

— Tu seras avec tes parents, mon trésor, rétorqua sa mère en l'étreignant. Et, je t'en prie, cesse de parler comme Joseph Marois ou tes camarades de classe. Je surveille ton langage depuis que tu es petit, pourtant. Veux-tu te donner un genre, tout à coup?

— Peut-être ben! renchérit-il, exaspéré par les câlineries de sa mère.

Jocelyn éclata de rire.

— Plains-toi, Louis, tu pourras jouer en paix avec la boîte de meccano que tu as réclamée en cadeau.

Il s'agissait d'un jeu de construction composé uniquement de pièces métalliques, très en vogue depuis le début du siècle.

— Je voulais un accordéon, aussi!

— Il fallait obtenir de meilleures notes en classe, pontifia Laura. Allez, grincheux, viens goûter.

Au même instant, il y eut du bruit à l'extérieur. Mukki se précipita vers la porte et l'ouvrit grand.

— Papa! hurla-t-il. Louis, viens un peu voir ce traîneau! Et les chiens, ils sont magnifiques!

L'adolescent se posta sur le perron, en chaussons. Ses grands-parents accoururent à leur tour, suivis de Louis. Toshan les salua d'un large signe de la main.

— Eh bien, mon gendre! s'écria Laura. Vous avez lambiné en route? Mukki se morfondait. Il ne tenait plus en place.

— J'avais beaucoup de choses à faire. Mais je suis là. Fils, mets une veste et des bottes, et viens m'aider à dételer les chiens. Il faut aussi les nourrir. Je les enfermerai dans la remise derrière l'écurie pour cette nuit. Nous partons demain matin, le plus tôt possible.

— Dites, ce sont de belles bêtes! nota Jocelyn. Des malamutes?

— Vous avez l'œil, Jocelyn! Oui, de pure race. Je compte me lancer dans l'élevage et le dressage. Je les ai achetés déjà rodés au travail, mais il fallait quand même peaufiner leur éducation.

Bien que transie, Laura ne se décidait pas à rentrer au chaud. Elle n'avait pas vu Toshan depuis l'été et il lui paraissait plus séduisant encore. C'était peut-être dû à son sourire rayonnant et à la sérénité qui se lisait dans son regard si sombre. Avec sa peau cuivrée, son nez droit et sa bouche charnue au dessin arrogant, il demeurait digne de son surnom, le seigneur des forêts.

«Cette chère Badette avait eu un trait de génie en le baptisant ainsi, pensa-t-elle. Quel dommage que notre amie soit retournée vivre en France! J'aurais pu l'inviter pour Noël.»

Elle était un peu contrariée à l'idée de ce réveillon entre son mari et son fils, elle qui était accoutumée à recevoir de nombreux convives dans sa belle demeure. La désertion de Mireille l'affectait aussi.

«Allons, du cran! songea-t-elle. J'ai promis de ne plus me plaindre si Louis guérissait de la polio.» Déterminée à tenir son engagement auprès des puissances divines, Laura laissa Jocelyn et Louis sur le perron. Elle ferma la porte et tira le rideau. Vite, elle refit du thé et sortit du placard une boîte en fer contenant des biscuits aux écorces d'orange, un petit luxe qu'elle s'était accordé. Son mari et son fils la rejoignirent presque aussitôt. Ils parlaient avec enthousiasme du magnifique traîneau et des chiens malamutes.

Un quart d'heure plus tard, Toshan et Mukki firent irruption, leurs cheveux noirs saupoudrés de flocons et la mine radieuse.

— Qu'il fait bon ici! soupira d'aise le Métis. J'ai une faim de loup. Ah! d'abord, vos lettres! Me voici promu facteur par ces dames et demoiselles de la Péribonka. Louis, ton enveloppe, Jocelyn, les vôtres, Laura, vous êtes gâtée aussi.

– Je les lirai plus tard! observa-t-elle en prenant le paquet noué d'un ruban rouge. Mon Dieu, depuis des années, nous fêtons Noël tous ensemble, réunis à ma table. Et ce temps ne reviendra sans doute pas. Les enfants grandissent. Au moins, quand nous gardions Adèle, il y avait de l'animation.

Ému par la détresse de sa belle-mère, Toshan la regarda attentivement. Il s'aperçut alors de certains détails. Laura avait les mains gercées, rougies par les travaux ménagers, et les ongles en piètre état. Sa chevelure souple, si légère, virait au gris argenté, privée des soins d'une coiffeuse. Plus de teinture blond platine et plus de rouge sur ses lèvres trop pâles. Quant à sa tenue, c'était une robe marron très simple, protégée par un tablier de cotonnade grise.

– J'ai piètre allure! s'exclama-t-elle, consciente de cet examen pourtant discret. Que voulez-vous! Mireille est partie depuis cinq jours, alors qu'elle avait repris du service. Mais si peu, ce qui est normal, à son âge. Je me console en me répétant que j'ai fait vœu d'humilité.

– Ah! fit Toshan. Était-ce bien utile?

– Louis n'a aucune séquelle. Il aurait pu être affligé d'une grave infirmité. Vous verrez quand Adèle sera grande, la pauvre! Elle souffrira d'être handicapée.

– Changeons de sujet, Laura! s'emporta Jocelyn. C'est bientôt Noël et nous avons un invité. As-tu mis le rôti de porc au four? La viande doit être fondante.

– Je suis au courant, Joss. Entends-tu ce grésillement? C'est le rôti, et les pommes de terre sont cuites. Alors, Toshan, donnez-moi vite des nouvelles. Le bébé de Charlotte, ce petit Thomas? Et Constant? Il ne me reconnaîtra plus, l'été prochain. Est-ce que ma fille fait ses gammes? Il ne faut pas qu'elle abandonne le chant, ça non!

Le Métis répondit à chaque question en enjolivant souvent la réalité. Il se garda de parler de Delsin, le mystérieux visiteur nocturne. Il tut également les sautes d'humeur de Charlotte.

– Mais vous êtes combien, en tout? s'alarma Jocelyn.

– Dix, plus les deux petits! J'ai eu raison d'agrandir la cabane de mes parents. Jadis, ce n'était qu'un baraquement de deux pièces où le vent du Nord se faufilait sans peine. Si vous pouviez voir la maison, Laura! Elle est superbe. Vous n'y êtes pas venue depuis des années.

— Oui, une trentaine d'années, puisque Hermine avait un an quand nous avons demandé asile à Henri Delbeau, votre père ! Seigneur ! Comme c'est loin, ce temps-là ! Sincèrement, mes souvenirs sont vagues. J'avais l'impression d'errer en plein désert, le désert blanc. Mais vos parents nous ont sauvé la vie. Hélas ! j'ai perdu l'esprit, peu après. La douleur et le chagrin d'avoir abandonné mon Hermine…

Elle fut secouée par un sanglot sec. Confuse, elle se domina. Louis et Mukki échangèrent un regard gêné. Ils avaient entendu la tragique histoire de Laura et de Jocelyn cent fois. Toshan baissa la tête, lui aussi perturbé par les larmes de sa belle-mère. Cette jolie femme au caractère bien trempé n'avait pas eu une existence facile dans sa jeunesse.

— Ah ! j'oubliais, j'ai chassé le dindon ces jours-ci et nous en savourerons deux à Noël ! dit-il afin de détendre l'atmosphère. Madeleine prévoit une garniture de baies rouges et de gelée de bleuets.

— J'en salive à l'avance ! renchérit Mukki. Maman veut les farcir avec des oignons confits et du lard. On va se régaler, hein, papa !

— Nous mangerons un poulet, icitte, les relança Jocelyn. Je l'ai acheté à Andréa. Au fait, ce vieux Joseph ne progresse guère. Il est toujours muet, refermé sur lui-même. Par chance, il marche à nouveau.

Toshan écoutait, distrait. Il fixait les branches de sapin disposées dans un vase, auxquelles on avait accroché des décorations en papier doré. Le petit paradis lui parut empreint de tristesse. Ce fut peut-être à cet instant qu'une idée folle le traversa. Il ne l'exposa pas immédiatement, prenant le temps d'y réfléchir. Les discussions se poursuivirent autour de la théière fumante.

— Martin Cloutier, ce sympathique historien qui a passé l'été à Val-Jalbert, est retourné dans son village avant la neige, raconta Laura. Il habite Saint-André-de-l'Épouvante. Mais il a laissé une grosse enveloppe pour Kiona. Il paraît que ce sont d'anciens clichés d'ici, à l'époque où la cité ouvrière se développait à grande vitesse.

— En quoi cela intéresserait-il Kiona ? s'étonna le Métis.

— Je n'en sais rien, mentit Jocelyn. Autant la garder chez nous, cette lettre.

— Mais non, je la lui remettrai.

Ils abordèrent ensuite un sujet d'actualité qui concernait le premier ministre Maurice Duplessis. Fervent lecteur de *La Presse*, Jocelyn Chardin était au courant de tout.

– Duplessis est pourtant un compatriote, car il est né à Trois-Rivières comme moi. Mais je n'adhère pas à ses idées. Il défend notre province auprès du gouvernement fédéral tout en réprimant certains de nos droits civiques, notamment en matière de religion. Le 12 de ce mois, un groupe de manifestants a protesté contre son despotisme devant le Monument national de Montréal. Il avait lancé une sorte de chasse aux sorcières contre les Témoins de Jéhovah[31].

Ce genre de conflits laissait Toshan indifférent. Il acquiesça poliment et dut écouter son beau-père polémiquer sur ce thème pendant plus d'une heure. Mukki et Louis étaient montés à l'étage, et Laura préparait le souper.

Dès que les deux garçons redescendirent, afin de couper court aux discours politiques, le Métis abattit ses cartes.

– Désolé de vous interrompre! dit-il. Je voulais vous parler de quelque chose, et je crains de ne plus en avoir l'occasion avant de passer à table.

– Eh bien, dites! bougonna Jocelyn.

– Si je vous emmenais tous les trois! Vous passeriez le temps des fêtes chez nous. Cela ferait toute une surprise à Hermine et aux filles, enfin, à tout le monde.

Sidérée, Laura suspendit son geste, elle qui poivrait son plat de pommes de terre sautées. Le cœur battant plus vite, elle scruta le visage de son gendre pour être sûre qu'il ne plaisantait pas.

– Voyons, comment ferions-nous? observa-t-elle, pleine d'espoir.

– Maman, papa, il faut y aller! s'égosilla Louis. Ce serait trop bien, de passer Noël avec Kiona, les jumelles et ma grande sœur! Je ne suis jamais allé là-bas, en plus.

– Non, non, on ne peut pas, trancha son père. Enfin, Toshan, cela représente des milles par un froid rigoureux, avec des bancs de neige et des embûches. Encore, si on disposait d'un camion équipé, mais là…

– De toute façon, mon gendre, vous ne pouvez pas nous transporter tous dans votre traîneau, aussi spacieux soit-il, déplora Laura. Cela ferait une trop lourde charge pour quatre chiens.

Le Métis eut un sourire étonné. C'était sa belle-mère qui touchait au vrai cœur du problème. Elle disait vrai : ses malamutes déclareraient vite forfait.

---

31. Authentique.

– J'essaie de calculer, argumenta-t-il cependant. Vous, Laura, vous ne dépassez pas cent dix livres, Louis en pèse combien ?

– Quatre-vingts tout habillé, déclara-t-elle. Il reste mon mari, Mukki et vous !

– Il faudrait deux ou trois bêtes de plus, fit remarquer Jocelyn. À quoi bon placoter ! L'idée est plaisante, mais impossible à réaliser.

– Papa, maman, je vous en prie ! pleunicha Louis. Moi, au moins, je pourrais y aller sans vous, vu que je suis un poids plume.

– Pourquoi pas ! s'exclama Mukki, enchanté par cette perspective.

– J'ai la solution, reprit Toshan, amusé par l'ambiance fébrile. Sauf si vous, Laura, ou bien vous, Jocelyn, redoutez de faire ce trajet de manière peu confortable. Voilà ! Ce matin, j'ai croisé Gamelin sur le port de Roberval, ce grand gaillard avec qui j'avais disputé une course, à l'époque où je me déplaçais tout l'hiver avec mes chiens, ce brave Duke et Malo. À propos, Malo est mort de vieillesse en janvier, au campement de Chogan.

– Toutes nos condoléances, pour votre cousin ! bredouilla Laura qui venait de se souvenir de ce deuil brutal. Je suis désolée, Toshan, je n'y ai pas songé tout de suite.

Il fit signe que ce n'était pas très grave, tout obsédé qu'il était par l'envie de ramener ses parents à Hermine. Il avait la conviction que rien ne lui ferait davantage plaisir.

– Alors, ta solution, papa… insista Mukki, tout excité.

– Ah ! oui, Gamelin, ce géant avec qui j'étais caserné à la Citadelle pendant la guerre, il a six bonnes bêtes, des bâtards, mais résistants et entraînés. Ce matin, il les a conduits chez sa tante Berthe, car il ne les sortira pas avant une semaine. Pugnace comme il est, toujours à parier qu'il sera le plus rapide, ça le tracassait de les laisser s'ankyloser. Je suis certain que mon vieux chum Gamelin sera ravi de me prêter son traîneau et ses chiens. Jocelyn, vous savez encore mener un attelage !

– Pas du tout, c'est du passé. Je ne suis plus assez robuste et énergique, répliqua son beau-père avec une moue boudeuse.

– Qu'est-ce que tu me chantes, Joss ! s'écria Laura. Tu n'as pas pu oublier, surtout avec des bêtes obéissantes et vigoureuses. Je t'en prie, partons demain matin avec Toshan. Regarde, Louis est tellement heureux ! Mukki aussi ! Et imagine un peu la tête d'Hermine en nous voyant arriver sur le territoire des Delbeau.

Les mains jointes à hauteur de la bouche, les prunelles d'un bleu d'azur étincelantes de joie anticipée, Laura trépignait d'impatience.

– Joss, prouve-moi que tu es un homme digne de ce nom, insista-t-elle. En plus, il y aura du dindon à manger.

– Non, vous n'avez qu'à partir, Louis et toi; je garderai la maison. Il faut nourrir le cheval et le poney, et chauffer pour que les canalisations ne gèlent pas.

– Pensez à Kiona, dit Toshan. Elle a besoin de vous le soir de Noël. Hermine également. Votre femme est plus audacieuse que vous, Jocelyn. Je devine Laura prête à braver la tempête pour rejoindre sa famille.

Flattée, sa belle-mère se rengorgea. Elle s'appuya à la table et se pencha un peu vers son mari.

– Mon gendre parle d'or, Joss. Rien ne me fait peur, à moi. Tu m'as emmenée au bout du monde, au cœur du mois de janvier, il y a plus de trente ans, et je ne me suis jamais lamentée. Traverser le lac Saint-Jean, parcourir la forêt en traîneau, ça me tente! Au bout du chemin, ce sera la plus belle fête de notre vie.

Jocelyn Chardin se leva d'un bond en dépliant son grand corps musclé, toujours vigoureux. Il tapa du poing sur la table en riant:

– Pari tenu, je vais vous montrer de quoi je suis capable!

– À la bonne heure! s'exclama Toshan, rayonnant. Les garçons, demain matin, vous partirez avant nous en raquette, afin de ne pas épuiser les malamutes. Je vous rattraperai bien avant Roberval et nous échangerons nos places. Sur moins de deux kilomètres, mes chiens fonceront, ils sont puissants et dociles. Ensuite, la course jusqu'à la Péribonka sera plus tranquille.

Mukki et Louis échangèrent un regard ébloui. L'aventure les captivait. Ils auraient aimé partir immédiatement.

– Pour les bagages, ne prenez que le strict nécessaire, ajouta Toshan. Du linge de corps et, surtout, habillez-vous très chaudement pour le voyage.

– Et comment allons-nous loger chez vous? s'inquiéta Jocelyn. La maison me semble déjà bien remplie.

– Il y a moyen de s'arranger. Les deux garçons dormiront à l'indienne, dans la pièce principale, que nous appelons la cuisine, maintenant. Grand-mère Odina entretient le feu dans la cheminée nuit et jour, et je mettrai des fourrures sur le parquet. Ils n'auront pas froid. Nous vous laisserons notre chambre, Mine et moi, pour nous installer avec Madeleine et Constant. Rien ne manquera à votre confort!

Le Métis affichait un sourire ravi, très fier de son initiative.

«Mon Dieu! Quel séducteur! pensa Laura, conquise. Le genre d'homme qu'on suivrait au bout du monde.»

Ce soir-là, son gendre avait toutes les qualités; les querelles de jadis étaient bien enterrées. Il eut droit à une énorme tranche de rôti de porc, à du vin blanc et à une portion de pommes de terre qui rendit jaloux les autres convives. Après le souper vite expédié, Mukki et Louis montèrent se coucher. Jocelyn les imita, un peu nerveux.

«Dans quoi me suis-je engagé? songeait-il. Enfin, je vais voir mes deux filles et mes petits-enfants.»

Toshan prit congé aussi. Il était exténué, après trois journées bien remplies. En s'allongeant dans une chambre mal chauffée, il avait l'esprit en paix et le cœur joyeux. «J'ai acheté tout ce que souhaitait Hermine et j'ai pu donner une leçon à Pierre Thibaut. Ça lui a coûté deux dents et il n'aura plus le nez au milieu de la figure. Je crois qu'il ne s'en prendra plus à une femme avant longtemps, surtout la mienne, ni aux jeunes filles.»

Pleinement satisfait, il s'endormit presque aussitôt. Dès qu'elle fut seule au rez-de-chaussée, Laura rangea avec soin la cuisine sans faire aucun bruit. Si elle éprouvait un profond bonheur à l'idée de fêter Noël sous le toit de son gendre, il lui fallait être en harmonie avec l'événement. Jusqu'à minuit, elle s'efforça d'organiser sa propre transformation. Elle se lava les cheveux à l'eau bien chaude et soigna ses ongles, qu'elle couvrit d'un rose nacré grâce à un flacon de vernis bon marché qu'elle économisait. «Je ne veux plus de regard apitoyé! se disait-elle. C'est une politesse d'être coquette un soir de fête. Mais mes cheveux, quelle horreur! Ils sont gris.»

Elle résolut le problème grâce à un subterfuge. Elle confectionna habilement une sorte de turban dans un tissu noir, qui serait agrémenté d'une broche en or. On ne verrait pas une seule mèche. Soulagée, elle put enfin se coucher, non sans avoir vérifié l'état de la robe qu'elle avait choisie. Il lui fut difficile de trouver le sommeil, tant elle était excitée par ce revirement inattendu.

«C'est un signe favorable, pensa-t-elle. Notre vie va changer.»

Au matin, ce fut un véritable branle-bas de combat. Mukki insista pour harnacher les malamutes et les atteler. Toshan, exigeant dans ce domaine, sortit le surveiller. Louis ne faisait que monter et descendre l'escalier, soit pour rendre un service à ses parents, soit parce qu'il avait oublié quelque chose.

— Nous n'en finirons pas, s'emporta Laura en voyant le jour se lever. Vite, Joss, verse le thé dans les bouteilles thermos.

Ils prirent un déjeuner rapide, puis, comme convenu, Mukki et Louis, chaussés de raquettes, partirent les premiers. Jocelyn dut courir chez Onésime pour lui demander de nourrir et abreuver le cheval et le vieux poney.

— Il faut y aller, dit Toshan quand tout fut réglé. J'avais dit à Hermine que nous arriverions ce soir, Mukki et moi, mais nous serons en retard. Au mieux, nous toucherons au but demain après-midi. Nous ferons étape à l'auberge de Péribonka.

— Bien, mon gendre, je vous laisse mener l'affaire, répondit Laura. Oh! pouvez-vous ajouter cette caisse sur le traîneau?

— Qu'est-ce que c'est?

— Du champagne français, un grand cru.

— Laura, c'est hors de prix! Et comment vous l'êtes-vous procuré? s'étonna le Métis.

— On me l'a livré la semaine dernière avec une carte ravissante. C'est un cadeau de Rodolphe Metzner, le futur impresario d'Hermine, cet homme fortuné qui a acheté l'appartement de la rue Sainte-Anne à Québec. J'ai été aussi éberluée que vous. Ma fille a dû lui parler de moi et de mon goût pour le champagne.

— Eh bien, emportons la caisse; elle ne pèse pas trop lourd.

— Merci, Toshan, je suis tellement contente! Du dindon et du champagne!

Sa belle-mère semblait transfigurée, rayonnante et énergique. Elle confia à son mari le soin de fermer la porte du petit paradis à clef et s'installa, la mine hautaine, dans le traîneau. Un foulard en lainage beige ne laissait paraître que son visage. Vêtue d'un manteau noir, équipée de mitaines et de bottes fourrées, elle était prête à affronter le froid et la nature sauvage.

— En route! s'écria Jocelyn.

Rive de la Péribonka, mardi 24 décembre 1946

Pour la sixième fois au moins, Hermine scruta la clairière ensevelie sous un épais manteau de neige. La lumière déclinait déjà. Pourtant, il n'était pas plus de quinze heures.

— Mais que font-ils? s'alarma-t-elle. Toshan espérait être là hier, en fin de journée. Oh! si seulement il y avait le téléphone, ici!

— Maman, ne t'inquiète pas, ils vont arriver, lui dit Laurence avec un gracieux sourire. Regarde comme la maison est belle!

— Oui, nous avons bien travaillé, insista Marie-Nuttah.

Le cœur gros, Hermine contempla la grande pièce où régnaient l'ordre, la propreté et l'harmonie. Là se dressait le majestueux sapin de Noël. Des branches d'épinette, enrubannées de rouge et d'or par les jumelles, étaient accrochées aux cloisons. À ce décor traditionnel s'ajoutait une succulente odeur de volaille rôtie. Madeleine avait fait cuire un des dindons le matin; il fallait compter plusieurs heures pour que la chair soit à point. Le second dorait au four.

— Et la table, Mine? observa Kiona. Avoue qu'elle est digne d'une famille princière!

— Mais où vas-tu chercher des termes pareils? Tu lis beaucoup, on dirait. La table est superbe, je te l'accorde; c'est une excellente idée d'avoir imité des feuilles de chêne.

— Cela nous a pris deux jours de découpage et de coloriage, fit remarquer Akali.

— Le résultat est prodigieux, concéda Charlotte, qui cédait à l'atmosphère joyeuse de la maisonnée et se montrait de fort bonne humeur.

Hermine quitta son poste d'observation pour faire le tour de la table. Le couvert était mis, de belles assiettes vertes à liseré d'or, des verres en cristal et de l'argenterie. Dix ans auparavant, Laura avait offert à sa fille et à son gendre cette vaisselle de luxe, dont ils ne se servaient que dans les grandes occasions.

— Les serviettes sont très bien pliées; on dirait des oiseaux! commenta-t-elle encore.

D'un doigt, elle effleura une des feuilles de chêne en carton qui paraissaient plus vraies que nature. Patiemment, Akali et Kiona, d'après un dessin, avaient confectionné cet ornement. Cela faisait un très bel effet sur la nappe en dentelle blanche. Au milieu se dressait un chandelier en cuivre qui supportait quatre chandelles de cire fine d'un ivoire translucide.

«Pourvu que Toshan et Mukki puissent profiter de ce joli décor!» songea Hermine, de plus en plus angoissée. Il fera vite nuit et ils ne sont toujours pas là.

Un tablier gris noué à la taille, Ludwig préparait une crème au café à base d'œufs et de lait en poudre. Concentré sur sa tâche, il fouettait le mélange avec énergie.

— Je mettrai les coupes dehors, dans la neige, une fois garnies de ma crème, expliqua-t-il à Akali. Il gèle dur. Nous aurons des glaces au dessert.

— Je suis curieuse de les déguster, assura Akali.

— Il y a trois gâteaux, aussi, rappela Kiona.

Grand-mère Odina chantonnait dans une des chambres. Elle berçait bébé Thomas, un beau poupon de cinq mois rose et blond, mais dont les dents perçaient. L'enfant pleurait beaucoup malgré les baumes dont la vieille Indienne frottait ses gencives.

— Vous devriez vous habiller, à présent, suggéra Hermine. Faites-vous belles, mes chéries. Je vous remercie, vous avez été de vraies fées du logis.

Attendrie, elle les embrassa tour à tour, d'abord Akali, puis Laurence et Marie-Nuttah, et enfin Kiona. Sa demi-sœur lui dit tout bas à l'oreille :

— Est-ce que je dois mettre une robe et des bas ? Je voudrais garder ma tunique à franges, mon pantalon et mes tresses. Cela plaît à grand-mère Odina !

— Je préférerais que tu sois un peu plus élégante et que tu brosses bien tes cheveux. Ils sont si beaux, dénoués ! Juste pour le soir de Noël. D'accord ?

— Oui ? Je vais me changer.

— Autre chose : au sujet de Toshan et de Mukki, tu ne pressens rien de grave ?

— Rien du tout, je ne ressens rien, Mine.

— S'ils avaient eu un accident ou des ennuis en cours de route, tu le saurais !

La fillette la fixa de son beau regard d'ambre, profond et intense. Elle lui caressa la joue.

— Tu m'as suppliée de ne plus mentir. Je ne peux pas te répondre, je ne vois rien. N'aie pas peur, ils seront sûrement là bientôt.

Sur ces mots, elle tourna les talons et courut dans sa chambre. Désappointée, Hermine se dirigea vers la fenêtre. Il faisait sombre, la neige bleuissait et les troncs d'arbres paraissaient plus noirs à la lisière de la forêt.

— Madeleine, il faudrait allumer toutes les lampes à pétrole et aussi le fanal du perron. Ludwig, dès que vous aurez fini vos crèmes au café, ce serait gentil d'aller accrocher une lanterne à la porte d'un des cabanons.

— Bien sûr, Hermine!

La jeune femme retint un soupir. Elle revoyait son mari en train d'achever la construction de ces petits baraquements destinés à ses chiens. Il sifflait, heureux de manier le marteau et la scie.

«Toshan, où es-tu?» songea-t-elle, malade d'angoisse.

— Ne te tourmente pas, conseilla Charlotte en la prenant par l'épaule. Tout à l'heure, nous serons assis autour de la table à écouter le récit des péripéties du voyage. Et, puisque c'est demain Noël, je voudrais te dire merci, Mimine. Oui, merci de nous accueillir icitte, de m'avoir sauvé la vie. Et je te demande pardon, aussi. Je suis si pénible parfois! C'est à cause d'Adèle, tu le sais…

— Mais oui, je comprends.

— Je m'interroge également sur notre avenir, à Ludwig et à moi. Nous n'avons pas d'argent, nous vivons de la charité des uns et des autres. J'ai donc décidé de m'exiler. L'année prochaine, nous essayerons de partir pour l'Allemagne. Là-bas, tout sera différent. Ludwig secondera son père qui possède une exploitation forestière. Moi, je pourrai travailler dans une boutique du village voisin. Adèle et Thomas ont des racines dans ce pays, une famille et des grands-parents.

— La guerre a laissé trop de traces, Charlotte. Je doute que ce soit une décision sage. Cela dit, je respecterai ton choix. Mon Dieu, comme tu me manqueras!

— Mes colères et mes caprices, tu t'en passeras vite, plaisanta son amie. Et j'espère que vous me rendrez visite.

— Peut-être! J'aimerais bien revoir Paris sans les drapeaux à croix gammée sur les plus beaux monuments!

Elles se sourirent, rassérénées. Hermine s'approcha du sapin pour observer son reflet déformé dans une des boules de verre. Cela parvint à la détendre.

— Va plutôt devant ton miroir, s'esclaffa Charlotte. Ou fais-moi confiance, tu es sublime. Imagine qu'un trappeur égaré frappe chez nous ce soir, pensant se retrouver dans un intérieur ordinaire… Il entre et découvre de jolies femmes très élégantes, maquillées, des lumières partout et un superbe arbre décoré. Ce serait drôle…

Madeleine approuva à mi-voix. La jeune Indienne elle-même avait consenti à se faire belle. Exceptionnellement, elle portait une ancienne robe d'Hermine en velours noir, ceinturée d'un galon argenté, tandis que ses longues nattes brunes étaient relevées en couronne autour de son front, ce qui dégageait son cou rond et gracieux. Elle n'était pas du tout à son aise, ainsi vêtue, et avait hâte d'enfiler son habituelle toilette grise à col blanc, pudique et sage.

— Comme toujours, Mimine est la plus belle, ajouta Charlotte de bon cœur.

Ludwig jeta un coup d'œil sur le trio de femmes, debout près du sapin. Il chercha quoi dire pour ne blesser aucune d'elles, surtout pas celle qu'il aimait.

— Vous êtes toutes les trois très belles, bredouilla-t-il, confus.

Hermine lissa la mousseline bleu nuit de sa robe, dont l'ample jupe plissée avait des allures de tutu de danse. Le corsage au décolleté troublant épousait son buste parfait. Un collier de perles ravivait l'éclat de sa carnation laiteuse. Heureusement, il faisait une chaleur suffisante, car elle avait les avant-bras nus.

— Que font-ils? répéta-t-elle, reprise par la peur. Seigneur, quel pays! Même s'ils sont dans l'impossibilité de rentrer ce soir, nous ne serons pas prévenus. Je n'aurai pas le courage de servir le festin prévu, dans ce cas.

Elle fit les cent pas sous les regards préoccupés de ses amis. Ludwig s'équipa pour sortir.

— Je vais mettre mes crèmes dehors et accrocher le fanal, dit-il d'un air faussement réjoui. Pas d'inquiétude, Hermine. Toshan ne vous causera pas de chagrin, pas ce soir.

— J'en doute! Ça y est, la nuit tombe! gémit-elle.

Une galopade frénétique ébranla le plancher du couloir. Les quatre filles accouraient, composant un ravissant tableau, coloré et fort bruyant. Laurence et sa sœur étaient en robe blanche, leur chevelure châtain clair roulée en chignon bas. Akali avait emprunté une jupe rouge et un pull vert à Charlotte une heure plus tôt. Quant à Kiona, elle suscita des cris d'admiration. Son extrême beauté ne transparaissait pas tout de suite, quand on la croisait à cheval, ou bien occupée à dresser les chiens. On la surnommait souvent le garçon manqué. Mais, en ce Noël 1946, elle laissait transparaître une jeune fille fascinante, d'une rare séduction. « Mon Dieu, je ne l'ai jamais vue ainsi ! » songea Hermine, sidérée.

Avec l'aide des jumelles, Kiona s'était métamorphosée. C'en était presque gênant, car elle n'avait que douze ans et demi. Elle avait mis une robe en satin moiré de couleur beige, rebrodée de roses en fil de soie de même teinte. Le tissu fin soulignait les seins menus et marquait la taille fine. L'encolure basse qui dévoilait les épaules et le haut du dos servait d'écrin à sa peau dorée comme du miel. Sa somptueuse et flamboyante chevelure, dont les ondulations évoquaient les vaguelettes d'un ruisseau, resplendissait. Deux tresses minuscules retenaient cette masse d'or pur en arrière. Une écharpe en soie rose faisait office de châle.

— Mais... d'où sors-tu cette toilette ? s'étonna la chanteuse. Et tes yeux, ils sont fardés ! Tu as du rose sur les lèvres !

— Évidemment ! Tu voulais que je ressemble à une fille, alors... La robe, elle était rangée dans une boîte de carton en haut d'un placard. Elle sent un peu le renfermé et elle descend jusqu'à mes pieds. Laurence l'a rétrécie avec des épingles, dans le dos.

— On dirait une robe ancienne, observa Madeleine. Qui a pu l'oublier ici ? C'est toi, Charlotte ?

— Non, elle serait trop petite pour moi.

— Tu es tout à fait ravissante, Kiona, remarqua Hermine. Cependant, je voudrais que tu ôtes le maquillage. Cela te vieillit. Enfin, je n'apprécie pas. Les jumelles sont très jolies sans aucun fard. Akali aussi.

— Oh ! toi, tu n'es jamais contente ! fulmina sa demi-sœur.

— Chut ! dit Laurence. Écoutez donc, des chiens aboient, c'est papa et Mukki.

Un concert de jappements lui donna raison, à cela près, comme le précisa Hermine, que les malamutes n'aboyaient habituellement pas, surtout pas aussi fort.

— On vient nous avertir qu'ils sont blessés ou bloqués quelque part ! cria-t-elle. Vite, mon manteau, mes bottes...

Elle se débarrassa de ses escarpins à talon et se rua vers le vestibule où s'alignaient des paires de grosses chaussures, des sabots en caoutchouc et des bottes. Mais Ludwig fit irruption et l'arrêta dans son élan :

— C'est Toshan avec Mukki. Tout va bien ! Mais il y a un autre traîneau, des gens que je ne connais pas.

Cette nouvelle sema la consternation. Personne n'avait envie de se mêler à des étrangers en ce soir de fête. Hermine allait se précipiter sur le perron quand le jeune Allemand la retint par un bras.

— Votre mari a dit de rester là et d'attendre, parce que c'est une surprise!

— Comment ça, une surprise? protesta-t-elle. Qui ramène-t-il? Franchement, Toshan n'en fait qu'à sa tête sans se soucier de moi, de ce que je souhaite vraiment, être en famille, et rien d'autre.

Contrariée au point d'en être au bord des larmes, elle enleva son manteau et se réfugia au fond de la pièce, près du feu. Charlotte, Madeleine et les quatre filles n'osaient pas désobéir aux consignes du maître de maison. Des éclats de voix et des rires leur parvenaient.

— Ils dételent les chiens; ils vont les enfermer, fit remarquer Hermine d'un ton sinistre. Allons, il faut faire bonne figure devant ces invités.

— Mais qui ça peut bien être? dit à voix basse Charlotte à Ludwig.

— Moi, je n'en sais rien, rétorqua-t-il. Je n'ai même pas pu voir leurs visages, à cause des foulards.

Quelques minutes plus tard, la fameuse surprise fut grandiose, assortie aux couleurs de Noël, en accord avec le cadre chatoyant et chaleureux. Rayonnante, Laura entra la première, les joues poudrées et le front dégagé par un turban noir agrémenté d'une fleur dorée.

— Maman! Oh! Seigneur! s'enflamma Hermine. Maman, ici? Mais c'est un miracle!

Un garçon emmitouflé, lunettes sur le bout du nez, suivait.

— Louis! s'écria Kiona. Louis, ça alors!

En apercevant la haute silhouette de son père, une toque en fourrure sur ses cheveux gris, la jeune femme éclata en sanglots. Elle les dévisageait, incrédule. Leur présence au bord de la Péribonka, à des kilomètres de Val-Jalbert, lui sembla complètement irréelle et fantasmagorique.

— Joyeux Noël à tous! claironna Louis.

Hermine se jeta dans les bras de sa mère qui l'étreignit farouchement, puis se retrouva serrée contre son père. Ils étaient vraiment là, elle pouvait les toucher, s'assurer qu'elle ne rêvait pas. Son mari apparut enfin derrière Mukki hilare.

— Fameuse surprise, hein, maman! cria l'adolescent. Une idée de papa.

— Ton cadeau, Mine! ajouta Toshan.

— Je n'en ai jamais eu de si beau, répondit-elle. Merci, mon amour. Quel merveilleux Noël! Mais dites-moi ce qui s'est passé. Oh! je n'arrive pas à y croire. Vous êtes vraiment là!

Une main d'Hermine entre les siennes encore gantées de chaudes mitaines, Laura contemplait le cadre qui l'entourait. Elle n'en revenait pas de découvrir un si joli décor, plein d'harmonie et dont le charme était rehaussé par les flammes des bougies et les lumières douces des lampes à pétrole.

— C'est superbe chez vous! s'extasia-t-elle. Et ce sapin, il est magnifique. Déjà, en arrivant dans la clairière, j'ai été abasourdie par la taille de la maison.

— Moi aussi, renchérit Jocelyn. On ne peut plus parler d'une cabane au fond des bois, mais d'une superbe demeure. Et c'était bien gai, ces fenêtres illuminées, après la forêt noyée d'ombres!

— Oh oui! s'écria Laura. Nous avons parcouru des milles dans le froid polaire, aux prises avec un vent glacial, des nuées grises et des averses de neige. Il me tardait d'être enfin au chaud, près des miens. Mais c'est encore plus extraordinaire que ce que j'imaginais. Ces délicieuses odeurs de cuisine, ces branches d'épinette décorées, tout me plaît. Et toi, ma fille chérie, tu es resplendissante. Cette robe de mousseline bleu nuit te donne des allures de fée. Et tes cheveux, ils paraissent encore plus blonds.

Les témoins de ces retrouvailles n'osaient pas se manifester. Charlotte s'était reculée discrètement derrière Madeleine et Akali. Elle était en proie à des sentiments mitigés, plutôt désagréables. Elle n'avait pas revu Laura et Jocelyn depuis quatre ans. Cela datait de sa folle cavale avec Ludwig, quand ils avaient fui Val-Jalbert afin d'échapper à la police, croyant avoir été dénoncés. Toutefois, ces préoccupations devinrent subitement bien futiles quand elle aperçut sa fille Adèle, qu'elle revoyait pour la première fois depuis qu'elles avaient dû se séparer. Elle la prit dans ses bras en pleurant, la couvrant de baisers.

Les jumelles, elles, attendaient impatiemment le moment de pouvoir embrasser leurs grands-parents.

— Laurence, Marie-Nuttah, mes chéries! appela Laura presque aussitôt. Venez un peu là. Des becs, je veux distribuer des becs à tout le monde.

Toshan assistait à la scène, amusé et très fier de lui aussi. La joie délirante d'Hermine le comblait. Elle avait un air ébloui et les yeux pétillants, ce qui la rendait encore plus séduisante. Cependant, il nota bien vite l'embarras de Ludwig et le retrait de Charlotte. La sachant capable de s'enfermer dans sa chambre avec son compagnon et ses deux petits, il intervint d'un ton réjoui.

— Mes chers beaux-parents, il faut que je vous présente un rude travailleur et un fidèle ami, l'homme qui a su faire le bonheur de Charlotte. Ludwig, approche! Tu connais déjà madame Chardin pour l'avoir rencontrée à l'hôpital. Et voici monsieur Chardin.

Le jeune Allemand avança, les joues roses d'émotion. Il ressemblait à n'importe quel Canadien d'origine nordique, avec ses boucles blondes et son regard clair, vêtu de la chemise blanche et du pantalon noir que lui avait prêtés Toshan.

— Oui, je connais madame. Je suis désolé, tout à l'heure, dehors, je ne voyais pas qui vous étiez. J'aurais dû comprendre. Bonsoir, monsieur.

Jocelyn échangea une poignée de main avec Ludwig, mais Laura l'embrassa sur les deux joues, rieuse.

— C'est Noël! s'exclama-t-elle. La trêve universelle! Charlotte, viens donc là, ne te cache pas. Mon Dieu, que tu es jolie, toi aussi! Et si distinguée!

Le compliment concernait une veste en velours rouge fermée par des brandebourgs dorés, portée sur une longue jupe également noire, un cadeau d'Hermine avant l'heure, tiré de sa considérable garde-robe. Elle s'approcha d'un pas mesuré en redressant bien haut sa tête brune.

— Bonsoir, Laura, bonsoir, papa Jocelyn! bredouilla-t-elle.

Le terme papa lui avait échappé, réminiscence d'une époque où elle faisait partie intégrante de la famille, traitée en tant qu'égale d'Hermine.

— Ah! Voilà qui fait chaud au cœur, surtout quand on a cru avoir le nez et les doigts gelés! s'écria Jocelyn en attirant Charlotte dans ses bras. Alors, petite folle, tu nous raconteras ta vie dans les montagnes.

Il voulait adopter un ton espiègle, mais sa gorge se nouait, tandis qu'il déposait de légers baisers sur le front de Charlotte. Des larmes lui piquèrent les yeux, parce qu'il se rendait compte de toute l'importance qu'elle avait dans leur vie.

— Il me faudrait un verre de caribou, ajouta-t-il pour cacher ce moment de faiblesse.

— Nous n'avons pas de ça icitte, observa Charlotte sans quitter le giron de Jocelyn. Mais il y a du cidre et de la bière au frais.

Il y eut encore des embrassades, les nouveaux arrivants tenant à bien montrer leur intense satisfaction et leur joie débordante. Madeleine reçut sa part de becs, ainsi qu'Akali.

— Mais où est donc Kiona ? s'alarma soudain Jocelyn. Je l'ai aperçue en entrant et, le temps d'ôter nos pèle-rines, nos bonnets et tout le bazar, ma fille a disparu !

— Au fait, maman, coupa Hermine, tu n'as pas fait le trajet depuis Val-Jalbert en traîneau avec cet élégant turban ? Seigneur, il te va à ravir !

— Non, ma chérie, j'ai rusé. Pendant que Mukki et Toshan déte-laient les chiens, je me suis refait une beauté. À bas les grosses écharpes qui m'enrubannaient, j'ai tout déroulé et je me suis vite repoudrée.

— Jamais je ne t'aurais crue capable d'un tel exploit, maman ! Il faut tout m'expliquer.

— Kiona, Kiona ! s'égosilla Jocelyn.

— Me voilà, papa, fit une voix fluette.

Hermine espéra un instant que la fillette avait eu soin de se déma-quiller pour ne pas déplaire à leur père. Elle se trompait. Kiona avait profité de l'agitation pour faire visiter la maison à Louis. Il l'escortait, un grand sourire sur les lèvres.

— C'est beau, icitte, dit-il de sa voix tonitruante. Que j'suis content !

— Trésor, exprime-toi un peu mieux, le morigéna Laura. Oh ! Kiona, tu es magnifique !

Le ton désorienté démentait ce cri faussement aimable. Tout heu-reux de revoir sa fille, Jocelyn ne prêta guère attention à sa toilette et aux fards dont elle s'était affublée.

— Mais tu es plus belle qu'une princesse de contes de fées, reprit-il, vraiment fasciné par la beauté de l'enfant. Sais-tu que tu m'as beaucoup manqué, ma chérie !

Il l'enlaça et la fit tourner sur elle-même en la tenant par la main. Laura les regarda d'un œil perplexe. Elle ne voulait surtout pas gâcher la fête, mais elle se demandait, sidérée, par quel tour de magie ou par quel sortilège Kiona dansait ce soir-là dans sa robe de mariée, mystérieusement ressurgie d'un passé brumeux.

14
SOIR DE NOËL

Rive de la Péribonka, mardi 24 décembre 1946

— Mais d'où sort cette robe ? questionna à nouveau Laura du ton le plus doux possible. La robe de Kiona ?

— Elle l'a trouvée ici, dans un carton, grand-mère, répondit Laurence. Pourquoi ?

— Joss ! Cela ne te rappelle rien ? Je veux dire, la robe ?

— Rien du tout, ma chère femme, et j'aimerais bien, à présent, m'asseoir près du feu et déguster la bière promise.

— Tout de suite, papa ! s'exclama Hermine. Je suis tellement surprise que j'en oublie mes devoirs d'hôtesse. C'est toujours vous qui me recevez ; je ne sais plus où donner de la tête. Madeleine, il faudra ajouter trois couverts.

L'Indienne fit signe qu'elle s'en chargeait. Toshan, lui, avait pris place au coin de l'âtre afin de fumer une cigarette qu'il jugeait bien méritée. L'expédition n'avait pas été une partie de plaisir. Il tenait à savourer le retour au bercail et à profiter de la table joliment décorée, ainsi que de la magnificence du grand sapin.

— Je crois que je ferais mieux de m'asseoir également, dit Laura tout bas. Je suis un peu lasse et émue.

— C'est tout à fait normal, maman, assura Hermine. Je sais ce que représente le trajet jusqu'ici en traîneau, par ce temps. Un exploit !

— N'exagérons rien, ma chérie ! Pour parler simplement, j'en ai vu d'autres. Et cette expédition m'a fait revivre une époque lointaine de mon existence, lorsque ton père m'a emmenée à l'écart des villes, dans le désert blanc, comme il disait. N'est-ce pas, Joss ? Et je ne me suis pas plainte une fois depuis notre départ, hier matin, tu dois en témoigner. Cela dit, c'était indispensable de dormir à l'auberge de Péribonka après avoir traversé le lac. Seigneur, je n'arrêtais pas de penser à ces eaux profondes, sous la glace. C'était effroyable ! Mais, après un bon repas et une bonne nuit de sommeil, j'étais d'attaque pour les derniers milles qui m'amenaient vers vous tous.

— Ta mère me reprochait même de ne pas pousser assez les chiens de Gamelin, indiqua Jocelyn. Si je l'avais écoutée, j'aurais épuisé ces bêtes pourtant vigoureuses.

— Gamelin? répéta Hermine. Toshan, il s'agit de Gamelin, le neveu de la vieille Berthe de Roberval?

— Oui, lui-même, toujours vaillant malgré une blessure de guerre qui le gêne un peu. J'ai décidé de lui emprunter son traîneau, car il déplorait de ne pas pouvoir faire courir ses chiens. C'était impossible de venir tous les cinq autrement. Je ne voulais ni éreinter mes malamutes ni prendre de risques sur le lac. Dès que j'ai eu l'idée d'inviter tes parents et Louis, j'ai dû résoudre le problème du transport. Hier matin, nous nous sommes arrêtés à Roberval afin d'équiper le second traîneau, d'où une perte de temps. Enfin, nous voici à bon port! N'est-ce pas, Jocelyn? Au départ, vous étiez réticent, mais vous avez vite cédé.

— Et je ne le regrette pas.

— Et Mireille? s'alarma Madeleine.

— Elle a pris le train pour rendre visite à une cousine, répondit Laura. Sinon, nous serions restés avec elle, bien sûr.

Kiona écoutait, les mains derrière le dos, en dansant sur place. C'était un moment privilégié où tous les êtres chers de la famille, qu'ils aient ou non des liens de sang, étaient réunis dans cette maison protégée par le cercle de pierres blanches. Rassurée, la fillette souriait aux anges malgré le regard inquisiteur de Laura.

Grand-mère Odina fit son apparition. Elle avait bercé le petit Thomas une longue demi-heure en lui fredonnant des complaintes montagnaises, mais elle avait hâte de regagner la pièce principale, retentissante d'une joyeuse animation. Elle entra cependant d'un pas lent, drapée dans un immense châle bariolé sur lequel reposaient ses nattes blanches, ornées de perles rouges et noires. Son visage tanné, sillonné de rides profondes, affichait une expression sereine, mais un peu hautaine. Imposante par sa carrure et son embonpoint, la vieille Indienne dégageait une certaine majesté.

— Ah! fit Toshan. Laura, Jocelyn, je vous présente ma grand-mère Odina. Odina, les parents de mon épouse.

— Bonsoir, madame! dirent en chœur Laura et Jocelyn, un peu intimidés, en se levant prestement.

— Bonsoir! Je suppose que vous êtes de bonnes personnes, pour avoir une fille aussi sage et belle que Kanti, celle qui chante, dont la voix apaise le chagrin et monte vers les étoiles.

— Merci, madame! répondit Laura, plus impressionnée que son mari par l'apparence de la nouvelle venue, la mère de Tala la louve.

C'était en fait l'arrière-grand-mère de Mukki, des jumelles et de Constant. Cette évidence la frappa. Elle prit conscience avec acuité du métissage de ses petits-enfants, qu'elle avait tendance à occulter malgré les revendications de la plus rebelle, Marie-Nuttah. Il lui apparut aussi que cette vénérable personne avait vécu la majeure partie de son existence dans des campements précaires, en pleine nature sauvage, afin de fuir les réserves où le gouvernement les obligeait à s'établir.

— Seigneur, que j'ai soif! dit-elle, la bouche sèche à force d'émotion. Puis-je avoir de l'eau, Mukki? Sois gentil, sers-moi de l'eau bien fraîche.

En fait, elle se sentait prise d'un étrange malaise. Était-ce à cause de la robe portée par Kiona, ou de la chaleur qui faisait suite au froid sibérien? Était-elle victime des réminiscences enfouies au plus profond de son âme? Elle ne savait pas. C'était ici, même si le décor avait changé, qu'ils s'étaient échoués, Jocelyn et elle, une trentaine d'années plus tôt, après avoir abandonné Hermine. «C'est à cet endroit exact que j'ai souffert mille morts, rongée par le pire des désespoirs, terrassée par une fièvre atroce. Tala m'a soignée et réconfortée. Qu'elle était belle! Toshan, lui, n'avait que sept ans. Il me dévisageait comme si j'étais un oiseau rare ou un épouvantail.»

Mukki lui apporta un verre d'eau. L'ancienne cabane d'Henri Delbeau, chercheur d'or de son état, jouissait d'un puits alimenté par une rivière souterraine, si bien que, même au cœur des hivers les plus rigoureux, il y avait toujours de l'eau, d'une grande pureté et très fraîche en été. Toshan avait eu soin d'entretenir ce précieux aménagement.

— Je te remercie, Mukki. Ciel! et mon champagne! Il faudrait entrer la caisse!

— C'est déjà fait, grand-mère, dit l'adolescent.

— Alors, il faut trinquer, j'ai besoin d'un remontant. Du champagne, tout de suite!

— Maman, ce serait mieux au dessert, observa Hermine. Et je devrais te gronder. Je croyais que nous étions dans une période de restrictions.

– Je n'ai pas dépensé un sou, c'est un cadeau de ton futur impresario, monsieur Metzner!

Décontenancée, la jeune femme eut un bref sourire.

– Un galant homme, pour sûr! concéda-t-elle. Je me souviens de lui avoir dit que tu adorais le champagne. Je n'aurais pas imaginé qu'il t'en enverrait une caisse. Que voulez-vous! C'est un personnage assez original. Mais, si on débouche une bouteille tout de suite, autant grignoter quelque chose. Laurence, Nuttah, vous pouvez apporter le plateau de toasts.

Les jumelles s'exécutèrent. Pendant que tout le monde s'attablait dans un brouhaha enthousiaste, elles apportèrent trois assiettes garnies d'appétissantes tartines de forme ronde, qui disparaissaient sous des victuailles colorées.

– Des toasts à l'anglaise? questionna Toshan.

– Un peu, mais pas vraiment, précisa Hermine, rayonnante et d'une grâce infinie avec ses épaules à la peau nacrée mises en valeur par la clarté des bougies. J'avais apporté un livre de recettes très récent, acheté à Québec. Les filles et moi, nous avons préparé des sortes de crêpes salées, assez petites, qu'on peut garnir de diverses choses. J'ai fouillé la réserve et j'ai retrouvé des trésors en conserve. Du caviar et du foie gras que tu m'avais offerts l'année dernière. Madeleine a élaboré une pâte de noix parfumée à l'ail sauvage et, grâce à Mukki, nous avons des filets de truite fumée.

– Mais c'est le paradis, icitte! s'exclama Jocelyn. Allons, mon gendre, ouvrez du champagne.

Laura souriait, en extase. Mais elle n'oubliait pas pour autant l'énigme de la robe, un sujet qu'elle n'osait pas ramener dans la conversation. Il valait mieux déguster d'abord cet excellent vin français dont elle était si gourmande et qui coulait en filet dans les verres de cristal, divine boisson aux fines bulles.

Cela aurait été un paradoxe somme toute amusant pour un témoin de passage de voir tous ces convives en tenue de fête, sous le toit de cette maison perdue au fond des bois, et qui portaient à leurs lèvres une boisson élaborée à des milliers de kilomètres, sur les coteaux crayeux de l'est de la France. Les grappes d'un bel or vert avaient mûri là-bas, puis le jus obtenu, après un séjour en fûts de plusieurs mois, voire de plusieurs années, avait fini en bouteilles pour franchir l'océan et atterrir au bord de la Péribonka que les glaces emprisonnaient depuis quelques semaines.

— Quel délice! affirma Charlotte.

— Oui, un délice, renchérit Ludwig, plus détendu dès la première gorgée.

— Où sont donc les petits, Adèle et Constant? s'alarma soudain Jocelyn. Je ne les ai pas vus encore.

— Seigneur, c'est vrai, lui fit écho Laura en regardant autour d'elle.

— Nous les avons couchés de bonne heure, expliqua Madeleine. Ils avaient joué toute la journée et ne tenaient plus debout. Ils se sont endormis très vite avec la promesse d'un joujou au pied du sapin, demain matin. Mais vous verrez bientôt Thomas, qui ne fait pas encore ses nuits.

— Ses dents le tracassent, dit Odina qui se mit à rire très fort, dévoilant une dentition en fort bon état.

Le champagne lui montait à la tête. Elle continua en riant de plus belle:

— Je lui ai donné à boire une tisane pour le calmer; il se tiendra tranquille.

— En voilà, des manières! s'insurgea Laura. Vous l'avez drogué, en somme?

— Chez nous, ce sont des manières nécessaires, madame. Quand la police cherche les enfants de mon peuple pour nous les enlever, les bébés ne doivent pas pleurer, sinon la cachette est découverte!

Charlotte ne semblait pas offusquée par l'initiative d'Odina. Elle aimait être libre de ses mouvements et de participer au repas sans le souci de ses petits.

— Puis-je avoir du champagne, moi aussi? interrogea Kiona d'un air de défi.

— Non, pas à ton âge! décida Jocelyn. Et si je te dis oui, il faudra en donner à Laurence et à Nuttah. Akali et Mukki y ont droit, parce que ce sont presque des adultes.

— Je t'en prie, grand-père! se récria Marie-Nuttah. Juste une goutte!

— Moi, je donne la permission à ces demoiselles, dit Toshan. Ce vin est une merveille; pourquoi les en priver? Je tiens à signaler, à ce propos, à quel point ta mère s'est montrée généreuse, Mine. En quittant Val-Jalbert, nous sommes passés chez les Marois. Jocelyn voulait leur dire qu'ils seraient absents une semaine au moins. La pauvre

Andréa a mangé son pain blanc, dirait-on, maintenant qu'elle doit s'occuper de son mari invalide, muré dans une rage singulière.

— Oui, elle m'a fait de la peine, renchérit Laura. Enfin, elle recevait sa filleule Alicia qui a séjourné chez nous pendant la guerre, ainsi que ses parents. Je leur ai offert une bouteille de champagne. C'est bien normal, il faut être charitable au temps des fêtes et chaque jour que Dieu fait.

— J'en conclus que Joseph ne va pas mieux, déplora Hermine.

— Il progresse en mobilité, mais son caractère devient redoutable, affirma Jocelyn. L'autre soir, il paraît qu'il a levé sa canne sur son épouse. Elle a esquivé le coup de peu. J'ai essayé de discuter avec lui, mais il m'oppose un visage fermé. Seuls ses yeux sont vivants, pleins de colère. De quoi avoir des frissons.

— Parlons de choses plus gaies, objecta Charlotte. Joseph Marois a toujours été violent et grognon, de toute façon.

— Oui, parlons de cette ravissante robe, par exemple, dit Laura. Personne n'a pris garde à ma question tout à l'heure. Kiona, dis-moi, où tu as déniché cette toilette?

— Dans une boîte en haut d'un placard.

— Je voudrais voir cette boîte, je te prie. Sois gentille, va la chercher.

La fillette sortit de table, la mine préoccupée. Elle se demandait pourquoi Laura se passionnait pour la toilette qu'elle portait. Sa clairvoyance habituelle manifestement prise en défaut, elle craignait surtout de devoir la quitter.

— Voilà! déclara-t-elle en rapportant l'emballage décoloré et de facture ancienne.

C'était une boîte assez conséquente, fanée, d'un bleu pâle et agrémentée d'arabesques vert foncé, elles aussi estompées par le temps. Laura en caressa les contours, puis, le soulevant un peu, déchiffra à voix haute le texte d'une étiquette.

— Boutique de confection pour dames *Chez Rosalie*, rue Bonaventure, Trois-Rivières. Alors, ça n'évoque toujours rien pour toi, Joss? Tu n'as aucun souvenir de ce magasin?

— Euh, si, si, bredouilla-t-il, embarrassé. Je crois que nous avions acheté ta robe de mariée là-bas. Enfin, je te l'avais offerte.

— Eh bien, cette robe est là, sous nos yeux! Je pensais qu'elle avait disparu au fil de nos pérégrinations. Que faisait-elle ici, chez Tala?

Ces mots semèrent l'émotion, et le silence se fit. Kiona, extrêmement confuse, n'osait plus bouger et respirait à peine.

— Mon Dieu, maman, je suis navrée, dit enfin Hermine. Les filles ne pouvaient pas savoir…

— Au fond, ce n'est pas si surprenant que ça, déclara Toshan. Ce soir, le passé et le présent se rejoignent, Laura. Vous avez séjourné chez mes parents plusieurs jours et, quand Jocelyn a décidé de vous emmener plus au nord, sur les contreforts des monts Otish, il est probable que vous avez laissé ici quelques affaires. Ma mère a dû garder cette boîte. Elle n'était pas du genre à manquer de respect envers les effets personnels des gens, surtout une robe de mariée. Sans prendre la défense des filles, je dirai aussi que ce n'est pas évident.

— Qu'est-ce qui n'est pas évident? interrogea Laura.

— Qu'il s'agit d'une robe de mariée. La couleur tire sur l'ivoire et le tissu est même jauni.

— À l'époque, c'était un joli modèle et j'avais mes raisons pour éviter le blanc pur.

Elle frissonna, reprise par sa vie d'antan.

— Faut-il que j'enlève cette robe tout de suite? demanda Kiona.

— Non! s'écria Laura. Elle est trop grande et trop longue pour ta taille, je l'ai remarqué en arrivant, mais cela te donne des airs de princesse. Tu es ravissante ainsi. Fais-y attention, elle a une valeur sentimentale, vois-tu?

— Oui, très bien, admit la fillette. Peut-être que ma mère a conservé d'autres vêtements à toi. Demain, on fouillera mieux le placard. En fait, les jumelles, Akali et moi, nous sommes installées dans l'ancienne chambre de maman.

Ce terme affectueux était douloureux pour elle. Son regard doré s'embua de larmes. Ému, Jocelyn tenta de mettre fin à l'incident.

— Allons, allons, c'est Noël! s'écria-t-il. Laura chérie, tu te réjouissais tant d'être en famille, tu ne vas pas te désoler à cause d'une vieille boîte et d'un bout de tissu.

Il lui resservit du champagne. Bien que troublée, Hermine s'empressa de relancer la discussion sur des sujets plus anodins.

— Papa, maman, racontez-nous donc votre expédition! Et toi, Louis? C'était une vraie aventure!

— Oh oui, Mine! s'exclama son jeune frère. En plus, Toshan nous a dit de partir en avant, Mukki et moi. On a chaussé nos raquettes et on a filé sur la route régionale. Figurez-vous qu'entre Roberval et Val-Jalbert un énorme orignal a traversé la piste. Il nous a regardés et s'est mis au trot pour s'enfoncer dans les bois. J'avais un peu peur, mais Mukki m'a assuré que ce n'était pas dangereux.

— Ça dépend, fit remarquer Jocelyn. Les vieux mâles peuvent se montrer agressifs.

La phrase eut le don de faire rire Charlotte aux éclats. D'un tempérament nerveux, elle cédait facilement aux larmes ou à une gaîté irraisonnée.

— Qu'est-ce que tu as? interrogea Ludwig à voix basse.

Mais Laura pouffa à son tour avant d'expliquer:

— Les propos de mon mari pourraient être pris dans deux sens, surtout quand on songe à certaines personnes, comme ce pauvre Joseph. Et même à toi, Joss!

La vieille Odina se mit à rire elle aussi, imitée par Toshan. Même les jumelles appréciaient la détente générale. Seules Akali et Madeleine paraissaient indignées. Elles étaient prudes de nature et les mots «vieux mâles», appliqués à des hommes, les rendaient confuses. Heureusement, Hermine fit diversion en annonçant qu'elle allait servir le potage.

— Une invention de nous toutes, dit-elle. Un velouté de petits pois à la menthe sauvage.

Chacun se régala, même si Kiona craignait de renverser de la soupe sur la fameuse robe. La fillette éprouvait néanmoins une étrange sérénité. Son esprit était délicieusement vide, seulement sensible aux bavardages et aux bruits des cuillères dans les assiettes. Le parfum du sapin, capiteux, la grisait. «Bizarre! se disait-elle. Je n'ai pas su que mon père, Laura et Louis viendraient ici. Et je n'ai rien vu en enfilant la robe. Et si j'avais perdu mes pouvoirs? Ce serait tellement bien!»

Il fallut l'aide de Mukki et de Toshan pour présenter les plats où fumaient les dindons, rôtis à point, la peau luisante et dorée, entourés d'une compote de fruits, pommes, bleuets et airelles, que Madeleine mettait en conserve chaque été.

— Dès que Toshan m'a parlé du menu, je me suis sentie prête à venir à pied chez vous, Hermine, confia Laura. Quelle merveille, et que ça sent bon!

La chair des dindons se révéla tendre et exquise, parfumée d'arômes forestiers. On mangea dans un silence presque religieux. Quand il eut terminé sa part, Jocelyn dit d'un ton grave :

— Moi aussi j'ai eu très peur, pendant la traversée du lac. La glace craquait parfois et il y avait des grondements lointains, de quoi implorer Dieu et ses saints de nous protéger. Mais la course valait le coup. Je n'ai jamais rien mangé d'aussi délicieux. Félicitations aux cuisinières !

Il y eut encore des échanges de sourires et de compliments. Les bougies se consumaient, sans cesser de dispenser une lumière délicate, irisée, qui embellissait les visages féminins présidant à ce festin du bout du monde. Hermine ressemblait à une fée bienveillante, les joues à peine rosées, les prunelles d'un bleu céleste, brillantes d'exaltation.

— Je suis si heureuse ! répétait-elle souvent. Vous êtes là, maman, papa, et toi, mon Louis.

Charlotte était en beauté également. Ses traits étaient reposés. Ses yeux bruns, à l'expression langoureuse, allaient des uns aux autres. Elle prenait la mesure de ce repas hors du commun où venaient de voler en éclats les conflits de jadis. Ludwig, celui qu'elle aimait de tout son être et qu'un destin capricieux lui avait permis de rencontrer, était accepté.

En toilette de fête, Madeleine aurait séduit n'importe quel célibataire du coin avec sa peau brune et satinée, ainsi que sa chevelure d'ébène. Quant à Akali, elle rayonnait d'une joie simple en regardant un peu trop souvent le superbe Ludwig, qu'elle nommait dans le secret de son cœur l'ange de la maison.

— Il manque un peu de musique, affirma soudain Mukki. Chez grand-mère, il y avait l'électrophone. Si tu chantais, maman, avant le dessert ?

— Oh non, cela pourrait réveiller les petits ! Je voudrais que Charlotte puisse terminer le repas tranquille. Surtout que Ludwig nous a préparé des glaces au café !

— Des glaces ! s'étonna Laura. Jeune homme, j'adore ça. Seigneur ! que je suis contente, mais contente à un point… Cela dit, Hermine, une chansonnette sans pousser ta voix serait la bienvenue. Allez, ma chérie, je t'en prie !

– J'ai appris une nouvelle chanson à Québec, mais c'était une surprise pour demain midi. Et ce serait dommage de ne pas y mettre tout mon cœur.

– Fredonne quelque chose d'autre, au moins ! insista son père. De circonstance, évidemment.

Hermine entonna *Douce nuit* d'un timbre feutré.

Douce nuit, sainte nuit !
Dans les cieux !
L'astre luit.
Le mystère annoncé s'accomplit !
Cet enfant sur la paille endormi,
C'est l'amour infini !
C'est l'amour infini !

À l'étonnement de tous, Ludwig l'accompagna dès le second couplet. Il avait une voix très agréable, chaude et suave.

Saint enfant, doux agneau !
Qu'il est grand ! Qu'il est beau !
Entendez résonner les pipeaux,
Des bergers conduisant leurs troupeaux,
Vers son humble berceau !
Vers son humble berceau !

– Bravo ! s'écria Laura dès qu'ils eurent terminé. Comme c'était joli, ce duo !

– Je la chantais petit garçon, en Allemagne, précisa le jeune homme. C'est un chant allemand. Maintenant, je connais les paroles françaises, car Hermine la chante depuis un mois et j'aime l'écouter.

– Tu aurais pu nous la chanter en allemand, ta langue maternelle, avança Charlotte, un brin frondeuse.

– Non, non ! objecta-t-il, très embarrassé par l'intervention de sa compagne. Tu sais bien que je ne suis pas fier d'être allemand, aujourd'hui. Toshan m'a raconté la guerre et les camps. Je ne pouvais pas y croire. Pourtant, c'était la vérité. Mon peuple portera longtemps le poids de ces crimes odieux commis par les nazis.

Hermine savait que le sujet était très délicat pour Ludwig, qu'elle avait vu pleurer un matin, à cause d'un article de journal. Elle coupa donc court à une éventuelle discussion pleine de pièges en demandant à Madeleine et aux jumelles de débarrasser la table et de distribuer les assiettes à dessert.

Cela créa un certain remue-ménage, pendant lequel Toshan fuma une cigarette, assis au coin de la cheminée.

Le beau Métis jubilait. La soirée était une réussite, et il avait lu une immense gratitude dans les yeux de sa femme et de ses enfants. Il envisageait sous les meilleurs auspices les jours à venir ; il projetait des balades en traîneau dans la forêt et des glissades sur la rivière. Il observa d'un œil amical Ludwig qui sortait chercher ses coupes glacées. Pendant ce temps, gracieuses et vives, Laurence et Marie-Nuttah, suivies par Kiona, apportaient les pâtisseries élaborées avec soin, pareilles aux Rois mages chargés de leurs présents.

— Un gâteau au chocolat, annonça Hermine, une tarte à la farlouche qui sera sûrement moins bonne que celle de notre Mireille et du pudding arrosé de rhum brûlant, réservé aux grandes personnes.

Malgré la saveur de ces préparations, ce furent les glaces au café de Ludwig qui recueillirent le plus de louanges. Après la viande et les pommes de terre sautées, cuites au saindoux, ces entremets furent jugés rafraîchissants. Quand Laura réclama du champagne, ce qui impliquait de déboucher une deuxième bouteille, Kiona en profita pour s'éclipser discrètement. Personne ne l'avait vue prendre une part de gâteau au chocolat et une part de tarte. Le souffle suspendu, la gorge serrée par la crainte et l'émotion, elle s'enferma dans sa chambre. Vite, elle ouvrit la fenêtre. L'haleine glacée de la nuit d'hiver s'engouffra aussitôt dans la chambre.

« Pourvu qu'il soit là ! » pensa-t-elle en s'enveloppant d'un châle en laine.

Elle allait se pencher à la balustrade en bois quand une silhouette sombre se profila sur le paysage blanc. C'était Delsin. Tout de suite, la clarté de la lampe à pétrole éclaira ses traits arrogants. Kiona le contempla, bouche bée. Il était vraiment très beau, une perfection de visage rarissime à laquelle s'ajoutaient des yeux de faon, larges et noirs, et une bouche au dessin harmonieux, d'une sensualité fascinante.

— Alors ? demanda-t-il, perché sur l'appui de la fenêtre. Tu as l'alcool pour mon oncle ?

— Non, juste de la bière. Toshan le verrait, s'il manquait une bouteille de gin.

— Idiote, tu pouvais en remplir un petit flacon ! Je vais écoper d'une solide raclée, moi, si j'ai pas ce qu'il veut.

— Chut ! fit Kiona, malade de peur à l'idée d'être découverte. Parle tout bas. Tiens, j'ai du dessert et du papier pour l'emballer. Un litre de vin aussi. Je l'avais caché cet après-midi, avec la bière.

Delsin entra dans la pièce en se faufilant par la fenêtre. Ses vêtements de mauvais drap brun étaient alourdis par la neige qui y collait par plaques. Il était de taille moyenne pour ses seize ans, mais il se tenait très droit, le corps élancé et athlétique.

— On aura de quoi fêter votre maudit Noël, grogna-t-il. Dis, t'es mignonne comme tout dans cette robe ! Oui, t'es presque plus belle qu'Akali. Et puis, elle aime pas s'amuser.

Kiona demeurait muette, paralysée par ce garçon qui avait hanté ses rêves. Elle ne pouvait plus dire un mot ni bouger, semblable à la proie d'un serpent, figée et résignée à subir un mauvais sort. Des éclats de voix en provenance de la cuisine la tirèrent de sa léthargie.

— Tiens, prends ce sac et pars vite. Je ne peux pas rester longtemps.

— Un baiser, alors !

Delsin s'approcha, moqueur, une mèche de jais échappée d'une casquette en peau de castor en travers du front.

— Tu es vraiment jolie, bredouilla-t-il en la saisissant par la taille.

Il essayait de la pousser vers le lit, tandis qu'elle plongeait dans un univers cotonneux, peuplé de coups sourds dont le rythme l'étourdissait. C'était les battements affolés de son cœur. Une main effleura ses seins menus, alors que l'autre tentait de retrousser sa robe. Il avait des gestes d'adulte, précis et brusques.

« Je ne dois pas le laisser faire, se disait Kiona. C'est mal, très mal, je suis trop jeune ! »

— Va-t'en ! articula-t-elle avec peine. Un jour, je voudrai bien, peut-être, mais quand je serai grande !

— Le frère Marcellin, au pensionnat, il a pas attendu que tu sois grande. Eh ben, pour moi non plus ! Il s'est pas gêné, crois-moi.

Tout à coup, elle le mordit au poignet, ranimée par l'évocation d'une terreur sans nom. L'image lui revenait, elle petite et faible, livrée au gros religieux, dans le cachot. Au même instant, les pleurs stridents d'un bébé retentirent derrière la cloison et il y eut des bruits de pas.

— Je te préviens, si tu ne pars pas, j'appelle au secours. Va-t'en, je ne veux plus te voir, plus jamais! feula-t-elle sans hausser le ton.

Furieux, il frottait son bras endolori, contenant mal la violence qui grondait en lui. Mais il se saisit du sac et y fourra les bouteilles et les pâtisseries.

— Tu me le paieras! fulmina-t-il. Je t'aurai tout à moi, saleté de bâtarde!

On frappa à la porte. Akali appelait:

— Kiona, viens donc! Thomas est réveillé. Hermine veut distribuer les cadeaux.

— J'arrive; je me changeais, bredouilla la fillette.

Delsin enjamba la fenêtre et s'éloigna sans même un merci. Kiona referma précipitamment, suffoquée par le flot de larmes qu'elle devait contenir. Elle eut des difficultés à ôter la robe et à mettre ses habits favoris, pantalon et tunique en peau d'orignal, sur une chemise en toile. Ensuite, fébrile et révoltée, elle se frotta les lèvres et les yeux dans l'espoir de supprimer toute trace de maquillage.

— J'arrive! répéta-t-elle.

Quand elle entra dans la cuisine, nul ne put lire sur son visage un peu rouge ce qu'elle venait de vivre.

— Je te préfère ainsi, Kiona, dit Hermine. Tu es bien plus mignonne en garçon manqué, je t'assure.

— De toute façon, j'avais un peu froid. Et ce n'est pas drôle d'être déguisée.

L'incident fut clos, car Jocelyn et Laura faisaient la connaissance de bébé Thomas, intrigué par les visages inconnus qui se penchaient sur lui. Il en oubliait de réclamer sa tétée. Tout en enfonçant son poing minuscule dans sa bouche, il ouvrait des yeux ronds d'un bleu laiteux.

— Un vrai petit Jésus! affirma Louis.

Ce compliment suscita un concert d'approbations. C'était Noël, et un adorable poupon leur rappelait la naissance du Christ. Même Toshan, qui avait renié très jeune la religion catholique, fut amusé par la comparaison. Laura, elle, scruta les traits impassibles de grand-mère Odina et, taquine, lui demanda:

— Connaissez-vous l'histoire de Jésus, madame?

— Madeleine dit qu'elle est chrétienne. Elle m'a raconté, oui. Jésus, le fils de votre Dieu qui faisait le bien. Pour le remercier, vous, les Blancs, vous l'avez cloué sur une croix!

Cela laissa Laura Chardin pantoise. Elle n'avait pas encore envisagé les Évangiles sous cet angle.

— Maman, est-ce que je peux allumer les bougies du sapin, maintenant ? interrogea Marie-Nuttah.

— Oui, c'est le moment, chérie !

— Je peux t'aider ? supplia Kiona, qui avait une envie désespérée de s'accrocher à son enfance, d'oublier les mains de Delsin, de même que son regard dur et dominateur. Elle aurait aimé n'avoir que sept ans, ne penser qu'à la joie de déballer les paquets disposés au pied de l'arbre pendant sa courte absence.

— Bien sûr ! J'ai un briquet ; tiens, sers-toi des allumettes.

Elles s'appliquèrent, pénétrées de l'importance d'une tâche aussi délicate. Kiona fixait avec avidité les reflets mordorés qui irisaient les boules de verre. Elle respirait la senteur de résine et caressait les guirlandes scintillantes, d'une légèreté exquise.

Des doigts effleurèrent sa joue. Elle tressaillit.

— Tu pleures ? souffla Hermine à son oreille. Je viens d'essuyer une larme. Ma petite sœur, qu'est-ce que tu as ?

Sans répondre, Kiona se réfugia dans les bras si tendres de sa Mine, la joue contre la mousseline de sa robe. C'était un asile sûr, et le baiser que son front accueillit effaça la peur et la honte.

— Je voudrais juste retourner en arrière, laissa-t-elle tomber enfin dans un murmure presque inaudible. Ne jamais grandir, comme Peter Pan. Thomas a de la chance ; il n'a que cinq mois.

Désorientée, Hermine remit au lendemain la discussion qu'elle jugeait nécessaire. Kiona ainsi que les jumelles étaient à une période charnière de leur existence, plus tout à fait des fillettes, mais pas encore des jeunes filles. Leur corps se transformait, et chaque mois elles souffraient de la pénible indisposition propre aux femmes. L'anxiété de sa demi-sœur lui semblait compréhensible.

— Les cadeaux ! claironna Louis. Faut les ouvrir, astheure !

— Trésor, ne crie pas si fort ! lui reprocha Laura. Calme-toi, voyons !

— Maman, m'appelle pas trésor ! rugit-il. J'suis grand, à présent.

— Bah, on te presserait le nez, il coulerait encore du lait, plaisanta Jocelyn.

— Oh ! c'est dégoûtant, grand-père ! s'exclama Laurence, très excitée elle aussi.

— Je fais la distribution, décida Toshan. Asseyez-vous, je vais jouer les *Santa Claus*. Tu m'aides, Mukki ?

Chacun reçut deux paquets. Un peu à l'écart, Charlotte donnait le sein au bébé, si bien qu'elle n'ouvrit pas les siens immédiatement. Près d'elle, les exclamations ravies s'élevaient. Odina tournait sa montre-bracelet entre ses doigts, éperdue d'admiration devant cet objet tant convoité. Il fallut la lui mettre au poignet et, là encore, la vieille Indienne la contempla longuement en hochant la tête. Quant aux chocolats, elle promit d'en manger un par jour, avec parcimonie.

— Je saurai l'heure des Blancs, maintenant, confia-t-elle à Laura, assise non loin de là.

— Et cela vous sera sans doute très utile, compléta celle-ci avec un sourire forcé.

— Un couteau suisse ! s'écria Ludwig. J'aurai souvent l'occasion de m'en servir. Et un beau bonnet à oreillettes ! Regarde, Charlotte, j'aurai chaud avec ça.

— Mon livre sur les poissons ! s'extasiait Mukki, prompt à déballer ses cadeaux. Et un canif !

Louis brandissait la boîte de meccano qui n'était pas une surprise, mais il fut ébahi de recevoir également un harmonica orné de nacre. Il l'essaya sans attendre. Laurence resta muette de saisissement en découvrant sa mallette de peinture. Quant à Marie-Nuttah, elle crut rêver en découvrant un appareil photographique niché dans son étui en cuir.

Les papiers froissés s'entassaient sur le tapis et sur le plancher. Toshan avait veillé à ce que tout le monde ait aussi des sucreries fines et des chocolats. Hermine lui avait offert un briquet en argent massif, gravé d'un aigle en plein vol, les ailes déployées, ainsi que des gants en cuir.

— Pour allumer tes cigarettes et conduire ton traîneau sans te geler les doigts, dit-elle tendrement quand il l'embrassa, enchanté.

— Et toi, est-ce que j'ai bien choisi ton parfum ?

— Oh oui, il me plaît beaucoup ! Les savons au lait d'amande aussi.

— Tu m'as confié une fois que c'était eux qui te faisaient la peau si douce et si parfumée, souffla-t-il dans son cou. J'en ai donc fait provision.

Assise le plus près possible du sapin tout illuminé, Kiona ouvrait sans hâte ses paquets. Elle exhiba enfin des bottes d'équitation en cuir rouge et un ours en peluche blanc comme neige.

— Mais elle est trop grande pour avoir ce jouet! réagit Laura.

— Elle voulait remplacer celui qui a brûlé dans l'incendie, maman, indiqua Hermine. Je la comprends.

— Mais oui, Laura, j'étais dans la confidence, et j'ai approuvé, renchérit Jocelyn.

Charlotte fit diversion en poussant un petit cri de joie. Elle confia son fils à Ludwig pour courir embrasser Hermine. Les boucles d'oreilles en saphir avaient rempli leur mission, la jeune mère était en extase. Madeleine fit de même dès qu'elle fut en possession d'un nécessaire à coiffure en écaille de tortue, présenté dans un large écrin tapissé de soie verte. Akali noua à son cou une fine chaîne en or avec son pendentif en topaze.

— Vous avez fait des folies, dit l'adolescente. C'est le plus beau des Noëls.

— Et toi, maman? dit Laurence en fixant le gros paquet que sa mère tenait sur ses genoux.

— J'ai déjà été tellement gâtée! répliqua Hermine, je me demande ce qu'il y a là-dedans.

— C'est notre cadeau, à Laurence, Kiona et moi, intervint Nuttah. Je t'en prie, ouvre vite, maman.

— Je suis sûre que je vais pleurer. Je bois un peu de champagne, d'abord.

— Ne les fais pas languir, Mine, lui reprocha Toshan.

Kiona aurait voulu s'enfuir. Elle savait bien ce que contenait le carton. C'étaient les aquarelles de Laurence, des images de Val-Jalbert, et il lui semblait que les dessins allaient lui sauter à la gorge et la détruire, ou bien que la pièce allait s'emplir de fantômes, d'âmes errantes acharnées à la poursuivre.

— Ce n'est pas complètement terminé, déplora Laurence. Mais j'espère que tu seras contente quand même.

Artiste en herbe, elle appréhendait le jugement de sa mère et celui des autres personnes présentes qui regarderaient elles aussi son travail. Hermine se décida, plus émue que curieuse d'imaginer les trois filles lui confectionnant un cadeau en cachette. Elle découvrit un grand cahier relié, à la couverture rouge entoilée. Une étiquette écrite à l'encre noire indiquait: *Souvenirs de l'âge d'or de Val-Jalbert*.

— Mon Dieu, qu'est-ce que c'est? s'écria Laura.

Jocelyn, lui, observait Kiona d'un œil préoccupé, car il était au courant de toute l'histoire. Elle eut conscience que son père s'inquiétait pour elle et le rejoignit. Il l'attira contre lui, comme pour la protéger.

— C'est magnifique! s'exclama Hermine. Laurence, tu as réalisé ces gravures? Enfin, ce sont des aquarelles. C'est ça? Tu as dû y passer des heures, ma chérie! Tout est détaillé. Et les textes, qui les a écrits?

— Nous trois, trancha Marie-Nuttah.

Sidérée, la jeune femme étudia soigneusement chaque illustration, d'abord le couvent-école avec ses hautes colonnes blanches, son balcon, le vaste perron et, entre la dernière marche et la barrière en bois peinte en blanc, les religieuses alignées, quelques élèves devant elles. Une chose la frappa: l'imposant bâtiment semblait neuf, tel qu'elle l'avait vu petite fille. Plus loin, elle revit l'église en planches claires, agrémentée d'un joli clocher et flanquée du presbytère où logeait l'abbé Degagnon.

Plusieurs têtes étaient penchées sur le cahier. Il y avait Toshan, Akali et Madeleine, notamment; et Laura, évidemment, qui ne voulait rien manquer.

— Mais, comment as-tu fait? s'étonna-t-elle. Tu n'as jamais vu l'église et le presbytère de Val-Jalbert, Laurence. Ils ont brûlé en 1924, alors que j'avais neuf ans. Ensuite, la municipalité les a reconstruits avant qu'ils soient démantibulés après la fermeture de la pulperie.

— Je me suis servie d'anciennes photographies, assura l'artiste. Joseph Marois me les a prêtées. C'était pour ton cadeau et il m'a aidée de bon cœur.

— Pauvre Joseph! soupira sa mère. Et ça, regardez! L'intérieur du magasin général! La scène est d'un réalisme...

Époustouflé, Toshan considéra sa fille avec une expression de respect. Il avoua d'une voix chaleureuse:

— Tu es très douée, ma chérie. Il te faudra envisager un métier dans ce domaine. Des gens paieraient cher ces dessins, j'en suis sûr.

Au bord des larmes, Hermine détaillait les personnages qui se tenaient le long du comptoir du magasin, sur fond d'étagères garnies de produits divers: bocaux, ustensiles de cuisine, conserves, sacs de farine, de sucre et de café.

— Cette dame, là, on dirait Céline Thibaut, remarqua-t-elle. C'était bien sa façon de pencher la tête. Là, c'est Annette Dupré, la voisine des Marois... J'ignorais que des clichés ont été pris à l'époque. Seigneur, c'est de la magie!

Kiona respirait à petits coups, dévorée par une peur insidieuse. Elle n'osait pas s'approcher des aquarelles. Pourtant, il ne se passait toujours rien.

— Viens donc, Joss, dit Laura, subjuguée elle aussi. Notre petite-fille est une future artiste. Quel travail, mon Dieu!

— Je verrai tout ça plus tard. Vous êtes déjà nombreux. Hermine peut à peine tourner les pages.

— Mais si, papa, viens! l'encouragea sa fille. Quel cadeau magique!

— J'ai collé des fleurs séchées et des feuilles dans la marge, du côté où il y a les légendes des dessins, observa Marie-Nuttah.

— Oh non! Comment avez-vous eu ma rédaction? s'exclama soudain Hermine. Et voilà, je le savais, je pleure pour de bon. Toshan, elles ont recopié la rédaction que j'avais écrite après la fermeture de l'usine. Joseph et Betty l'avaient conservée. Ils étaient si fiers de ma note! Neuf sur dix. La supérieure l'avait lue devant la classe.

— Lis-la-nous, Mimine! implora Charlotte. Cela bercera Thomas, qui peine à se rendormir.

— Oh oui, maman, lis-la, supplia Mukki. Moi, je suis meilleur en mathématiques qu'en rédaction.

Hermine essuya ses joues du dos de la main et poussa un bref soupir.

— Bien, je ne peux pas refuser, on dirait! Pour Madeleine et Akali, qui ne sont pas au courant, je dois préciser qu'il y avait une atmosphère de panique générale, à Val-Jalbert, quand la compagnie a placardé une affiche annonçant la fermeture de l'usine. C'était épouvantable pour toutes ces familles qui avaient une maison et un salaire régulier. Le chômage menaçait, et ceux qui avaient acheté leur logement se demandaient comment ils pourraient subsister sans la garantie d'un emploi. Enfin, cela m'avait bouleversée et j'ai écrit ça un peu plus tard, à la rentrée des classes.

Elle commença à lire dans un parfait silence.

Mon cher village,
Je ne peux même pas dire comme bien des enfants de Val-Jalbert, anciennement nommé Ouiatchouan, que je suis née dans une des jolies et confortables maisons construites au bord de la rivière ou le long de la rue Saint-Georges. On m'a appris il n'y a pas longtemps que j'étais une enfant trouvée. Mais par chance, j'ai grandi dans ce beau village que nous envient les paroisses environnantes.

Un triste jour du mois d'août de cette année 1927, l'usine de pâte à papier, souvent appelée la pulperie, nous a dit adieu après le long cri de chagrin poussé par la sirène. Ce soir-là, j'ai eu l'impression que le cœur même du village s'arrêtait de battre. Ce sentiment ne me quitte pas et, chaque fois que je regarde dans la direction de la chute d'eau, vers les vastes bâtiments de l'usine, je me dis : « Son cœur est éteint. »

Pour ne pas être trop triste, je me promène dans Val-Jalbert en imagination, car je connais bien mon cher village.

La rue Saint-Georges s'enorgueillit d'un bureau de poste, du magasin général et de l'hôtel-restaurant, une pension où bien des ouvriers célibataires ont logé. Près de l'hôtel se trouve un bel entrepôt où monsieur Léonidas Paradis tient un étal de boucherie, qui donne toute satisfaction aux ménagères [32].

Mais il y a aussi la rue Dubuc, la rue Tremblay, la rue Saint-Joseph et la rue Labrecque. Le nom de ces rues rend hommage aux hommes de bien qui ont veillé sur notre village, comme monseigneur Labrecque, évêque de Chicoutimi [33].

Ce que je préfère, à Val-Jalbert, ce sont les jardins potagers que chaque famille entretient avec soin. Comme c'est beau, à la fin de l'été, de voir tant de couleurs, fleurs et légumes mêlés !

De grands arbres bordent nos rues, dont certains servent à l'éclairage public. Des fontaines sont disposées à une distance régulière. Personne ne s'est jamais ennuyé, grâce à tous les divertissements proposés par la compagnie et par monsieur le curé.

Des pique-niques, du théâtre, des spectacles, des tournois de baseball et des compétitions de hockey sur glace sur la patinoire, l'hiver, divertissent tout le monde.

Dans mon cher village, qui a manqué d'eau fraîche ? Qui a manqué de bois pour les fourneaux et les chaudières ? Qui a manqué de lumière les sombres nuits d'hiver ? Personne !

De nombreux artisans se sont établis à Val-Jalbert pour faciliter la vie de ses habitants : un boucher, un cordonnier, un charron. Un boulanger vient de Roberval dans sa berline rouge, tirée par un fort cheval. Il faudrait

---

32. Personnage réel. Léonidas Paradis a ouvert sa boucherie en 1920.
33. Personnage réel. Mgr Michel-Thomas Labrecque, évêque de Chicoutimi, avait béni et inauguré en 1902 la nouvelle usine de la compagnie de pulpe de Ouiatchouan devant plus de 2000 personnes. Il avait eu soin, dans son discours d'inauguration, d'implorer le ciel d'éloigner de ses lieux blasphémateurs et ivrognes.

le remercier, ce jeune monsieur Cossette[34] *qui succède à son père et fait vaillamment sa tournée. Nous espérons qu'il continuera à nous distribuer du bon pain frais.*

Je n'ai qu'un rêve, habiter jusqu'à la fin de mes jours mon cher village.

Laura sortit son mouchoir et tamponna ses paupières. Grand-mère Odina lui tapota amicalement le dos. La vieille Indienne avait écouté avec plaisir et tentait de se représenter ce lieu qui semblait béni des dieux.

— Pardonnez-moi certaines répétitions ; je n'avais que douze ans et demi, l'âge de Kiona. Si tu m'avais vue à l'époque, Kiona ! On se ressemblait un peu, beaucoup même.

La fillette acquiesça, glacée et livide, sachant qu'elle avait failli mourir pour avoir aperçu sa Mine ce mois d'août 1927.

— Franchement, ta rédaction était bien tournée, la complimenta Jocelyn. Je l'avais lue, un soir chez les Marois, mais, avec le temps qui passe, ta dernière phrase devient émouvante, ma chérie. Je crains que ton cher village ne finisse pour de bon en village fantôme, comme tu le dis souvent.

— Hélas ! oui, papa. Quand je m'y promène, la vision de toutes ces maisons alignées me rend triste. Elles sont livrées aux rongeurs, aux araignées, à la pluie et à la neige. Le travail des filles me touche d'autant plus, car, moi, petite, j'ai connu la cité tout éclairée, les fenêtres teintées du jaune des lampes et tous les gens dans les rues, même l'hiver.

Peu à peu, Kiona s'apaisait. Elle osa même jeter un regard sur le cahier. Hermine parlait de Val-Jalbert, les dessins étaient exposés à la vue de tous, mais aucun phénomène étrange ne se déclenchait. « Je suis en sécurité, ici, songea-t-elle. On est trop loin du village et de la cascade. » Une ivresse insensée l'envahit.

Lassé d'admirer les œuvres de Laurence, Louis se mit à fureter dans la pièce, son harmonica à la main. Il se souvint tout à coup d'une lettre que son père avait oubliée sur le buffet du petit paradis. Par chance, lui, il s'était chargé de l'emporter *in extremis*.

— Tiens, Kiona, dit-il en brandissant l'enveloppe en papier beige. Monsieur Cloutier a déposé ça pour toi ; il y a ton nom dessus. C'est épais… peut-être un livre !

---

34. Maurice Cossette, personnage réel, membre de la Société historique du Saguenay, auteur notamment de *J'ai vécu Val-Jalbert en passant le pain.*

Jocelyn étouffa un cri de colère. Il avait eu soin de ne pas prendre la lettre, et ses précautions avaient été vaines.

— Tabarnak! De quoi te mêles-tu, Louis? lâcha-t-il entre ses dents. Kiona l'ouvrira demain. Il se fait tard; les enfants doivent aller au lit.

— Non, grand-père, il n'est pas tard du tout, s'offusqua Marie-Nuttah. Nous devons aider Madeleine et maman à ranger. En plus, Ludwig va mettre les cadeaux des petits sous l'arbre. Il faut que la pièce soit en ordre.

— Moi, je commence à débarrasser la table, dit Laurence. Grand-mère, désires-tu une tisane?

— Oui, cela m'aidera à digérer.

Les conversations reprirent en sourdine. Akali ramassait les emballages échoués ici et là, mais, loin de les jeter au feu, elle les lissait et les pliait afin de les conserver pour une autre occasion. Charlotte alla coucher Thomas, endormi dans ses bras. Ludwig, lui, s'équipa chaudement à nouveau pour sortir, car les jouets en bois qu'il avait fabriqués étaient cachés dans la remise à provisions. Lovée contre Toshan, Hermine continuait à contempler son fabuleux cahier.

Installée dans un fauteuil, grand-mère Odina s'était assoupie et ronflait. Elle avait abusé du champagne jusqu'à oublier de remettre à Kiona un cadeau très particulier. Cela aurait pu n'être qu'un détail, mais il n'en fut rien.

— Va donc poser cette enveloppe sur une étagère, disait Jocelyn à la fillette. Martin Cloutier a dû t'acheter un livre ou un illustré, et ce n'est pas futé de sa part de te privilégier. Les jumelles pourraient être jalouses.

Kiona tournait et retournait la mystérieuse enveloppe entre ses doigts. Si le contenu avait été dangereux, elle l'aurait forcément senti.

— Je ferais mieux de l'ouvrir ce soir, papa! observa-t-elle. Tout va bien, je te l'assure. Ou, alors, regarde en premier, toi.

— Tu as raison, dit-il.

D'humeur espiègle, Laura leur arracha brusquement la fameuse lettre.

— Vous en faites, des cachotteries, vous deux! s'écria-t-elle. Martin est notre ami. Il a dû nous envoyer ses vœux en grand format. J'ouvre, moi. Cela réglera le problème.

Sans attendre leur accord, elle sortit une feuille de papier bleu, qui renfermait plusieurs clichés couleur sépia. Une carte postale tomba au sol. Louis s'en empara et lut tout haut :

Chère enfant,

J'ai eu la chance d'obtenir ces photographies du maire de Val-Jalbert, l'aimable Wellie Fortin de qui je suis devenu l'ami. Je pense qu'elles vous seront utiles, à vous et aux charmantes Laurence et Marie-Nuttah. J'espère que cela vous aidera à faire avancer le mystérieux cadeau dont Louis m'a parlé en grand secret. Vous me rendrez ces clichés au printemps. Joyeux Noël et bonne année à tous.

Votre dévoué,
Martin Cloutier

Le cœur de Kiona battait la chamade. Maintenant, tout le monde l'observait, les uns amusés, les autres d'un œil distrait. Elle tendit la main. Pour elle, c'était une sorte de défi pour conjurer le mauvais sort. Solennellement et avec un sourire, Laura lui donna les photographies. Les jumelles se précipitèrent. Prises dans l'ambiance de fête, elles avaient un peu oublié à quel point Kiona avait peur de replonger dans le passé. Elles se reprochaient d'avoir provoqué des choses qu'elles ne comprenaient pas. Elles s'étaient comprises d'un seul regard et entouraient maintenant leur étrange « cousine ».

— Oh ! chouette ! On ne les connaît pas, ces photographies-là ! s'exclama Marie-Nuttah.

— Maman, je vais pouvoir continuer ton cahier ! s'écria Laurence. Là, c'est l'intérieur de l'usine, la salle des écorceurs, et toutes ces femmes...

— Le pique-nique annuel, dit tout bas Kiona. Tu devais le dessiner.

— Est-ce que ça va, ma petite ? demanda tout bas Jocelyn.

— Oui, papa ! Certain, ça va.

Cependant, elle reprit la pile de clichés à Laurence et les rangea vite dans l'enveloppe. Même si elle n'éprouvait aucun malaise, ces morceaux de papier où s'inscrivaient tant de visages l'apeuraient.

— D'ailleurs, j'ai sommeil, conclut-elle. Tiens, papa, je te confie la lettre de monsieur Cloutier.

Il eut envie de la jeter au feu, mais il n'osa pas. Personne n'aurait compris son geste, hormis les enfants. Penaud, Louis prit la main de Kiona.

— Tu trembles!

Elle lui adressa un sourire très doux, plein de reconnaissance pour le soin qu'il avait d'elle.

Un peu ivre, Laura n'avait rien saisi des conversations à voix basse. Elle s'étira en bâillant.

— Je vois, je vois! observa-t-elle. Martin était dans la confidence et il vous a aidées, toutes les trois. J'aurais dû m'en douter, puisqu'il est historien. C'est bien gentil de sa part! Bon, une tasse de tisane et au lit! J'ai hâte d'être à demain matin et de découvrir le paysage.

— Je dois changer les draps de notre lit, répliqua Hermine. Toshan m'a dit que nous vous prêtions notre chambre.

Akali se proposa pour la seconder et courut derrière elle. À ce moment, Ludwig rentra de son expédition nocturne, encombré de deux magnifiques chevaux à bascule en bois clair. Toshan marqua son admiration en sifflant et dit:

— Quel beau travail! Jocelyn, Laura, voyez-moi ça!

— Je les ai commencés cet été, expliqua le jeune Allemand. Mais quand j'ai su pour Adèle, j'ai modifié le modèle. Elle se tiendra facilement dessus malgré sa jambe malade.

Il montra d'un doigt le siège, semblable à un petit fauteuil, qui servait de selle aux cavaliers en herbe et prévenait toute possibilité de chute.

— Un pour Constant avec la crinière en laine noire, l'autre pour ma petite fille en crins blancs. Ils vont bien s'amuser.

— C'est superbe et tellement ingénieux! s'extasia Laura, troublée surtout par la beauté angélique de l'artiste. Ludwig, il faudrait en vendre dans les magasins de Roberval, ou même à Chicoutimi.

Charlotte sortit de sa chambre juste à temps pour entendre ces derniers mots. Elle avait déjà vu les jouets, mais elle s'émerveilla encore.

— Ludwig compte en fabriquer pour la vente, avoua-t-elle, mais en Allemagne. Nous allons essayer de partir là-bas l'année prochaine.

Laura et Jocelyn échangèrent un coup d'œil attristé. La nouvelle les touchait en plein cœur. Ils espéraient voir grandir Adèle et peut-être convaincre Charlotte de revenir vivre à Val-Jalbert un jour.

— C'est une décision grave, observa Toshan, assis près d'eux. Mais j'en ai parlé avec Ludwig. Il voudrait au moins présenter ses enfants à sa famille et, si c'est possible, s'installer sur l'exploitation de ses parents en Bavière, près de la ville de Bamberg.

— Ce sera possible, assura Charlotte. Il n'aura plus à se cacher, en Allemagne. Nous aurons enfin une existence normale et nous pourrons nous marier.

— Faites à votre idée, concéda Jocelyn. Mais tu nous manqueras, petite folle, comme tu nous as beaucoup manqué durant toutes ces années.

— Je vous écrirai, certifia la jeune mère.

Le feu se mourait, et les bougies du sapin, comme celles de la table, étaient consumées. Dehors, le vent soufflait plus fort, ébranlant la cheminée principale et secouant les volets pourtant bien fermés.

— C'est un peu tôt dans la saison pour une tempête, observa le Métis. Mais je crois qu'il est sage de se coucher. Je vais couvrir les braises de cendres et garnir les poêles.

Aidée par les jumelles et par Kiona, Madeleine avait presque remis la pièce en ordre. Toujours souriante, l'Indienne prit congé. Elle était fatiguée après une longue journée de préparatifs et une soirée riche en émotions.

— Bonne nuit à tous! lança-t-elle. Et joyeux Noël! Je me lèverai la première pour faire des crêpes.

— Tu es une perle, affirma Laura.

Hermine réapparut. Elle fut déçue de voir la grande cuisine plongée dans une sorte de pénombre silencieuse après tant de lumières et de rires.

— La fête est finie, soupira-t-elle. Papa, maman, votre lit est prêt. J'aimerais encore vous remercier d'être venus. C'était si courageux de votre part!

— Courageux? Mais non, ma chérie, protesta sa mère. Nous avons été reçus comme des princes et j'ai vécu des moments délicieux. Hélas, j'ai abusé du champagne; je ne tiens plus debout. Ah! au fait, je t'ai apporté ton courrier. Trois lettres, sûrement des bons vœux. Moi, j'ai reçu une jolie carte de Paris, devine de qui... Notre chère amie Badette. Elle m'avoue ne pas être très satisfaite de son travail en France et elle prévoit de revenir au Canada. J'aimerais bien. C'est une femme tellement attachante et intéressante!

— Oui, approuva Hermine. Je l'apprécie beaucoup. Tu verras, elle nous reviendra.

Laura sortit les petites enveloppes de son sac, les lui remit et l'embrassa avec tendresse.

— Bonne nuit de Noël, ma merveilleuse fille, si belle et si douce!

Elles s'étreignirent en riant tout bas. Jocelyn déposa un baiser sur le front d'Hermine, puis ce fut le tour des enfants. Mukki montra à Louis les banquettes où ils dormiraient.

— On veillera sur la maisonnée, ajouta l'adolescent. Crois-moi, ce n'est pas facile de dormir quand grand-mère Odina ronfle.

— Elle va rester dans le fauteuil? s'étonna le garçon.

— Ça, oui, pas question de la déranger!

Hermine accompagna ses parents jusqu'à leur chambre, puis revint s'asseoir sous le sapin pour mieux contempler les chevaux à bascule de Ludwig.

— Constant sera aux anges, dit-elle à mi-voix à son mari.

— Pour sûr, c'est un beau cadeau de *Santa Claus*.

Une petite lanterne était encore allumée, de sorte qu'elle y voyait assez pour prendre connaissance de ses lettres. Ovide Lafleur lui envoyait ses bons vœux pour 1947, au dos d'une scène bucolique ornée de paillettes argentées. L'instituteur se montrait très bref, avec un *amical souvenir* écrit à l'intention de toute la famille. Ensuite, elle découvrit sans réelle surprise un message de Rodolphe Metzner, fort conventionnel, à l'intérieur d'une carte luxueuse, blanche et or:

Ma chère Hermine, que cette nouvelle année vous apporte tout le bonheur possible, à vous et à vos proches.

Elle secoua la tête, stupéfaite d'avoir cru que cet homme proche de la cinquantaine lui plaisait. Après cinq mois passés auprès de Toshan, elle était plus amoureuse que jamais de son mari. Leur relation, toujours passionnée, se teintait aussi d'une rassurante complicité. «Comment ai-je pu douter de mes sentiments pour Toshan, que ce soit pendant la guerre ou en présence de Rodolphe? s'interrogeait-elle. Dès que j'étais seule, je perdais pied, et c'était idiot. Quand je pense que je me suis jetée au cou d'Ovide, un soir! Et que je l'ai laissé me caresser! Avec Rodolphe aussi, j'étais bien trop aimable. Désormais, je serai forte, je saurai me défendre contre les séducteurs en tous genres.»

La troisième lettre était de Lizzie, la régisseuse du Capitole. Cette missive consterna Hermine, qui dut la relire deux fois. «Mais qu'est-ce que ça signifie? se dit-elle, abasourdie. Lizzie me reproche d'avoir rompu mon contrat avec Hollywood et prétend que le directeur du Capitole est furieux, que ce rôle aurait été bénéfique pour la suite de ma carrière, pour son théâtre aussi. Je n'ai rien rompu du tout! C'est une histoire de fou!»

Toshan s'approcha, intrigué par son expression éberluée.

— Je n'y comprends rien! dit-elle à mi-voix. Allons nous coucher, je t'en parlerai demain.

— Mais de quoi?

— Lizzie! Elle semble convaincue que j'ai refusé de tourner dans la comédie musicale, à Hollywood, que j'ai préféré ma famille à ma réussite professionnelle. Ce n'est pas ça du tout: ils ne voulaient plus de moi, en Californie.

— Peu importe! Moi, je suis ravi que tu sois là tout cet hiver, prisonnière des neiges et de mes bras. On se fiche de la gloire et de l'argent.

Rieur, Toshan l'obligea à se lever et l'enlaça. Il respirait le parfum de sa chair en faisant courir ses lèvres chaudes à la naissance de ses seins. Elle s'abandonna, langoureuse, grisée par le champagne.

— Tu as raison, mon amour, admit-elle. J'aurai forcément une explication un jour ou l'autre, mais je m'en moque. Je suis mieux ici, avec toi, avec vous. Tu m'as fait un si beau cadeau en invitant mes parents et mon frère!

Ils restèrent un moment étroitement unis, bouche contre bouche, simplement heureux d'être là, sous le toit de leur maison, bien au chaud et en famille. Le fait de partager la chambre de Madeleine les obligerait à se montrer sages, mais cette période de chasteté ne ferait qu'augmenter le désir qui les faisait vibrer si souvent. Ils auraient soin de rattraper le temps perdu, au fil des longues nuits d'hiver.

* * *

Malgré une vague appréhension, Kiona s'était endormie à peine couchée, en tenant contre son cœur son ours en peluche. Elle se croyait guérie de ses pouvoirs, du moins provisoirement. Les aquarelles de Laurence s'étaient révélées inoffensives, et les photographies de Martin Cloutier n'avaient rien réveillé en elle de paranormal.

Elle avait mis de côté la courte visite de Delsin, comme un triste incident dont elle s'estimait responsable. Ce qui aurait marqué ou effrayé profondément une autre fille de son âge lui paraissait ordinaire grâce à sa lucidité et à ses facultés inouïes de raisonnement. Les frères du pensionnat avaient corrompu Delsin, ils avaient noirci son âme. Si le jeune Indien se comportait mal, ce n'était pas vraiment sa faute. Sa colère était démesurée; cela le rendait cruel, impitoyable et vicieux.

Il ne revint même pas hanter ses rêves, où se pressaient déjà de nombreuses personnes. Les portes du passé, entrouvertes, laissaient s'échapper un kaléidoscope d'images et de scènes d'un réalisme saisissant. Kiona s'y promenait, ballottée d'un endroit à l'autre, invisible témoin d'un monde révolu.

Elle se retrouva à nouveau mêlée aux femmes du pique-nique, dont les tabliers blancs et les visages clairs composaient une sorte de grand et singulier bouquet posé sur l'herbe.

— Nous pouvons nous réjouir qu'il y ait icitte le Cercle des loisirs Saint-Georges, disait l'une d'elles. C'est un plaisir d'organiser ce repas pour les dames de la paroisse.

— Et l'allocution de monsieur l'aumônier était très bien. J'espère que, l'an prochain, le pique-nique aura lieu à nouveau et qu'il fera aussi beau temps.

— Ah! fit une jeune fille. Ma mère m'a écrit la recette de la tapette pour vous, madame Amélie. Elle m'a affirmé que vous n'aurez jamais bu une aussi bonne bière. Il faut un petit baril de dix gallons; dedans, vous mettez un gallon de sirop noir, huit gallons d'eau et du houblon bouilli en quantité. Le tout doit fermenter une douzaine de jours.

— Merci ben. J'en préparerai sûrement. Mais je dois jardiner aussi, parce que m'sieur Dubuc va élire le plus beau jardin et j'voudrais tant gagner, cette année, que j'ai commencé à bêcher au mois d'avril; la neige était pas encore toute fondue.

Kiona aperçut des paniers d'osier et des nappes blanches. Mais la scène disparut et elle se retrouva dans l'église, où un curé rappelait à l'assistance, dans un sermon exalté, qu'il fallait respecter le serment de tempérance. Il s'agissait du père Tremblay, qui luttait pour bannir l'alcool de la cité et veillait aux bonnes mœurs avec fougue.

— Je rappelle que, grâce à mon intervention, dorénavant les garçons et les filles ne pourront pas évoluer sur la patinoire en même temps! proclamait-il. Certes, les classes sont mixtes, au couvent-école, mais nous comptons sur le sérieux des sœurs de Notre-Dame-du-Bon-Conseil pour empêcher toute conduite répréhensible.

La fillette, qui avait l'impression d'être un petit nuage pétri de curiosité, préféra s'en aller. C'était presque un jeu de voguer sur le courant de ce songe coloré, animé et bruyant. Elle fut soudain sur le plateau que l'on nommait jadis la haute-ville, où la compagnie de pulpe avait bâti des maisons encore plus confortables que dans la vallée en contrebas.

Deux hommes, des voisins de toute évidence, en pantalon de grosse toile et en chemise écossaise, se cherchaient chicane.

— Hé! Tu empiètes sur mon terrain. Veux-tu ben enlever ta carriole de d'là!

— J'enlèverai ma carriole de d'là quand tu enlèveras ton bois de poêle de chez nous. Pis dis donc à ta créature d'arrêter de jeter son eau de vaisselle de mon bord!

La dispute s'envenimait et le ton montait. Encore une fois, monsieur le curé apparut à Kiona. Il semblait furieux et portait une petite épinette à la main, avec ses racines terreuses qui souillaient sa soutane noire. D'un air décidé, il planta l'arbuste sur le terrain à peu près au centre des deux maisons.

— Voilà, c'est ça la ligne, et je ne veux pas un mot de plus!

La rêveuse eut un sourire amusé. Soudain, elle reconnut le lieu exact. Elle se souvint de l'épinette, devenue grande et touffue, témoin de la querelle et de l'intervention musclée du prêtre[35].

Sans l'avoir décidé, pareille à un oiseau qui aurait survolé la terre d'assez près, Kiona se vit au-dessus du cimetière. Il faisait sombre comme lors d'une fin d'après-midi d'automne. Elle distingua un petit garçon caché entre les tombes. Tout à coup, il regarda à gauche, puis à droite, et se mit à courir. Intriguée, elle le suivit. Il entra dans une des maisons de la rue Saint-Georges. Après un coup d'œil à la pendule, son père lui demanda d'où il venait, si tard.

— Comme j'étais pas sage en classe, la sœur m'a puni. J'ai pas aimé ça, être dans le coin, alors, je m'suis jeté par la fenêtre. Deux grands m'ont couru après, mais y m'ont pas rattrapé et j'ai pu me cacher au cimetière!

— Ben voyons donc! Es-tu fou? Ça s'fait pas, des choses pareilles! s'écria le père, outré. C'est sacrilège, c'que tu as fait là, mon garçon!

---

35. Cent ans plus tard, l'épinette est toujours là, à Val-Jalbert, et est de très belle taille.

— Mais, papa, j'avais ben moins peur des morts que des deux grands vivants qui couraient après moé!

Kiona fut aspirée en arrière, mais elle se répéta les mots de l'enfant: «J'avais ben moins peur des morts!» «C'était très sensé, au fond, se disait-elle, car les morts ne peuvent rien faire aux vivants.» Parfois, ils n'étaient qu'apparence, lumière grise ou bleutée, ou bien ils se présentaient comme des personnages que l'on croyait de chair et d'os, mais tout n'était qu'illusion, peut-être.

«Ils ne peuvent pas me faire de mal! pensait-elle, emportée dans les rues par un vent froid. Je n'ai pas eu peur, au cinéma, quand Mine m'a emmenée voir Tarzan! Les animaux ne sortaient pas de l'écran. Eh bien! les fantômes, c'est la même chose.»

Ce constat la rasséréna et l'égaya. Elle observa quelques minutes un match de hockey qui se déroulait derrière l'imposant magasin général. C'était le club de hockey du Cercle Saint-Georges, de la ligue du Lac-Saint-Jean, qui affrontait pour la première fois le club de Saint-Félicien, à l'occasion du jour des Rois. Alentour, le paysage était d'un blanc pur. Les joueurs de Val-Jalbert, en costume bleu, blanc et rouge, arboraient fièrement l'emblème de la Compagnie de pulpe de Chicoutimi sur feuille d'érable.

«Ils vont perdre le match!» présagea la fillette qui, peu intéressée par ce sport, se projeta au second étage de l'hôtel, dans une des vingt chambres pourvues de tout le confort moderne, électricité et salle de bain complète avec eau chaude. Ces pièces avaient été aménagées dans le même bâtiment que le magasin général, qui faisait également office de restaurant, avec deux salles à manger et un fumoir. Mais Kiona, pour l'instant, fixait d'un air apitoyé un jeune ouvrier qui logeait là et contemplait une photographie, celle de sa jolie épouse.

— J'ai eu le job à la pulperie, ma petite Catherine, observa-t-il. Dès que je touche mon salaire, à la fin de la semaine, j't'envoie des piasses pour que tu me rejoignes. Paraît qu'il y a même un taxi qui fait la navette entre Roberval et icitte. On aura peut-être ben une de ces jolies maisons neuves, nous deux. Le petit naîtra sous notre toit!

Attendrie, Kiona s'éclipsa. Fébrile, libérée de toute crainte, elle alla visiter la fabrique, dont les machines faisaient jour et nuit un beau tapage. Dans la salle des écorceurs, un des hommes venait de se blesser.

— T'as un doigt en moins, astheure, mon pauvre André! braillait le contremaître. Va te faire soigner, faut être plus vigilant que ça, calvaire!

L'activité de ruche qui régnait là chassa la petite rêveuse à l'extérieur. La gigantesque cascade dévalait son lit de roches, monstre élégant d'argent et de cristal, puissance titanesque dont les vapeurs givraient les branches des sapins et les arbustes tortueux, rivés sur le flanc des berges abruptes.

« La Ouiatchouan ! » se réjouit Kiona.

Légère, immatérielle, ce fut facile pour elle de frôler l'eau qui déferlait, glacée, d'écouter, ravie, le chant farouche dont l'écho se répandait au loin, jusqu'au canyon, sur tout le village plongé dans la nuit. Mais cela ne dura pas. Un courant contraire, bise hivernale ou rafale de blizzard, ramena Kiona près du couvent-école. Tout de suite, elle devina la silhouette d'un homme vêtu de noir, caché derrière une épinette. C'était son père, elle en eut la certitude, bien que ses traits fussent dissimulés par la visière d'une toque de fourrure et le drapé d'une écharpe en laine.

Au même instant, une religieuse apparut dans la rue Saint-Georges. Elle marchait avec précaution sur la neige changée en un tapis dur et glissant par le passage quotidien des camions et des charrettes. C'était une très jeune sœur, au beau visage d'une extrême douceur et aux yeux clairs.

« C'est le soir où sœur Sainte-Madeleine a trouvé Mine sur le perron du couvent-école, songea Kiona. Je dois partir. Si je vois ma sœur bébé, il m'arrivera malheur ! »

Elle se concentra en vain pour fuir la scène. Il se passa alors une chose surprenante. La frêle religieuse, au lieu de se diriger vers les marches de l'établissement scolaire, obliqua vers elle, toute souriante.

— N'aie pas peur, Kiona, dit-elle d'une voix mélodieuse. Il n'y a plus de danger, il n'y en a jamais eu. Ce que tu as vu, ce que tu vois, ce ne sont que des images captives du village. Oh ! nous sommes tous un peu là, de temps en temps. Certains esprits refusent de quitter les lieux ; ils resteront sûrement entre les murs qu'ils ont choisi d'occuper, mais que peuvent-ils contre toi ? Contre vous tous ? Dis à ma chère petite Hermine que je veille sur elle et ses enfants comme tu le fais, toi qui as reçu tant de dons précieux !

— Vous êtes sœur Sainte-Madeleine, et vous êtes morte de la grippe espagnole ? demanda la fillette.

— Pourquoi poses-tu une question dont tu connais la réponse, Kiona ? Suis ton chemin de lumière, mon enfant, et sache qu'il dépend de toi de fermer ou d'ouvrir certaines portes, de te protéger aussi contre ce qui te fait peur.

La jeune religieuse fit un signe de croix et tourna les talons.

— Sœur Sainte-Madeleine, non, non! vociféra Kiona. Sœur Sainte-Madeleine, attendez, attendez! Sœur Sainte-Madeleine!

Une poigne vigoureuse secoua l'épaule de la rêveuse. Marie-Nuttah, furibonde, une lampe à pile dans sa main libre, était penchée sur son lit.

— Ne crie pas si fort! disait-elle. Tu as réveillé Thomas. Il pleure à fendre l'âme. Tu as fait un cauchemar? Encore les fantômes?

Kiona s'était assise, ébahie de se retrouver dans la maison de Toshan, au bord de la Péribonka. Hermine fit irruption, affolée. Elle la vit ainsi, échevelée et le regard brillant.

— Qu'est-ce qu'il y a? interrogea-t-elle. Qui a hurlé comme ça? J'ai entendu un nom… Sœur Sainte-Madeleine!

— Je suis désolée, Mine, je rêvais, expliqua Kiona. Ne sois pas fâchée; tout ça, c'est venu à cause de ton cadeau. Je ne pouvais pas t'en parler avant Noël, mais, ceux de Val-Jalbert, ils voulaient toujours se montrer. Partout, je te jure! C'est que je les avais… invoqués. C'est invoqué, qu'on dit, hein? Oui, j'avais fait exprès pour les voir, mais ils ne voulaient plus s'arrêter.

— C'est pour ça que grand-père l'a conduite ici. Elle avait peur d'en mourir, ajouta Laurence, elle aussi réveillée.

Interloquée et saisie de panique, Hermine prit place au bord du lit. Là, elle attira Kiona sur son cœur et la serra contre elle avec douceur et tendresse tout en l'embrassant du bout des lèvres au milieu du front.

— Et papa était au courant? s'effara-t-elle. Mais, enfin, je ne comprends pas bien pourquoi tu as fait tout cela.

— C'était pour aider Laurence. J'ai essayé de revoir Val-Jalbert autrefois, lorsque la pulperie fonctionnait et que le village était tout habité. J'ai réussi, mais un peu trop.

— Elle nous répétait qu'elle avait ouvert les portes du passé, affirma Marie-Nuttah d'un ton tragique. Et une fois, elle t'a vue devant le bureau de poste, le jour de la fermeture de l'usine.

— Ça m'a causé un gros choc, Mine. Je me suis évanouie; je crois que mon cœur s'est presque arrêté de battre. Papa a eu très peur lui aussi.

— Oh non! Et je n'ai rien pressenti! Vous êtes tous de fameux cachottiers, déplora Hermine en étreignant plus fort la fillette. Mais là, cette nuit, tu as seulement rêvé? J'espère que tu n'as pas attiré des fantômes ici!

Elle avait pris le ton de la plaisanterie afin de lutter contre le malaise qui s'emparait d'elle à l'idée que Kiona avait déjà vu des défunts, Simon, Betty Marois, Tala et bien d'autres, sans doute.

– Oui, j'ai seulement rêvé, Mine. Je vous raconterai demain matin… C'était bien, je volais comme un oiseau. Ah! tu as le bonjour de sœur Sainte-Madeleine. Elle veille sur toi et tes enfants. Voilà!

– Voilà! répéta Hermine, le cœur serré par l'émotion. Seigneur! On dirait que tu viens de la croiser au coin d'une rue. Kiona, explique-toi. Elle t'est apparue? Vraiment?

– Oui, vraiment! Je l'ai vue le soir où elle t'a trouvée sur le perron du couvent-école. Il y avait papa caché dans l'ombre. Je voulais me sauver, mais je ne pouvais pas. Et là, sœur Sainte-Madeleine m'a parlé. Depuis, je n'ai plus peur du tout.

Kiona bâilla et s'étira. Sans brusquerie, elle se dégagea des bras d'Hermine qui en fut chagrinée. Ce n'était pas la première fois que sa demi-sœur mettait fin à ses câlineries.

– J'ai encore sommeil, dit-elle avec un de ses charmants sourires. C'est la nuit de Noël; rien de grave ne peut arriver.

Hermine l'embrassa à nouveau sur le front, puis elle embrassa ses filles. Profondément endormie, Akali n'avait rien entendu.

– Eh bien, bonne nuit, mes chéries! dit-elle tout bas.

Elle sortit sur la pointe des pieds. Thomas avait cessé de pleurer.

« Sœur Sainte-Madeleine! pensait-elle. Mon Dieu, comme je l'aimais et comme je l'ai pleurée! Je n'avais que quatre ans, mais ce deuil m'a marquée à jamais. Elle voulait quitter l'église pour m'adopter. C'était un ange, un ange adorable. Et ce doit toujours en être un, tout là-haut. »

Hermine s'allongea près de Toshan. Elle pleurait en silence. Son mari, somnolent, sécha ses larmes d'un baiser. Lovée contre lui, elle chercha dans sa mémoire le doux visage de la jeune religieuse. Ses traits demeuraient flous. « J'avais un portrait d'elle, mais il a brûlé avec le reste dans l'incendie. Kiona a bien de la chance de l'avoir vue! Mon étrange Kiona… Quelle vie aura-t-elle plus tard? » Elle s'inquiétait de sa demi-sœur, dont le destin s'annonçait rien de moins que singulier.

– Qu'est-ce qu'il y a? finit par demander Toshan. Tu trembles! Une des filles a fait un cauchemar? Tu n'aurais pas dû te lever.

– C'était Kiona. Mon Dieu, comme elle change! Ce n'est plus du tout la petite fille qui avait tant besoin de moi et de ma tendresse.

Cela me fait de la peine. Et puis, il paraît que j'ai reçu un message du passé. Je te raconterai demain. Serre-moi fort. Je voudrais que l'hiver dure toujours, que l'on ne se quitte plus, plus jamais.

— N'aie pas peur, rien ne nous séparera, souffla-t-il à son oreille. Et l'hiver ne fait que commencer.

Kiona, pour sa part, ne s'était toujours pas rendormie. Elle avait un peu fanfaronné en prétendant que les fantômes ne lui faisaient plus peur. Le souvenir désagréable qu'elle gardait de sa dernière transe à Val-Jalbert ne la quittait pas, ni l'impression qu'elle allait finir par ne plus pouvoir revenir du côté des vivants.

En outre, elle était fatiguée de susciter la curiosité de son entourage. « C'est égal, pensait-elle, mes fantômes peuvent bien vouloir me rassurer, j'en ai assez de ne pas être comme les autres. Je ne veux plus que tout le monde se tourne vers moi chaque fois qu'ils veulent obtenir un renseignement, ni qu'on me regarde comme si j'avais un œil dans le front. Je veux, comme n'importe qui, que les portes du passé, du présent et de l'avenir restent fermées pour moi… Mais qui me protégera de mes visions, moi ? Si j'en crois les belles paroles de sœur Sainte-Madeleine, même les esprits qui m'apparaissent veulent que j'accepte leur présence. »

Ces réflexions amères faisaient fuir le sommeil. Elle ne s'endormit que longtemps après, bercée par la respiration régulière des jumelles et d'Akali.

15
LE BEL HIVER

Rive de la Péribonka, mercredi 25 décembre 1946

C'était la fin de la matinée. Assise près d'une fenêtre, Laura contemplait les rideaux de neige immaculée qui camouflaient en partie le paysage extérieur. Les flocons, lourds et cotonneux, tombaient dru depuis le lever du jour. La maison embaumait les odeurs mêlées du sapin, du feu de bois et des crêpes, dont il restait une assiette mise au chaud dans le fourneau.

– Que je suis bien ici, dit Laura, loin de tout! Je vous comprends, Toshan, d'aimer autant ce havre de paix perdu au fond des bois. Cela donne l'impression d'être hors du monde, protégé par la nature, le froid et toute cette neige.

Les propos de sa belle-mère émurent le Métis. Ils avaient eu bien des différends, jadis, mais, en ce jour de Noël, il appréciait beaucoup sa présence et, quelque part, elle forçait son admiration, cette femme indomptable, de la race des pionnières, fière et sans réelle crainte devant l'adversité.

– Je suis content de vous l'entendre dire. J'éprouve exactement ça, dès que je vis ici, sur mes terres. Hélas! nous ne sommes pas si loin de tout pour quelques intrépides. Enfin, à quoi bon évoquer de mauvais souvenirs!

Il pensait à l'hiver 1939, quand la petite cabane toute neuve qu'il avait construite pour Tala avait été incendiée par les soins de deux individus assoiffés de vengeance. Et, plus récemment, Pierre Thibaut était venu tourmenter Akali.

– Oui, par pitié, oublions le passé… intervint Hermine. J'attends que vous soyez tous là pour chanter, puisque je l'ai promis hier soir.

Il manquait Charlotte et Ludwig qui s'occupaient du bébé, ainsi que grand-mère Odina et Kiona, en grande discussion dans la chambre des filles.

— Chante quand même, maman, l'exhorta Marie-Nuttah. Cela les fera venir. Doucement, Constant!

Elle surveillait son petit frère qui se balançait un peu trop vite à son goût sur son cheval à bascule. Adèle, des rubans rouges à ses couettes brunes, se montrait moins audacieuse. Il suffisait à son bonheur d'être assise dans le siège servant de selle et de caresser la crinière de l'animal en bois, à qui elle prêtait vie en lui chuchotant des mots affectueux.

— Mon joli Dadou, répétait-elle, on se promène.

— Ton cheval s'appelle Dadou? interrogea Laurence.

— Oui, Dadou. Mon Dadou!

Chacun s'évertuait à choyer la petite qui marchait de nouveau, mais en boitant. Ravi de retrouver leur protégée, Jocelyn ne la quittait guère des yeux. Il échafaudait des plans pour convaincre Charlotte et Ludwig de revenir vivre à Val-Jalbert, ce qui retarderait leur éventuel départ en Allemagne.

Mukki et Louis disputaient une partie de cartes au coin de la table. Les deux garçons s'entendaient à merveille. Akali les observait, silencieuse, un peu rêveuse.

— Et tu ne veux toujours pas nous dire le titre de la chanson? reprocha gentiment Madeleine à Hermine.

— Pas même le titre, sinon ce ne serait plus une vraie surprise. Je l'ai apprise à Québec, et elle m'a tellement plu que j'ai recopié la partition et les paroles.

La jeune chanteuse avait une mémoire remarquable des mélodies. Elle pouvait écouter un air une seule fois et s'en souvenir longtemps.

— Tu n'auras pas de musicien pour t'accompagner, observa Toshan. Dommage!

— Papa jouera de l'harmonica; il est très doué.

— Tu exagères, Hermine! s'exclama Jocelyn. Enfin, je veux bien essayer…

Kiona arriva dans la pièce, sautillante et d'une gaîté insolite. La vieille Indienne suivait de son pas pesant. Le contraste était assez amusant.

— Mine, Toshan, grand-mère Odina m'a offert son cadeau. Elle voulait le faire hier soir, mais elle s'est endormie. Des amulettes! J'ai de nouvelles amulettes! Chogan avait demandé à un shaman de notre peuple de les préparer rien que pour moi. Chogan m'aimait tant! Je serai comme les autres enfants, maintenant. Les amulettes des shamans me protègent bien mieux que ta médaille, papa!

Elle faisait allusion à un pendentif que Jocelyn lui avait remis des années auparavant et qui avait appartenu à son aïeule Aliette, une émigrée parmi tant d'autres ayant quitté son marais poitevin, en France, avec la fâcheuse réputation de sorcière. D'après les souvenirs de la famille Chardin, Aliette était d'un blond roux comme Kiona et avait des pouvoirs singuliers, elle aussi.

— Pourquoi lui donner ce cadeau seulement à Noël, Odina ? s'étonna Hermine. Si j'ai bien compris, Chogan l'avait déjà cet été !

— Chogan voulait l'offrir à cette date ; c'était important ! Avant de mourir, il m'a demandé de le faire pendant les fêtes des Blancs. J'ai tenu à respecter sa volonté.

— La volonté d'un mourant est sacrée, affirma Toshan, attristé.

Madeleine ferma les yeux, tandis que ses lèvres formulaient une prière muette pour son frère, que le sort lui avait enlevé bien trop tôt. Charlotte arriva à cet instant précis, avec Ludwig qui portait Thomas.

— Bébé est changé et repu, mais il refuse de dormir, dit la jeune mère. Alors, Mimine, cette chanson-surprise ?

— Oh ! oui, maman, chante ! insista Laurence.

La jeune femme doutait à présent du bien-fondé de son choix, mais, après avoir réfléchi quelques secondes, elle se décida.

— C'est un texte qui évoque notre destin commun, le parcours de chaque être vivant, la naissance, l'amour et la mort. En France, d'après monsieur Metzner, Édith Piaf l'interprète et devrait l'enregistrer très bientôt avec les Compagnons de la chanson, un groupe d'hommes qui forment une chorale. Je l'ai entendue à la radio ; c'était magnifique.

— J'aime beaucoup Édith Piaf, s'enthousiasma Laura. Elle a une voix exceptionnelle qui donne des frissons. Vas-y, ma chérie, je suis sûre que cela nous plaira.

— Bien, je vais donc vous chanter *Les Trois Cloches* [36].

Village au fond de la vallée,
Comme égaré, presque ignoré.
Voici qu'en la nuit étoilée,
Un nouveau-né nous est donné.
Jean-François Nicot il se nomme.
Il est joufflu, tendre et rosé.

---

36. Chanson de Jean Villard et Marc Herrand, de 1939, enregistrée par Édith Piaf en 1947.

À l'église, beau petit homme,
Demain tu seras baptisé.
Une cloche sonne, sonne.
Sa voix, d'écho en écho,
Dit au monde qui s'étonne :
« C'est pour Jean-François Nicot.
C'est pour accueillir une âme,
Une fleur qui s'ouvre au jour,
À peine, à peine une flamme,
Encore faible qui réclame
Protection, tendresse, amour. »

Hermine mettait tout son cœur dans l'interprétation de cette chanson qui l'avait tant séduite et dont chaque parole la touchait. Elle voyait des images, celles du village au fond de la vallée, «comme égaré, presque ignoré», et ces mots lui faisaient songer à son propre village abandonné que la neige devait ensevelir, là-bas, de l'autre côté du lac Saint-Jean. Le petit Thomas, attentif, aussi blond et rose que Constant, était pour elle «cette fleur qui s'ouvre au jour, qui réclame protection, tendresse, amour.»

Sa voix d'or, limpide, d'une pureté prodigieuse et d'une puissance maîtrisée, se répercutait dans toute la maison. Laura fondit en larmes, très émue, si bien qu'Akali ne tarda pas à pleurer aussi. Le reste de son public, subjugué, écoutait presque religieusement, petits et grands arborant la même expression fascinée.

… Une cloche sonne, sonne.
Elle chante dans le vent,
Obsédante et monotone.
Elle redit aux vivants :
« Ne tremblez pas cœurs fidèles !
Dieu vous fera signe un jour.
Vous trouverez sous son aile,
Avec la vie éternelle,
L'éternité de l'amour… »

Sur le dernier couplet, la chanteuse atteignit des sommets de déli-catesse, tout en laissant les notes monter vers ce ciel qu'elle imaginait peuplé d'anges et d'amis disparus. Grâce à Kiona, Hermine ne doutait plus de cette «vie éternelle, l'éternité de l'amour». Sœur Sainte-Madeleine ne lui avait-elle pas envoyé un message de l'au-delà, une nuit de Noël?

— Encore, maman, chante-la encore, implora Laurence, bouleversée.

— Je ne sais pas si c'est nécessaire!

— Si, chante encore les cloches, l'encouragea grand-mère Odina.

— Mais oui! renchérit son père. Et cette fois, je prends l'harmonica. Tu m'as oublié, ma chérie!

— Oh! pardon, papa! Viens…

Un récital commença au fond des bois, tandis que la neige tombait toujours, comme pour emprisonner cette poignée d'humains de son étreinte ouatée. Mais de grosses bûches flambaient dans la cheminée, et personne ne songeait à redouter le bonhomme hiver des contes. Hermine chantait, et c'était un enchantement pour tous. Elle enchaîna plusieurs titres connus, des chants de Noël, l'*Ave Maria* et plusieurs chants de son répertoire. Elle entonna soudain *Vive le vent*, que les jumelles reprirent en chœur.

«Tant de joie, tant de bonheur, pour oublier la guerre et les morts! pensait Toshan. Qui pourrait demeurer triste quand Mine chante?»

Jocelyn déclara forfait le premier en réclamant du thé. Hermine salua en riant.

— Mesdames, messieurs, le Rossignol des neiges est épuisé. Et affamé! Merci pour vos bravos et vos applaudissements.

— Tu n'as jamais si bien chanté! s'extasia Laura. Oh! ma chérie, comme je suis fière de toi!

Madeleine s'activait devant le fourneau. Elle réchauffait des morceaux de dindon en les agrémentant de pommes de terre et de haricots. Un dîner très simple fut bientôt servi et englouti.

— Que ferons-nous cet après-midi? s'informa Mukki. Papa, tu m'as parlé d'un bonhomme de neige géant…

— Oui, il faut en profiter avant que tout gèle. Viens donc m'aider, je dois nourrir mes chiens.

La gent féminine échangea un regard complice. C'était aux hommes de sortir braver le déluge blanc et de veiller au bon fonctionnement des poêles. Toutes savouraient la perspective d'une journée bien au chaud, à bavarder et à savourer les parts de gâteau disposées au centre de la table.

— Moi, je vais lire assise sous le sapin, annonça Kiona.

— Maman, je peux dessiner ici? demanda Laurence. C'est plus gai que dans la chambre.

— Bien sûr, faites à votre idée, répondit Hermine. Pour ma part, je compte profiter de vous tous. Je ne bougerai pas d'ici.

Cependant, leur tranquillité fut de courte durée. Toshan rentra, escorté de Mukki, et claqua la porte, la mine accablée. Ils étaient tous les deux recouverts de neige fraîche, et leurs bottes laissaient des traces humides sur le plancher.

— On m'a volé Mira, tempêta le Métis. Et je dis bien volé! Elle n'a pas pu sortir du cabanon: j'avais poussé le loquet.

C'était la chienne malamute qu'il enfermait à l'écart des autres parce qu'elle était en chaleur.

— Mais qui a pu faire ça? s'exclama Laura. Vous êtes sûr de ce que vous dites, mon gendre?

— Hélas, oui! Et il neige tant depuis ce matin qu'on ne voit aucune trace, rien de rien! Le voleur est loin.

— Tabarnak! jura Jocelyn. Icitte, sous votre nez!

— C'était forcément pendant la nuit, ajouta Mukki. En plein jour, des fenêtres, on voit très bien les cabanons des chiens.

— Oh! je suis consternée! leur dit Hermine en se levant.

— Pas tant que moi, Mine. J'ai payé cette bête cent cinquante piastres. Elle est de race pure. Je misais sur elle pour lancer mon élevage. J'avais choisi le mâle qui lui donnerait les meilleures portées.

Madeleine toussota et adressa un regard outré à son cousin. L'Indienne considérait ces conversations déplacées en présence des quatre filles.

— Au diable ta pudibonderie! J'avais un projet, et Mine m'avait avancé de l'argent. Cet argent, il court je ne sais où sur ses quatre pattes, maintenant! Mais je crois savoir qui m'a joué ce mauvais tour. Kiona, ce n'est pas la peine de te cacher derrière ton livre. Je pense que ton camarade Delsin préparait son coup. Il rôdait autour de chez nous dans un but bien précis.

— Tu l'accuses sans preuve, répliqua-t-elle crânement. Son oncle a déjà des chiens, de très beaux chiens croisés de huskies.

Furibond, Toshan marcha droit vers sa demi-sœur et l'obligea à se redresser. Il était hors de lui et lui serrait le poignet.

— Peux-tu me garantir que ton Delsin n'a pas traîné par ici hier soir ? C'était l'occasion : nous étions tous en train de fêter Noël.

— Allons, allons ! protesta Jocelyn. Lâchez-la donc, Toshan ! Pourquoi Kiona serait-elle mêlée au vol de la chienne ? Et qui est ce Delsin ? Expliquez-nous, tabarnak !

— Oh ! Vous et vos tabarnak ! vociféra le Métis. Moi, je vais m'exprimer à la française. Et merde ! Voilà !

— Enfin, calme-toi, cousin, s'offusqua Madeleine. La chienne a pu s'échapper.

— Ah oui. Elle a été assez habile pour ouvrir le loquet placé à l'extérieur ! On me l'a volée, je te dis. Mukki, va préparer le traîneau de Gamelin ; il est plus léger que le mien. Attelle ses chiens, pas les miens. Je vais aller rendre visite à Delsin et à son oncle. Je sais, moi, pourquoi ils ont fait ça.

— Pourquoi donc, chéri ? demanda timidement Hermine.

— Je suis un Métis et ils me méprisent. Un bâtard de Blanc ! Je l'ai assez entendue, cette insulte, chez les Montagnais. Plus jeune, j'avais droit à un autre son de cloche chez les Blancs. Pour eux, j'étais un bâtard d'Indien. Bon sang, en France, au moins, on me croyait italien ou corse, avec mes cheveux rasés. Mais ici, sur mes terres, je sens encore le mépris des uns et des autres.

Effrayé par les hurlements de son père, le petit Constant se mit à pleurer. Laurence se précipita pour le consoler.

— Et meerrrrde ! claironna Adèle, enjouée et pas du tout apeurée.

— Bravo, Toshan ! enragea Charlotte. Tu apprends de gros mots aux enfants, astheure ! Viens, Ludwig, je vais coucher la petite. Prends-la, je te prie.

Le jeune couple s'éclipsa. Furieux, Toshan leur lança un « bon débarras ! », puis il regarda Mukki qui n'avait pas bougé.

— Je t'ai donné un ordre, fils ! Dépêche-toi. Ils vont filer avec ma chienne.

— D'accord, papa.

Madeleine et Hermine observaient d'un air résigné l'eau qui dégoulinait du manteau de Toshan. La neige fondait de plus en plus vite. Grand-mère Odina fit signe à Akali d'aller chercher une serpillière.

— Delsin, enfant des démons ! trancha la vieille Indienne. Tout noir au-dedans ! Alors, méfiance !

Sur ces mots, elle décocha une œillade sévère à Kiona qui se faisait toute petite, à moitié cachée derrière Louis.

— Enfant des démons ou pas, il aura affaire à mes poings si je retrouve Mira à leur campement ! s'écria le Métis. Kiona, indique-moi l'endroit exact où ils se sont installés.

La fillette reprit courage. Son sens aigu de la justice la poussa à tenir tête à son demi-frère. Ses prunelles dorées se firent étincelantes. Son beau visage tendu vers lui, elle s'exclama :

— Non, je ne te dirai rien ! Ils sont pauvres, si pauvres ! Toi, tu es riche. Tu possèdes cette terre, une grande maison et beaucoup de provisions. Si Delsin a volé la chienne, c'était sûrement pour la revendre et pouvoir manger cet hiver.

Laura étouffa un cri d'indignation devant l'effronterie de Kiona. Jocelyn, lui, en digne père gâteux de sa progéniture, l'admirait en silence.

— Ah ! je suis riche ! répéta Toshan. Tu te trompes. Sans Hermine, je serais aussi pauvre qu'avant. Que crois-tu que j'ai fait, moi, à seize ans ? J'ai traversé le lac en quête d'une job pour aider mes parents. Parce que mon père, Henri Delbeau, il avait du mal à trouver l'or de la Péribonka. La rivière l'a tué, mon père, et, là encore, j'ai cherché des jobs. Il fallait que je nourrisse ma mère, qui habitait ici, dans une petite cabane délabrée. Delsin, il n'a qu'à travailler, Kiona ! Je n'ai jamais volé, tu m'entends ? Jamais !

— Il est devenu mauvais à cause du pensionnat, insista la fillette.

— Ça suffit ! coupa Hermine d'une voix dure. Arrêtez de vous chamailler, tous les deux. Toi, Kiona, tu deviens d'une insolence qui me fait honte. Va lire dans ta chambre. Et toi, Toshan, sors donc te rafraîchir les idées. C'est le jour de Noël, tu devrais y penser. Sors, je te dis, je viens avec toi. Je suis prête dans cinq minutes.

Laura leva les bras au ciel, contrariée.

— Mais enfin, ma chérie, tu es folle ? Par ce temps ?

— Il ne fait pas si froid, maman. Je ne suis pas montée sur un traîneau depuis des années. Une balade me fait envie.

— Ce ne sera pas une balade, Mine, tu es prévenue, lui cria son mari du perron.

— Il vaut mieux que je l'accompagne, affirma-t-elle. Nous serons de retour pour le thé ou le souper.

Jocelyn faillit jurer, mais il se retint, vexé par la remarque désobligeante de son gendre. Grand-mère Odina prit place à côté de lui et le scruta.

— Tabarnak, c'est plus joli que la chose en français, bredouilla-t-elle avec un air de complicité. Fumons, maintenant.

La vieille Indienne sortit une pipe de sa jupe et l'alluma, ce qui scandalisa Laura. Mais Jocelyn l'imita en brandissant sa propre pipe.

— Quel drôle de Noël ! bougonna-t-il.

Au fond de lui-même, Toshan était assez content d'être enfin seul avec sa femme. Malgré la colère qu'il éprouvait, il avait veillé à son confort en l'enveloppant dans deux épaisses couvertures. Assise sur la traîne, appuyée au dosseret en bois, Hermine avait l'impression d'être revenue des années en arrière. Elle y songeait, émue, sans essayer d'en discuter. L'attelage avançait laborieusement. Dense et lourde, la neige ne se prêtait guère à une expédition en pleine forêt. Les chiens de Gamelin trottaient courageusement, mais ils s'enfonçaient jusqu'au poitrail dans une masse cotonneuse et collante.

— Allez, allez ! les encourageait le Métis. Plus vite !

C'était une tentative sans doute vouée à l'échec, Toshan le pressentait ; cependant, il ne voulait pas renoncer. À plusieurs reprises, il dut dévier de sa trajectoire pour contourner des arbres tombés, fauchés par les tempêtes de l'hiver précédent. Après avoir failli verser en bas d'un talus, il ralentit l'allure.

— Mine, Kiona nous a bien dit que l'oncle de Delsin avait dressé un camp au bord de la rivière. Je devrais obliquer vers le sud. Qu'en penses-tu ?

— Je pense que tu épuises ces pauvres bêtes pour rien. Il fallait emmener Kiona, si tu voulais vraiment retrouver Mira. Comment espères-tu arriver pile au bon endroit ?

— Je guette soit une colonne de fumée, soit l'odeur d'un feu. Tu as eu tort de me suivre. Seul, j'aurais pu pourchasser ces voleurs durant des heures, même de nuit. Allez, allez, filez !

Toshan s'élança de nouveau, à la faveur d'une vaste clairière. La jeune femme ferma les yeux, grisée d'un frisson de joie. C'était plus fort qu'elle. Rien ne l'empêchait de savourer cette course à travers bois, dont chaque bruit, même le plus menu, lui était familier : les crissements des patins, le cliquetis des harnais, les craquements des brindilles alentour et le halètement des chiens. Surtout, il y avait la présence de cet homme qu'elle adorait depuis si longtemps déjà. Elle l'imaginait, les traits durcis et le regard noir, droit et hautain, ses mains gantées rivées aux poignées du traîneau.

Elle soupira, sensible à la montée du désir en elle. Son corps lui parut brûlant, et des ondes voluptueuses parcoururent son ventre. Elle se pelotonna davantage sous les couvertures, attentive à ce tendre orage intérieur qui la faisait sourire.

— On approche ! s'écria soudain son mari. Est-ce que tu sens, Mine ? Le feu...

— Un peu, admit-elle en regardant autour d'elle.

Le Métis immobilisa ses bêtes et fit quelques pas en avant.

— Attends-moi ici, dit-il.

— Non, je viens ! Je n'ai pas envie que tu te battes ! En plus, l'oncle de Delsin est peut-être armé. Et toi, tu n'as pris ni tes raquettes ni ton fusil.

Il lui tendit la main pour l'aider à se mettre debout.

— Je n'avais pas l'intention de blesser quelqu'un. Viens, si tu y tiens. Mais, à mon avis, ils ont décabané, sinon les chiens grogneraient à l'approche des autres chiens. Les animaux ont un flair aiguisé, comparé à nous.

Ils avancèrent le plus vite possible, compte tenu de l'épaisseur de neige. Trois fois Hermine tomba en avant. Toshan la releva. Il finit par en rire.

— Le ferais-tu exprès ? Dis-moi, tu n'aurais pas l'intention de me retarder ? Si tu juges bon de laisser Mira à ces vauriens, autant me prévenir. Après tout, c'est avec ton argent que je l'ai achetée.

— Imbécile, va ! remarqua-t-elle. Personne ne tiendrait debout dans cette neige-là. Et c'est Noël ! Nous sommes là, tous les deux. Il y aurait mieux à faire que de poursuivre tes voleurs.

Il lui fit face, un peu intrigué. Elle le regardait d'un air espiègle, ravissante avec ses joues rosies par le froid et ses grands yeux bleus brillant d'une étrange gaîté. Il arrangea une mèche blonde qui dépassait de son bonnet de laine noire.

— Ce n'est pas le moment, Mine chérie, observa-t-il. Je veux récupérer ma chienne.

— Un baiser au moins, pour me donner des forces !

— Non !

Il lui tourna le dos et se remit en marche. Hermine le suivit, certaine qu'il avait compris à quel point elle avait envie de lui. Ils arrivèrent bientôt à destination. Ce n'était qu'un abri de fortune au bord d'un ruisseau en partie pris par la glace. Une toile trouée accrochée entre des épinettes subsistait, ainsi qu'un foyer cerclé de galets dont les cendres fumaient encore.

Toshan ramassa une bouteille de vin vide et une autre de bière. Des os rongés gisaient à proximité.

— Ils doivent être loin, dit-il d'une voix radoucie. Je peux dire adieu à Mira.

— Nous achèterons une autre chienne de race, allons ! Je sais que tu y tenais, à cause de ton projet d'élevage, mais c'est trop tard pour les rattraper.

— En effet, ce serait courir au hasard en pure perte. Leurs empreintes sont effacées. Rentrons, il fera vite nuit. As-tu remarqué ? Les bouteilles viennent de chez nous. Je connais bien les étiquettes. J'achète la bière et le vin à Péribonka.

— Kiona a dû les leur apporter l'autre jour, avant ton départ. Je la gronderai, c'est promis.

Toshan haussa les épaules, dépité.

Le retour fut plus facile, car ils marchèrent dans le sillon qu'ils avaient tracé à l'aller. Mais, parvenus au traîneau, Hermine obligea doucement son mari à s'asseoir. Il céda, interloqué. Tout de suite, elle l'embrassa à pleine bouche en s'installant près de lui. Il capitula, et leurs lèvres se livrèrent à un joyeux combat entrecoupé de mots balbutiés.

— Mine, ce n'est pas sérieux, pas ici !

— Oh si, ici…

— Mais tu auras froid !

— Souviens-toi de notre fuite vers l'ermitage Saint-Antoine et de notre mariage. Rappelle-toi le soir de nos noces, dans le cercle des mélèzes. Je n'ai pas eu froid du tout.

Afin de lui prouver la puissance de son désir, elle ôta ses mitaines et glissa sa main entre ses cuisses d'homme, robustes et musclées. Ses doigts menus et agiles caressèrent une partie de son anatomie qu'elle savait prompte à réagir. Toshan eut une sorte de grognement de plaisir et l'encouragea d'un regard impérieux.

— Tu veux bien, alors ? bredouilla-t-elle à son oreille.

— Oh oui, je veux, je te veux maintenant !

Comme égarée par la violence de ses propres sensations, Hermine défit la ceinture de son mari et s'attaqua aux boutons de son pantalon. Elle voulait sentir sous sa main la chaleur de sa peau et le contact de son sexe.

— Je t'aime, comprends-tu? balbutia-t-elle. Je t'aime tant!

— Mine, Mine chérie! haleta-t-il.

L'instant suivant, il gémissait, égaré. Elle suspendit son geste pour le guider vers le dosseret auquel il s'appuya. Ils s'embrassèrent à nouveau avec une frénésie farouche, accordée à l'immensité environnante, déserte et duveteuse, pétrie d'un infini silence. Toshan eut le réflexe de soulever les couvertures et d'en draper sa femme.

— Attends! implora-t-elle d'une voix rauque. Attends, mon amour.

Il crut qu'elle entreprenait d'enlever le pantalon qu'elle portait sous une longue jupe en lainage, mais il fut sidéré en découvrant qu'elle avait mis des bas.

— Mais… suffoqua-t-il, tu n'as même pas de petite culotte? Mine, tu avais prévu que…

— Oui, dès que j'ai proposé de t'accompagner, je pensais déjà à la meilleure façon de te consoler, avoua-t-elle en riant. Toshan, tu dois le savoir, je t'aime de tout mon être. Cela me semble très important de te le dire aujourd'hui, et je tiens à ce que tu t'en souviennes tout le reste de notre vie. Tu me plais toujours autant, autant que ce soir d'hiver où tu patinais derrière le magasin général. Notre amour est placé sous le signe de l'hiver. J'y songeais, tout à l'heure, assise ici, seule. Et toi, tu étais si proche! Rien qu'à moi!

Elle se plaça au-dessus de lui à genoux, offrant à sa virilité triomphante sa fleur de chair, rose et soyeuse, délicieusement chaude. Il se cambra pour mieux la pénétrer, puis ce fut elle qui mena le jeu, cavalière savante, langoureuse, dont les souples mouvements de reins le menèrent à la jouissance un peu trop vite à son gré. Hermine lut sur le visage extasié de son mari l'aboutissement de son plaisir. Elle s'abandonna alors au tumulte voluptueux qu'elle avait su dominer et il perçut avec une joie délirante les spasmes intimes qui l'agitaient. Leurs lèvres se retrouvèrent, tremblantes, mais gourmandes, pour un long baiser.

Les chiens n'avaient pas bronché pendant leurs ébats. Mais ils se lancèrent subitement dans un concert de hurlements inquiets.

— Mine, laisse-moi voir ce qui se passe! s'exclama Toshan.

Il fut très vite debout, occupé à boucler sa ceinture avant d'enfiler ses mitaines fourrées. Hermine s'empressa de remettre de l'ordre dans sa tenue.

— Est-ce qu'il y a quelqu'un ? se renseigna-t-elle, intriguée.

— Oui, un témoin gênant ! s'esclaffa le beau Métis. Vois un peu, là-bas...

Il lui montrait une forme rousse velue, figée près d'une souche d'arbre. L'animal portait un masque noir qui rehaussait l'éclat de ses yeux bruns. Les babines retroussées sur des crocs jaunes, la bête les regardait.

— Un carcajou ! Le diable des bois ! affirma-t-il avec crainte et respect tout à la fois.

Blottie contre Toshan, Hermine observa l'animal avec intérêt. Il ne tarda pas à détaler, tandis que les chiens hurlaient de plus belle.

— La vie doit être dure pour lui, tout l'hiver ! remarqua-t-elle. Nous avons de la chance, nous, d'avoir une bonne maison bien chaude et de la nourriture pour des mois.

— Oui, lui, il va subsister en détruisant les pièges des trappeurs et en mangeant des charognes. C'est un chasseur habile, mais le gibier est plus rare en cette saison. Tu as raison, Mine, nous avons de la chance. On n'est pas comme certains.

Elle devina qu'il pensait à Delsin et à son oncle. Émue, car elle pensait également à eux, elle frotta sa joue contre l'épaule de son mari. Il virevolta et l'étreignit avec passion.

— Je n'oublierai jamais ce jour de Noël, souffla-t-il à son oreille. C'était..., comment te dire ? prémédité, certes, mais fantastique et unique, ma belle sauvageonne !

Ils s'embrassèrent encore à perdre haleine, sans même voir qu'il ne neigeait plus et que le ciel prenait des teintes pourpres à l'ouest.

— Rentrons vite, maintenant ! C'est notre hiver, Toshan, le plus bel hiver que nous ayons vécu au bord de la Péribonka.

* * *

L'ambiance était calme dans la maison que le jeune couple avait quittée deux heures auparavant. Laura s'était allongée en invoquant le besoin d'une sieste, mais en vérité la désertion d'Hermine l'avait contrariée et elle boudait. Charlotte et Ludwig se reposaient eux aussi, la porte bien close, car Adèle et Thomas avaient eu la bonne idée de s'endormir en même temps.

Dans la pièce principale, Odina, Jocelyn et Mukki jouaient aux cartes, une sorte de poker improvisé avec des haricots secs en guise de monnaie. Laurence dessinait en bout de table, tandis que Kiona et Marie-Nuttah amusaient Constant, assises avec lui sur le tapis rouge, au pied du sapin de Noël.

Hormis les annonces des joueurs, seul le feu faisait entendre son chant familier, de brefs pétillements et des crépitements. Quant à Madeleine, elle avait entraîné sa fille adoptive dans sa chambre, loin des oreilles indiscrètes.

— Akali, j'ai des questions à te poser avant le retour de mon cousin, commença-t-elle d'un ton sec. Cela me déplaît fort, la disparition de la chienne. J'espère que tu n'as pas aidé ce Delsin !

— Non, mère, je t'assure.

— Il y a plus grave. Kiona aurait dit à Hermine, qui me l'a répété, que Delsin s'intéresse beaucoup à toi. Ce garçon a ton âge, Akali. A-t-il eu des gestes déplacés ? T'a-t-il manqué de respect ?

Honteuse, l'adolescente baissa la tête et éclata en sanglots.

— Il a essayé de m'embrasser. Le soir où il est entré pour voir l'arbre de Noël. Dans le couloir, il faisait noir et il m'a prise par la taille. Il a juste posé ses lèvres sur les miennes. Je l'ai repoussé, mère, je te le jure. Il est mauvais ; grand-mère Odina a raison. Mais moi aussi, je suis mauvaise.

Apitoyée, Madeleine fit asseoir Akali sur le lit. Là, elle l'entoura d'un bras protecteur.

— Pardonne-moi de t'interroger ainsi. Je veux la vérité, rien d'autre. Pourquoi dis-tu que tu es mauvaise ? Je sais, on t'a fait des choses terribles au pensionnat. On t'a volé ton enfance, ton innocence, et j'en suis désolée. Tu n'as pas à te croire mauvaise pour autant.

— Ce n'est pas à cause de ça, affirma la jeune fille. Oh ! mère, je t'en prie, je veux entrer au couvent l'été prochain. Je serai triste d'être séparée de toi, mais je préfère servir Dieu.

Madeleine était consternée et surtout incrédule. Elle prit les mains d'Akali dans les siennes.

— Tu désirais enseigner, mon enfant ! La décision de prendre le voile est grave. Ta foi doit être véritable.

— J'ai beaucoup réfléchi. Je voudrais aller chez les sœurs de Notre-Dame-du-Bon-Conseil, à Chicoutimi.

— Oh! ma pauvre petite, vivre loin du monde, coupée de tes amies et de moi qui t'aime tant! gémit l'Indienne.

— Certaines religieuses sont institutrices, je crois.

Le cœur serré, Madeleine tenta de comprendre la brusque décision de l'adolescente. Elle en vint à craindre un drame secret, dont nul n'aurait été témoin.

— Dis-moi, Akali, est-ce que Pierre Thibaut a abusé de toi quand il est venu jusqu'ici au début de l'été? Tu étais dans un tel état! Peut-être n'as-tu pas osé m'en parler? Ou bien as-tu cédé à Delsin?

Akali se redressa, indignée. Elle fixa sa mère adoptive avec stupeur.

— Moi, céder à Delsin? Oh! ça, jamais! Il ne s'est rien passé de tel non plus avec Pierre Thibaut. Seulement, les hommes dans leur genre me répugnent, oui, et je préfère éviter d'en rencontrer d'autres. Au moins, entre les murs d'un couvent, je mènerai une existence sage et paisible.

— L'existence dont je rêvais après la mort de ma petite fille, chez les sœurs de Chicoutimi… Mais j'y ai renoncé dès que j'ai nourri les jumelles d'Hermine. Ces deux bébés que le destin m'envoyait, je ne pouvais pas les abandonner. Je les ai vues grandir et, grâce à Laurence et à Nuttah, j'ai pour ainsi dire connu les joies de la maternité. Ensuite, je t'ai ouvert les bras, Akali, et tu m'as donné beaucoup de bonheur. Pourquoi me quitter? J'espérais qu'un jour tu te marierais, que je serais grand-mère! Ne condamne pas tous les hommes à cause de ceux qui n'ont pas d'honneur ou de sens moral. N'as-tu pas envie d'être amoureuse?

Bouleversée, Akali considéra Madeleine d'un air désespéré.

— Je suis déjà amoureuse, confessa-t-elle dans un murmure. Et c'est pour ça que je suis mauvaise, mère, très mauvaise!

— Mon Dieu! Qui est-ce? Il faut me dire son nom. Où l'as-tu connu? Et en quoi cela te rend-il coupable, ma petite?

— Il ne pourra jamais m'aimer, lui…

Soudain, à la lumière d'infimes détails qui s'imposaient à elle, Madeleine devina de qui il s'agissait.

— Ludwig?

Akali se contenta de hocher la tête affirmativement, malade de honte. L'Indienne se détourna, pensive. Fallait-il vraiment prendre cela au sérieux? Sa fille côtoyait le jeune Allemand depuis des mois du matin au soir et elle confondait peut-être une fascination bien naturelle avec un véritable amour.

— Lui, c'est un ange du ciel, reprit l'adolescente qui s'enfiévrait. Je sens qu'il est bon et généreux. Quand il me sourit, j'ai l'impression d'être au paradis.

— Certes, Ludwig est un bel homme, mais surtout il respire la loyauté, la douceur et la gentillesse, de précieuses qualités qui ont pu t'éblouir. Cependant, il est le compagnon de Charlotte. Ils se marieront bientôt. Tu ne dois pas rêver à lui ni jouer les coquettes en sa présence.

— Je sais tout ça, approuva Akali en se pliant en deux, le visage inondé de larmes. Et je préfère partir au couvent le plus tôt possible. Mère, je suis mauvaise, parce que j'ai pensé, le jour de la naissance de Thomas, j'ai pensé une chose épouvantable… J'écoutais Charlotte hurler et je me disais que, si elle mourait en couches, Ludwig serait seul pour élever ses deux petits et que, moi, je l'aiderais, je le soutiendrais. J'imaginais qu'après plusieurs mois, même plusieurs années, il finirait par m'aimer. Depuis, j'ai honte, tellement honte!

Cette fois, Madeleine fut accablée. Elle regarda sa fille avec au fond des yeux un réel chagrin.

— Tu peux avoir honte, dit-elle enfin. Akali, tu dois être raisonnable, sinon nous serons obligées de partir d'ici toutes les deux, et cela me ferait trop de peine. Je vis auprès d'Hermine et de Toshan depuis des années. Grâce à eux, j'ai une famille, et cette famille t'a acceptée et choyée. Ne sois pas ingrate!

— Mère, pardonne-moi, je t'en supplie. Je t'aime tant! Ne dis à personne ce que j'éprouve pour Ludwig.

À la fois soulagée et horrifiée d'avoir dévoilé ce qui la tourmentait, Akali se jeta au cou de Madeleine en tremblant de tout son corps. Pleine de compassion, sa mère adoptive n'osa pas l'accabler davantage.

— Les élans du cœur ne se commandent pas, ma pauvre enfant, observa-t-elle tout bas. Mais je te conseille de prier chaque jour pour guérir de cette folie. Je prierai moi aussi de toute mon âme.

Ainsi, à l'aube de sa vie de femme, Akali souffrait du mal d'amour. Le regard dans le vague, l'Indienne berça contre elle l'adolescente dont les aveux venaient de semer le doute et l'amertume en elle. Hermine et Toshan s'adoraient, cela se devinait au moindre de leurs gestes, comme Charlotte et Ludwig. Laura et Jocelyn avaient l'un envers l'autre des sourires et des attentions discrètes. « Et moi, je ne sais qu'invoquer Dieu, car j'ai renoncé à connaître le bonheur ordinaire des couples, songeait-elle. Prendre soin de l'homme qu'on chérit, dormir à ses côtés, guetter son retour, recevoir des baisers et des caresses… »

— Ne sois pas trop malheureuse, dit-elle soudain à sa fille. C'est souvent une bénédiction, d'aimer. Tu es toute jeune. Un jour, tu croiseras le chemin de l'homme qui t'est destiné. Allons, c'est Noël, nous n'allons pas pleurer et nous morfondre. J'ai confiance en toi, Akali. Demande pardon à Notre-Seigneur pour les mauvaises pensées que tu as eues et témoigne du respect et de l'amitié à Charlotte. Je garderai ton secret.

— Et toi, mère, as-tu eu des secrets comme le mien ? s'enquit l'adolescente, encore très ébranlée.

— Tu voudrais savoir si j'ai été amoureuse ? Pas de mon premier époux, ça, non. Mais, il y a quelques années, j'ai cru aimer Pierre Thibaut. À l'époque, il avait belle allure ; il riait et plaisantait.

— Lui ? s'affola Akali.

— Oui, lui ! Je faisais erreur, vois-tu. De plus, il était marié et je l'ai soigneusement évité.

— Je ne peux pas éviter Ludwig…

— En effet. Il reste à souhaiter que Charlotte et lui partent pour l'Allemagne. Quant à toi, j'ai une idée. Tu pourrais entrer à l'École ménagère de Roberval, l'an prochain, ou même avant. Monsieur et madame Chardin s'en vont le 2 janvier. Et si tu voyageais avec eux ? Les religieuses seraient ravies d'avoir une nouvelle élève, travailleuse et instruite.

Elles discutaient encore de ce projet quand un remue-ménage dans la cuisine leur signala le retour de Toshan et d'Hermine.

— Viens, allons aux nouvelles, dit Madeleine. Je dois vite faire du thé.

— Alors, mon gendre, avez-vous retrouvé votre Mira ? demandait Jocelyn quand ils firent irruption dans la pièce. Moé, j'ai perdu aux cartes ; je n'ai plus un haricot en poche.

Grand-mère Odina éclata de rire, sa pipe entre les dents.

— Non, je suis arrivé trop tard, rétorqua le Métis. Tant pis, ma chère petite femme a bien profité de la balade.

— Nous avons vu un carcajou au masque noir, ajouta Hermine en se débarrassant de sa veste, de son bonnet et de ses mitaines. Laurence, tu devrais dessiner des animaux de la région, ce serait un excellent exercice.

– Oui, maman, mais il me faudrait des modèles.

– Si tu veux, je prendrai des photographies, proposa Marie-Nuttah.

Constant trottina vers sa mère, rayonnant. Hermine le souleva et le fit tourner en l'air.

– Mon bébé! As-tu été sage?

Elle le couvrit de baisers avant de le reposer au sol. Toshan embrassa leur fils à son tour, puis il se pencha sur Kiona qui lisait encore.

– Tes amis avaient décabané, petite sœur, annonça-t-il. Si ce sont eux les voleurs, ce dont je n'ai toujours pas la preuve, je suppose qu'ils prendront soin de Mira; ou bien ils la revendront et, comme c'est une bonne bête, elle a des chances d'avoir un maître sérieux.

– Oui, sûrement, répondit Kiona. Toshan, je suis désolée d'avoir été impolie. Tu as eu des ennuis à cause de moi. Pardon!

Au ton de sa voix, à son sourire inquiet et à l'expression chagrine de ses yeux dorés, il vit qu'elle était sincère. Il fondit de tendresse devant sa beauté, composée de fragilité et de force, ainsi que d'un insondable mystère.

– Tu es pardonnée, décida-t-il. Mais, pour ta peine, demain tu m'aideras à faire un bonhomme de neige. Le plus grand du monde.

Soulagé, Mukki, poussa un «hourra!» enthousiaste. Louis l'imita. Cela fit sortir de leur refuge Charlotte et Ludwig, ce dernier portant Adèle sur un bras, puis Laura qui s'était maquillée et arborait fièrement son turban noir.

– Maman, tu es superbe, remarqua Hermine.

– Merci, ma chérie! Un compliment est toujours agréable à recevoir. Mais ne cherche pas à m'amadouer. Tu nous as abandonnés.

– Ne sois pas fâchée, implora la jeune femme. La promenade en traîneau était magique. Je n'ai pas eu froid du tout.

Nul ne comprit pourquoi Toshan riait autant. Ils se retrouvèrent autour de la table et de la théière fumante. La nuit d'hiver bleuissait les fenêtres. Très loin, dans les solitudes enneigées, un loup hurla. Personne n'entendit son appel aux notes tristes, dans la maison illuminée où rougeoyait un bon feu. Personne sauf Kiona, qui eut un regard rêveur perdu au-delà des vitres embuées, une main nouée sur ses amulettes.

Rive de la Péribonka, jeudi 2 janvier 1947

C'était le moment du départ. Les chiens étaient attelés, et les traîneaux, équipés de chaudes couvertures. Madeleine avait préparé deux bouteilles thermos pour les voyageurs, une remplie de café, l'autre de thé. Il faisait ce jour-là un froid sibérien, sous un ciel d'une limpidité absolue. Le soleil, encore dissimulé derrière les résineux de la forêt, se lèverait bientôt, promesse d'un peu de chaleur malgré l'emprise du gel.

— La neige est bien dure, annonça Toshan. Nous irons plus vite qu'à aller. J'ai graissé les patins. Nous pourrons mener un bon train.

Chaudement emmitouflée, Hermine enlaçait sa mère, qui pleurait sans pouvoir s'arrêter.

— Oh! ma chérie, j'ai passé une semaine formidable, disait-elle. Je me sentais si bien avec vous tous! Je vais m'ennuyer à Val-Jalbert, sans mes petits-enfants et sans toi. Et Toshan a été d'une telle gentillesse! Nous avons bien ri, avant-hier, quand il nous a emmenés patiner sur la rivière.

La jeune femme plaisanta.

— Tu auras des souvenirs; Marie-Nuttah nous a photographiés. Même ma chute! Le cliché sera flou, mais l'événement est immortalisé. Maman, moi aussi, j'étais très heureuse de vous recevoir.

Coiffé d'une toque en fourrure élimée par le temps, Jocelyn s'approcha en réclamant sa part de becs.

— À la revoyure, ma grande fille. Tu nous as reçus comme des princes. Parole, j'ai dû prendre cinq livres. Mais, dorénavant, je sortirai plus souvent pendant l'hiver. L'exercice me fait du bien.

Il étreignit Hermine avec vigueur en l'admirant de ses grands yeux sombres remplis d'amour paternel.

— Sois heureuse, ma chérie! Tu peux l'être, icitte!

— Je le sais, mon cher papa, dit-elle en retenant ses larmes. Partez vite, sinon je vais vous garder encore une semaine.

— Hélas! nous avons des impératifs, soupira Laura. Mukki et Louis rentrent au collège.

Toute la maisonnée était dehors et, sur le tapis immaculé de la clairière, les silhouettes encapuchonnées, vêtues de couleurs diverses, ressemblaient à de grands jouets posés là, autour d'un gigantesque bonhomme de neige qui ne fondrait pas avant le printemps. Adèle et Constant lui vouaient une affection tout enfantine, le surnommant de vocables variés selon leur inspiration, dans un langage parfois difficile à comprendre pour les adultes. Le plus souvent, le personnage s'appelait Dadou, comme le cheval à bascule de la petite fille. Il avait une cocotte de pin en guise de nez et un sourire dessiné au charbon. Deux boules de verre bleu, prises sur le sapin, lui faisaient un regard amical. Les jumelles l'avaient de plus affublé d'un vieux chapeau en cuir, flanqué d'une plume d'oie et d'une écharpe rouge.

Les embrassades et recommandations n'en finissaient pas. Jocelyn accabla Charlotte de baisers. Il l'assura qu'elle pourrait bientôt revenir à Val-Jalbert, sans crainte pour Ludwig.

— Nous nous en occuperons, affirma Laura d'un ton ferme. Le maire saura comment régler la situation. Patientez donc un peu avant de partir pour l'Allemagne. Bébé Thomas n'est pas en âge de faire un tel voyage.

— Nous verrons! répétait la jeune mère.

Odina assistait aux adieux, la mine impassible, mais le cœur lourd. Elle s'était attachée aux parents d'Hermine et regrettait en silence d'être privée de leur compagnie. Finalement, à la surprise générale, la vieille Indienne et Laura avaient sympathisé. Le soir, près de la cheminée, elles avaient même échangé bien des confidences sur leur jeunesse.

— Revenez, belle dame, la pria Odina en lui serrant la main. Vous, femme de feu, comme moi et ma fille Tala.

— Merci! répliqua Laura, émue. Vous me manquerez, Odina.

Engoncée dans une veste fourrée, sa chevelure flamboyante cachée sous un bonnet blanc, Kiona caressait un des malamutes. La fillette avait une sacoche à l'épaule, ainsi que des gants et des bottes fourrées. Elle partait elle aussi. C'était sa décision.

— Je passerai l'hiver à Val-Jalbert avec mon père, avait-elle dit à Hermine la veille. Je n'ai plus peur des fantômes. Et puis, j'ai mes amulettes.

— J'aurais préféré que tu restes avec moi, avait protesté sa demi-sœur. Mais papa sera content, Louis également.

— Je dois profiter de mon père, s'était expliquée la fillette. En plus, il y a mon cheval, là-bas, et le poney. Ils sont habitués à moi. Ah oui, je dois aussi soigner Joseph Marois.

Ces paroles énigmatiques avaient bouleversé Hermine. Elle y pensait encore en embrassant Kiona.

— Tu en as, des choses à faire. Donne le bonjour à ce pauvre Joseph, à Andréa et à Marie. Sois prudente, ma petite chérie, et très sage; plus d'insolence, surtout avec ma mère.

— Je te le promets, répondit Kiona d'un air préoccupé. Mais toi aussi, sois prudente. Tu ne devrais pas aller à Québec au printemps.

— Je dois gagner de l'argent. Le Capitole fera sûrement appel à moi.

— Toshan peut en gagner, lui, s'il fait visiter la région en avion aux touristes américains. Tu es mieux ici, au bord de notre Péribonka.

— Pour acheter un avion, même un petit modèle, nous avons besoin de beaucoup d'argent et cela m'oblige à travailler, à Québec ou ailleurs. Après, je passerai l'été en famille et tu viendras nous rejoindre.

Kiona acquiesça d'un signe de tête. Elle étreignit sa demi-sœur de toutes ses forces. Une angoisse inexprimable lui nouait la gorge.

— Je t'aime, Mine! Pardon d'avoir été méchante, parfois.

— Je t'aime très fort et je te pardonne tout, ma petite fée!

Toshan les sépara en soulevant Kiona pour l'installer à bord de son traîneau. Il avait soin de répartir les charges afin de ne pas épuiser les chiens.

— Il faut y aller, dit-il. Les journées sont courtes. Je serai vite de retour, Mine.

— En route! claironna Mukki, perché sur l'extrémité des patins. À la revoyure, tout le monde!

Les mains s'agitèrent; des cris retentirent, encore des «au revoir» et des «à la revoyure». On s'envoyait des baisers, on échangeait des promesses. Les deux traîneaux s'éloignèrent, franchirent les limites de la clairière et se glissèrent entre les arbres, non sans projeter en arrière des gerbes de cristaux de neige que le soleil irradiait.

Akali se tourna discrètement vers Ludwig, dont le profil de médaille était auréolé d'un liséré de lumière brillante, celle de ce matin si pur et si froid. «J'ai encore des mois à vivre dans son ombre», songeait l'adolescente qui s'inquiétait et se réjouissait en même temps, entourée de Laurence et de Marie-Nuttah. Les jumelles s'étaient farouchement opposées à son départ. Elles avaient usé leur langue pour rien, comme disait Toshan, car il ne pouvait emmener une personne de plus, de toute façon. Hermine, de son côté, avait jugé l'idée absurde.

— Enfin, Madeleine, on ne peut pas l'envoyer ainsi à Roberval sans avoir averti les religieuses. Akali se présentera à l'École normale en septembre comme prévu! Les filles étudieront tout l'hiver; j'ai apporté des livres de leur niveau scolaire. S'il le faut, je ferai la classe comme avant la guerre.

L'Indienne avait capitulé, d'autant plus facilement qu'il lui déplaisait de se séparer de sa fille adoptive. Elle se jurait d'être vigilante, de la surveiller de près. Plus que jamais Madeleine se confondait en prières, offrant à Jésus-Christ le trop-plein d'amour de son cœur solitaire.

— Ça y est, on ne les voit plus, annonça tristement Hermine après quelques minutes. Allons, rentrons.

La maison lui parut bien vide. Charlotte s'approcha de son amie et la consola.

— Nous sommes encore nombreux, Mimine. Ne t'inquiète pas, tu n'auras pas le temps de te morfondre. Il nous reste le sapin de Noël et plein de friandises.

Paisible et douce, la vie quotidienne au bord de la Péribonka reprit son cours.

* * *

La traversée du lac Saint-Jean commençait. Le vent du nord soufflait en rafales violentes, soulevant de la poussière givrée. Laura étudia d'un œil désorienté l'immense étendue blanche, cette véritable mer intérieure qui avait ce jour-là l'aspect inquiétant d'un désert de glace.

Ils avaient dormi à l'auberge de Péribonka et, dès le lever du soleil, Toshan avait préparé ses chiens. Maintenant, les deux traîneaux glissaient sur la neige pétrifiée. Kiona, cette fois, s'était assise à côté de Laura, Louis ayant exigé d'être avec Mukki sur l'autre traîneau.

— J'ai hâte d'atteindre Roberval! cria Jocelyn à son gendre. On dirait qu'une tempête arrive droit sur nous.

— Oh! rien de grave! rétorqua le Métis. Les bêtes sont en forme et bien reposées. Nous allons battre des records de vitesse.

Toshan riait, heureux de la froidure et du décor grandiose qui servait de cadre à leur course matinale.

— Toshan n'a peur de rien, confia Laura à Kiona. Rapproche-toi donc! Je ne vais pas te manger! Là, viens contre moi, on se tiendra chaud.

La fillette éclata de rire. Cela l'amusait d'imaginer sa belle-mère en train de la dévorer.

— Alors, ça ne te gêne pas trop que je revienne à Val-Jalbert? interrogea-t-elle en pouffant encore.

— Non, je suis même enchantée. Jocelyn sera de meilleure humeur, de même que Louis. Et Mireille te gâtera; elle t'adore. Et, moi, je t'aime beaucoup malgré nos disputes de jadis. Tu mettras de la gaîté au petit paradis. Voudrais-tu que je demande à Andréa de te donner des leçons? Cela la distrairait, la malheureuse! Joseph lui mène la vie dure.

— Je veux bien, Laura, assura Kiona en se blottissant davantage contre son épaule. Et ta robe de mariée? Est-ce que tu l'as reprise?

— Bien sûr! Je l'ai emportée dans sa boîte d'origine. Je la suspendrai à un cintre dans ma chambre. C'est un beau souvenir. Je l'aimais vraiment, ton père, quand je l'ai épousé. C'était un monsieur, quelqu'un de droit et de bon. Il n'a pas changé et je l'aime toujours autant. Au fond, cette robe, je l'ai retrouvée grâce à toi, Kiona.

— Peut-être, répliqua-t-elle. Mais je ne l'ai pas fait exprès, pour une fois.

Elles se sourirent. Leur longue cohabitation hivernale s'annonçait sous les meilleurs augures.

Le soir même, Toshan et Jocelyn ranimaient les poêles du petit paradis, que le brave Onésime avait entretenus tout en coupant le tirage au minimum. Il faisait donc assez bon dans la maison, et une chaleur confortable s'établit très vite. Les lampes à peine allumées, Marie Marois vint frapper à la porte.

— Bonsoir, madame Laura, dit-elle une fois à l'intérieur. J'ai vu passer un traîneau et la camionnette de m'sieur Lapointe. Maman Andréa m'a demandé de vous prévenir. Mireille est chez nous; elle a pris le train plus tôt que prévu.

— Oh! la bonne nouvelle! Tu entends, Joss, notre gouvernante est déjà là. Eh bien, qu'elle vienne, Marie! Pourquoi ne t'a-t-elle pas accompagnée?

— Nous buvions le thé tous ensemble, et maman Andréa avait servi des beignes.

— Je peux aller chercher Mireille? demanda Kiona. Je lui tiendrai le bras. Elle pourrait glisser, tout est verglacé.

— D'accord, vas-y, acquiesça Jocelyn.

Louis voulut suivre les deux filles, mais Laura le retint par le col de sa chemise.

— Non, mon garçon, toi, tu vas rentrer des bûches avec Mukki et changer les draps de ton lit, ce qui aurait dû être fait avant notre départ. File!

Cela arrangeait Kiona. Elle marcha dans la rue Saint-Georges d'un pas audacieux, tandis que Marie se tenait à son bras.

— Pas si vite! Je n'ai pas envie de tomber. Alors, raconte-moi. C'était amusant le temps des fêtes chez Hermine?

— Oui, c'était merveilleux, assura l'étrange fillette dont le regard d'ambre voletait de-ci de-là. Mais Akali et les jumelles ne parlaient que d'amour. Comprends-tu, Marie, Mukki est amoureux d'Akali qui, elle, se languit pour le mari de Charlotte. Laurence rêve de monsieur Lafleur, l'instituteur, et je suis sûre que Marie-Nuttah pense un peu à un garçon indien, Delsin. C'est normal, il est très beau, le plus beau garçon du monde!

— Vous êtes bien jeunes, toutes, pour tomber en amour comme ça! dit la très sage Marie, déconcertée. Et toi, Kiona?

— Moi, je me moque de ces histoires-là, mentit-elle. Dis donc, il n'y a plus personne, ici.

— Ben si, toujours les mêmes, nous, vous, les Lapointe, le maire et les trois familles qui habitent le long de la route régionale. Figure-toi que le bureau de poste va fermer cette année. Faudra courir à Roberval pour expédier le courrier.

Kiona eut un sourire malicieux. Elle pensait à une autre catégorie de personnes, les fantômes et apparitions qui l'avaient harcelée durant l'été. Là, que ce soit près du couvent-école ou du côté du magasin général, elle ne voyait plus personne. Ravie, elle entra toute joyeuse chez les Marois.

— Doux Jésus, ma mignonne! s'exclama Mireille. Approche que je te donne un bécot. J'ai eu ben de la misère, moé. Ma cousine était malade et j'ai dû la soigner. On a passé un temps des fêtes ben triste.

Kiona avait une grande affection pour la gouvernante. Cela datait de leur première rencontre. Septuagénaire depuis une semaine, Mireille était quelqu'un de sincère, d'entièrement bon. Elle pouvait récriminer ou ronchonner, cela ne comptait pas.

— Je suis venue te chercher, déclara-t-elle, et souhaiter la bonne année à monsieur et madame Marois.

— Mon mari est dans le salon. Il fume sa pipe et, je te préviens, il ne veut voir personne.

— Bonne année, madame Andréa, et le paradis à la fin de vos jours! clama Kiona comme si elle n'avait rien entendu au sujet de Joseph.

— Merci, ma mignonne. Alors, tu es revenue ici, chez ton père! Mais où vas-tu? Kiona, n'importune pas mon mari.

C'était trop tard. La fillette s'était précipitée dans le salon, dont elle referma la porte. La pièce était sombre, malgré une lampe allumée sur le buffet. Des volutes de fumée à l'odeur tenace y stagnaient. L'ancien ouvrier était assis dans la chaise berçante qui trônait sous l'auvent durant la belle saison. Il semblait fixer un point invisible du parquet ciré, les épaules enveloppées d'une couverture écossaise.

— Bonne année, monsieur Joseph ! Et le paradis à la fin de vos jours ! répéta-t-elle selon la formule consacrée.

Joseph Marois lui décocha un coup d'œil abasourdi. De sa bouche déformée par un vilain rictus, il articula non sans mal :

— Tiens, v'là la petite sorcière, astheure ! J'donnerais ben une claque à ma femme pour t'avoir laissée entrer icitte ! Crisse-moé la paix, j'te dis…

Avec un bref soupir, Kiona scruta, à prudente distance, celui qu'elle considérait comme son malade.

— Monsieur Joseph, je voudrais vous parler de Simon, votre fils, jeta-t-elle sans précaution aucune. Est-ce que je peux approcher ? Surtout, il ne faut pas battre votre épouse.

Interloqué, il fit l'effort de se redresser pour la dévisager. D'une main malhabile, il chercha sa canne. Kiona s'enhardit à la lui donner.

— Voilà, vous pouvez essayer de me frapper moi aussi, mais vous n'y arriverez pas.

Elle attrapa un tabouret et prit place en face de lui. Il avait beaucoup vieilli en quelques mois. Ses cheveux avaient blanchi et ses traits s'étaient affaissés. Sa lèvre inférieure, tordue vers la gauche, tremblait un peu.

— Vous savez bien que je vois les morts, de temps en temps, reprit Kiona. J'ai vu votre fils, pendant la guerre, dans la salle de cours privés de Laura. Il était en paix, je vous assure, oui, apaisé ! Mais il ne l'est plus parce que vous souffrez. Il le sent.

— Veux-tu te taire ? aboya-t-il. Cause pas de Simon, surtout pas de lui !

Bien que furieux, Joseph la regardait d'un air soupçonneux, anxieux même. Superstitieux de nature et d'une foi naïve, il craignait les maléfices de Kiona. Elle l'impressionnait, surtout quand elle perdait son apparence enfantine et ressemblait presque à un être surnaturel, sans âge ni sexe, comme c'était le cas à présent.

— J'ai eu des amulettes en cadeau de Noël, poursuivit-elle. Mon cousin Chogan, qui est mort de la poliomyélite, les avait fait préparer pour moi. Voyez, je les enlève.

Elle ôta le collier auquel étaient suspendus d'étranges colifichets en cuir, ornés de plumes et de perles.

— Monsieur Joseph, Simon était courageux. Mine m'a dit qu'il était mort en héros. Pourquoi refusez-vous de parler de lui ?

— À cause de choses qui sont pas bonnes à savoir ! scanda-t-il, néanmoins apeuré par les prunelles d'or de Kiona.

— Je les connais, ces choses ! Simon était différent, mais ça n'empêchait pas les gens de l'aimer. Et vous, monsieur Joseph, si vous aviez été comme lui, ça vous plairait que votre propre père vous méprise et ait honte de vous ?

Il se mit à trembler, gagné par la panique. La petite sorcière lisait en lui et il ne pouvait pas s'enfuir. Il se signa, certain d'être confronté à une incarnation du diable. Depuis quelques minutes, Kiona s'exprimait excessivement bien, d'une voix nette et basse.

— Vous devez lui pardonner, ne plus être en colère contre lui, ajouta-t-elle. Il en a besoin. Et puis, vous rendez votre femme et votre fille si malheureuses ! Betty n'est pas contente du tout. Votre chère Betty… Elle n'a jamais renié un de ses enfants, elle. Monsieur Joseph ?

Secoué de gros sanglots, il cachait son visage entre ses mains. C'était un déferlement de chagrin et de remords, le poids, aussi, de ce secret affreux qu'il ruminait. Apitoyée, Kiona se leva et alla lui caresser la joue. Elle éprouvait une sensation de légèreté inouïe, au point d'observer ses pieds pour s'assurer qu'elle touchait encore le sol. Quelque part, dans l'âme torturée de Joseph Marois, une digue s'était rompue.

— Est-ce que je vais crever, astheure ? bredouilla-t-il. Tu es venue me confesser à cause de ça ? C'est le moment ?

— Non, pas du tout ! Vous conduirez Marie à l'autel dans quatre ans ; elle épousera un instituteur, Télesphore, et vous aurez un petit-fils qu'Edmond, ordonné prêtre, baptisera. D'habitude, je garde pour moi ce que je vois de l'avenir des gens. Mais je veux tellement vous aider. Hermine s'inquiétait pour vous.

— Ah ! Mimine ! Elle savait, elle aussi, pour mon fils.

— Et elle l'aimait très fort. C'était son frère de cœur, monsieur Joseph.

L'ancien ouvrier renifla en se frottant les yeux de sa main la plus agile. Il faisait l'effet à Kiona d'une marionnette dont les fils auraient été endommagés ou utilisés en dépit du bon sens.

— Il faut guérir, insista-t-elle. Que faites-vous, dans ce fauteuil, tout seul? Madame Andréa a préparé des beignes. Marie a si joliment décoré la cuisine, avec des branches d'épinette et des rubans dorés! Vous seriez mieux à côté, il fait plus chaud. Allez, je vais vous y conduire. Donnez-moi le bras!

— Non, pas encore, pas encore! Va-t'en donc!

— D'accord, je vous laisse en paix, monsieur Joseph, dit doucement Kiona.

Elle remit son collier d'amulettes et le salua en souriant. Il constata qu'elle avait retrouvé son minois de fille de douze ans, avec ses longues nattes rousses et ses joues rondes. Mais ce sourire, il doutait d'en avoir vu un aussi beau, un aussi lumineux. Il pensa, ébahi, que les anges du ciel devaient sourire de cette façon-là.

— Tu reviendras? demanda-t-il. On placotera, tous les deux.

— Bien sûr que je reviendrai! Au revoir.

Il la suivit des yeux tandis qu'elle quittait la pièce, droite et déterminée, d'un pas léger et silencieux. Quand la porte se referma à nouveau, Joseph Marois se remit à pleurer.

Andréa attendait, fébrile, campée devant son fourneau. Elle avait failli interrompre l'entretien entre son mari et l'enfant, mais Mireille l'en avait dissuadée.

— Kiona n'agit jamais au hasard, ma pauvre dame! avait expliqué la gouvernante. Cette petite, elle est née de monsieur Jocelyn et de l'Indienne Tala. Mais je crois qu'elle vient d'ailleurs, pas de chez nous, le commun des mortels.

Marie avait approuvé d'un air convaincu. À présent, ces trois générations de femmes interrogeaient Kiona du regard, dans l'espoir d'un miracle.

— Nous avons bavardé, répondit-elle. Il veut que je revienne souvent. Viens, Mireille, papa et Laura vont finir par s'inquiéter si on s'attarde encore. D'ailleurs, Toshan soupe chez nous.

Elles furent bientôt dehors, saisies par un froid vif qui coupait la respiration. La gouvernante s'appuya à la fillette durant tout le trajet, au sein d'un décor pétrifié par le gel. Il n'y avait aucun bruit et plus un souffle de vent. Mais une rumeur sourde se percevait dans les rues désertes, sur les toits lourds de neige, parfois effondrés ou révélant une plaie béante.

— Entends-tu la Ouiatchouan chanter ? s'enquit Kiona.

— Peut-être…

— Mais si, écoute-la, Mireille. C'est l'âme du village abandonné, l'âme éternelle de Val-Jalbert. Demain, j'irai la saluer. Je suis revenue pour elle aussi, notre rivière folle, notre Ouiatchouan, à Mine et à moi.

16
LE CHANT DU ROSSIGNOL

Québec, lundi 16 juin 1947

Le train était immobilisé à l'entrée de Québec. Hermine, qui avait dormi une grande partie du voyage, jeta un regard affligé par la fenêtre du compartiment. Elle avait hâte de descendre du wagon, de se retrouver à l'hôtel, et surtout de repartir. C'était un peu absurde, cette envie de boucler au plus vite ses obligations professionnelles pour rejoindre Toshan et ses enfants.

« Cela ne m'était pas arrivé depuis longtemps de passer autant de mois en famille, au bord de la Péribonka, songea-t-elle. Presque une année entière, d'août à juin. Mon Dieu, j'étais si heureuse, là-bas ! »

Elle dut refouler des larmes de contrariété. Avec un soupir, elle sortit son poudrier et examina son reflet dans la petite glace ronde de l'objet, un ravissant boîtier en nacre. « Je me remaquillerai plus tard. Je ne vois personne ce soir et c'est tant mieux ! » se dit-elle encore.

Paupières mi-closes, la tête appuyée au dossier de la banquette, elle chercha du soutien dans les doux souvenirs de ce bel hiver auprès des siens. Les images défilaient, scintillantes comme des cartes de Noël saupoudrées de givre artificiel. Elle revit Laura qui patinait sur la rivière, soutenue par Jocelyn et Mukki. « Maman ne quittait pas son turban noir pour dissimuler ses cheveux blancs. Quelle coquette ! Mais tellement drôle et ravissante ! Elle est tombée deux fois sur les fesses, et papa n'en pouvait plus de rire. Comme nous étions heureux, le soir, autour de la table, à évoquer des souvenirs ! Grand-mère Odina s'épanchait elle aussi ; elle nous parlait de son enfance dans les montagnes. »

Il y avait eu aussi de longues promenades en raquettes, au sein d'un paysage rutilant. Neige et soleil s'étaient unis pour perler les branches des arbres et les buissons d'une parure de glaçons comme autant de pampilles de cristal, à travers lesquels la lumière filtrait.

« Un matin, nous avons emmené les deux petits faire de la luge. Ludwig en avait fabriqué une l'an dernier. Adèle riait si fort pendant les glissades ! Et Constant hurlait de joie. »

Hermine retint un soupir. Pendant le séjour de ses parents, elle avait eu l'occasion de les découvrir sous un autre jour. On les sentait tous deux accoutumés à vivre en plein air, même l'hiver, à diriger un attelage de chiens et à parcourir les bois. Ils avaient acquis cette expérience plus de trente ans auparavant, quand ils avaient fui Trois-Rivières, confiant leur destin à la seule nature parfois cruelle, mais aussi protectrice et nourricière.

Après avoir raccompagné leurs invités et conduit Mukki au collège, Toshan était revenu, son traîneau rempli de nouvelles provisions. Héberger autant de monde pendant une longue semaine avait nécessité de nouveaux achats, financés par Laura qui commençait à écorner l'argent que lui avait rapporté la vente de l'appartement de la rue Sainte-Anne.

« Toshan, mon amour ! Oh ! j'aurais tant voulu que tu viennes avec moi ! s'attrista-t-elle. Si seulement tu étais là ! Tu me tiendrais la main, je pourrais t'embrasser, te serrer sur mon cœur. » Jamais, dans leur vie de couple, ils n'avaient atteint une telle sérénité et une si charmante complicité. Aucune querelle n'avait terni ces mois passés ensemble. La séparation n'en était que plus douloureuse.

Sa voisine de compartiment, une dame d'une soixantaine d'années en chapeau noir et tailleur strict, se tourna vers elle.

– Quand même, le train devrait repartir ! Nous n'allons pas rester ici des heures ! Je suis attendue à la gare. Et vous ?

– Non, personne ne m'attend, répondit poliment Hermine. C'est sans doute un léger incident sur la voie. Il faut patienter.

Elle referma les yeux afin de mettre fin à la discussion. Sa mémoire lui renvoya la vision de son mari, nu, lors de leur dernière nuit au bord de la Péribonka. Toshan était penché sur elle, il couvrait ses seins de baisers tout en s'excusant de ne pas la suivre à Québec.

– Je suis contraint de rester là, Mine. Maintenant que Ludwig et Charlotte sont en Allemagne, je ne veux pas laisser notre maison sans surveillance. Tu ne t'absentes que deux semaines. Cela passera vite. Nous t'attendrons ici, les filles, Constant et moi.

Il l'avait cependant accompagnée jusqu'à Roberval à bord d'un grand bateau blanc qui transportait les voyageurs sur le lac.

« Deux semaines ! se répéta la jeune femme. J'ai séjourné deux jours à Val-Jalbert et je dois y dormir au retour. Cette fois, j'emmène Kiona et Louis en vacances. Les parents en profiteront pour se rendre à Trois-Rivières, une sorte de pèlerinage. Papa y tient. Mukki sera là. Mon grand fils, il a eu des notes brillantes cette année. »

Ses pensées vagabondèrent encore ; cela apaisait son chagrin d'être seule, loin de tous ceux qu'elle chérissait. Elle s'amusa à imaginer Charlotte chez ses futurs beaux-parents, qui allaient découvrir le caractère bien trempé de la jolie brune. Le jeune couple était parti dès le début du mois de mai. La situation de Ludwig ne posait plus de problèmes. Sa mère lui avait expédié un acte de naissance et il avait pu obtenir un passeport. On ne lui avait pas demandé ce qu'il faisait au Canada, son évasion d'un camp de prisonniers allemands semblant être tombée aux oubliettes.

« Papa les a escortés jusqu'à Québec, où ils ont pris un bateau en partance pour Le Havre. J'espère que nous aurons vite des nouvelles. Constant était bien triste, sans Adèle. Et nous ne verrons pas grandir Thomas. »

Le train se remit en marche, au ralenti. Il s'arrêta enfin à la gare du Palais, son terminus. Sa voisine bougonna :

— Ce n'est pas trop tôt ! Vraiment, cette ligne fonctionne mal ; je n'ai que des tracas, à chaque voyage. Pas vous, madame ?

— Si, je l'avoue. Mais, au fond, les accidents sont rares.

Cela la ramena à l'été précédent, quand les dernières voitures du convoi avaient déraillé. À cette occasion, elle avait rencontré Rodolphe Metzner, ce Suisse richissime avec qui elle avait rendez-vous le lendemain. Le rêve de Joseph Marois et de Laura se réalisait enfin : Hermine enregistrerait un disque. La voix d'or du Rossignol de Val-Jalbert entrerait ainsi dans bien des foyers québécois, et peut-être même ailleurs, en France et aux États-Unis. Une lettre de Metzner l'attendait à Val-Jalbert, postée depuis le mois d'avril, dans laquelle se trouvaient le double d'un contrat assez mirobolant et une carte de visite avec son numéro de téléphone.

Aussi, en descendant du wagon sa valise à la main, Hermine éprouvait une sensation bien connue des artistes : le trac. Elle ne savait pas vraiment comment se déroulerait cet enregistrement ni ce qu'elle chanterait. Pour cette raison, elle souhaitait s'isoler dans sa chambre d'hôtel, pleurer tout son soûl et se préparer à affronter ce nouveau défi. Vêtue d'une robe beige à pois bleus et d'un gilet en fin lainage également bleu, elle avait coiffé ses cheveux en chignon et les avait dissimulés sous un foulard de soie ivoire. C'était une toilette simple, mais qui lui plaisait beaucoup.

Elle s'empressa de traverser le vaste hall grouillant de voyageurs. Mais on l'arrêta bien vite. Rodolphe Metzner lui barrait le passage, rayonnant, un bouquet de roses rouges à la main. Un flash crépita, car un journaliste de *La Presse* se tenait là aussi, armé de son appareil photo.

— Ma chère Hermine! s'exclama l'impresario. Quelle joie de vous revoir! Votre venue sera publiée dans le journal de demain matin, ainsi que l'annonce devos deux 78 tours. Je fais les choses en grand. Un investissement doit rapporter. Il faut veiller à la publicité, un concept moderne.

Ce bref discours la désorienta. Elle avait un peu oublié le son si particulier de sa voix, rauque et éraillée. Elle trouva aussi qu'il faisait plus âgé que dans son souvenir. L'ensemble lui causa un effet désagréable. Cependant, elle fit bonne figure, consciente de l'importance de cet enjeu. Il lui fallut répondre à quelques questions, tandis qu'alentour des curieux observaient la scène.

— Un taxi nous attend, indiqua Metzner dès que le journaliste eut pris congé. Venez, j'ai réservé une table dans un excellent restaurant pour ce soir.

— Je suis désolée, monsieur, je n'avais pas envisagé de sortir, dit-elle sèchement. Je préfère me reposer.

— Monsieur? répéta-t-il avec un air désappointé. Hermine, vous m'appeliez Rodolphe, l'an dernier. Voyons, ne soyez pas timide, je n'ai pas changé. Timide ou irritée?

Elle tressaillit quand il posa une main amicale sur son épaule. Cette familiarité la heurtant un peu, elle recula pour se dégager et le regarder bien en face, ce qu'elle avait évité de faire jusqu'à présent. Le Suisse était d'une élégance raffinée, en costume de flanelle grise, une écharpe blanche autour du cou. Ses cheveux lui parurent plus longs et d'un blond gris. Il demeurait un homme fort séduisant. Néanmoins, il ne soutenait pas la comparaison avec Toshan.

— Je vous en prie, j'ai besoin d'être seule. Toutes ces heures de train, la séparation d'avec mon mari et mes enfants… J'ai les nerfs en pelote. Je suis navrée, mais je voudrais passer cette soirée à mon hôtel. Nous nous verrons demain, comme nous l'avions décidé par téléphone.

C'était une sorte de reproche ; il le comprit et se confondit en excuses.

— Ma chère amie, je ne pensais pas vous importuner à ce point. Mais je suis un de vos plus fidèles admirateurs et je tiens à vous faire connaître au monde entier. Une cantatrice de renom peut chanter dans plusieurs pays, les portes des plus grandes salles lyriques s'ouvrent pour elle. Vous avez fait votre chemin au Canada, il serait dommage de manquer d'ambition, de vous contenter d'une carrière somme toute modeste.

« Et si ça me convenait, à moi ! » songea Hermine en son for intérieur sans oser le contrarier.

— Je ne suis plus tout à fait dans les mêmes dispositions que l'été passé, expliqua-t-elle en prenant place dans le taxi. Je n'ai pas encore eu le fin mot de l'histoire, mais, comme je vous l'ai confié quand je vous ai téléphoné, je ne suis pas allée à Hollywood. Le rôle a été attribué à une actrice plus confirmée, paraît-il. Aussi, durant des mois, j'ai vécu en famille, comblée d'un bonheur très simple. J'ai cuisiné, tricoté et bouquiné. Vous vous souvenez quand j'ai allumé le feu au bord de la voie ferrée ? Cela vous amusait, mes talents de pionnière. Eh bien ! je suis plus proche aujourd'hui de cette Hermine-là que de la chanteuse en quête de gloire.

— Mais vous avez travaillé votre voix ? s'alarma-t-il. Ce prodigieux instrument s'entretient, vous le savez comme moi.

— Évidemment ! Je fais des gammes depuis trois semaines. J'ai emporté toutes les partitions dont je disposais.

Il lui adressa un large sourire confiant. Elle eut honte de s'être montrée si froide. Le confort matériel de toute sa famille dépendait de cet homme. Si elle l'exaspérait par une humeur maussade et des caprices, il pouvait renoncer à son projet et annuler le contrat qu'elle devait signer le lendemain. « Je ne peux pas me permettre de tout gâcher, se dit-elle. Toshan voudrait au moins acheter une moto, à défaut de son petit avion de tourisme. Cela le distrairait en attendant que nous ayons l'argent nécessaire pour l'appareil. Et les jumelles entrent au collège ; il faut renouveler leur garde-robe pour l'internat. »

— Pardonnez-moi, se reprit-elle, je n'ai pas le moral, aujourd'hui. Je serai plus décontractée les jours qui viennent.

— Mais pourquoi personne ne vous a-t-il accompagnée ? Votre époux ou votre père ?

— Ce n'était guère possible, surtout pour si peu de temps. Mon mari ne pouvait pas s'absenter, et mes parents ont fort à faire avec ma demi-sœur et mon jeune frère. Au fait, ils vous remercient encore pour les bouteilles de champagne que vous leur avez offertes. Il était délicieux ; nous l'avons beaucoup apprécié à Noël.

— C'était bien naturel. Je n'ai personne à qui offrir des cadeaux aux fêtes.

Hermine fut tout de suite apitoyée, pleine de compassion pour ce veuf solitaire dont la musique était l'unique consolation.

— Il faudrait vous remarier ! observa-t-elle.

Il eut un rire ironique en se tournant vers la vitre de la voiture, comme s'il tenait à lui cacher son visage.

— Il est trop tard pour cela, ma chère amie, avoua-t-il tout bas. Mais ne parlons pas de moi. Dans la gare, vous disiez vouloir vous rendre à votre hôtel, mais je vous ai pris une chambre au Château Frontenac. La vue est tellement remarquable en cette saison ! Connaissant l'établissement où vous étiez descendue l'été dernier, je me suis permis d'annuler votre réservation. Il n'y a pas de souci, les frais de votre séjour sont à ma charge, naturellement. Vous serez mieux logée sur les hauteurs de la ville et je garde un si bon souvenir de la terrasse ! Nous y déjeunerons, n'est-ce pas ?

Déconcertée, elle acquiesça d'un signe de tête. Le tourbillon de luxe et de folles dépenses où Rodolphe Metzner l'avait déjà entraînée la happait de nouveau. Mais, cette fois, cela ne correspondait plus à ses véritables désirs. L'hiver au bord de la Péribonka avait réveillé en elle une source pure, limpide, dont elle voulait suivre le cours, et c'étaient son amour pour Toshan, leurs enfants et leurs amis. La jeune femme rêvait aussi d'avoir un bébé, de sentir s'épanouir en elle le fruit de ces étreintes passionnées qui les avaient vus éblouis, éperdus de gratitude l'un envers l'autre.

— Je serais ingrate de refuser, soupira-t-elle après un temps de silence. Si j'ai bien compris, tout est organisé. Je n'ai qu'à me laisser guider.

— C'est un peu ça, assura-t-il, soulagé et soudain plus enjoué. Je ferai de vous une star, comme disent les magazines américains, et vous devez vous accoutumer à être traitée en star.

Ce fut au tour d'Hermine de regarder le spectacle de la rue et des passants afin de cacher à Metzner sa contrariété. Elle ne dit plus un mot jusqu'au Château Frontenac et, bizarrement, il ne lui adressa pas la parole non plus.

— Je vous présente mes excuses, déclara-t-il cependant quand le taxi lui ouvrit la portière. Je sens bien que j'ai fait une grosse erreur en vous accueillant à la gare et en prévenant la presse. Mais j'étais tellement heureux! Ces mois m'ont paru interminables. Je me consumais d'impatience et je croyais que vous éprouviez un peu la même chose.

Les prunelles vertes du Suisse se voilèrent de larmes. Il baissa la tête, confus.

— À demain, Rodolphe! Je ne sais quoi vous dire... Au revoir!

Elle s'éloigna avec la nette impression de fuir cet homme exalté, d'une sensibilité exacerbée et qu'elle redoutait à présent de faire souffrir. «Est-il amoureux de moi, ou bien me considère-t-il un peu comme la fille qu'il a perdue? Elle aurait à peu près mon âge, si elle avait vécu. Demain, j'aurai une conversation avec lui afin de dissiper tout malentendu.»

Hermine s'enferma dans sa chambre et prêta à peine attention à la magnificence du décor, pourtant digne d'un palace. Une étrange émotion lui nouait la gorge, mélange de remords et de tristesse. Elle puisa du réconfort dans la contemplation du Saint-Laurent, dont les eaux mouvantes se paraient de reflets gris et or. Son regard d'azur se perdit ensuite vers l'île d'Orléans, avant d'observer la côte de Beaupré et ses maisons disposées le long des prés d'un vert acide.

— Québec! nota-t-elle d'un air triste. J'ai tant pleuré ici!

Pendant la guerre, Toshan s'était embarqué pour l'Europe depuis le port situé dans la basse-ville. Armand Marois s'était noyé dans les eaux du fleuve qu'elle contemplait un instant auparavant. Si ses pensées prenaient un tour aussi maussade, elle ne viendrait pas à bout du sentiment de détresse qui l'oppressait depuis son départ de Roberval.

Quelques minutes plus tard, elle se déshabilla et fit couler un bain. Le reflet de son corps dans un miroir au cadre ouvragé, dans lequel elle pouvait se voir tout entière, la figea un instant. Sa somptueuse chevelure blonde croulait sur l'arrondi de ses épaules, en harmonie avec sa peau laiteuse et mate. Elle se trouva belle.

— Belle et impudique, Hermine Delbeau! remarqua-t-elle d'un ton sévère.

Cela la fit sourire. Ses mains se posèrent sur ses seins, afin d'en cacher les mamelons à la pointe arrogante.

– Oh! Toshan! gémit-elle. Si seulement tu étais là, près de moi, tout près…

Mais son beau seigneur des forêts ne la rejoindrait pas et c'était préférable. Elle aimait le savoir dans leur maison, au bord de la Péribonka, veillant sur les jumelles et Constant, sur Madeleine et Akali. Là-bas, c'était sa place.

– Je reviendrai vite, mon amour! dit-elle encore en se glissant dans l'eau tiède d'une monumentale baignoire à la robinetterie argentée.

Québec, le lendemain

Avec la lumière éclatante du matin, Hermine avait repris courage et se sentait de meilleure humeur. Une bonne nuit de sommeil, après un souper pris dans sa chambre, avait suffi à chasser le malaise indéfinissable qui lui avait gâché son arrivée à Québec.

En robe blanche cintrée de cuir rouge, assortie à ses escarpins à talons, les cheveux retenus en arrière par un bandeau blanc, elle marchait sur le trottoir de la rue Sainte-Anne en s'attirant bien des œillades masculines. Heureusement, des lunettes de soleil dissimulaient ses grands yeux bleus au pouvoir irrésistible.

Un regain d'émotion la bouleversa dans l'escalier qu'elle avait gravi si souvent, à l'époque où des contrats successifs avec le Capitole la retenaient des mois à Québec. Les marches en bois verni gardaient pour elle les empreintes de Charlotte, de Toshan, de Simon Marois, de ses enfants et de ses parents.

Mais elle eut un sourire en découvrant sur son ancienne porte une plaque en cuivre. *Maison de disques Rodolphe Metzner*, y était-il écrit.

Tout en arabesques gracieuses, la calligraphie la séduisit. De la musique s'échappait de l'appartement, du piano et du violon. Reprise par le trac, elle sonna.

Le maître des lieux vint ouvrir, en chemise et cravate, une mèche au milieu du front. Il s'illumina aussitôt.

– Hermine, vous êtes en avance et toujours aussi ravissante! Entrez, je vais vous présenter à mes collègues.

Elle songea que c'était un monde nouveau, une expérience sûrement captivante. Au fond, Metzner avait un peu les manières d'Octave Duplessis, l'impresario français qui avait présidé à ses débuts sur scène, la même façon de s'enfiévrer pour un rien et de la flatter, une éloquence plaisante, mais qui manquait parfois de naturel. Ce constat la mit à l'aise.

— Votre chambre au Château Frontenac vous convient-elle? s'enquit-il aimablement.

— Si ce n'était pas le cas, je serais bien difficile! À propos, hier, veuillez me pardonner, j'étais vraiment fatiguée et nerveuse.

— Caprice de star! C'est oublié. Je m'en suis voulu également de vous avoir agressée par une sollicitude maladroite.

Ils s'attardaient dans le vestibule. Metzner observa encore:

— Et je suis désolé de ma tirade tragique, dans le taxi. J'ai l'art de me rendre ridicule, avec mes états d'âme. Depuis la mort de mon épouse, j'ai la larme facile. Ce n'est pas très viril.

Ébranlée, Hermine protesta du contraire. Ses préventions de la veille s'effaçaient devant la sincérité dont il faisait preuve.

— Ne dites pas ça! Vous me faites penser à mon père, à qui il arrive de verser une larme aussi, en certaines occasions. Il n'y a pas de honte.

— Vous êtes adorable de me rassurer. Chère amie, je ne veux pas de malentendus entre nous. J'ai dû vous effrayer, hier. Quand j'évoquais mon bonheur de vous revoir et mon impatience, c'était en tout bien tout honneur. La préparation de votre disque me tient vraiment à cœur! Si j'avais pu brûler les étapes, abolir la marche du temps… Souvent, je pense à vous comme à l'enfant perdue que j'aurais tant aimée et choyée. Bien, trêve de lamentations, venez faire la connaissance de vos musiciens et de l'ingénieur du son.

Totalement tranquillisée, Hermine pénétra dans le grand salon. Plus rien ne subsistait de l'aménagement choisi par Laura. Rodolphe Metzner avait décoré à son goût, des meubles en laque noire, des murs tapissés d'un papier peint d'inspiration orientale et des rideaux rouges. L'ensemble dégageait une impression d'originalité et de chaleur.

Les présentations faites, Hermine étudia les morceaux qu'elle chanterait sous le regard admiratif du pianiste, un respectable septuagénaire aux boucles blanches, et du violoniste, un jeune homme pâle et discret.

— Je suis sûr que la formule plaira et l'affiche promotionnelle pour les disquaires aussi, affirma le Suisse. *Hermine Delbeau chante les grands airs d'opéra.* Votre photographie m'a été fournie par le directeur du *Capitole.* J'aurais aimé un portrait de vous devant la cascade de Val-Jalbert, mais, finalement, j'ai abandonné l'idée. Vous êtes très belle en Marguerite, pendant le finale de *Faust.*

Elle approuva, désorientée. Certes, elle était mise en valeur par sa tunique blanche, le jeu de sa chevelure dénouée et son visage tendu vers le ciel. Néanmoins, un détail l'embarrassait.

— J'étais beaucoup plus jeune, c'était ma première apparition sur scène! se troubla-t-elle.

— Un triomphe, un succès immédiat! D'après les articles de l'époque, vous étiez la Marguerite idéale. Jeune, jolie et sans perruque, ce qui n'est pas si courant.

— Monsieur Metzner a raison, insista le pianiste. Je vous ai applaudie ce soir-là, madame. La salle était comble, et le public, envoûté.

Touchée, Hermine se rangea de leur avis. Elle se revoyait, tremblante, sidérée par le tonnerre des applaudissements, encore grisée par l'exaltation sublime d'avoir chanté avec tout son cœur pour appeler au secours les anges du ciel et échapper à la damnation. Cela avait été un des moments les plus intenses de sa vie. «Une consécration! pensa-t-elle. La récompense de mes efforts et de mes sacrifices. J'avais bravé la colère de Toshan, qui refusait que je passe une audition; j'ai même fait une fausse couche, à cause d'un accident de train.»

Une autre image traversa son esprit, une très précieuse image: Mukki, bambin d'à peine deux ans, trottinant vers elle sur la scène du théâtre, en vêtements indiens. Toshan l'avait amené à Québec afin de le rendre à Hermine; ils étaient séparés depuis des mois, et son fils la réclamait.

— À quoi songez-vous? s'enquit Metzner.

— Oh! à mes débuts!

Il ne fit aucun commentaire, plongé dans la contemplation de son profil d'une fascinante pureté. Il s'extasiait devant la ligne douce de son front à peine bombé, son nez fin et droit, et sa bouche charnue, fruit rose aux courbes sensuelles et séduisantes. Elle avait de longs cils blond foncé, écrin d'or sombre pour ses beaux yeux, des saphirs vivants. Ainsi, la dépeignait-il en silence, le cœur retourné par autant de perfection.

— Voici la liste des airs que j'ai sélectionnés, dit-il enfin. *Madame Butterfly*, «sur la mer calmée…», *Lakmé*, l'aria des clochettes, que vous maîtrisez à merveille, *La Bohème* et *Faust*, bien sûr.

— *La Tosca* de Puccini et *Carmen*, ajouta-t-elle, un doigt sur les titres écrits sur une feuille blanche. Dans *Carmen*, on m'a toujours donné le rôle de Micaela, la jeune fille fragile et pieuse.

— Là, vous interpréterez *L'amour est un oiseau rebelle*; vous serez Carmen. Les paroles sont si pertinentes! «Si tu ne m'aimes pas… si tu ne m'aimes pas, je t'aime, et si je t'aime, et si je t'aime… prends garde à toi!» Remarquable, n'est-ce pas? L'amour se résume souvent à ce paradoxe.

Les deux musiciens se mirent à rire, car le Suisse avait imité avec brio l'accent espagnol. Bien qu'amusée, Hermine fronça les sourcils.

— Je ne partage pas cet avis, même si cela se révèle vrai dans certains cas, indiqua-t-elle. Mais nous ne sommes pas là pour philosopher. Il faudrait travailler, à présent. Cette liste m'impressionne.

— J'aurais souhaité plus de quatre titres, mais, sur deux 78 tours, c'était impossible. Aux États-Unis, un nouveau procédé est à l'étude, qui permettrait d'enregistrer plus de pièces sur un même disque, ou des pièces plus longues. Je me suis renseigné. Ils appellent cela un 33 tours. Ce serait un progrès prodigieux.

En bon mélomane, il s'enflammait. Il parla encore de l'industrie du disque, pendant que l'ingénieur, un personnage discret et taciturne, installait un micro dans une pièce voisine, qui n'était autre que l'ancienne cuisine, méconnaissable avec ses lambris vernis et un matériel omniprésent qui encombrait un bureau et des étagères.

Prise au jeu, Hermine commença à répéter. Pendant plus de trois heures, elle travailla différents airs sans jamais être satisfaite.

— Quelque chose ne va pas, déplora-t-elle, exténuée. Et je plains les voisins.

— Vous êtes crispée, lui expliqua le pianiste. Vous voulez trop bien faire.

— Exactement! approuva Rodolphe Metzner. J'ajouterai que vous n'osez pas incarner vos personnages.

— Il me manque les costumes, les décors et un partenaire, avoua-t-elle. Et chanter devant ce micro m'ôte tous mes moyens.

Elle en aurait pleuré. Ils firent une pause autour d'un thé chaud sucré au miel.

— Une boisson salutaire pour la voix! précisa le Suisse, très paternaliste. Si nous nous étions rencontrés du temps de ma jeunesse, je vous aurais volontiers donné la réplique. Mais je n'en suis plus capable. Hermine, gardez confiance. Je vais vous appeler un taxi et vous pourrez vous délasser dans votre chambre. Nous reprendrons les répétitions demain. Voulez-vous profiter du téléphone pour donner des nouvelles à votre famille?

— Non, merci, je le ferai de l'hôtel. Ce n'est pas très facile; je dois joindre le maire, qui transmet mon message à mes parents. Ma mère a essayé de faire installer une ligne, mais elle n'a pas encore eu l'accord de la municipalité.

Elle quitta l'appartement contrariée, furieuse contre elle-même et persuadée que cet échec remettait en question tout son avenir. « Si c'était un signe? se demanda-t-elle dans le taxi. Je ferais peut-être mieux de mettre fin à ma carrière. J'ai cru être brillante, dotée d'un talent inné, mais c'est faux. J'aurais dû travailler davantage. »

Une autre chose la surprenait : Metzner ne l'avait pas invitée à dîner. Il n'avait pas proposé de la raccompagner non plus. « Je l'ai trop déçu! C'était indéniable, il paraissait mal à l'aise. Ce malheureux m'avait mise sur un piédestal et il commence à comprendre que je ne suis pas à la hauteur de ses projets. »

Les matinées suivantes furent tout aussi décevantes. Certaine d'avoir perdu le feu sacré et ses capacités de soprano, Hermine accumulait les trous de mémoire et ne parvenait plus à pousser sa voix. Si elle s'aventurait dans les aigus, elle s'arrêtait net, les larmes aux yeux.

— J'abandonne! déclara-t-elle le soir du troisième jour. Je me suis contentée pendant des mois de chanter pour les miens et ils sont chaque fois d'un tel enthousiasme que je me suis endormie sur mes lauriers. Je vous ai fait perdre votre temps à tous et vous, Rodolphe, vous avez investi de l'argent bien en vain.

— Allons, allons, ma chère Hermine, n'en faites pas un drame. Donnez-vous une dernière chance demain. Il faut vous détendre un peu. Je vous invite à souper sur la terrasse Dufferin, en plein air. Il fait déjà chaud. Nous pourrons même danser.

— Si vous voulez!

Elle acceptait de bon cœur, trop découragée pour se retrouver encore une fois seule dans un décor fastueux qui ne lui apportait aucune satisfaction.

« Oui, il fait déjà chaud! songea-t-elle. Là-bas, au bord de la Péribonka, la clairière doit se couvrir de petites fleurs jaunes ou roses. Toshan entend sûrement la rivière gronder, à l'aube, car la neige des montagnes a fondu et les eaux sont hautes et tumultueuses. Je voudrais tant me réveiller dans notre maison et jouer avec Constant! »

— Ce sera notre soirée d'adieu, trancha-t-elle. Je rentrerai chez moi demain.

Elle avait mis dans ce « chez moi » une tendresse soudaine, doublée d'une impatience manifeste de quitter Québec. Metzner accusa le coup. Il luttait à chaque instant pour cacher ses sentiments. S'il avait eu soin de ne pas l'importuner par sa présence, c'était surtout de peur d'être rejeté.

— Messieurs, notre rossignol va s'envoler ! s'exclama-t-il d'un ton amer. C'est affligeant.

— Je vous en prie, ne m'en veuillez pas. Et je ne mérite plus guère ce surnom.

— Madame, vous avez très bien chanté, aujourd'hui, objecta le jeune violoniste qui, d'ordinaire, n'exprimait pas son opinion. Vous devriez écouter les enregistrements. Il y a de magnifiques passages.

— Rien que des passages, remarqua-t-elle. On ne vend pas un disque d'une qualité inégale. Mon Dieu, quand je pense à notre gouvernante, Mireille, qui passait et repassait les 78 tours de La Bolduc. Parfois, je m'en plaignais sans me rendre compte du travail que cela avait demandé à cette artiste.

— La Bolduc était tellement à l'aise qu'on se contentait souvent d'une prise ou deux, raconta le vieux pianiste. Je l'ai connue. Mais ses ritournelles n'exigeaient pas de prouesses vocales, madame. L'opéra, c'est une autre affaire.

Cela ne réconforta pas Hermine. Elle serra la main des musiciens et de l'ingénieur du son. Elle sortit avec une envie folle de sangloter et de monter dans le premier train. « Cet hiver, Kiona m'a dit de ne pas aller à Québec, se souvint-elle. J'aurais dû suivre son conseil. Peut-être qu'elle pressentait mes déplorables prestations. »

Pourtant, deux heures plus tard, rien ne transparaissait, sur son beau visage, de ses tourments intérieurs. Assise en face de Rodolphe Metzner en robe de soirée, elle rayonnait. Vêtue d'un long fourreau de soie grise, avec pour seule parure un collier de perles, elle avait laissé libres ses cheveux dont la blondeur se magnifiait sous les lumières de la terrasse où ils s'étaient installés.

La clientèle du Château Frontenac était aisée, même fortunée. Les femmes rivalisaient d'élégance, de bijoux et de rires légers. Un orchestre jouait des airs de valse, en partie dissimulé derrière une haie de plantes vertes.

— Je suppose que je dois votre beau sourire à la joie que vous ressentez à rentrer chez vous, au pays du Lac-Saint-Jean ? constata le Suisse en sirotant un verre de sherry.

— Non, j'apprécie ce cadre remarquable, ainsi que le vent tiède et doux de ce soir de juin. Et je suis rassurée de souper avec vous.

— Pourquoi ?

— J'ai eu la déplaisante impression, et je l'ai encore, de vous avoir terriblement déçu. Soyez franc, vous attendiez beaucoup de moi. Aussi, je tiens à me montrer souriante ; c'est la moindre des choses. En outre, il me coûte de renoncer à ces disques et au contrat que j'ai eu le tort de signer. Tenez, je vous le rends, ainsi que votre chèque.

Hermine le sentit hésiter et se méprit sur sa réaction.

— Il est hors de question que je garde cet argent, dit-elle très vite. Je ne me suis jamais trouvée dans une situation pareille. Même le cœur brisé ou souffrante, j'ai assumé mes engagements.

— Ne vous enflammez pas ainsi, allons ! Je vous crois. Hermine, ma chère amie, faites un ultime essai demain. Ensuite, selon le résultat, j'aurais une proposition à vous faire. Ce qui vous a manqué, ces derniers mois, c'est un professeur de chant, quelqu'un d'expérimenté. Vous avez perdu un peu de technique, soit, mais aussi la confiance en votre don inouï. Si vous travaillez votre voix sérieusement, une opportunité unique s'ouvrirait à vous.

— Je vous écoute !

— Vous étiez d'accord pour que je sois votre impresario, n'est-ce pas ? commença-t-il. Eh bien ! je suis en contact avec le directeur de la Scala de Milan. Il a consulté le dossier de presse que je lui ai envoyé durant l'hiver et il se dit prêt à vous faire passer une audition pour jouer *Madame Butterfly* en décembre. Hermine, chanter sur la terre natale de Puccini, que vous aimez tant ! Et un superbe voyage tous frais payés ! L'Italie, ma chère amie, avec votre mari ! Il faudra qu'il vous accompagne, cette fois. Je ferai sa connaissance à cette occasion. C'est un pays de clarté, un pays d'histoire. La Toscane, les ruines romaines, le ciel bleu comme vos yeux, la Méditerranée… Battez-vous pour ce rêve-là !

Rodolphe Metzner lui avait pris la main. Ses doigts étaient chauds et enveloppants. Hermine consentit à ce geste qu'elle jugeait amical. Il eut un sourire charmant, tandis qu'elle se voyait au bras de Toshan, dans les rues de Milan. Un voyage en amoureux, et la scène de la Scala sous ses pas.

— Qui est ce professeur ? s'informa-t-elle.

— Un de mes vieux amis ! Il séjourne en ce moment dans ma résidence du Maine, une construction du siècle dernier très originale. Un endroit parfait pour se reposer. J'y ai installé ma cousine Annie. Elle entretient la maison et cuisine à merveille.

— Je croyais que vous n'aviez personne à qui offrir des cadeaux à Noël ! s'étonna-t-elle.

— Annie a reçu sa boîte de chocolats fins comme chaque année et se fâcherait si je rompais avec cette tradition. C'est une vieille fille acariâtre, mais elle m'adore.

— Le Maine ! Vous disiez posséder une maison au Canada.

— Je l'ai louée à un couple et leurs deux enfants. Je préfère ma dernière acquisition. La frontière du Maine est proche ; je suis là-bas en deux ou trois heures, ce qui a motivé mon choix, car je ne voulais pas m'éloigner de Québec. Hermine, tant pis pour ce disque ! Venez passer la dernière semaine dans le Maine. Mon ami vous fera répéter et répéter jusqu'à ce que vous repreniez foi en vous. La région vous plaira.

Elle ne prit pas le temps de réfléchir et refusa tout net.

— Non, Rodolphe, ce ne serait pas raisonnable. Sans vouloir vous vexer, je vous connais à peine. Mon mari n'aimerait pas me savoir partie aux États-Unis en votre compagnie.

Il hocha la tête, un éclair moqueur au fond de ses prunelles vertes. Comme ils avaient terminé le plat principal, du saumon à la crème d'oseille, il se leva :

— Si nous dansions ? Écoutez, c'est *Le Beau Danube bleu* ! Strauss toujours, la valse inévitable, dirais-je. La valse des adieux pour vous et moi.

Rassurée de le voir prendre aussi sereinement son refus, elle le rejoignit sur la piste de danse, parmi les autres couples qui tournoyaient déjà. Si le Suisse avait eu la voix brisée, il évoluait avec une aisance remarquable. Hermine en fut ravie, car Toshan était un piètre partenaire dans ce domaine. Tout au plaisir de la valse, elle regardait le ciel étoilé où trônait la lune en quartier, nimbée d'un halo argenté. C'était délicieux d'être entraînée par la musique, au bras d'un homme distingué dont la haute taille et la sveltesseattiraient les regards féminins.

Metzner la contemplait, transporté d'un bonheur démesuré, à la sentir si proche de lui. Son parfum l'enivrait, frais, printanier, et ses lèvres d'un rose délicat le tentaient jusqu'au supplice, entrouvertes sur un sourire rêveur qui dévoilait de jolies dents d'une blancheur de porcelaine.

— Vous êtes plus légère qu'une plume, lui souffla-t-il à l'oreille. Et d'une grâce infinie.

— Merci, mais les compliments me gênent, confessa-t-elle tout bas. Ah! je crois que nos desserts sont là.

Elle lui échappa, rieuse, pour regagner leur table. Il admira la courbe de ses hanches, moulées par la soie moirée, et la ligne harmonieuse de ses épaules et de son buste. « Ma belle déesse! pensa-t-il. Mon ange blond, qui agite ses ailes pour me fuir. »

Il reprit sa place en soupirant. Rien ne se présentait comme il l'avait espéré. Cependant, après avoir savouré un sorbet à la fraise, Hermine se ravisa.

— Cela me dérange quand même de rester sur un échec, dit-elle d'un ton préoccupé. Je peux m'accorder une dernière chance, comme vous le proposiez.

— Voilà qui est plus sensé! s'écria-t-il. Pour ma part, j'ai tout mon temps. Quand désiriez-vous rentrer précisément?

— Je comptais reprendre le train lundi ou mardi prochain, puisque vous pensiez qu'une semaine suffirait à enregistrer le disque.

— Bien! Si samedi nous ne sommes satisfaits ni l'un ni l'autre de vos interprétations, vous pourrez repartir dimanche matin. Cela me permettrait aussi d'organiser un petit *lunch* samedi soir, afin de récompenser la patience des musiciens et de mon ingénieur du son.

— Oh oui, les malheureux! Je les fais souffrir avec mes doutes et mes fausses notes.

— Vous n'avez fait aucune fausse note, chère amie! Je peux vous le certifier.

Ils discutèrent encore une heure. Hermine avait couvert ses épaules dénudées d'un châle en cachemire blanc, car l'air nocturne fraîchissait. Metzner songeait qu'elle avait l'allure d'une fée des neiges, toute de nacre et d'or. Quand il prit congé, elle lui tendit la main et il la porta à ses lèvres pour un baiser imperceptible.

— Bonne nuit, bel oiseau chanteur, remarqua-t-il, rêveur.

Elle tressaillit. Toshan la surnommait ainsi, au début de leur amour.

— Je vous en prie, ne m'appelez pas comme ça!

— Excusez-moi! C'était censé vous réconforter, rien d'autre! À demain, Hermine.

— Oui, à demain! Ne m'envoyez pas de voiture. Je marcherai, cela me fera du bien.

Une fois dans sa chambre, Hermine jeta un regard perplexe à sa valise, placée sur un trépied en marqueterie. Elle eut la tentation de plier tout de suite bagage, de prendre un taxi et de se faire conduire à la gare. Un train partait à minuit.

«Arrête de fuir! se dit-elle en fixant son reflet dans le miroir. Tu m'entends, Hermine Delbeau? Tu redoutes la galanterie exagérée de Metzner et tu as peur d'échouer à nouveau demain. Maintenant, tu es forte, tu sais chanter.»

Elle se dévisagea si longtemps qu'elle finit par avoir l'impression de scruter les traits d'une étrangère, dont les prunelles bleu ciel se voilaient. C'était assez angoissant.

— Je ne peux pas rentrer chez moi sur une défaite, affirma-t-elle. Toshan a besoin de cet argent.

Le montant du chèque couvrirait largement l'achat d'une moto, et ils pourraient vivre sur cette somme plusieurs mois. Résignée, elle tourna le dos à la valise.

Québec, rue Sainte-Anne, samedi 21 juin 1947

— Vous avez réussi, madame! Vous voyez bien, il ne fallait pas vous tourmenter, disait le pianiste à Hermine. Déjà, hier, j'ai senti que vous étiez plus concentrée.

— Surtout plus à l'aise, renchérit le violoniste.

Ils étaient tous assis autour d'une table dont la laque noire était agrémentée de dessins d'oiseaux exotiques, de lianes et de feuillages colorés. Rodolphe Metzner, qui arborait une mine radieuse, avait bien fait les choses. Son lunch était un vrai souper froid.

— Encore une coupe de champagne et je vous quitterai, ma blonde m'attend à la maison, déclara l'ingénieur du son. Madame, c'est le moment. Nous avons un disque prêt à être pressé en grande quantité. Vous devez l'écouter.

— Et si je suis affreusement déçue? objecta la jeune femme.

Coiffée d'un chignon strict, elle s'était vêtue de manière décontractée, un pantalon en toile blanc, un gilet bleu foncé à l'échancrure carrée et des sandales en cuir. Sa tenue ne s'accordait guère au décor raffiné qui l'entourait, mais elle se sentait bien.

— Oui, j'ai enfin réussi, s'étonna-t-elle. Il suffisait que je ferme les yeux et que j'utilise mon imagination.

— Expliquez-nous, demanda Metzner. Hier, déjà, sur l'air de *Madame Butterfly*, vous avez été excellente. J'ai perçu immédiatement la différence.

— Je voulais tellement vous donner satisfaction, à vous tous ! Les paupières closes, je me suis dit et répété que j'étais seule au fond des bois, dans mon pays du Lac-Saint-Jean, que j'avais pour public les arbres et les bêtes sauvages. Cela m'a un peu libérée. Ensuite, je me suis vue petite fille. Savez-vous, enfant, je grimpais sur une souche d'arbre, dans la cour du couvent-école où j'étais élève ; là, je chantais pour mes camarades.

— Et quoi donc ? s'enquit un des musiciens.

— *À la claire fontaine*, bien sûr, *Auprès de ma blonde*, *Nous n'irons plus au bois*. Un peu plus tard, les religieuses m'ont appris *Douce nuit*, chanson que j'ai interprétée dans l'église de Val-Jalbert. J'avais si peur ! Mais tout s'est bien passé. Vers quinze ans, j'ai débuté au Château Roberval, un grand hôtel de luxe au bord du lac. Je choisissais des chansons qui plaisaient à la clientèle, *Un Canadien errant*, *Les Roses blanches*... Celle-là me faisait pleurer.

Les quatre hommes l'écoutaient, envoûtés par sa grâce et sa douceur. Ils étaient fiers et heureux de recueillir ses souvenirs. Metzner, lui, buvait littéralement ses paroles, sensible à la moindre nuance de sa voix et aux mouvements de ses lèvres.

— Enfin, je ne veux pas vous ennuyer avec la liste très longue de tout ce que je chantais à l'époque, reprit-elle. Une chose est sûre, je n'ai jamais hésité à entonner une aria en famille ou à faire découvrir un titre français à succès. Un soir de Noël, j'ai chanté *L'Accordéoniste*, d'Édith Piaf. Notre gouvernante a été si émue qu'elle en a un peu oublié sa chère Bolduc. En réfléchissant bien, j'ai compris ce qui me bloquait, ici. Je n'étais pas auprès des miens qui m'ovationnent fidèlement et je n'avais pas eu toutes les répétitions qu'un directeur de théâtre programme avant le grand soir de la première. Des répétitions où l'on se sent un élément d'un ensemble, entre les danseuses et danseurs, les machinistes, l'orchestre et les autres chanteurs. Je devais choisir où me projeter.

— Si je vous ai bien suivie, madame, vous avez choisi de vous imaginer dans votre famille !

Hermine éclata de rire. Elle éprouvait un tel soulagement de savoir le disque enregistré qu'elle avait déjà bu deux coupes de champagne.

— Oui. Quand je chantais *L'amour est un oiseau rebelle*, je me voyais dans la clairière qui s'étend devant notre maison de la Péribonka, une nuit d'été. Nous allumons souvent un feu dehors ; cela fait fuir les moustiques, et même les loups. Là-bas aussi, j'ai donné des récitals pour les Indiens, car mon mari est un Métis d'Indien montagnais, et sa famille nous rendait souvent visite.

— C'est donc vrai, ce que racontent certains journaux ! s'exclama l'ingénieur du son. Vous habitez une partie de l'année en pleine nature sauvage.

— Tout à fait ! Et si j'ai pu me montrer performante hier et aujourd'hui, c'est grâce à toutes ces images que j'évoquais, les yeux fermés. La belle rivière Péribonka, ma cascade, la Ouiatchouan… Mais je chantais surtout pour mon mari, tout à l'heure. Il affectionne particulièrement *L'Air des clochettes* de *Lakmé*.

Elle ne vit pas Rodolphe Metzner se détourner, la bouche pincée, malade de jalousie.

Rouge d'émotion, le jeune violoniste, que la beauté d'Hermine troublait, se leva pour mettre l'enregistrement. Chacun fit silence.

La voix sublime du Rossignol de Val-Jalbert s'éleva bientôt, accompagnée par les deux instruments. Tout d'abord, ce fut l'air de *Madame Butterfly*.

Sur la mer calmée, un jour une fumée
Montera, comme un blanc panache…

Hermine retenait son souffle, inquiète et intimidée. Elle ne s'était jamais entendue chanter et c'était une découverte prodigieuse pour elle. Son timbre lui sembla d'une pureté exquise, sa voix, limpide, cristalline, chaude et puissante à la fois. Elle fut bouleversée.

— Ce n'est pas moi ! plaisanta-t-elle.

— Mais si ! fit Metzner. Malgré tout, aucun enregistrement ne suscitera le bonheur immense qu'on éprouve en vous écoutant, les émotions, les frissons, et cette vague envie de pleurer ou de croire aux anges du paradis qui nous assaillent.

– Vous me gênez, Rodolphe! affirma-t-elle. Je vous en prie, arrêtez l'enregistrement. Je ne suis pas habituée à ce genre de choses. Et puis, j'ai bu trop de champagne. La tête me tourne.

Elle eut un sourire d'enfant coupable qui charma son petit cercle d'admirateurs.

– Je vous fais un thé bien sucré! proposa Metzner. Ou du café?

– Oh! oui, un café très fort et très sucré, ce serait merveilleux.

Il se leva pour disparaître dans un réduit où étaient installés un réchaud et un petit évier, ainsi que la vaisselle nécessaire à des repas pris sur place.

Hermine dut encore signer des autographes aux trois hommes avec qui elle avait sympathisé, sur des photographies d'elle fournies par le Suisse. Sa main tremblait, ce qui la surprit un peu.

– Je crois que je suis vraiment épuisée, déplora-t-elle.

– Je pense en effet que madame Delbeau doit se reposer, messieurs, prétendit Metzner, de retour avec une tasse fumante. Elle prend le train très tôt demain matin. Je vous ramènerai, Hermine; j'ai ma voiture en bas, dans la rue.

– Volontiers! Je vous remercie, tous, vous, Rodolphe, vous aussi, messieurs, pour votre gentillesse, votre patience, votre soutien et… à la revoyure!

Les joues roses et les yeux brillants, elle restait assise dans le canapé en cuir rouge. Ils la saluèrent, fascinés, avant de sortir de l'appartement.

– Buvez votre café, cela ira mieux après, dit Metzner. Je suis désolé, j'ai dû vous servir une coupe de trop.

– Ou je n'ai pas assez mangé de vos délicieux canapés! Vous êtes fou: du caviar, de la mousse de homard… et ces fruits confits! Je n'en avais jamais goûté d'aussi bons.

– Ils viennent de Paris!

– Ah! Paris! J'aimerais tant y retourner, sans ces drapeaux rouges ornés d'une croix gammée qui défiguraient certains monuments! J'ai chanté *Faust* à l'Opéra de Paris, Rodolphe. Le Palais Garnier, une merveille d'architecture, n'est-ce pas?

Hermine parlait très vite, étrangement exaltée. Son cœur cognait à ses tempes et elle avait très chaud.

– Votre café est un peu fort, je crois, commenta-t-elle.

– Chanter *Faust* à l'Opéra de Paris, quelle aubaine! dit-il en souriant.

— C'est un lieu sublime, immense, dédié à l'art! Et toutes ces dorures, l'escalier gigantesque, un chef-d'œuvre; et la salle toute rouge et or avec son lustre monumental! Hélas! c'était la guerre, un colonel allemand me harcelait, et mon impresario, ce pauvre Octave, dirigeait un réseau de Résistance. Oh! je n'en peux plus, je suis si fatiguée ce soir...

— Voyons, qu'avez-vous? Hermine?

Elle venait de se plier en deux, les mains sur sa poitrine.

— Je me sens mal, mon cœur... Il bat trop vite! Je vous en supplie, je veux de l'air, vite.

Le malaise qui la terrassait était insupportable. Elle eut la certitude qu'elle allait mourir, là, à Québec, loin de Toshan et de ses enfants.

— Kiona! Elle n'est pas venue. Elle aurait dû. Rodolphe, aidez-moi!

Elle voulut se lever, mais ses jambes ne la portaient plus. Il la retint juste à temps, tandis qu'elle gémissait d'une voix lamentable.

— Je me sens mal! Je vais mourir!

— Seigneur, Hermine! Que vous arrive-t-il? Venez, je vous emmène à l'hôpital ou chez un médecin...

Val-Jalbert, même soir, même heure

Kiona et Louis étaient assis sur le perron du petit paradis. Ils contemplaient le ciel moucheté d'étoiles et la lune comme perchée au sommet d'une épi-nette.

— Je suis vraiment ravi de passer l'été chez Hermine et Toshan, disait le garçon. En plus, on emmène Phébus et Basile.

— Oui, on se promènera tous les deux. Mais, bon, à ton âge, monter un poney, c'est un peu dommage. On vient de fêter tes treize ans.

— Papa ne va pas m'acheter un cheval pour autant! Sinon, tu me prêtes Phébus et toi tu prendras Basile. Tu es plus petite que moi.

— Évidemment, tu as encore grandi. Mais je ne te prêterai pas mon cheval, ça non. D'abord, je suis l'aînée.

— Mon aînée de quatre mois et des poussières! ironisa Louis.

Pensive, Kiona porta la main aux amulettes qu'elle ne quittait jamais, même pour se laver. Cela gênait Laura, qui prétendait que ces drôles de choses en cuir et en plumes empestaient.

— J'ai hâte de revoir Laurence et Nuttah, dit-elle enfin. Et Akali. Mukki a de la chance, lui. Il est déjà là-bas.

— Oui, il a pris le bateau tout seul parce que c'est un jeune homme.

Il avait imité les intonations pointues de sa mère. Cela fit pouffer Kiona. De l'intérieur de la maison leur parvenaient des accords de guitare et des discussions à voix basse. Martin Cloutier était revenu à Val-Jalbert, mais avec son épouse, cette fois. Laura et Jocelyn les avaient invités à souper, et maintenant ils bavardaient en sourdine.

— C'est sûrement une conversation entre adultes qu'on n'a pas le droit d'entendre, observa la fillette. Et monsieur Cloutier gratte sa guitare exprès.

— Je sais! remarqua Louis en retour, ses lèvres frôlant l'oreille de Kiona. Yvette Lapointe a trompé Onésime. C'était ce matin, il causait avec le boulanger qui livre le pain. Paraît même qu'Onésime lui a donné une volée; elle a un œil tout noir.

Kiona fit la grimace avant de pincer son complice.

— Je n'aime pas ces histoires-là. Et papa t'a déjà dit de ne pas tout répéter.

— Heureusement que t'as rien vu, tu comprends, Yvette et l'autre homme! se moqua-t-il. Quoique tu aurais pu prévenir Onésime à temps. J'aimais mieux quand tu avais des visions, que tu devinais tout ce qui se passait.

Elle le pinça encore, mais plus fort. Louis se leva en poussant un cri de colère. Laura sortit, intriguée.

— Hé, les enfants! Pas de disputes. Venez dire bonsoir à Martin et à Johanne! C'est l'heure d'aller au lit. Et sans protester. Demain, il faudra commencer à préparer vos vêtements pour les vacances. Hermine sera sûrement là mardi, mercredi au plus tard.

— D'accord, maman, répondit Louis.

Il filait doux en présence de ses parents de peur d'être puni, ce qui signifierait en l'occurrence ne pas partir avec Kiona et sa grande sœur pour tout l'été.

— Et toi, Kiona, tu feras une petite lessive; ton linge de corps et ta robe verte.

— Oui, Laura, c'est promis.

— Surtout, je t'en prie, nettoie tes fameuses amulettes. Chaque fois que tu m'embrasses, je sens une odeur qui me hérisse.

— Ce sont les os de chouette, les dents d'ours et les piquants de porc-épic! s'écria Kiona en riant.

Très enjouée, Laura prit le parti d'en rire aussi. Rien n'aurait pu la mettre de mauvaise humeur. Personne n'était encore au courant, mais elle avait pris le risque d'acheter des actions, renouant avec sa passion pour les placements. Cela lui avait coûté cher, mais elle n'avait pas pu résister à la tentation. L'argent que lui avait rapporté la vente de l'appartement de Québec, une aubaine grâce aux largesses de Metzner, lui semblait être venu à point pour lui permettre de reconquérir sa fortune perdue. Et elle avait eu raison, car certaines transactions venaient de lui rapporter gros. Elle projetait de nouveaux investissements sans rien en dire à Jocelyn, bien déterminée qu'elle était à gagner davantage.

Elle rejoignit ses invités en poussant devant elle Louis et Kiona.

– Bonsoir, les enfants, dit l'historien. On se cherchait des chicanes, je crois?

– On s'amusait, juste un peu, m'sieur Martin, assura Louis.

– Un petit refrain de circonstance pour vous souhaiter une bonne nuit?

Un large sourire sur les lèvres, son regard bleu plein de tendresse, il chantonna:

Ce n'est qu'un au revoir, mes frères,
Ce n'est qu'un au revoir!
Oui, nous nous reverrons, mes frères,
Ce n'est qu'un au revoir.

Cela fit rire Jocelyn et l'épouse de Martin qui ajouta gentiment:

– Une jolie façon d'envoyer les enfants se coucher!

Mais Kiona se précipita vers son père. Elle lui adressa un coup d'œil angoissé. Ce petit bout de chanson l'avait bouleversée.

– J'ai mal au cœur, papa. C'est triste, c'est trop triste! Je ne veux pas que ça revienne… J'ai peur!

Elle porta à sa bouche la médaille d'Aliette la sorcière, son ancêtre poitevine, et fit de même avec ses amulettes.

– Tu as un malaise? interrogea Jocelyn, inquiet.

– On dirait! Dis, papa, Mine, elle a chanté ça, un jour?

– Oui, souvent.

Tremblante, Kiona guettait le moindre signe annonciateur d'une vision. Désorienté, Martin avait posé sa guitare. Laura attrapa un bonbon à l'anis et le tendit d'autorité à sa petite belle-fille.

– Le sucre te fera du bien. Tu es simplement épuisée, Kiona. Levée à six heures du matin, toute la journée à courir dans le village, ta visite quotidienne à ce brave Joseph… Tu devrais dormir depuis plus d'une heure. J'ai eu tort de vous laisser jouer dehors.

— C'est fini, annonça Kiona. Oui, ça va mieux.

— Monte vite, ma chérie! dit Jocelyn, encore préoccupé. Je t'accompagne.

Dans la chambre, il tapota la literie et alluma la lampe de chevet.

— J'éteindrai le plafonnier en sortant. Qu'est-ce que tu as eu, ma mignonne?

— Je n'en sais rien, papa. C'est à cause de la chanson. J'ai eu tellement mal au cœur…

— Laura a raison, tu as besoin de repos. Dors bien, petite.

Une fois seule, Kiona se posta près de la fenêtre, le nez contre la moustiquaire. Elle scruta la lune, qui avait abandonné la pointe de l'épinette. «Je pourrais enlever mes colliers quelques minutes… Ou rien qu'une petite minute, se dit-elle. Non, je les garde. Je suis normale, maintenant. Je ne veux plus voir ni l'avenir, ni le passé, ni le présent.»

Maine, quatre heures plus tard

Rodolphe Metzner s'engagea sur une route étroite, ce qui l'obligea à ralentir. Ses mains étaient moites sur le volant gainé de cuir. Il roulait depuis trois heures, dans un état de fébrilité tel qu'il en avait rarement connu. Souvent, il regardait dans le rétroviseur afin de s'assurer qu'Hermine était bien là, dans sa voiture, entièrement cachée sous une couverture, et qu'elle dormait toujours. Le contraire l'aurait surpris, car il lui avait fait avaler une forte dose de somnifères, des cachets qu'il prenait depuis des années pour vaincre une insomnie chronique.

«Dors, ma belle déesse, nous serons bientôt arrivés. Plus personne ne te fera de mal. Mon Dieu, j'ai cru t'avoir tuée, moi qui t'adore, qui te vénère!» songeait-il.

Parmi de nombreux plans fantaisistes et irréalisables, le Suisse avait dû se rabattre sur la solution la plus radicale. Pris de panique à l'idée de son départ, il avait drogué la jeune femme. «Tu aurais dû accepter ma suggestion, venir de ton plein gré chez moi. Je n'ai pas eu le choix, je ne pouvais pas te perdre.»

Ce tutoiement qu'il se permettait en pensée seulement lui procurait des frissons de volupté. C'était s'approprier Hermine, la faire sienne par le pouvoir de ce mot familier, celui des amants et des âmes sœurs.

– Courage! Désormais, tu seras choyée et protégée, ajouta-t-il tout bas.

Le son de sa propre voix le fit sursauter. Il était à bout de nerfs, terrassé par la panique qu'il avait éprouvée. Pas un instant il n'avait supposé qu'elle souffrirait, que son cœur pâtirait du mélange de l'alcool et des médicaments à base d'opium dont il faisait usage. Son organisme était rodé, mais pas celui de la jeune chanteuse. Tremblant et en larmes, il l'avait allongée sur le canapé pour surveiller le rythme de sa respiration et prendre son pouls. Dès qu'il avait été rassuré, il avait téléphoné au Château Frontenac pour demander qu'une femme de chambre prépare la valise d'Hermine Delbeau et la dépose à la réception.

L'enjeu était d'une telle importance pour lui qu'il avait déployé une vigueur exceptionnelle. Il l'avait portée dans l'escalier jusqu'au rez-de-chaussée et l'avait installée à l'arrière de sa voiture le plus rapidement possible, après l'avoir soutenue en position verticale, un de ses bras passé autour de son propre cou, pour donner le change. La providence était de son côté; la rue Sainte-Anne était déserte à ce moment-là. Ensuite, il s'était garé à une certaine distance de la terrasse Dufferin, qui accédait au palace. Avec des gestes infiniment doux, il avait dissimulé le corps de la jeune femme sous un pan de tissu soyeux, d'un brun assorti aux sièges, qui n'attirait pas les regards.

« Ça a été facile! se remémorait-il. J'ai donné quelques billets au groom et à la chambrière, et j'ai pris la valise en expliquant que madame Delbeau prenait le train le soir même. »

Sa distinction, les dollars qui semblaient couler de ses doigts, l'assurance un peu hautaine dont il faisait preuve, tout ça était du genre à inspirer confiance et à ne pas éveiller de soupçons. Son geste de folie accompli, il avait pris la route du Maine, un itinéraire sinueux au sein d'un pays de vastes étendues désertes, de forêts et de marécages, un monde silencieux plongé dans la nuit de juin. Les phares éclairaient, au gré des virages, des collines boisées, des pans de roches, des zones de landes peu hospitalières. Au poste frontière, les douaniers qui le connaissaient bien s'étaient contentés de le saluer d'un signe amical, sans prêter attention à ce qui se trouvait sur le siège arrière.

« Je t'emmène dans mon refuge, ma belle idole. Pourquoi as-tu refusé de me suivre? Je n'ai pas compris. Sans doute as-tu eu peur de tes sentiments. »

Exténué, sa sensibilité exacerbée par un trop-plein d'émotion, Metzner sombrait dans un délire amoureux. La veille, il était encore capable de réfléchir et de jouer un rôle longuement préparé. Le plus difficile avait été de ne pas éveiller la méfiance d'Hermine, de maîtriser les élans qu'une passion dévorante lui inspirait. À présent, tout ce qui s'était passé durant la semaine à Québec s'estompait, relégué dans un autre temps et une autre dimension.

— Nous sommes enfin réunis! exulta-t-il en apercevant les grilles ouvertes d'un portail.

Il braqua et tourna dans une allée de sable rose, bordée de sapins à la ramure dense d'un gris bleuté sous les rayons de lune. Bientôt, une majestueuse maison apparut, en briques ocre, couronnée d'une toiture à plusieurs pans agrémentée de pignons ouvragés. Les fenêtres du rez-de-chaussée, en surplomb d'un grand massif de rosiers, étaient illuminées. Rodolphe Metzner descendit de l'automobile et courut jusqu'à la porte. Mais déjà, une femme ouvrait, petite silhouette noire et menue.

— Annie, ça y est, elle est là. Il faut que tu m'aides.

— Elle est venue, elle t'a suivie?

— Non, elle n'était pas décidée; je l'ai emmenée quand même. Mais, après, tout ira bien. Nous allons être très heureux, tous les trois.

— Seigneur Dieu! Qu'est-ce que tu as fait, Rodolphe? Tu n'as quand même pas enlevé cette jeune personne?

Il passa une main lasse sur son front et opina de la tête. Sa cousine le dévisagea, incrédule et terrifiée.

— Il le fallait. Tu sais bien pourquoi, Annie… Je n'aurais pas pu vivre encore longtemps sans elle. Tu verras, c'est un ange du ciel, une madone! Dépêchons-nous, il faut la transporter à l'intérieur.

Annie se plia aux ordres de son cousin. Leur histoire datait de la Première Guerre mondiale, quand Joachim Metzner avait fait bâtir cette maison au nord du Maine, isolée de tout. Annie Metzner, alors une jeune fille de dix-huit ans, avait perdu ses deux parents et était seule au monde. Elle avait suivi la famille dans son exil volontaire.

On la disait laide. Elle avait vieilli avec cette conviction sans jamais songer à se marier et avait servi de gouvernante pendant les périodes estivales, où la propriété accueillait des invités. En hiver, elle était confinée là, coupée du monde, à guetter les visites de Rodolphe.

Au fil du temps, il était devenu le centre de son univers étriqué, et tout ce qu'il lui racontait avait valeur d'unique vérité.

Aussi, lorsque Metzner sortit Hermine de la voiture, qu'il la souleva et marcha avec son doux fardeau vers la porte, Annie trottina sur ses pas, referma soigneusement derrière lui et fit jouer les verrous. Elle s'approcha ensuite de la jeune femme inanimée pour la regarder.

— Tiens-la bien, ne la lâche pas, Rodolphe, recommanda-t-elle. Seigneur Dieu, qu'elle est belle! Tu disais vrai, une beauté, un ange! Quand va-t-elle se réveiller?

— Demain matin, sans doute! Est-ce que sa chambre est prête?

— Bien sûr qu'elle est prête... J'ai fait ce que tu m'as demandé.

17
UNE CAGE DORÉE

Maine, le lendemain, dimanche 22 juin 1947

Ce fut une caresse très douce sur son front qui tira Hermine de sa torpeur. C'était un geste d'une infinie tendresse qui la ramena au temps de son enfance. Peut-être se trouvait-elle dans son lit étroit du couvent-école et sœur Sainte-Madeleine la réconfortait-elle de ses doigts légers! Mais une voix masculine, basse et feutrée, lui parvint.

— Hermine, ma belle Hermine, il faudrait vous réveiller, maintenant. Vous êtes ici chez vous! Hermine?

Elle essaya d'ouvrir les yeux et de lever la main, mais en vain. Presque aussitôt, elle crut entendre une porte se refermer. Toutes ses perceptions étaient floues et confuses.

«J'ai rêvé, je rêve!» songea-t-elle.

Son esprit tentait de rassembler des images éparses, des sons, des éléments logiques. Un souvenir s'imposa, celui d'une douleur sourde à la poitrine et d'une frayeur intense. Où et quand avait-elle cru sa dernière heure venue? «On me soigne, sans doute, se dit-elle, avec la sensation déplaisante de ne pouvoir ni soulever les paupières ni bouger un bras. Je suis malade, très malade.»

Elle se rendormit, avide de ce sommeil réparateur qui éludait toutes les questions. De nouveau, on la tira de sa léthargie. Cette fois on lui caressait la joue.

— Hermine? Je vous en prie, réveillez-vous!

— Qui est là? parvint-elle à articuler péniblement.

— Celui qui vous aime plus que tout.

La jeune femme fit un effort violent et entrouvrit les yeux. Une pénombre teintée de rouge baignait la pièce. Une silhouette était penchée sur elle, dont le visage lui parut familier. Elle crut même deviner l'éclat d'un regard passionné.

— Qui est là? répéta-t-elle.

— Je reviendrai, mon amour! lui dit-on en guise de réponse.

Convaincue qu'elle rêvait, Hermine referma les yeux. Il y eut encore le déclic discret d'une clef dans une serrure.

« Je suis épuisée ! songea-t-elle, incapable de reprendre pied dans la réalité. Je dois me reposer. » Mais ces mots eurent l'effet contraire. Ils se répercutèrent en elle, insistants, et peu à peu sa mémoire lui renvoya une scène bien définie. Elle était assise sur un canapé en cuir rouge, devant une table basse en laque noire. « C'était chez Rodolphe Metzner. J'ai bu trop de champagne, et ensuite j'ai eu un malaise. Lui, un peu avant, il a dit ces mots-là, oui, que je devais me reposer. »

Ranimée par ce détail d'importance, elle essaya de se tourner et de se redresser sur un coude. Le lit sur lequel on l'avait allongée était très large, extrêmement confortable et garni de draps soyeux parfumés à la lavande. Elle crut distinguer les pans d'un baldaquin au-dessus de sa tête.

« Une clinique privée ! Je suis dans une clinique ! »

Elle commençait à ordonner ses idées, comme en témoignait cette déduction. Jamais aucun hôpital n'aurait proposé une couche aussi douillette à un patient. Petit à petit, Hermine put observer le décor qui l'entourait. La lumière rouge provenait d'une veilleuse en verre coloré qui contenait une ampoule. Les murs étaient tapissés de velours rose, et de lourds rideaux du même tissu dissimulaient les fenêtres.

— Mais où suis-je ? questionna-t-elle à mi-voix. Ces meubles sont tellement jolis !

Il s'agissait d'une coiffeuse en bois verni aux lignes alambiquées, qui supportait trois miroirs aux cadres dorés que l'on pouvait sûrement changer de position afin de vérifier l'ordonnance de sa coiffure ou l'effet d'un bijou.

— Ce n'est pas ma chambre du Château Frontenac, constata-t-elle. Il n'y avait ni commode en marqueterie ni bouquets de roses. Je suis dans une clinique. Rodolphe Metzner a dû s'occuper de tout. Il m'a secourue quand je me suis sentie mal. J'ai eu un problème au cœur, comme mon père.

D'énoncer ces phrases l'aidait à retrouver sa lucidité. Mais, plus elle réfléchissait, moins elle comprenait ce qui lui était arrivé.

Pendant de longues minutes, sans oser bouger, Hermine analysa la situation. Si elle était dans une clinique, une infirmière avait pu lui rendre visite, mais pourquoi ne revenait-elle pas ?

— Mais quelqu'un a dit « Celui qui t'aime tant ! » Non, ce n'était pas ça. « Celui qui vous aime plus que tout. » Toshan ? J'ai dû me tromper, c'est Toshan. On l'a averti et, bien sûr, il est venu.

Cependant, en calculant le temps qu'il fallait à son mari pour rejoindre Québec, elle s'étonna. « Ou bien on m'a opérée et j'ai passé plusieurs heures ici ! » se dit-elle.

Ses membres avaient récupéré un peu de leur mobilité. Elle tâta prudemment sa poitrine et son ventre pour constater qu'elle portait sur ses sous-vêtements une ample chemise de nuit en fine cotonnade. Ce fut à cet instant qu'elle ressentit un début de panique, car rien ne lui semblait normal.

— Mais où suis-je, à la fin ? gémit-elle.

Au prix d'un énorme effort de volonté, Hermine parvint à s'asseoir. Elle découvrit, sur la table de chevet, à droite du lit, une carafe d'eau, un verre et des gâteaux sur une assiette. Leur aspect était typique, ils étaient faits maison. Assoiffée, elle voulut se verser à boire, mais sa main droite la trahit et elle renversa la carafe.

— Oh ! non ! je n'ai plus de force !

Malgré ce constat, elle essaya de se lever. À peine eut-elle posé les pieds sur le sol qu'un violent vertige la saisit. Ses jambes tremblaient convulsivement ; elle s'effondra la tête la première.

— Au secours, à l'aide ! appela-t-elle, étendue en travers d'un tapis en fourrure blanche. Je vous en prie, à l'aide !

Une porte doublée aux battants couleur ivoire que la chanteuse n'avait pas remarquée s'ouvrit. Une femme très menue apparut, toute vêtue de noir, ses cheveux grisonnants tirés en arrière.

— Oh ! On est tombée ? Seigneur Dieu ! il faut rester dans votre lit !

Hermine remarqua l'accent traînant qui lui était inconnu. Elle supplia encore :

— Madame, dites-moi ce que j'ai ? Où suis-je ? Je vous en prie, expliquez-moi, sinon je vais devenir folle !

— Mais non, mais non, enfin ! Recouchez-vous, je vais vous aider. Je suis assez solide. On ne dirait pas, hein ? Reposez-vous donc, on y verra plus clair demain. Vous avez été un peu malade.

— Êtes-vous infirmière ?

— Seigneur Dieu ! non, ma jeune dame ! Je dois prendre soin de vous. Aussi, dites-moi ce que vous voulez pour le dîner. Il y a un bon potage et de la salade.

— Cela me conviendra très bien! rétorqua-t-elle. Mais j'ai soif.

— Je vais prendre de l'eau dans la salle de bain. Là, vous êtes mieux allongée, n'est-ce pas?

C'était vrai. Hermine ressentait un bien-être infini, la tête nichée dans un oreiller, alanguie entre les draps.

— Vous avez de bien beaux yeux bleus! ajouta la petite femme en lui ramenant un verre d'eau et en la faisant boire.

Elle sortit à reculons, l'air embarrassé. La porte se ferma et il y eut le bruit caractéristique d'une clef qu'on tourne.

Annie Vonlanthen rejoignit la cuisine, située à l'autre bout de la maison. Rodolphe guettait son retour, en proie à la plus vive inquiétude.

— Alors? interrogea-t-il. Comment va-t-elle? Est-elle vraiment réveillée? Que t'a-t-elle dit?

— Elle n'est pas très alerte, sais-tu? Qu'est-ce que tu lui as fait avaler, Rodolphe? La pauvre, elle était tombée et j'ai dû la remettre au lit.

— Ah! Peu importe ce que je lui ai donné, elle est là, avec moi. Crois-tu qu'elle m'a reconnu?

— Seigneur Dieu, je n'en sais rien! Elle me semble totalement perdue, affolée!

— Je n'avais pas le choix! affirma Metzner. Elle me comprendra et me pardonnera quand elle saura combien je l'aime. Elle est si douce, si bonne, si pure. Dès que je suis triste, je la sens émue et, très vite, elle me couve d'un regard attendri. Une fois, c'était l'année dernière, j'ai bien cru qu'elle allait m'embrasser.

Sa cousine approuva avec une expression songeuse. Elle espérait de toute son âme que cette belle personne aux yeux bleus répondrait à l'amour fou de Rodolphe. Cela durait depuis des années, depuis le soir où il avait assisté à la représentation de *Faust*, au *Capitole* de Québec. On annonçait les débuts d'une très jeune soprano, Hermine Delbeau, dans le rôle de Marguerite.

Passionné d'art lyrique, Metzner, de son vrai nom Rodolphe Vonlanthen, fréquentait assidûment les salles de théâtre qui programmaient opéras et opérettes. Depuis qu'il avait dû abandonner sa carrière de ténor, il lui fallait écouter les autres chanteurs, les juger, s'imaginer à leur place sur scène. C'était un supplice qu'il s'imposait, dont il tirait parfois des joies amères, à se répéter qu'il aurait été le meilleur, lui, si le destin n'en avait décidé autrement.

Ce soir-là, Rodolphe avait eu une révélation. Il avait été atteint en plein cœur, ébahi. L'apparition d'Hermine sur scène, son exceptionnel talent avaient versé un baume inattendu sur le deuil cruel qui l'accablait. Aussi avait-il voulu tout savoir sur cette prodigieuse artiste, se lançant dans une quête passionnée de la moindre photographie publiée et de chaque article sur elle. Quand il avait lu une brève biographie, un peu romancée de la jeune chanteuse, il s'était enthousiasmé davantage. Hermine était orpheline – du moins le pensait-elle –, et son enfance avait eu pour cadre un couvent-école près du Lac-Saint-Jean, dans un pays de forêts et d'hivers rigoureux. Son don avait été découvert très tôt, car elle aurait chanté dans l'église du village alors qu'elle était petite fille.

– Rodolphe, tu devrais lui apporter son potage, fit remarquer doucement Annie. Elle serait sans doute rassurée de te voir, la jeune dame. Qu'elle est belle, Seigneur Dieu! Et moins grande que je pensais, moins en chair. Je l'ai soutenue; elle est mince et légère.

– Légère comme un ange! Lorsque nous avons valsé, Annie, j'ai cru faire danser une fée. Mais je n'irai pas la voir, non, je ne peux pas. Pas maintenant! Demain, peut-être... Fais attention, ne la laisse pas sortir.

– Tu as tort! Elle était très inquiète. Mets-toi à sa place: elle doit se poser bien des questions. Cela ne devait pas se passer comme ça. Tu m'avais dit qu'elle viendrait de son plein gré.

Rodolphe serra les poings, soudain livide d'exaspération.

– Sans doute qu'elle n'osait pas à cause de son mari et de sa famille. J'ai la conviction, moi, qu'elle n'était pas vraiment heureuse avec eux. On l'empêchait d'exercer son art, de travailler, elle qui est prédestinée à éblouir les foules de la planète entière. Si tu avais vu à quel point elle était désespérée de ne pas être en mesure d'enregistrer le disque! Mais je l'ai encouragée, réconfortée, et grâce à moi, oui, grâce à moi, elle a retrouvé confiance. Je lui serai vite indispensable, Annie, et elle m'aimera malgré tout. Je suis plus âgé qu'elle et je ne peux plus chanter, mais elle m'aimera, car son cœur est pur.

– Je serais bien contente pour toi, dans ce cas.

Ils étaient pathétiques, comme deux vieux enfants obstinés à poursuivre le fil d'un beau rêve.

Hermine, quant à elle, se questionnait sur sa captivité. En dépit d'une fatigue proche de l'épuisement, elle avait retrouvé toute sa lucidité et ses capacités de raisonnement. Ce qu'elle vivait lui semblait d'autant plus alarmant. «Où est Rodolphe Metzner? se disait-elle. Il a pu être assommé ou blessé, si on m'a enlevée, kidnappée comme Louis il y a huit ans. Et si c'était une vengeance encore une fois! Mais qui voudrait se venger de moi? Ou bien on veut obtenir une rançon.»

Durant l'hiver, Toshan avait beaucoup lu, en démontrant une nette préférence pour les romans policiers d'Agatha Christie, célèbre femme de lettres anglaise. Son mari lui racontait les exploits du détective Hercule Poirot, le héros de la romancière, tout en exhortant Hermine à lire au moins *Le Crime de l'Orient-Express,* ou *Mort sur le Nil.* Mais Hermine n'affectionnait pas ce genre de littérature qui, selon elle, faisait référence aux bas instincts de l'humanité et bafouait l'honneur. Sa nature tendre et son besoin d'harmonie la poussaient à préférer les œuvres plus poétiques ou plutôt romanesques. Les auteurs français que lui avait fait découvrir Ovide Lafleur demeuraient ses favoris, de Victor Hugo à Antoine de Saint-Exupéry, de Louis Hémon à André Gide.

En dépit de leurs goûts différents, ils avaient beaucoup discuté des lectures du Métis, et Hermine était consciente que la société comportait son lot de truands, souvent bien organisés.

— On ne prendrait pas autant soin de moi si on m'avait kidnappée, se dit-elle à voix haute.

Pourtant, cette idée faisait son chemin et son cœur battait la chamade, tant elle s'affolait. «Voyons, que s'est-il passé? songea-t-elle en s'encourageant au calme. J'étais avec Rodolphe Metzner. Je me souviens qu'il criait, juste avant que je m'évanouisse. Il avait peur!»

Un bruit métallique la tira de ses pensées. La porte double s'entrebâilla sur la même petite femme en noir, embarrassée d'un plateau. Hermine l'observa attentivement. Elle la vit poser le plateau sur la commode, retourner fermer la porte, puis trottiner vers le lit pour lui servir à souper.

— On ne dort pas, jeune dame? Voici le potage. J'espère que vous aimez le velouté de tomates.

— Pourquoi m'avez-vous enfermée à clef tout à l'heure? Qu'est-ce que je fais ici? s'écria-t-elle en guise de réponse. On m'a enlevée, c'est ça?

— Seigneur Dieu, où allez-vous chercher des idées pareilles? Mais non, vous êtes en sécurité, vous ne courez aucun danger. Il faut seulement vous reposer. Vous avez été malade.

Cette assertion troubla à nouveau la jeune femme, à cause de la part de vérité qu'elle contenait. L'odeur poivrée du potage lui donna faim. Hésitante, elle demanda :

— Connaissez-vous monsieur Metzner ? J'étais avec lui quand j'ai eu un terrible malaise. Je crois me souvenir qu'il voulait me conduire à l'hôpital ou chez un médecin. Est-ce que c'est ça ? Je suis chez un docteur ? On m'a donné des médicaments ?

Annie céda à la panique. Elle n'était pas assez rusée pour débiter des mensonges spontanément.

— Un peu, enfin, en quelque sorte. Moi, je ne peux rien dire. On vous enferme pour que vous vous reposiez, voilà. Vous ne manquerez de rien. Je m'assurerai que vous ayez une nourriture saine, et la salle de bain est à votre disposition exclusive. Mais je ne connais pas de monsieur Metzner, non.

Sur ces mots, elle prit la fuite sans oublier de tourner la clef. Exaspérée, Hermine décida que cela avait assez duré. Elle devait savoir ce qui se passait vraiment. Pour cela, il lui fallait un peu de force. Elle mangea le potage onctueux et goûta une cuillérée de compote, suivie d'un verre d'eau. Elle se débarrassa du plateau sans peine en le déposant au bout du lit, ce qui lui assura que ses mains et ses bras lui obéissaient à nouveau.

« Je vais me lever, se dit-elle. Cette fois, je tiendrai debout… »

Lasse de la pénombre rouge, elle constata sans réelle surprise qu'une jolie lampe trônait sur la seconde table de chevet. Elle l'alluma, et une clarté dorée illumina le décor à dominance de rose de la chambre. Quant au baldaquin, il était paré d'un tissu soyeux dont les motifs représentaient des fleurs et des feuillages.

— Du chintz ! observa-t-elle. Comme chez maman, enfin l'ancienne maison de maman.

L'évocation de Laura lui serra la gorge, mais cela l'incita à poser les pieds par terre. Dans un cas identique, vu son caractère bien trempé, sa mère ne se serait pas laissé abattre. Elle nota une marque sombre sur le parquet en bois clair, la trace de l'eau renversée auparavant. La carafe gisait là où elle avait roulé.

— Cette drôle de femme ne l'a même pas ramassée !

Hermine se leva, les bras un peu écartés, pour vérifier son équilibre. La pièce parut vaciller autour d'elle, mais ses jambes ne tremblaient pas.

Elle patienta un peu en respirant à fond. Un pas, deux pas… La sensation de vertige persistait.

— Tant pis! Je dois rester debout à tout prix.

D'une démarche chancelante, après avoir actionné un interrupteur en porcelaine, elle inspecta la salle de bain, dont le luxe n'avait rien à envier à celle du *Château Frontenac*. Derrière un paravent se cachaient des commodités très modernes. Des serviettes éponge bleues rayées de blanc étaient empilées sur un meuble couvert de marbre, surplombé d'un grand miroir au cadre doré, finement ouvragé. «Mon Dieu, que j'ai mauvaise mine!» pensa-t-elle en s'examinant. Hermine dressa un constat navrant. Elle était échevelée et avait les yeux cernés, le teint blafard, les lèvres décolorées.

— J'ai forcément été très malade! déplora-t-elle tout bas. Sur ce point, au moins, la femme dit vrai. Mais il faut que je me coiffe, que je fasse un brin de toilette…

Espérant trouver sa valise, elle regagna la pièce voisine. Il n'y avait rien qui lui appartenait, même pas ses chaussons. L'armoire en chêne était vide, ainsi que la commode.

— J'en ai assez! Assez! tempêta-t-elle de toutes ses forces.

Une colère impuissante mêlée d'incompréhension l'envahit. En titubant, elle se précipita vers les lourds rideaux qui indiquaient d'évidence l'emplacement d'une fenêtre. Ses doigts dénichèrent un cordon en satin tressé qu'elle tira et tira encore, bien en vain. À bout de nerfs, elle écarta les pans de tissu à pleines mains.

— Un mur! Il n'y a qu'un mur! Mais ce n'est pas possible! Où suis-je?

Elle courut jusqu'à la double porte et tambourina contre les battants, des coups de poing déchaînés, en appelant au secours. Elle s'arrêtait à intervalles réguliers afin d'écouter si quelqu'un approchait. Le silence qui régnait à l'extérieur de la chambre la terrifia. Cela lui donnait l'impression d'être prisonnière dans un lieu désert dont elle ignorait tout.

— Peut-être que je rêve, après tout! se dit-elle, la joue contre la porte. Je vais me réveiller à Québec, et tout sera rentré dans l'ordre. Et je prendrai vite le train… Toshan, mon chéri, Toshan, mon amour, viens me chercher, par pitié!

Personne ne se manifesta au cours des minutes qui suivirent. La chanteuse poursuivit l'examen de la chambre, ce qui lui permit de découvrir une autre porte, plus étroite et tapissée avec le même velours que les murs. Cela aurait pu être un placard ou une ancienne issue condamnée, car il n'y avait ni poignée ni serrure apparente.

– C'est une histoire de fous! hurla-t-elle. Et je deviens folle, moi aussi. Vous entendez, je deviens folle! Ouvrez-moi.

Déchaînée et en larmes, elle retourna frapper à la porte par où apparaissait la petite femme en noir.

– Madame, je vous en prie! Madame! s'époumona-t-elle.

Peu après, démoralisée, rongée par une angoisse atroce, elle se recoucha pour pleurer à son aise. Toutes ses pensées allèrent vers Louis, son petit frère qui, à l'âge de cinq ans, avait vécu l'horreur du rapt, de l'enlèvement, et dans des conditions bien plus pénibles qu'elle, d'après ce qu'il en avait raconté. «Je ne dois pas me plaindre ni me lamenter, songea-t-elle. Louis était attaché sur un grabat, le pauvre petit, et il ne pouvait pas se défendre contre les vieilles crapules qui l'avaient piégé. Au fond, je suis mieux lotie… Mais qu'est-ce qu'on me veut?»

Elle s'interrogea longtemps, appela Toshan à mi-voix et évoqua les visages tant aimés de ses enfants. En revoyant en pensée Mukki et son beau sourire, Laurence penchée sur ses dessins, et Marie-Nuttah qui ne se séparait plus de son appareil photo, elle sanglota encore plus fort, haletante. Elle s'imagina en train de border Constant dans son lit et de lui fredonner une berceuse.

– Mon bébé, mon tout-petit! gémit-elle. Et Kiona? Pourquoi Kiona ne m'a-t-elle pas avertie?

Hermine frotta son visage contre l'oreiller afin de sécher ses joues ruisselantes de larmes. Elle se remémora très vite toutes les fois où sa demi-sœur s'était fidèlement montrée à elle en cas de danger, au mépris des distances, des océans, des murs les plus épais.

– Kiona? implora-t-elle. Oh! Kiona, ma petite sœur, aide-moi, je t'en supplie! Kiona!

Val-Jalbert, même soir, même heure

Kiona était assise au pied de la chaise berçante de Joseph Marois, sous l'auvent. Ils conversaient depuis un bon moment en profitant de la douceur du crépuscule.

– C'était un magnifique coucher de soleil, monsieur Joseph, affirma-t-elle. Vous êtes d'accord? Regardez, on voit encore de petits nuages rouges, enfin, violets, derrière la cime des arbres. Et le ciel est presque jaune citron.

— Tu en dis, de jolies choses, toé! Ça me fait ben plaisir de placoter avec une gamine aussi futée que toé. Faudra revenir demain, puisque après tu vas me lâcher pour aller dans le pays des sauvages, là-bas, au bord de la Péribonka.

— Il n'y a plus beaucoup de sauvages au nord du lac, monsieur Joseph. Ils sont presque tous dans des réserves.

— Tabarnak! J'aurais ben de la misère, moé, si je pouvais pas habiter où j'ai envie. C'est icitte, à Val-Jalbert, que je veux rester, et je serai enterré au cimetière, près de Betty. Dis, tu l'as revue, Betty?

— Mais non, je ne vois plus personne, lorsque je porte mes amulettes. Et je ne dois pas les ôter, monsieur Joseph, sinon elles perdent de la magie.

— J'y crois pas, moé, à la magie de tes shamans.

— Pourtant, je vous l'ai expliqué déjà trois fois. La science des shamans est très ancienne et très puissante. Elle date d'une époque où l'Amérique était entièrement aux Indiens. Même moi, je ne sais pas ce qu'il y a dans ces petits sachets en cuir, mais ils me protègent, ça, j'en suis persuadée.

Kiona leva le nez pour dévisager l'ancien ouvrier et lui adressa un doux sourire pour atténuer son discours sur les shamans. Il tira une bouffée de sa pipe et fit une grimace morose, mais il y avait une lueur rieuse au fond de ses yeux bruns.

— T'es une drôle de gamine! Et intelligente avec ça! Souvent, je t'écoute parler, parler de tas de choses qui me reviennent ensuite, dans mon lit. Alors, je secoue Andréa pour jaser encore avec elle. Faut avouer qu'elle est savante aussi, ma femme.

— Et très gentille! Comme je vous l'ai répété, monsieur Joseph, Betty vous félicite d'avoir choisi Andréa pour seconde épouse. Elle sait, de là-haut, que votre fille Marie aime sa belle-mère.

Il contempla la nuée d'un bleu sombre, presque porté à croire que les traits de sa chère Betty allaient lui apparaître. Kiona suivit son regard et prit une mine inspirée. Elle était soulagée d'avoir guéri Joseph Marois de sa tristesse et de sa colère. Cependant, elle avait été obligée de lui mentir, puisqu'elle ne voyait plus rien du monde de l'au-delà. Et quand elle rapportait des paroles de Simon ou de sa mère Élisabeth à son voisin, c'était précisément ce qu'il désirait entendre.

— Ils sont en paix, monsieur Joseph. Simon a croisé Armand et, je vous l'assure, ils sont réunis au ciel avec leur maman.

Cela la dérangeait un peu de tromper les morts et les vivants. Aussi, depuis quinze jours, elle prétendait que personne de connu ne se manifestait.

— Alors tu vas bientôt partir ! répéta-t-il. Quand donc reviendras-tu de là-bas ? Tu vas me manquer, petite sorcière !

C'était à présent un surnom affectueux qui faisait rire Kiona.

— Sûrement à la fin du mois de septembre, répondit-elle. Je dois entrer dans un pensionnat, mais très loin, à Chicoutimi, avec les jumelles.

— Les filles n'ont pas besoin d'étudier autant ! Vous vous marierez, toutes les trois. Marie, elle entre à l'École normale de Roberval. Mimine devrait vous y inscrire aussi. Chicoutimi, c'est ben loin, calvaire !

Kiona partageait cet avis. Néanmoins, elle garda le silence, inquiète.

— Je dois rentrer, monsieur Joseph, dit-elle en se levant.

— Donne-moé un bec avant. Et le bonsoir à Laura et à ce vieux Joss. Reviens demain, on causera de mes petits gars… et de l'usine quand on trimait dur, à moitié rendus sourds par le vacarme des machines et de la chute d'eau, mais dans la bonne humeur, ça oui !

Elle l'embrassa du bout des lèvres sur la joue, entre sabarbe brune semée d'argent et sa pommette gauche, tannée par les grands froids et le soleil. Ravi, Joseph la suivit des yeux tandis qu'elle remontait la rue Saint-Georges, ses nattes dorées dansant sur ses épaules. Elle disparut derrière un modeste bâtiment à l'abandon. Avant de rejoindre le petit paradis, elle avait besoin d'être seule.

— Qu'est-ce qui se passe ? observa-t-elle à voix haute.

Cela avait commencé alors qu'elle était encore sur le perron des Marois, une étrange sensation de peur et d'oppression. Et le phénomène persistait. Kiona croyait percevoir un appel, mais étouffé et confus. Ses doigts enserrèrent les précieuses amulettes qui semblaient avoir perdu leur rôle protecteur.

— Je n'ai qu'à les ôter un peu, rien qu'un peu, dit-elle, les prunelles assombries. C'est peut-être très important, ce qu'on veut me montrer ! Non, il ne faut pas. Je ne veux pas !

Tremblante d'anxiété, furieuse contre elle-même et le monde entier, elle tapa du pied.

— Ça suffit, je ne suis pas là ! Je n'entendrai rien, je ne verrai rien ! tempêta-t-elle.

Elle se boucha les oreilles, la poitrine prise dans un étau. Cela n'empêcha pas des chocs sourds de résonner à l'intérieur de son esprit, comme quelqu'un qui aurait frappé à une porte close pour supplier d'ouvrir.

— Non, non, papa! proclama-t-elle en se mettant à courir.

Un ultime appel la stoppa net. Kiona! Son prénom avait été crié. Pourtant, elle était seule dans une impasse déserte. Tout à coup, elle comprit.

— Mine! C'est forcément Mine! Elle a peur ou elle a du chagrin…

Elle n'hésita plus et fit passer le cordon en cuir par-dessus sa tête. Avec précaution, elle suspendit le collier chargé des amulettes à la branche d'un rosier. Une vision la traversa, fulgurante, qui persista à peine deux secondes. Hermine était assise dans un très beau lit, une expression rêveuse sur son visage que dorait la lumière d'une lampe à l'abat-jour rose.

— Mais elle est à l'hôtel et tout va bien, conclut-elle, infiniment apaisée.

Elle remit son collier, promptement. Elle n'avait pas décelé les traces de larmes sur les joues de sa demi-sœur.

Maine, même soir

Si Hermine s'était redressée dans son lit, surprise et l'air songeur, c'était pour écouter une musique qui lui parvenait, à la fois proche et lointaine, comme si un orchestre jouait quelque part, au-delà des murs de la pièce. Depuis des années, sa passion pour le chant la liait étroitement à la musique. Tout de suite rassérénée, elle reconnut la mélodie.

— Je sais, c'est la danse de la fée Dragée, dans *Casse-Noisette* [37]. Merci, mon Dieu! Oh! j'aime tant cette musique!

Le souffle suspendu, elle revit les ballerines de l'Opéra de Paris dans leur ravissant tutu blanc qui répétaient sur la scène, ces danseuses aériennes, gracieuses, semblables à des fleurs échappées d'un bouquet et dont les entrechats et les arabesques s'accordaient à merveille à la symphonie des notes. Sans chercher à comprendre, Hermine éteignit la lampe de chevet et ferma les yeux, en extase. Derrière ses paupières closes, les ballerines tournaient et virevoltaient. Hermine souriait aux anges, transportée d'une joie enfantine. Mais, l'instant suivant, elle

---

37. Ballet-féerie en deux actes, créé en 1892, de Piotr Ilitch Tchaïkovski (1840-1893), grand compositeur russe qui donna ses lettres de noblesse à la musique de ballet.

perçut un léger bruit qui la tira de son enchantement. La petite porte tapissée de rose s'était entrouverte. La musique lui parut tout de suite plus forte et bien plus proche.

— Qui est là ? interrogea-t-elle.

D'un bond, elle fut debout. Quelqu'un était venu la libérer. Pieds nus, Hermine se glissa dans l'entrebâillement, pour découvrir un long couloir tendu de velours rouge, éclairé par des appliques dorées dont les ampoules avaient la forme d'une flamme.

De plus en plus intriguée, elle avança jusqu'à l'endroit où le couloir faisait un angle. Les accords cristallins et joyeux de la danse de la fée Dragée retentirent de plus belle. Avec l'étrange sensation d'être hors du monde réel, elle écarta un rideau du même rouge carmin que les murs.

— Oh non ! Non, je rêve, je ne fais que rêver !

Hermine se retrouvait sur le côté d'une scène de théâtre de dimensions modestes, qui dominait une salle, petite elle aussi, meublée de fauteuils également rouges et surplombée par un demi-cercle de loges. Un grand lustre à pampilles de cristal scintillait de mille feux, et des projecteurs jetaient des lueurs bleutées sur les décors en carton peint, représentant une place de village sur un fond d'arbres et un pan de ciel pâle semé de faux nuages cotonneux.

C'était tellement inattendu que la chanteuse resta figée, bouche bée, durant d'interminables minutes. Enfin, elle tressaillit et appela encore :

— Est-ce qu'il y a quelqu'un ?

— Hermine ! fit une voix sourde, aux accents désespérés. Hermine ! Il faut chanter, chanter pour moi seul.

Le son de cette voix la fit frémir. Elle la reconnaissait.

— Rodolphe ? Où êtes-vous ? s'enquit-elle. Qu'est-ce que je fais ici ? Où sommes-nous ?

— Est-ce si important ? La scène est prête pour que tu joues Marguerite, le rôle qui t'a offert la gloire.

Hermine scruta la pénombre qui emplissait la salle, puis elle observa les loges, encore bien en peine de comprendre le fondement de la situation.

— Mais où êtes-vous, Rodolphe ? cria-t-elle, cédant à la colère. Pourquoi vous cachez-vous ?

— Hermine, n'aie pas peur ! Je te protégerai. À nous deux, nous serons plus forts que tout.

La musique de Tchaïkovski retentissait toujours dans la salle, mais elle avait perdu de sa magie réconfortante. La jeune femme commençait à envisager ce qui s'était passé. Rodolphe l'avait sûrement enlevée, sinon il ne se comporterait pas ainsi. De plus, il la tutoyait, et cette familiarité n'était pas rassurante. Elle recula et se jeta sur le rideau qui bordait la scène en l'écartant d'un geste aveugle. Elle put se faufiler dans le couloir qu'elle parcourut d'un pas rapide. Une fois dans la chambre rose, elle claqua la porte et poussa la commode devant pour en faire un barrage dérisoire.

— Qu'est-ce qu'il me veut? sanglota-t-elle, furieuse de s'être laissé piéger par un homme en qui elle avait confiance.

Elle maintenait la commode contre la porte donnant accès au théâtre, frissonnante et hagarde.

— Ne craignez rien, Hermine! dit soudain la voix de Metzner de l'autre côté. Je ne vous ferai aucun mal, jamais! Je vous aime trop!

Il y eut alors un bruit ténu, celui d'un loquet tiré. Hermine recula, les mains sur la poitrine, car son cœur battait à un rythme affolant. Elle se réfugia dans le lit, hébétée. Elle ne put que pleurer jusqu'à épuisement, recroquevillée entre les draps.

* * *

De retour dans son salon, Rodolphe se tordait les mains nerveusement sous l'œil désorienté de sa cousine. Annie était assise au bord d'un fauteuil, sur le bout de ses fesses maigres, comme prête à se lever.

— Hermine a pris peur, rien d'autre! décréta-t-il enfin. Je pensais qu'elle apprécierait mon petit théâtre. Je suis stupide. C'est un peu trop pour elle, tous ces changements. Je dois lui parler, lui dire combien je l'aime. J'ai peut-être eu tort de précipiter les choses, ce soir. Je voulais tellement lui faire plaisir! Pendant notre voyage en train, l'an dernier, nous avions parlé du ballet *Casse-Noisette*. Je n'oublie rien, je savais qu'elle aimait cette musique. Hermine mérite une vie de princesse, sans aucun désagrément. Je lui ai acheté des robes superbes, des bijoux de prix. Ah! Il faudrait que, demain, tu lui prépares une tarte à la cassonade et à la crème ou un gâteau de son pays qu'elle adore, mais dont le nom m'échappe. Nous devons la choyer, Annie, lui démontrer que son bonheur est ici.

La vieille fille eut une moue sceptique. Elle fixa Rodolphe avec insistance. Il lui paraissait de plus en plus inquiétant.

— Quand même, ce n'est pas bien de l'avoir enlevée, cette jeune dame! Je n'ai pas osé écouter la radio tout à l'heure. On va certainement en parler.

— Pas encore. Elle devait rentrer chez elle demain, enfin chez sa mère, à Val-Jalbert. Personne ne s'inquiétera vraiment avant quelques jours. Une grande artiste peut avoir des impératifs.

Dès qu'il devait veiller au bon déroulement de son plan prémédité depuis des mois, Rodolphe retrouvait son sang-froid et toutes ses facultés de raisonnement.

— Et puis tu m'énerves, à jouer les oiseaux de malheur! ajouta-t-il durement. Tout se passera bien, j'en suis certain. Elle est là, près de moi. Rien d'autre ne compte. Et je n'ai qu'une envie: entrer dans sa chambre, la contempler endormie comme ce matin, caresser son front et ses joues…

Il se tut, enivré par son délire amoureux. Annie secoua la tête avant d'annoncer:

— Je vais me coucher. Tu ferais bien de dormir un peu, et sans avaler tes cachets. Je ne suis pas tranquille, moi. Si jamais elle frappe encore à la porte et qu'elle appelle?

— Qui l'entendra, à part nous? Le chat?

Il se mit à rire, ébloui à l'idée que son idole était toute proche, à l'abri, coupée du monde.

— Surtout, porte-lui son petit-déjeuner assez tôt. Du thé, du café et des brioches.

— Avec un pichet de lait? Du sucre?

— Oui, et une rose dans un petit vase!

Quelques heures plus tard, le plateau était prêt. Annie se levait avec le soleil afin de mener à bien toutes les tâches ménagères. Elle avait scrupuleusement disposé le nécessaire tout en regrettant la présence de cette jeune femme qui avait rendu son cousin à moitié fou. Cela la mécontentait et rendait pénibles les gestes coutumiers dont elle ne s'était jamais lassée.

— Pourvu que ça finisse bien, toute cette histoire! observa-t-elle avant d'ouvrir la porte.

Hermine la reçut assise dans le lit, le dos appuyé à ses oreillers. La lampe était allumée, et les draps, un peu en désordre.

— Bonjour, jeune dame. Vous êtes-vous reposée ?

— Oui, j'ai bien dormi. Et j'ai faim. Mais, quand je me lève, j'ai des vertiges ; je préfère rester couchée encore aujourd'hui. Dites-moi, vous êtes vraiment sûre de ne pas connaître Rodolphe Metzner ?

Elle assortit sa question d'un sourire amical. Annie en fut bouleversée.

— Mais oui, je le connais ! avoua-t-elle. Vous me faites marcher, puisqu'il vous a parlé, hier !

— Vous êtes sa cousine Annie ? Nous sommes dans le Maine ?

— Eh bien, oui, évidemment. Rodolphe vous expliquera tout. Pas moi, ça non ! Mangez donc un peu. Vous avez de quoi vous régaler. Est-ce qu'il vous manque quelque chose ?

— Je voudrais bien récupérer ma valise. Il me faut surtout ma brosse à cheveux et mes chaussons !

— Seigneur Dieu, bien sûr ! Je vous apporterai ça un peu plus tard.

Hermine approuva d'un air docile. Rassurée par autant de douceur, Annie déposa le plateau au pied du lit. La jeune femme en profita pour bondir du côté opposé et se ruer vers la porte. Elle l'ouvrit grand et sortit, prête à affronter Metzner et à lui reprocher vertement sa conduite. Bizarrement, elle ne le craignait pas vraiment.

Elle avait eu le temps de préparer sa fuite en attendant la venue de l'étrange petite personne qui alignait des « Seigneur Dieu » presque à chaque phrase et qui ne semblait pas d'une grande intelligence. Certaine qu'elle lui porterait son déjeuner, Hermine avait prévu de lui échapper, car elle avait noté que la visiteuse ne refermait pas à clef derrière elle. Par précaution, Hermine avait quand même prétendu être encore très faible.

Pieds nus et en chemise de nuit, elle grimpa les marches en bois clair. À peine parvenue sur un palier, elle aperçut un reflet de soleil sur un mur de couleur ocre. Cela lui donna des ailes. Après toutes ces heures dans une pénombre rougeâtre, elle avait envie de lumière, d'air frais et d'espace.

— Madame, non ! Oh ! Seigneur Dieu, madame, attendez ! criait Annie.

Hermine s'en moquait. Elle débordait d'énergie et de volonté. Pour l'instant, elle voulait retrouver sa liberté et elle croyait que ce serait facile de raisonner Rodolphe Metzner. Son cœur se serra de joie quand, depuis un vestibule, elle vit au fond du salon voisin deux larges fenêtres grandes ouvertes sur un parc. Des roses se balançaient au vent, d'un rouge vif sur le bleu du ciel. Les oiseaux chantaient à tue-tête, et la clarté du matin lui parut la plus belle chose du monde.

« Il fait jour, bien sûr ! » pensa-t-elle avec un timide sourire.

Elle se tourna promptement vers une haute porte vitrée qui donnait de toute évidence sur l'extérieur. Mais elle actionna la poignée en vain. Là aussi, tout était fermé à clef par deux grosses serrures.

— Vous ne pourrez pas sortir, affirma Annie dans son dos.

— Si, vous allez m'ouvrir immédiatement, rétorqua Hermine. Je voudrais me promener, je n'irai pas loin dans cette tenue !

— Je ne peux pas, jeune dame.

— Alors, allez chercher votre cousin ! Où est-il ?

Déchaînée, Hermine courut vers les fenêtres. Ce fut pour remarquer ce qui lui avait échappé un instant plus tôt. Les croisées étaient équipées d'un solide treillis en métal doré au tracé géométrique, fort élégant, certes, mais scellé dans les pierres. Elle s'y cramponna à pleines mains. Seul un chat pouvait passer par là.

— Mon oncle a fait poser des grillages à toutes les fenêtres de la maison, même à l'étage, dit encore Annie. Il avait peur des intrus. C'est une vraie forteresse, ici.

— C'est impossible, se lamenta Hermine en se ruant dans la cuisine qui communiquait avec le salon par une ouverture en demi-lune.

Mais là aussi le soleil entrait à travers des grilles ouvragées, se reflétant sur de magnifiques ustensiles en cuivre, une table ovale vernie et un plan de travail en marbre. Tout suggérait l'aisance, la propreté et le confort. Hermine avisa un bol de chocolat qui fumait encore et des tartines beurrées. Annie s'approcha, la mine effrayée.

— Retournez donc dans votre chambre, madame, recommanda-t-elle tout bas. Vous ne pourrez pas sortir, je vous dis ! Surtout, votre café sera froid. Mon cousin viendra vous parler. Il en avait l'intention hier soir.

— Mon café sera froid ! hurla la jeune femme. Vous êtes stupide, ou bien complètement folle ? Je m'en fiche, de mon café ! Je veux entendre de la bouche de ce monsieur Metzner les raisons pour lesquelles je suis prisonnière ici, dans une sorte de cage de luxe, une cage dorée, comme on dit !

Ivre de rage, elle renversa d'un geste brusque le bol et l'assiette de tartines. La vaisselle se brisa avec fracas, ce qui la soulagea.

— Je me suis réveillée il y a longtemps et je me sentais bien, poursuivit-elle. Je n'avais plus de vertiges et je n'étais plus du tout fatiguée. J'ai pu réfléchir et je suis sûre d'une chose : votre cousin Rodolphe m'a emmenée ici après m'avoir droguée, n'est-ce pas ? J'étais seule avec lui dans l'appartement, à Québec, et il en a profité.

Annie Vonlanthen dut s'asseoir, effarée par la colère d'Hermine.

— Seigneur Dieu ! Ce n'est pas ma faute ! gémit-elle. Il faut vous calmer, jeune dame !

— Je ne suis pas près de me calmer ! Dire que je ne me suis pas méfiée de lui un seul instant, même quand il voulait me convaincre de l'accompagner dans le Maine !

Annie Vonlanthen chercha quoi répondre et, ne sachant comment se tirer de ce mauvais pas, elle fondit en larmes.

— Où est-il ? questionna sèchement Hermine. Il n'a pas le courage de ses actes ? Qu'il vienne donc !

Malgré toute sa détermination, ses nerfs la trahissaient. Sa voix tremblait, ainsi que tout son corps. Elle s'assit précipitamment sur un banc au dossier sculpté. Elle prenait conscience de la fraîcheur du carrelage sous ses pieds nus. Elle reprit la parole.

— Il faut qu'il me ramène immédiatement à Québec, madame. J'ai cru mourir quand j'ai eu ce malaise, rue Sainte-Anne.

Elle avait du mal à parler, tant ses dents claquaient. Elle revivait les heures effroyables passées dans la chambre rose, à se croire frappée d'une maladie ou de démence soudaine.

— Chut ! bredouilla Annie. Ne criez pas si fort, il dort. Ma gentille dame, ne vous fâchez pas. Mon cousin veut votre bien, ça, je le sais, il me l'a dit plusieurs fois.

— Mon bien ? ironisa Hermine. Je vous préviens, il paiera pour ce qu'il m'a fait. À quoi rime tout ça ? Dites-le-moi ! Oh ! je suppose qu'il est amoureux. Mais ce ne sont pas des façons, d'enlever une femme, une femme mariée et mère de famille. Moi qui avais confiance en lui !

Hermine ne pouvait pas s'apaiser. Elle respirait vite, elle tremblait toujours et, en dépit de ses efforts de volonté, ses dents s'entrechoquaient encore sur certains mots. Comment Metzner pouvait-il se comporter de la sorte, au mépris des lois, après s'être présenté sous les dehors d'un honnête homme instruit, passionné par l'art, et d'une éducation parfaite ?

— Madame, c'est votre cousin ! reprit-elle. Vous le connaissez donc mieux que moi. Il possède une grosse fortune, il fréquente des milieux artistiques…, enfin, il le prétend. Tout le monde l'a vu avec moi à

Québec, nous avons travaillé une semaine pour enregistrer un disque. Pourquoi a-t-il fait ça? On le soupçonnera forcément quand ma famille s'inquiétera de mon retard!

Hermine était profondément dépitée, mais aussi très angoissée. Un instant, elle songea que Metzner avait eu une crise de démence et qu'il devait déjà regretter son geste.

— Je dois lui parler, ajouta-t-elle, le raisonner. Je lui pardonnerai s'il renonce à me retenir ici de force.

Annie eut une expression impuissante. La malheureuse était décontenancée par l'intelligence de son interlocutrice et par sa vivacité d'esprit. Devant cette belle jeune femme au regard d'un bleu fascinant, elle se sentait stupide, faible, presque menacée.

— Il ne se réveillera pas avant neuf heures, prétendit-elle d'un ton plaintif. Rodolphe prend des cachets pour dormir. Je le déplore, Seigneur Dieu! Ça n'arrange rien à son état. Vous me donnez froid, avec vos pieds nus…

Cette remarque banale apaisa Hermine. La situation n'évoluait pas, mais au moins elle retrouvait la vie quotidienne. Elle eut désespérément envie d'être chez elle ou chez sa mère, à boire un café bien chaud.

— Je voudrais ma valise…

— Je vais vous la rendre, assura Annie. Mais vous verrez, Rodolphe vous a acheté de jolies affaires! Voulez-vous du thé ou du lait?

La discussion prenait une tournure plus ancrée dans le quotidien. C'était une discussion entre deux femmes, au petit matin, dans la lumière dorée du soleil de juin. Hermine jugea bon de se montrer complaisante avec la cousine Annie.

Elle jeta un regard navré vers la fenêtre grillagée tout en réfléchissant à la suite des événements. Pendant ce temps, Annie avait réchauffé du lait.

— Buvez donc, vous devez être affamée, ma pauvre jeune dame. Rodolphe n'est pas méchant, vous savez! Mais, après le décès de son épouse et de leur bébé, il a changé. Nous sommes des Vonlanthen, les derniers descendants d'une riche famille de chocolatiers suisses.

— Vous ne vous appelez pas Metzner?

— Non, c'était le patronyme de nos domestiques, à Genève. Mon cousin se fait souvent appeler Metzner, je ne cherche plus à comprendre pourquoi. Joachim, mon oncle, était un grand monsieur, un cœur d'or. Il s'était juré de protéger les siens de tous les maux de la terre.

Après la Première Guerre mondiale, il est venu ici, dans le Maine, il a acheté ces terres et il a fait construire la maison. C'était un refuge en cas de malheur et, vous voyez, la guerre a recommencé. On pouvait se cacher dans le sous-sol qui est immense. Mais Rodolphe a décidé d'y aménager une chambre pour vous et le théâtre.

– Depuis quand ? interrogea Hermine entre deux gorgées de lait chaud.

– Tout est neuf, constata Annie. Les travaux ont été menés tambour battant et ça a coûté très cher !

– Depuis un an environ ?

– Oui. Il était tellement heureux de vous avoir rencontrée l'été dernier ! Vous savez bien, dans le train… C'était un signe du destin, il me répétait ça sans arrêt. Il rêvait de vous approcher. Seulement, il n'osait pas vous aborder.

La petite femme brûlait d'en dire davantage. C'était si rare pour elle de pouvoir bavarder avec une autre personne que son cousin ! Elle était pratiquement recluse depuis plus de trois décennies, Rodolphe était son unique compagnie, lorsqu'il séjournait dans le Maine, et il la rabrouait souvent.

– Tout a commencé quand vous avez incarné Marguerite, à Québec, reprit Annie, la mine radieuse. Il n'a plus manqué un seul opéra où vous figuriez. Il partait pour Montréal ou pour New York, il avait toujours une des meilleures loges et il vous admirait avec des petites jumelles exprès pour les spectacles. Je n'entendais que des compliments sur votre voix exceptionnelle, votre talent et votre beauté. Mon pauvre Rodolphe ! Il prenait les mêmes trains que vous, il rôdait dans les gares, il collectionnait tous les articles sur vous et toutes les photographies. Je vous montrerai ça. Et puis, un jour, il m'a dit sur un drôle de ton que vous étiez assurément la femme de sa vie, la seule qui pourrait remplacer sa première épouse. Moi, je trouvais ça un peu bizarre, parce qu'il m'avait bien précisé que vous étiez mariée et que vous aviez eu des enfants très jeune. Je me suis demandé s'il n'avait pas perdu la raison pour de bon.

Hermine attendait la suite, consternée, envahie par une panique rétrospective. Cet homme l'avait suivie pendant douze ans environ, semblable à une ombre attachée à ses pas. « J'ai forcément dû l'apercevoir ou le croiser, se dit-elle. Son visage ne m'était pas tout à fait inconnu. Mon Dieu, si je m'étais doutée… »

Elle posa son bol sur le banc. Ce faisant, elle remarqua au fond des traces de poudre blanche. Furieuse et terrifiée, elle toisa Annie.

— Vous avez mis de la drogue dans le lait ? Qu'est-ce qu'il y a, là, au fond ? Je n'ai pas pris garde ! Vous n'aviez pas le droit !

— Je n'ai rien mis du tout, jeune dame, s'indigna la femme. C'est du lait en poudre et, si je verse du liquide trop chaud, cela laisse de petits grains.

— Je ne vous crois pas !

— Vous n'êtes pas en train de vous endormir ? Non ! Je n'ai pas la pharmacie de mon cousin sous la main. Et je l'ai sermonné, vous savez ! Seigneur Dieu, il me promettait que vous viendriez chez nous de votre plein gré.

Hermine se leva, exaspérée. Elle ignorait si elle devait fuir Rodolphe au plus vite ou tenter de le raisonner.

— Pourquoi me dites-vous qu'il aurait perdu la raison pour de bon ? questionna-t-elle en se plaçant près de la fenêtre.

— Déjà, après le naufrage de son bateau, il n'avait plus toute sa tête. Les deux êtres qu'il chérissait le plus lui avaient été arrachés et il ne pouvait plus chanter.

— Je sais, il m'a raconté cette tragédie, et je l'ai plaint de tout mon cœur. Je peux admettre que ce deuil l'ait choqué et même détruit. Cependant, il me paraissait sain d'esprit. De toute façon, il doit me libérer et me rendre aux miens. Quand je pense qu'il a inventé un professeur de chant afin de m'attirer dans ce piège, dans cette maudite cage dorée !

— Il n'a pas fait que ça, jeune dame, ajouta Annie. L'an dernier, en jouant le rôle de votre impresario, il a contacté un producteur d'Hollywood pour faire en sorte de rompre votre contrat. Rodolphe ne voulait pas que vous tourniez dans un film. Il en était malade. Il déclarait que cela briserait votre carrière de diva, que c'était indigne de votre talent.

— Quoi ? Alors, c'était lui ? Moi qui ne comprenais rien à cette histoire ! Comment a-t-il osé ? Décidément, il est fou, fou et dangereux. Je ne lui appartiens pas. Mais, je vous préviens, je ne resterai pas ici. Ce soir, je serai à Québec. Et demain je prendrai le train pour retrouver mon mari et mes enfants.

— Non, Hermine, vous ne partirez pas, ça, jamais ! fit une voix derrière elle.

Hermine se retourna et vit Rodolphe au milieu du salon. Il avait les traits tirés, le teint blafard. Son regard n'avait rien de rassurant.

— Oh! vous! vociféra-t-elle. Espèce de fou! Je vous déteste, je vous hais!

Hermine se jeta sur Rodolphe et commença à le frapper de ses poings fermés.

Val-Jalbert, même jour

Laura regarda encore une fois dehors par la fenêtre de la cuisine. Elle espérait voir arriver Wellie Fortin, le maire du village, ou le facteur. Mais rien ne bougeait dans Val-Jalbert. Le soleil montait dans le ciel, la chaleur aussi. Jocelyn vérifiait les moustiquaires pour éviter l'intrusion des redoutables mouches noires, qui se manifestaient surtout au mois de juin.

— Joss, c'est étrange, Hermine aurait dû téléphoner chez monsieur Fortin pour nous dire par quel train elle revenait demain. D'habitude, elle nous prévient. Du moins, elle pouvait envoyer un télégramme...

— Elle va le faire, Laura, cesse donc de te tracasser!

— Je la connais, elle n'aime pas voyager seule. Tu aurais dû l'accompagner à Québec ou me laisser partir avec elle.

— Alors que je souffrais d'un genou? Est-ce ma faute, si j'ai trébuché dans l'écurie? Nous ne sommes pas trop de deux pour faire tourner la maison et surveiller les enfants. Mireille ne peut pas s'occuper de tout, à son âge.

Irritée, Laura tapota l'appui de la fenêtre du bout des doigts.

— Les enfants? Kiona et Louis ont treize ans et ce sont de grands enfants, qui devraient le montrer, d'ailleurs. Ton fils n'a que des stupidités aux lèvres; il devient sournois et un peu porté sur les choses de la vie. Tu me comprends...

— Mon fils! rétorqua-t-il. C'est le tien aussi, Laura. Louis sera bientôt un jeune homme. Ça ne le rend pas sournois pour autant.

— Et Kiona? Toujours à bavarder avec Joseph, à lui donner des becs, comme vous dites tous ici! Sans oublier ce que m'a révélé Toshan! Ta fille rencontrait un garçon au bord de la Péribonka. Là, je peux dire ta fille; elle n'est pas de moi, Dieu merci!

Jocelyn foudroya sa femme d'un regard noir. Laura s'en prenait à nouveau à Kiona après avoir été une belle-mère exemplaire tout l'hiver et le printemps.

— Et pourquoi Dieu merci, tabarnak? fulmina-t-il, déchaîné.

— Je ne disais pas ça méchamment, Joss. Mais je préfère ne pas avoir eu une fille qui a des visions, qui discute avec les fantômes. Andréa Marois est venue boire le thé, hier, pendant que tu faisais la sieste. La malheureuse! Joseph lui parle de Betty dès qu'ils sont au lit. Il lui raconte ce qu'elle fait au paradis, enfin, un tas de choses que ta fille verrait.

Cette fois, son mari changea d'humeur. Il croyait que Kiona était protégée par ses amulettes du moindre phénomène paranormal.

— Je lui causerai. Ça ne me plaît pas, cette affaire-là!

Laura acquiesça d'un signe de tête tout en retournant faire le guet à la fenêtre.

— Je suis chagrinée, avoua-t-elle. J'espérais que nous allions attendre Hermine à la gare, demain, tous ensemble, pour souper ensuite dans un restaurant. Si je ne sais pas l'heure précise où elle descend du train, je ne peux rien organiser. J'aime tant flâner dans Roberval! La ville s'agrandit, il y a de nouveaux magasins…

— Tu y vas de plus en plus souvent, à Roberval, constata Jocelyn. Qu'est-ce que tu fabriques là-bas?

— Rien d'extraordinaire; je me promène. Oh! Joss, j'ai repéré une maison où je rêverais d'habiter. On dirait un petit château avec des tourelles au toit pointu, près de la voie ferrée. Il y a beaucoup de chambres, je pense. Elle serait à vendre cet automne.

Il l'observa d'un air apitoyé. Puis, cédant à un élan de tendresse, il l'enlaça.

— Ma pauvre chérie, tu voudrais un logement plus spacieux et plus confortable, déclara-t-il. Hélas! nous n'en avons plus les moyens. Et Charlotte est gentille, elle nous a dit que nous pouvions garder cette maison encore des années.

— Charlotte et ses promesses! Je l'adore, Joss, mais elle change souvent d'avis. Si elle décide de revenir à Val-Jalbert, il faudra bien que nous vidions les lieux.

— Ce n'est pas pour demain, Laura… Ne t'inquiète pas au sujet d'Hermine. Elle a dû être très occupée avec ce disque. Nous aurons sûrement des nouvelles ce soir.

Assise en haut de l'escalier en pyjama, Kiona avait écouté la conversation du couple. Affamée, elle se résigna à descendre.

— Bonjour, papa, dit-elle. Bonjour, Laura.

– Je t'ai préparé du cocoa[38], dit sa belle-mère. Il n'y a plus de lait. Que fait Louis à cette heure-là ?

– Il se rase, révéla gravement la fillette. Il paraît que sa moustache pousse. Moi, je n'ai rien vu.

Jocelyn éclata de rire. Déridée, Laura leva les yeux au ciel. Elle rinça une casserole, toujours attentive aux bruits extérieurs.

– Hermine doit rentrer demain et je n'ai pas eu confirmation, déplora-t-elle au bout de quelques minutes. Tu es d'accord avec moi, Kiona ? Elle nous avait bien parlé de cette date, le lundi 23 juin, ou peut-être même aujourd'hui, si elle avait terminé l'enregistrement.

– Oui, elle avait bien dit lundi, Laura. Moi, ma valise est prête, celle de Louis aussi. Je l'ai aidé à choisir des vêtements. Et toi, papa, es-tu prêt pour retourner à Trois-Rivières ?

– Ah ! pour mon pèlerinage aux sources de la famille Chardin ! Je n'ai pas encore bouclé mon sac.

Kiona porta son bol vide dans l'évier. Elle était préoccupée. Quelque chose lui disait que sa Mine ne serait pas là le lendemain. C'était vague, ténu, seulement un pressentiment impérieux qui se moquait bien de la barrière mystique de ses amulettes.

– Laura, dit-elle, je crois qu'Hermine aura du retard ; on a pu se tromper de jour. Ou bien elle a des choses à faire encore.

– Comment ça ? Kiona, dis-moi ce que tu sais vraiment, s'emporta l'irascible Flamande.

– Je crois qu'elle arrivera plutôt après-demain… ou mercredi.

– Tu te fiches de moi, comme tu te fiches de ce pauvre Joseph, qui gobe toutes tes sottises ! C'est simple, je vais de ce pas à la poste expédier un télégramme à Hermine. J'en aurai le cœur net.

– Voilà une excellente idée, convint son mari. Nous aurons la paix une demi-heure, ma fille et moi. À la revoyure !

Contrariée, Laura dénoua les cordons de son tablier et essuya soigneusement ses mains. Elle tambourina à la porte du salon, où elle avait installé leur vieille gouvernante, qui avait du mal à monter et à descendre l'escalier matin et soir.

– Mireille, je sors. Si tu pouvais préparer le repas de midi… Une omelette aux oignons et de la salade.

---

38. Boisson à base de cacao et d'eau chaude.

— Oui, madame, répondit une voix fatiguée. Doux Jésus, j'ai des crampes, ce matin. Mais je vais me mettre à la cuisine tantôt.

Kiona adressa un coup d'œil plein de reproches à Laura, qui franchissait le seuil. Mireille s'épuisait de plus en plus vite et cela préoccupait la fillette.

— C'est moi qui ferai à manger, déclara-t-elle.

Jocelyn lui caressa les cheveux d'une main affectueuse. Il aimait tant cette enfant!

— Mon cher petit cœur, dit-il à mi-voix, je te donnerai un coup de main.

— D'accord, papa.

Elle retint un soupir. Deux fois déjà, elle avait enlevé son collier pour essayer d'entrer en contact avec sa sœur, de l'appeler, mais ses efforts avaient été vains. «Où es-tu, Mine? se demanda-t-elle. Il faut te dépêcher de rentrer, j'ai hâte de retrouver Toshan, Akali, les jumelles et notre rivière de là-bas, notre Péribonka. Mine, Mine...»

Elle avait beau se concentrer, évoquer le visage de sa demi-sœur, il ne se passait rien. Et ce rien finissait par l'intriguer.

Maine, même jour

— Je vous déteste! cria plus fort Hermine, tandis que Rodolphe essayait de la faire reculer. Vous vous êtes moqué de moi, tout était faux, vos promesses, l'Italie, la Scala de Milan, le disque, tout! En plus, à cause de vous, j'ai peut-être manqué la chance de ma vie, ce rôle dans une comédie musicale. J'avais besoin d'argent... Oh! je comprends mieux: cela vous a permis ensuite de m'appâter avec votre contrat à vous.

— Voyons, Hermine, calmez-vous! s'indigna-t-il en la saisissant par les poignets. Ce n'étaient pas des fausses promesses. Nous irons à Milan ensemble! Quant à ce film, admettez que cela aurait nui à votre réputation!

— Vous n'aviez pas le droit, et ma réputation ne regarde que moi! s'exclama-t-elle en retour. Qu'est-ce que vous imaginez? Je n'irai pas en Italie avec vous!

Muette d'étonnement, Annie assistait à la scène. Docile et crédule, elle n'était pas le genre de femme à oser manifester de la colère ou de la révolte. La violence d'Hermine la plongeait dans une profonde consternation.

— Je veux récupérer ma valise, m'habiller décemment, et que vous me rameniez à Québec ! vociférait de nouveau la chanteuse, des sanglots dans la voix.

Rodolphe était plus fort qu'elle, mais, comme il craignait de la brutaliser, elle parvint à lui faire lâcher prise avant de le fixer avec dédain.

— Moi qui vous prenais pour un véritable ami ! Comment avez-vous pu me faire autant de mal ? Je n'arrive plus à vous appeler Rodolphe… ni monsieur. Votre cousine m'a tout raconté et je suis terrifiée. Vous avez perdu l'esprit ! Me droguer, m'enlever !

— Hermine, n'ayez pas peur, je veux vous rendre heureuse, vous choyer et surtout vous aider à devenir la meilleure chanteuse du siècle, une diva. Je vous en prie, il faut être raisonnable et douce. De plus, c'est très mauvais pour la voix de crier ainsi, de hurler. Je le sais, moi.

Elle continuait à le regarder. C'était bien le même homme. Il avait le visage séduisant de Metzner, ses cheveux gris-blond et ses yeux verts, mais elle pouvait discerner dans son expression égarée les marques d'un délire exacerbé, d'une folie qui couvait et qui venait sans aucun doute d'éclore, dévastatrice. Elle remarqua aussi qu'il ne la tutoyait plus, ce qui rétablissait une distance entre eux, dont elle devait profiter.

— Hermine, vous allez vous reposer et, ce soir, vous chanterez. *Faust*, bien sûr ! L'air des bijoux, pour Annie et moi. Et le finale. Vous invoquerez les anges radieux, n'est-ce pas ?

Hermine hésitait sur la conduite à tenir. Fallait-il entrer dans son jeu pour mieux lui échapper, ou bien résister, l'aider à reprendre pied dans la réalité ? Jamais encore elle n'avait été confrontée à un dilemme aussi périlleux. Cet homme était un étranger pour elle, il avait su la duper et la manipuler. Il pouvait devenir dangereux et agressif.

« S'il m'aime, s'il me désire, jusqu'où ira-t-il ? » songea-t-elle. Comme pour lui donner raison, Rodolphe lui attrapa les mains et l'entraîna vers le vestibule.

— Je vous ramène dans votre chambre. Vous pourrez aller répéter dans le théâtre. Vous devez répéter ! Vous me faites beaucoup de peine, Hermine. Je pensais que vous seriez heureuse d'être ici, d'échapper à toutes les contraintes de votre vie de famille.

Elle se révolta, incapable de se résigner à une comédie dont l'issue était improbable.

— Décidément, vous êtes fou! Je vous ai pourtant assez dit et redit que j'appréciais une existence simple, auprès des miens. Et personne ne m'a enfermée, jamais! Je suis une fille du Lac-Saint-Jean, une fille de Val-Jalbert, vous entendez? Un pays de liberté et de grand vent, mon pays de neige!

Les larmes coulaient contre son gré. Elle pensait à Simon, son frère de cœur, à ces mots qu'il avait criés aux SS avant de mourir, pour s'éteindre dignement. C'était rendre hommage à son courage, puiser de la force dans son souvenir.

— Oui, une fille de Val-Jalbert, le Rossignol des neiges. Et vous avez tort de vouloir me mettre en cage, même si la cage est dorée. On ne vous a jamais dit qu'un rossignol ne chante plus, une fois en cage? Je ne chanterai ni pour vous ni pour votre Annie!

Il ferma les yeux quelques secondes, dérouté par la colère qui sublimait la beauté de la jeune femme. Elle luttait contre lui, les prunelles dilatées, la bouche entrouverte, la chevelure en bataille. Il avait même entrevu, dans l'échancrure de la chemise blanche déboutonnée par trop d'agitation, la naissance de ses seins ronds et nacrés.

— Je veux mes vêtements et ma valise, je veux rentrer chez moi, implora-t-elle. Je suis même prête à vous pardonner, Rodolphe, si vous me rendez ma liberté. Oh! je vous en supplie, ne m'enfermez pas dans cette chambre sans fenêtre et sans air! Soyez gentil, ayez pitié!

Soudain, il la lâcha alors qu'elle ne s'y attendait pas, et elle faillit tomber en arrière. Annie s'avança pour la soutenir.

— Eh bien, restez là avec ma cousine, décida-t-il. J'ai juré de vous protéger, de vous adorer. Je ne veux pas vous causer du désagrément. Mais sachez-le: vous ne pourrez pas sortir. Les clefs de la porte principale, de la serrure et des verrous sont à l'abri dans un coffre-fort dont je suis le seul à connaître le code. Allez et venez à votre guise. Ce soir, je serai dans la salle de l'Opéra à huit heures. N'oubliez pas, *Faust*... Marguerite...

Rodolphe Vonlanthen tourna les talons. Hermine le vit quitter le salon, traverser le vestibule et entrer dans une autre pièce où il se claquemura.

— Son bureau! observa Annie. Il y dort, et c'est là que notre oncle avait fait installer un coffre-fort. Et le téléphone.

— Il est fou à lier, totalement fou.

— Seigneur Dieu! je crois que oui, madame. Je ne m'en rendais pas vraiment compte avant de parler avec vous. Pensez-vous qu'il puisse retrouver ses esprits?

— Je n'en sais rien. Mais aidez-moi à partir, je vous en prie! Il y a bien un autre téléphone dans cette maison, une autre issue? Vous pouvez sortir, vous?

Annie leva sa face émaciée vers Hermine, un visage ingrat sillonné de rides précoces, aux lèvres minces et au nez busqué.

— Non, plus maintenant, à cause de vous. J'aime beaucoup me promener dans le parc, c'est tellement joli en cette saison, toutes ces roses et ces arbustes! Non, ma jeune dame, je ne peux pas vous aider. Nous sommes enfermées toutes les deux. Faites-lui donc la joie de chanter ce soir! Je l'ai regardé. Quand vous parliez de rentrer chez vous, près des vôtres, il était tendu, prêt à entrer en rage, et je vous assure qu'il me fait peur dans ces moments-là. Rodolphe voudrait tant que vous l'aimiez, il a besoin d'amour, comme nous tous!

— Et que savez-vous de l'amour? interrogea tout bas Hermine. Si j'écoute vos conseils, qu'exigera-t-il demain et les jours suivants? Il me voudra tout à lui et je ne serai pas assez forte pour me défendre. Je n'aime qu'un homme et c'est Toshan, mon mari. Celui qui m'a donné des enfants. Cet homme, je ne veux pas le trahir, comprenez-vous?

— Rodolphe vous respectera si vous restez douce et amicale, certifia Annie. C'est l'unique moyen de le maîtriser, de ne pas courir de danger.

Hermine dut admettre dans son for intérieur que la petite femme en noir avait raison. Au fond, elle n'était peut-être pas si sotte que ça.

— Dans ce cas, je n'ai plus qu'à répéter le rôle de Marguerite, concéda-t-elle froidement. Mais donnez-moi des habits corrects et des chaussures.

Au même instant, un gros chat blanc apparut sur l'appui d'une fenêtre. La brise soulevait son pelage angora, très long. Il miaula en dardant son regard doré sur Hermine. Puis, avec majesté, il sauta sur le parquet et vint se frotter à ses jambes nues. Elle se pencha pour le caresser. L'animal semblait apporter avec lui la fraîcheur des sous-bois et le parfum des roses.

— Tu as de la chance, toi, bredouilla-t-elle. Tu es libre.

Annie et le chat la suivirent quand elle descendit dans la chambre rose.

— Je vais remonter votre plateau, madame. Je vous apporte vite votre valise, et les robes que mon cousin a achetées.

Hermine acquiesça, maussade. Elle se disait que le beau matou lui tiendrait compagnie.

— C'est notre chat, déclara Annie. Il s'appelle Faust.

— Faust! répéta la chanteuse.

«Bien sûr, cela ne m'étonne pas», songea-t-elle.

18
LES LIENS SACRÉS

Maine, lundi 23 juin 1947

Hermine n'avait pas chanté pour Rodolphe Vonlanthen et sa cousine. En smoking noir, une écharpe blanche autour du cou, il s'était assis dans une loge et avait attendu en vain sa venue sur scène, tandis qu'Annie occupait un fauteuil de la salle. La jeune femme avait préparé une explication plausible, certaine qu'il viendrait dans la chambre rose lui adresser des reproches, mais il ne s'était pas manifesté.

Cependant, Annie, exaltée par son rôle, avait joué les intermédiaires.

– Pourquoi a-t-elle refusé de chanter ? lui avait demandé son cousin.

– Elle est souffrante, et ce n'est pas de la comédie, Rodolphe. Aussi, a-t-on idée de rester plus d'une heure pieds nus sur du carrelage ! La dame avait des quintes de toux, elle était enrouée.

– Comme c'est affligeant ! s'était-il écrié. Une grande artiste comme elle devrait être plus prudente. Il faut la soigner, Annie. Sers-lui de la tisane de tilleul sucrée au miel. J'ai des comprimés pour la gorge ; ils sont inoffensifs, je t'assure. Ma belle Hermine ! Quel malheur si elle perdait sa voix de cristal ! Je suis responsable, je l'ai malmenée ce matin, elle a dû hurler pour me raisonner. Je n'aurais pas dû, je l'ai tourmentée, moi qui ne veux que son bonheur.

Hermine, en ce deuxième matin de sa captivité dorée, allongée dans son lit, caressait le gros chat blanc, en qui elle avait trouvé un très sympathique interlocuteur.

– Je m'en pose, des questions, Faust. Oui, cligne des yeux, tu es tranquille, toi. Tu peux sortir à ton aise, dormir près de moi comme cette nuit ou gambader dans le parc. Il doit faire un grand soleil, et le ciel est sûrement pur. Le mois de juin est si beau… Tu me fais penser à quelqu'un que j'aime très fort : ma petite sœur Kiona. Tu as des prunelles d'ambre comme elle.

Le cœur lourd, malade d'appréhension, elle se rejeta en arrière, les bras en croix. Jamais elle n'avait vécu une situation pareille, et cela mettait ses nerfs à rude épreuve tout en l'obligeant à faire le point sur elle-même. Hermine avait toujours eu une réputation de douceur et de patience. On la disait aussi tolérante, disposée à pardonner facilement. Elle se définissait parfois ainsi en toute modestie, mais l'acte insensé de Rodolphe lui avait révélé une autre facette de sa personnalité.

« Je suis aussi capable de violence, de fureur, et je l'ignorais. Hier matin, j'avais envie de l'assommer, de le blesser pour pouvoir m'enfuir. J'étais comme folle. Sa cousine aussi m'exaspère, avec ses "Seigneur Dieu!" et ses mines contrites. Elle est toute dévouée à ce malade mental. Oh! je le déteste! Pire, j'éprouve de la haine pour lui, aucune compassion en tout cas. Il m'épie depuis des années, il me traque et il a réussi à m'entraîner ici. »

Un autre point la tourmentait. Elle avait été droguée à forte dose, puisque Rodolphe avait pu la transporter dans sa voiture pendant environ trois heures et qu'elle s'était réveillée au milieu de la journée, selon ses approximations.

« Qui m'a déshabillée et mise au lit? s'interrogea-t-elle à nouveau. Cette petite bonne femme a-t-elle pu me porter, me soulever, et ôter mes vêtements? » En imaginant une seconde Rodolphe prenant le soin de la dévêtir, elle avait des sueurs froides. C'était l'occasion idéale pour abuser d'elle. « S'il m'a vue à demi nue, s'il a pu me toucher et me caresser pendant que j'étais sous calmants, pourquoi se serait-il privé de prendre son plaisir? Dans l'état où j'étais au réveil, je n'ai pas prêté attention à mon corps, pas tout de suite. »

Son cœur battait à tout rompre. Elle se redressa pour s'asseoir en tailleur. Cela lui était vraiment insupportable de penser à cet homme proche de la cinquantaine usant d'elle à sa guise, jouissant en toute impunité de sa nudité de femme, pouvant détailler à loisir son intimité, ses seins et son ventre.

— Non, il n'a pas fait ça, non et non! S'il a osé me violer, Toshan le tuera.

Une angoisse atroce s'empara d'elle. Elle se mit à calculer la date de sa prochaine indisposition, instruite en ce domaine par sa défunte belle-mère. Les Indiennes avaient bien moins d'enfants que les pieuses Québécoises, chez qui la religion entrait en ligne de compte, alors que les curés prônaient les relations conjugales dans l'unique but de procréer. Les femmes du peuple montagnais se fiaient au cycle de la lune et aux vertus de certaines plantes. « Ce serait dans moins d'une semaine, pensa-t-elle après un rapide calcul. Au moins, si ce malade m'a violée, je ne peux pas tomber enceinte de lui. Mais non, je suis folle, il n'aura pas osé, c'est quand même un homme bien éduqué. Ce qu'il veut, c'est mon amour. Il ne prendrait pas possession de mon corps ainsi... »

Elle finit par se rassurer et étendit ses jambes. Annie Vonlanthen lui avait apporté sa valise la veille, et Hermine s'était empressée d'enfiler un pantalon en toile beige et un chemisier de la même couleur, très simple. Elle ne tenait pas à être séduisante.

— Ce matin, j'aurais dû prendre le train pour Roberval, monsieur Faust! dit-elle au chat. Au fond, c'est ma faute. Je voulais partir plus tôt que prévu, renoncer à ce maudit disque, et j'ai changé d'avis. Maman doit déjà s'alarmer. D'habitude, je téléphone à monsieur Fortin pour lui indiquer l'heure de mon arrivée. Tout le monde va se demander où je suis passée. On me cherchera et on enquêtera. On m'a vue à Québec avec Metzner, sur la terrasse Dufferin, en ville, à l'hôtel... Et les musiciens, l'ingénieur du son? Ils pourront témoigner. Ce fou tendait ses filets, et moi, comme une vraie idiote, je suis tombée dans le piège.

Elle réprima un sanglot. Cela ne servait à rien de pleurer; il fallait agir, explorer la maison. Et surtout duper Rodolphe et sa cousine.

— Deux fous! s'emporta-t-elle, les traits durcis. Mais ils auront fort à faire avec moi. En premier lieu, je ne chanterai pas, pas une note, pas une gamme. Rien, je serai muette et malade.

Elle n'avait trouvé que cet artifice pour l'instant: feindre une douleur à sa précieuse gorge, se dire enrouée.

— Je dois gagner du temps, Faust, ajouta-t-elle en lissant la fourrure soyeuse de l'animal. Tu m'aimes bien, dis donc?

Le chat ronronna en la fixant de son regard d'ambre. Hermine le caressa encore, attendrie.

— Tu plairais à Kiona, toi.

Sur ces mots, elle se leva et entra dans la salle de bain. Ses craintes d'avoir été abusée sexuellement l'obsédaient de nouveau. Elle décida de prendre un bain, par un besoin instinctif de se laver tout entière, de se débarrasser d'une hypothétique souillure. La porte était équipée d'un verrou intérieur, ce qui la réconforta. Mais elle inspecta soigneusement les lieux. Le miroir était suspendu à un crochet; ce n'était pas un de ces artifices sans tain, transparent d'un côté.

— Je suis stupide, se dit-elle à mi-voix, le mur donne dans la chambre, de toute façon.

Hermine ne découvrit rien d'anormal. Elle fit couler de l'eau et y versa des sels parfumés à la rose. Quand la baignoire fut à moitié pleine, toute nue, Hermine releva ses cheveux et les attacha en chignon haut grâce à ses peignes. Ce fut pour elle une réelle délectation de plonger dans l'eau tiède aux senteurs de jardin. Paupières mi-closes, le visage enfin détendu, elle oublia pendant quelques minutes tout ce qui l'entourait.

* * *

À Val-Jalbert, houspillée par Laura qui guettait en vain une réponse à son télégramme, Kiona eut cette vision paisible de sa demi-sœur. La fillette, presque sous la menace, avait enlevé ses amulettes pour tenter de «voir» Hermine.

— Elle est dans son bain, Laura, l'informa-t-elle, et elle a l'air contente.

— Tu te fiches de moi, Kiona! cria sa belle-mère en la prenant aux épaules et en la secouant. Hermine est dans le train, j'en suis certaine.

— Peut-être ben qu'il y a des baignoires dans les trains, astheure, plaisanta Louis.

— Imbécile, ne te mêle pas de ça! hurla sa mère en le giflant.

Jocelyn avait eu le malheur de s'absenter. Mireille, qui épluchait des pommes de terre, hocha la tête, mécontente.

— Doux Jésus! madame, vous avez tort de piquer une colère, de secouer cette pauv' petite et de cogner vot' fils. Ah! c'est ben dommage que je sois si vieille! Je m'en irais, et ben soulagée. Ce n'est plus que chicanes, icitte.

Déconcerté, Louis frottait sa joue. Dès que Laura lui tourna le dos, il lui tira la langue. Cela ne fit pas rire Kiona qui remettait son collier en toute hâte.

— Puisque tu ne me crois pas, dit-elle à sa belle-mère, plus jamais je n'ôterai mes amulettes. Mireille a raison. Pourquoi es-tu fâchée? Hermine a bien le droit de prendre un bain! Sans doute qu'elle a repoussé son départ…

— Pas sans me prévenir! Filez dehors, vous deux!

* * *

À plusieurs kilomètres de Val-Jalbert, Toshan discutait avec grand-mère Odina et Madeleine. Il avait décidé de se rendre à Roberval, puis à Val-Jalbert. Ce n'était pas prévu, mais le patron de l'auberge de Péribonka lui avait parlé la semaine précédente d'une moto à vendre, rue Marcoux, à Roberval. L'engin était en bon état et à un prix abordable. Quand les jumelles l'avaient supplié de les emmener, il avait vite cédé.

— Je ferai la surprise à Hermine, disait-il. Nous prenons le bateau ce soir. Nous reviendrons tous ensemble jeudi ou vendredi, avec Kiona et Louis. Mukki, tu te sens vraiment capable de me remplacer? Les trois femmes que je laisse ici me sont très précieuses ; je te les confie.

— Mais oui, papa, certifia l'adolescent. Je sais même me servir de ton fusil en cas de problème.

— Moi aussi, je sais, renchérit la vieille Indienne.

— Je vous en prie, pas d'imprudence avec cette arme! recommanda Toshan. Ne l'utilisez qu'en cas de nécessité absolue. Je ne vois pas qui viendrait nous chercher des problèmes ici. Pierre Thibaut a disparu de la région. Tant mieux!

— Tu peux t'en aller sans crainte, cousin, assura Madeleine. Que risquons-nous, à part d'être malades d'impatience? J'ai hâte de revoir Hermine, Kiona et Louis. Ludwig, Charlotte et les petits nous manquent, la maison est bien vide sans eux.

En retrait, Akali songeait surtout à Ludwig. Elle était accablée depuis son départ, et la gentillesse de Mukki n'y changeait rien.

— Et toi, Constant? Tu seras sage, fiston? s'enquit Toshan en soulevant son fils dernier-né qui venait d'avoir trois ans. Je te ramène ta maman.

— Maman? répéta le petit. Je veux maman! Maman a promis un cadeau.

— C'est ce qui t'intéresse, garnement! Tu auras ta maman très vite et sûrement un cadeau aussi.

— Il faut partir, papa, insista Marie-Nuttah. Le bateau ne nous attendra pas. Ni ce monsieur dont tu parlais, celui qui nous emmène à Péribonka en camion.

— Je sais. Alors, en route. Il faut être au bord de la piste forestière dans dix minutes. Laurence, pose ce cahier, tu n'auras pas le temps de dessiner.

— Mais si, papa, pendant la traversée du lac. Je t'en prie, ça ne prend pas de place, un cahier. Nuttah a bien le droit d'emporter son appareil photo !

— D'accord, fais à ton idée ! concéda-t-il.

S'il n'avait pas eu l'opportunité de profiter d'un véhicule, ses filles ne l'auraient pas suivi. Des travaux étaient en cours le long de la rivière, dont un chantier à peu de distance de ses terres. Il avait sympathisé avec le contremaître, qui l'avait déjà conduit deux fois à Péribonka. L'hiver, Toshan se sentait plus libre ; il allait où il le désirait grâce à son traîneau et à ses chiens. Durant les courts mois d'été, c'était différent, ce qui le poussait à acquérir une moto. « Il faut vivre avec son temps, se répétait-il. Plus jeune, je parcourais des milles et des milles à pied. Mais c'était une autre époque. »

S'il avait méprisé jadis les inventions des Blancs, aujourd'hui il cédait à l'attrait du progrès. La guerre avait endeuillé le monde, mais elle avait aussi donné naissance à de nouvelles techniques. Bateaux, avions et moyens de communication s'étaient perfectionnés. Dans près de trente mille foyers américains, la télévision avait fait son apparition.

— Tu imagines un peu ça, papa ? lui disait souvent Mukki. Un petit écran, dans lequel on peut voir des images comme au cinéma, des matchs de hockey et des informations.

L'adolescent aurait donné cher pour approcher un de ces postes fantastiques. Pour le moment, en chemisette et salopette, ses cheveux noirs et raides voletant au vent, il se tenait fièrement sur le perron en jeune maître des lieux.

— Revenez vite ! cria Akali dès que Toshan et les jumelles s'éloignèrent.

Madeleine dut consoler Constant qui réclamait son père.

— Ne pleure pas, mon mignon, lui dit-elle en l'embrassant. Tes parents seront là très bientôt.

Val-Jalbert, le soir

Laura tournait lentement une grande cuillère dans la marmite de soupe qu'elle faisait réchauffer. Elle y avait ajouté un peu de crème afin d'adoucir le goût des légumes. Le silence de sa fille lui semblait incompréhensible. Jocelyn feuilletait un journal, déjà assis à la table sur laquelle étaient disposées cinq assiettes.

— Tiens, tu as entendu? s'exclama-t-il. Ce bruit de moteur, c'est Onésime qui rentre au bercail. Il a repris Yvette chez lui après l'avoir mise dehors. Pauvre gars, il a ben de la misère avec sa femme.

— Doux Jésus, vous dites vrai, monsieur, renchérit Mireille. Yvette, c'est de la mauvaise herbe. Tant qu'elle a eu ses petits à la maison, ça allait encore.

— Onésime a du cœur de lui avoir pardonné, déclara Laura. Quand même, il l'a frappée. Je n'aimerais pas prendre un coup de ce grand gaillard. Enfin, ce ne sont pas nos affaires!

Elle se précipita à la fenêtre et observa la rue. Elle espérait en secret un petit miracle, l'arrivée imprévue d'Hermine.

— Joss, le camion vient vers chez nous! s'écria-t-elle. Il y a forcément une raison. Mon Dieu, si c'était notre fille!

Son mari se leva, intrigué, et la rejoignit à son poste de guet. Il tendit l'oreille, car un autre ronronnement de moteur lui parvenait.

— On a de la visite juste avant le souper! pesta-t-il.

Kiona et Louis, qui attendaient l'heure du repas sur l'étendue d'herbe en bas des marches, se mirent à appeler.

— Laurence, Nuttah!

— Comment ça? s'ébahit Laura.

— Eh bien, nous n'avons pas la berlue: les jumelles sont bien dans le camion de Lapointe. Et regarde donc qui conduit la moto, derrière. Notre gendre! En voilà, une surprise!

Le couple se hâta de sortir pour accueillir ses petites-filles et Toshan. Coiffé d'un petit casque en cuir, le Métis enlevait une paire de lunettes rondes, montée sur une bande de tissu kaki.

— Quel équipement! observa Jocelyn. Alors, ça y est? Vous avez acheté cet engin?

— Je ne l'ai pas encore payé, révéla Toshan en riant. Mais j'ai pu l'emporter quand même. Le vendeur connaît bien notre famille. Je lui ai promis que nous passerions le régler avec Hermine demain matin.

Après avoir embrassé leurs grands-parents, Laurence et Marie-Nuttah s'éclipsèrent dans la maison avec Kiona et Louis. La mine sombre, Onésime salua en grognant.

— Ben, à la revoyure… Calvaire, j'ai pas envie de rentrer chez nous tantôt.

Depuis l'infidélité d'Yvette, il déprimait. Laura lui tapota l'épaule.

— Allons, du cran! Un rude bonhomme comme vous! Il faut reprendre courage. Votre épouse regrette ce qu'elle a fait, j'en suis certaine.

— J'suis la risée de tout le pays, gronda-t-il. «Yvette, c'est une fille à tout le monde[39]», qu'il ricanait, un de mes collègues. Crisse, j'm'en remettrai pas!

Voûté et accablé, il remonta dans son camion. Toshan lui jeta un regard apitoyé.

— Qu'est-ce qu'il a, au juste, ce brave Onésime? demanda-t-il à son beau-père.

— Yvette l'a trompé et, par malchance ce coup-ci, Lapointe l'a su. Je crois bien, moi, que ce n'était pas la première fois depuis leur mariage. Mais vous, Toshan, qu'est-ce qui vous amène?

— L'achat de la moto. Et je pensais faire une bonne surprise à Hermine, ajouta-t-il en jetant des coups d'œil autour de lui. Elle n'est pas là?

— Non, et je suis un peu préoccupée, avoua Laura. Ma fille me tient au courant de son emploi du temps. Là, nous n'avons aucune nouvelle. Je croyais que c'était elle qui rentrait avec Onésime.

— Par quel hasard se serait-elle trouvée dans le camion? bougonna Jocelyn.

— Lapointe fait le trajet chaque soir en quittant la fabrique de beurre. Hermine aurait pu le croiser devant la gare. Joss, reconnais que cela commence à être surprenant.

De fort bonne humeur, Toshan préféra se montrer optimiste.

— Il y a forcément une explication. Déjà que les trains ne sont pas souvent à l'heure! Mine a pu changer son programme, aussi.

— Sans nous prévenir? protesta Laura. Dans ce cas, ce n'est pas gentil de sa part. J'ai hésité à téléphoner au Château Frontenac; je vais le faire sans plus tarder, ils sauront bien ce qui se passe. Je suis allée ce matin chez Wellie Fortin, mais il n'y avait personne. Et le bureau de poste était fermé aussi. C'était bien pratique d'avoir le téléphone. Il faut toujours déranger le maire, à présent.

— Que faisait-elle au *Château Frontenac*? questionna Toshan. Hermine ne comptait pas descendre dans cet hôtel de luxe.

---

39. Une femme qui couche avec n'importe qui.

— Quand je l'ai eue au bout du fil il y a trois jours environ, elle m'a dit que monsieur Metzner, son futur impresario, lui avait offert une chambre là-bas.

— Il a les moyens, celui-là! constata Jocelyn. Si nous soupions, Laura? Je suis affamé.

Toshan remonta sur sa moto, qu'il démarra. La pétarade fit reculer sa belle-mère.

— Je vais téléphoner chez Fortin. Comme ça, vous serez tranquillisée, Laura, et moi aussi.

— Je vous remercie. Nous vous attendons.

Sans un mot pour son mari, elle s'empressa d'aller ajouter trois assiettes. Dans la cuisine, les jumelles bavardaient avec Mireille, ravie de les revoir. La gouvernante voulait tout savoir sur leur existence au bord de la Péribonka. Laurence lui montrait en même temps les croquis qu'elle avait faits pendant la traversée du lac.

— Doux Jésus, tu as de l'or au bout des doigts, toé! Regardez donc ces dessins, madame! La petite a du talent.

— Je suis au courant, trancha Laura sèchement.

Son énervement ne faisait que croître, ce qui consternait ses petites-filles. Marie-Nuttah s'approcha d'elle et la prit par la taille.

— Grand-mère, nous étions si heureuses de venir! Tu nous manques. Es-tu contrariée que nous soyons là?

Dans toute la fraîcheur de ses treize ans et demi, l'adolescente la dévisageait en souriant. Comme sa sœur, elle était très jolie avec son teint clair, ses yeux bleu-vert limpides et sa bouche couleur cerise. Ses cheveux châtains semés de reflets blonds ondulaient sur ses épaules. Laura fondit de tendresse.

— Oh! mes chéries, pourquoi serais-je contrariée? Disons que c'est le retard de votre maman qui me préoccupe.

Elle embrassa Marie-Nuttah sur le front, puis Laurence. Louis et Kiona brassaient des couverts et des verres. Ils jubilaient, ravis de cet imprévu qui égayait la soirée à venir.

— Après le souper, on ira se promener jusqu'à la cascade, proposa Kiona. Tu voudras bien, Laura?

— Nous verrons ça... Écoutez! Ah! c'est Toshan qui revient.

Tous comprirent immédiatement, quand il entra son casque à la main, qu'il avait changé d'humeur. Les traits crispés, désappointé, il fixa sa belle-mère en déclarant:

— Vous aviez raison: il y a bien un problème. J'ai eu un employé du Château Frontenac au téléphone. Hermine aurait quitté l'hôtel samedi. Mais c'est monsieur Metzner qui est passé récupérer sa valise et il aurait affirmé qu'elle prenait le train ce soir-là!

— Samedi soir! s'écria Jocelyn. Dans ce cas, Hermine aurait dû arriver à Roberval dimanche matin. Qu'est-ce que ça signifie? Si le train avait eu un accident, je l'aurais lu dans le journal.

— Papa, il n'est pas arrivé malheur à maman, hein? questionna Laurence, bouleversée.

— Non, pourquoi parler de malheur? coupa le Métis. Il se peut que le train soit en panne ou bloqué quelque part. Le trajet est long. S'il s'est produit une avarie ou un problème en pleine nature, cela pourrait expliquer le silence d'Hermine et son retard.

Malgré ces paroles rassurantes, Mireille se signa en proférant un «Doux Jésus!» affolé. Elle ajouta, solennelle:

— Moé, je ne prendrai plus ces maudites machines sur rail. On sait quand on part, mais jamais quand on arrive à destination. Notre pauvre Mimine, où est-elle donc, astheure? Et toé, petite, tu ne peux pas nous aider?

La gouvernante s'adressait à Kiona, qui se retrouva aussitôt sous le feu impatient de plusieurs regards.

— Mais je n'en sais rien, clama-t-elle, rien du tout! Ce matin, j'ai voulu faire plaisir à Laura, j'ai enlevé mon collier, et j'ai raconté ce que j'avais vu. Hermine prenait un bain.

— Un bain? répéta Toshan. Dans ce cas, elle était sûrement dans un autre hôtel. Bon sang, pourquoi ne téléphone-t-elle pas chez monsieur Fortin? C'est un peu léger, cette attitude!

Jocelyn se mit à table et servit du vin. Il désigna une chaise à son gendre. Laura poussa un gros soupir, mais elle retourna à ses fourneaux. Les enfants s'assirent en silence. L'ambiance devenait pesante.

— Enfin, il n'y a pas de quoi se tracasser. Nous saurons vite le fin mot de l'histoire, se raisonna le Métis. Demain, j'espère…

— J'espère aussi, renchérit Laura. Mais, au fond de moi, je pense que ce n'est pas normal, tout ça. Pourtant, je n'ai pas de visions, je ne suis pas dotée de pouvoirs extraordinaires. C'est mon cœur de mère qui me le dit.

Un long silence fit suite à ces mots lourds d'inquiétantes suppositions. La famille Chardin-Delbeau soupa sans appétit. La tension ne ferait qu'empirer, mais personne ne le soupçonnait encore, ce soir-là, sauf peut-être Kiona. « Hermine, reviens vite ! songeait la fillette. Qu'est-ce que tu fais, loin de nous ? »

Cette question, elle se la posa avant de s'endormir, puis au réveil, et pendant deux jours. Ce furent des heures très douloureuses pour tous. Toshan multipliait les allers-retours du petit paradis au bureau de poste, qui ne tarderait pas à mettre la clef sous la porte, et du bureau de poste au salon du maire de Val-Jalbert. Wellie Fortin, à présent, partageait l'anxiété générale. Les Marois et les Lapointe venaient aux nouvelles matin et soir. Chacun guettait la route régionale avec l'espoir de voir apparaître un taxi, une voiture inconnue qui leur ramènerait Hermine.

— Alors, mon gendre ? interrogeait Laura, pâle et accablée, dès que le Métis franchissait le seuil de la maison.

Le jeudi, vers midi, Toshan revint totalement désappointé.

— J'ai aussi tenté d'appeler un numéro, celui qui figure sur la carte de Metzner, le numéro de sa maison de disques. Ça sonne dans le vide. J'ai aussi contacté les hôpitaux de Québec : ils n'ont personne correspondant au signalement de ma femme.

Sa voix devint éraillée sur les derniers mots. Malade d'inquiétude, Jocelyn lui décocha une bourrade paternelle, pleine de compassion.

— Oh ! Seigneur, mais où est-elle ? tempêta Laura. Maintenant, il faut prévenir la police. Et vous devez partir pour Québec, Toshan. Je vais vous donner de l'argent.

Les jumelles, Kiona et Louis étaient dehors. Le Métis s'assura en regardant par la fenêtre que les quatre enfants ne pouvaient pas les entendre.

— J'aurais préféré qu'Hermine soit hospitalisée, blessée à la suite d'un accident. Mais on dirait qu'elle a disparu. Et c'est bien pire à mon avis. On va peut-être découvrir son corps, un jour ou l'autre… ou bien jamais, et nous ne saurons pas ce qu'elle est devenue.

— Taisez-vous ! aboya sa belle-mère. Comment osez-vous dire une horreur pareille ? Ma fille n'est pas morte, enfin ! C'est effroyable, je revis le même cauchemar que pour Louis quand cette brute de Tremblay l'avait kidnappé.

Elle ponctua ces mots sinistres d'un long sanglot en cachant son visage entre ses mains. Son mari la prit contre lui.

— Ben voyons donc, madame ! gémit Mireille.

— Ma femme a raison ! rugit Jocelyn à son tour. Il ne faut pas penser à ça, mon gendre. Notre fille a pu envoyer une lettre qui se serait égarée. Et puis, nous savons bien qu'en cas de malheur Kiona aurait réagi !

— Comment ça, réagi ? bredouilla Laura, en larmes.

— Amulettes ou pas, il y a fort à miser que ma petite l'aurait senti, s'il se passait quelque chose de tragique. Souvenez-vous, elle a su tout de suite que Tala nous avait quittés. Quand vous étiez à l'agonie en France, Toshan, elle a sombré dans le coma.

Le beau Métis acquiesça. Fébrile et dévoré par l'angoisse, il était à bout de patience. D'un bond, il se rua à l'extérieur.

— Viens là, Kiona ! tonna-t-il. Dépêche-toi, j'en ai assez de tes caprices.

Sa demi-sœur obtempéra, certaine qu'on allait lui demander de voir où se trouvait sa Mine. Laurence, Marie-Nuttah et Louis l'escortèrent, car elle les avait suppliés de l'accompagner.

— Je ne fais pas de caprices. Qu'est-ce que tu veux, Toshan ? Personne ne me croit, en plus.

— Entre vite et assieds-toi. Kiona, la situation devient préoccupante. Tu le sais comme moi : Hermine devrait être ici depuis lundi. Même si tu n'as pas envie d'utiliser tes fameux dons, je voudrais que tu nous aides. Tu es la seule à pouvoir faire quelque chose. Je t'en prie, petite sœur. Tu m'as sauvé la vie pendant la guerre. Grâce à toi, Mine a pu arriver à temps en Dordogne et me retrouver pour me conduire dans un hôpital.

— Mais tu étais en danger ! s'écria la fillette. Je suis sûre que Mine va très bien et qu'elle rentrera bientôt. Je l'aime si fort, Toshan, je le saurais si elle souffrait, si elle était menacée ou…, ou morte !

Laurence étouffa une plainte d'épouvante. Marie-Nuttah, qui pas un instant n'avait envisagé une telle issue, se précipita vers Kiona.

— Papa a raison, toi, tu peux savoir la vérité, Kiona ! Tu n'as pas le droit de refuser, de garder tes amulettes et la médaille d'Aliette la sorcière ! Cherche où est maman !

— Arrêtez donc de la tourmenter ! s'indigna Jocelyn. Et toi, Marie-Nuttah, tu n'as pas d'ordre à lui donner. Elle ne peut pas faire de miracles.

— Si, elle le peut ! se récria Laura avec une intonation tragique. Mais quand ça l'arrange, cette petite peste !

Comme à son habitude, Laura devenait abjecte dès qu'elle se mettait en colère. Louis assistait à la scène, effrayé. Il s'était réfugié près de Mireille, qui hochait la tête avec une régularité d'automate.

— Ça ne sert à rien de crier, intervint Toshan. Un peu de calme, je vous prie. Nuttah, recule, tiens-toi tranquille ! Et toi, Kiona, au nom de notre mère à tous les deux, aie la gentillesse de nous aider, de m'aider. Comprends-tu à quel point je suis inquiet ?

— Et si je n'ai pas envie de savoir ? rétorqua-t-elle en le défiant de son regard doré. Si je vois quelque chose de terrible ? Personne ici ne se met à ma place. Vous vous en moquez tous, de ce que je ressens. Je peux m'évanouir, mon cœur peut s'arrêter de battre, qu'importe ! Vous serez bien débarrassés, c'est ça ?

D'ordinaire douce et patiente, Laurence se jeta sur Kiona et tira de toutes ses forces sur le cordon de cuir auquel étaient accrochées les amulettes. Les petits sachets à la main, elle toisa la fillette.

— Alors, que vois-tu ? Dis-le donc ! Grand-mère se rend malade, je ne peux plus dormir tellement j'ai peur pour maman, tout le monde a peur et toi tu refuses de nous aider, tu te fiches de nous et de notre souffrance !

Après ce coup d'éclat, elle se mit à sangloter. Kiona se leva du tabouret, très digne.

— D'accord, je vais essayer, trancha-t-elle. Mais taisez-vous et ne me touchez pas !

Elle jeta un regard furibond à Laurence et marcha vers le fond de la pièce où se dressait un buffet surmonté d'un vaisselier. Là, elle leur tourna le dos. Ils attendirent en l'observant. Jocelyn était le plus ébranlé. Kiona avait grandi. Mince, bien faite, solide et svelte, c'était déjà presque une jeune fille, avec ses longues nattes d'or cuivré.

Toshan, qui se jurait de punir sa fille pour son geste trop violent à son goût, contenait mal sa nervosité. D'un instant à l'autre, sa demi-sœur pouvait trembler, être saisie d'un terrible vertige, perdre connaissance, et cela signifierait que sa femme bien-aimée serait aux portes de la mort.

Laura retenait son souffle en priant de toute son âme. Elle ne pouvait pas concevoir la disparition d'Hermine et niait à l'avance la possibilité d'une nouvelle tragédie.

Mais Kiona restait debout, sans manifester de malaise. Elle se décida à leur faire face, un air étrange sur le visage.

— Je n'arrive pas à la joindre, dit-elle seulement. Vous êtes contents, je l'ai vue, mais elle ne me voit pas.

— Tu l'as vue ? Tu en es sûre ? Bon sang, parle donc ! implora Toshan. Où est-elle ? Que fait-elle ?

— Mine est assise dans un lit, un très beau lit avec des rideaux à fleurs. Elle a une tasse à la main, une tasse qui fume. Il y a un chat blanc couché près de son oreiller. Oh ! Le chat ! Ça doit être à cause du chat ! Son poil s'est hérissé et il a feulé ! Lui, il m'a vue, mais pas Hermine. Je vous jure que c'est vrai.

Au soulagement général se mêla très vite de l'embarras. Bien que rassurées, les jumelles échangeaient des regards alarmés. Mireille avait pris la main de Louis et la serrait, du rose aux joues, gênée.

— Sortez, les enfants, ordonna le Métis. Toi aussi, Kiona. Je te remercie.

— Et pas de chicanes ! ajouta Jocelyn, qui grattait sa barbe d'un geste nerveux.

Dès qu'ils furent entre adultes, Laura observa :

— La petite invente ! Je ne goberai pas sa fable ! Vous imaginez Hermine se prélassant dans un lit avec un chat ? Ma fille n'est pas cruelle à ce point. Elle doit se douter que nous sommes malades d'angoisse.

Malgré son teint cuivré, Toshan paraissait livide. Il fixait un point invisible au-delà des murs de Val-Jalbert.

— Je vous l'accorde, Laura, que ça semble impossible de sa part, avança-t-il. Hélas, je ne suis pas stupide au point de me bercer d'illusions. Hermine n'a pas disparu, elle n'a pas eu d'accident. Elle prend du bon temps sans se soucier de nous, de moi…

— Allons, mon gendre, ne dites pas n'importe quoi, observa Jocelyn qui craignait pourtant la même chose. Je crois Kiona, mais il ne faut pas crier au scandale pour autant. Il y a sûrement une explication logique.

Laura se tenait près de la fenêtre. Son cœur battait à ses tempes. Elle était la seule à savoir que sa fille avait parfois été tentée de tromper Toshan.

« Peut-être que ce richissime Rodolphe Metzner est un homme très attirant, songeait-elle. Peut-être qu'il a invité Hermine à séjourner chez lui, qu'ils ont une liaison. Non ! je suis folle. Elle aime trop son mari, jamais elle n'oserait lui jouer un si mauvais tour. Il y a les liens sacrés du mariage entre eux, et ma fille les respecte, je ne dois pas en douter. Elle les respectera.»

Elle n'eut pas le loisir de réfléchir davantage. Laurence fit irruption dans la pièce, en larmes.

— Papa, Kiona m'a giflée, se lamenta-t-elle. Et Louis a dit que c'était bien fait pour moi. Je veux que maman revienne. J'en ai assez!

— Sors immédiatement ou je te fiche une claque à mon tour, lui reprocha son père. On n'obtient rien par la violence, tu devrais le savoir.

— Oui, et à cause de toi, Kiona a raconté des sottises, renchérit sa grand-mère. Elle les a dites pour se venger. File, on ne veut pas d'enfants dans nos pattes.

Apeurée, l'adolescente s'empressa d'obéir. Toshan tapa sur la table de son poing fermé.

— Si seulement c'étaient des sottises! maugréa-t-il entre ses dents.

La jalousie le dominait à nouveau, ce fléau redou-table contre lequel il s'était battu ces derniers mois. Un orage grondait en lui dont les rafales balayaient toutes les certitudes durement acquises. Il revoyait Ovide Lafleur dans le train, lui jeter à la figure qu'une femme comme Hermine ne pouvait pas passerinaperçue. L'instituteur, avec qui il avait sympathisél'été précédent, lui sembla soudain un dangereuxrival. «Il a pu la retrouver à Québec ou à Chicoutimi. Ils se sont cachés dans un hôtel ou chez quelqu'un, un complice, se disait-il. Sinon, qui d'autre? Metzner... Hermine parlait de lui avec enthousiasme. Riche, instruit, excellente éducation! Quant à son âge, elle a pu mentir.»

Toshan s'empara de son casque et enfila une veste. Il avait un air si implacable que Laura se signa.

— Où allez-vous? interrogea Jocelyn.

— Chercher ma femme! répliqua-t-il d'une voix glaciale. Si elle m'a trahi, je ne réponds de rien.

Une fois dehors, il saisit Kiona par le bras. Elle se débattit, furieuse.

— Toi, j'espère que tu n'as pas inventé tout ça.

— Mais non, je t'assure! protesta-t-elle. Lâche-moi, tu me fais mal.

— Bien, très bien! proféra-t-il en enfourchant sa moto.

— Papa! Reste avec nous! sanglota Marie-Nuttah.

Il n'écoutait plus rien. Laurence étreignit sa sœur, et elles pleurèrent ensemble. Jamais encore elles n'avaient vécu des instants aussi éprouvants. Louis attira Kiona à l'écart et lui parla à l'oreille.

— Dis, tu crois ce que je crois? Hermine a abandonné Toshan? Elle est tombée amoureuse de quelqu'un d'autre?

— Tais-toi, pauvre imbécile! s'indigna-t-elle très bas. Je ne sais pas ce qui se passe, mais elle ne fait rien de mal. Comment oses-tu penser ça d'elle? Ne t'avise pas de raconter ces idioties aux jumelles.

— Sinon quoi? Tu vas me changer en crapaud?

— Non, ça, c'est déjà fait, vu tous les boutons que tu as sur la figure. Je ne t'aimerai plus, voilà.

La menace porta ses fruits. Louis garda pour lui ses mauvaises blagues, et même ses doutes sur la fidélité de sa grande sœur.

Maine, même jour, même heure

Le chat était parti. Hermine posa sa main à l'endroit où il ronronnait, couché en boule, quelques minutes plus tôt. Après avoir feulé, tout hérissé, il avait bondi du lit pour se glisser par la porte, dorénavant entrouverte. Annie Vonlanthen ne fermait plus à clef, puisque le reste de la maison était barricadé.

«Nous sommes jeudi, pensa la jeune femme. Mon Dieu, mes parents doivent être fous d'inquiétude. Je les préviens toujours en cas de retard. Et Toshan, est-il au courant que je ne suis pas rentrée à Val-Jalbert? Papa a pu envoyer quelqu'un le prévenir. En cette saison, il y a toujours moyen de se rendre au bord de la Péribonka, jusque chez nous…»

Ce «chez nous» lui déchira le cœur. Elle se maudissait d'être là par crédulité et par manque de perspicacité. En plus, tout en exécrant Rodolphe et sa cousine, elle continuait à jouer les malades, ce qui la privait de la vive lumière du mois de juin. Souvent, elle avait la tentation de monter dans le salon pour admirer le parc et ses rosiers, mais cela aurait anéanti tous ses efforts. En effet, Rodolphe semblait patienter sagement et ne l'importunait pas.

«Qu'est-ce qui a dérangé Faust? se demanda-t-elle. Il est si calme d'habitude!»

L'arrivée d'Annie coupa court à ses méditations. La petite femme affichait une mine préoccupée.

— Votre repas, jeune dame! annonça-t-elle d'un ton sec. Du rôti de bœuf, des haricots verts et une part de flan. Je vous ai préparé de la tisane avec du miel.

— Comment obtenez-vous de la viande, si personne ne sort d'ici? questionna Hermine. Je n'en veux pas, elle doit être avariée.

— Bien sûr que non! Nous avons un grand réfrigérateur[40], jeune dame. Rodolphe se fait livrer une fois par semaine des produits frais.

— Un réfrigérateur! Ma mère voulait en acheter un.

— C'est très pratique, surtout pour garder la viande, le lait et le beurre. Comment vous sentez-vous, aujourd'hui? Mon cousin se morfond, il voudrait tellement vous revoir, et dans de bonnes dispositions!

Hermine ne répondit pas tout de suite. Elle pensait à ce livreur. Il devait avancer sa voiture jusqu'au seuil de la maison. Si elle se montrait à une des fenêtres grillagées, si elle lui faisait comprendre qu'on la retenait prisonnière, il pourrait la secourir.

— Il y a donc une ville à proximité? remarqua-t-elle.

— Non, pas du tout! trancha Annie, consciente d'avoir fait une gaffe. Ce commerçant vient de très loin spécialement pour nous. Je vous l'ai dit hier, jeune dame, nous sommes isolés. Pas une âme qui vive à des milles alentour. Mangez donc, vous devez guérir.

Elles s'observèrent, l'une et l'autre sur la défensive. Hermine se décida à poser la question qui la tourmentait.

— Est-ce vous qui m'avez couchée et déshabillée, la nuit où je suis arrivée?

— Bien sûr! Mon cousin vous a déposée sur le lit et m'a laissée m'occuper de vous.

La vieille fille parut deviner ce qui la tracassait.

— Jamais Rodolphe ne vous aurait manqué de respect, jeune dame, qu'allez-vous penser là?

— J'étais droguée. Il pouvait en profiter, rétorqua-t-elle.

— Oh! non, soyez tranquille! Rodolphe n'est pas un méchant homme. Tenez, depuis qu'il sait que vous êtes réveillée, il reste à distance, de crainte de vous déplaire.

— Alors, il doit se douter que je suis toujours en colère.

Annie approuva en silence. Hermine goûta enfin le rôti, bien cuit et nappé d'une sauce brune. Elle le trouva délicieux.

— Au moins, vous retrouvez l'appétit, nota Annie.

— Je n'ai pas le choix. Et vous cuisinez bien, moins bien cependant que notre gouvernante Mireille.

Elle avait constaté que la cousine de Rodolphe appréciait le moindre de ses bavardages. Pour cette étrange vieille fille, tout ce qui venait du

40. L'utilisation du réfrigérateur s'est généralisée aux États-Unis dans les années 1930.

monde extérieur semblait intéressant et même passionnant. Aussi, Hermine ne manquait pas une occasion d'évoquer Val-Jalbert et sa chute d'eau spectaculaire, les maisons désertes, ainsi que le luxe de la belle demeure de Laura, réduite en cendres. Les anecdotes concernant ses enfants la touchaient beaucoup, elle le sentait.

— Mon petit dernier, Constant, a fêté ses trois ans sans moi, déplora-t-elle soudain. Si vous le voyiez, il est très beau. C'est un blond aux yeux bleus.

— Comme sa maman! remarqua Annie.

— Tenez, passez-moi mon sac à main, je vais vous montrer des photographies de ma famille.

— Oh! non, Seigneur Dieu, non! Il ne faut pas!

— Pourquoi?

— Rodolphe serait mécontent, si je les regardais. Tout ce qui touche à votre vie de famille l'irrite! Il est d'une telle jalousie!

— Il a dû les voir, puisqu'elles étaient dans mon passeport et que mon passeport a disparu, affirma sèchement Hermine. Il a eu l'amabilité de me laisser ces clichés, c'est étonnant... Annie, si vous pouviez imaginer ce que je ressens, cloîtrée dans cette pièce! Mettez-vous un peu à ma place, au lieu d'entrer dans le jeu de votre cousin. Je sais, je pourrais aller où je veux à l'intérieur de la maison, mais je suis trop épuisée, trop triste. Enfin, vous avez encore un peu de jugement? Mon mari va s'inquiéter, mes parents aussi. On me cherchera partout, tout d'abord à Québec, et la police finira par trouver la bonne piste, celle qui les mènera jusqu'ici. Des gens témoigneront qu'ils nous ont vus ensemble. Notamment les musiciens et l'ingénieur du son.

La femme éclata de rire en prenant une expression de triomphe.

— Il n'y a pas de risque, Rodolphe est très rusé. Ici, dans le Maine, personne n'a entendu le nom de Metzner. Même l'homme qui gère ses affaires au Canada ignore sa véritable identité.

— Et cet homme n'est pas au courant, à mon sujet?

— Oh! non, Seigneur Dieu! Il ne connaît Rodolphe que sous son bon jour, confessa Annie d'un ton anxieux. Vous savez, mon cousin ne va pas bien du tout, jeune dame. Depuis que vous êtes malade, il tourne en rond, il va sur la scène de son théâtre et guette votre venue. Il me répète: «Hermine va se rétablir, Hermine doit travailler le chant.» Il vous adore, le malheureux! Cela tourne à l'obsession!

Annie Vonlanthen se tut. De grosses larmes coulaient le long de son nez busqué et imbibaient ses joues. Elle nouait et dénouait ses doigts en reniflant, pitoyable. Hermine avait trop de cœur et de grandeur d'âme pour ne pas la plaindre.

— Si vous l'aimez, vous devez m'aider à partir, pour qu'il n'ait pas d'ennuis avec la police! observa-t-elle. Je ne porterai pas plainte par la suite, je dirai que je suis venue là de mon plein gré, s'il le faut.

— Je n'ai plus que lui sur terre, gémit Annie Vonlanthen. Je vis dans son ombre depuis la mort de son épouse et du bébé. Seigneur Dieu, nous l'avons cru perdu, à l'époque. Il a voulu mettre fin à ses jours, il ne nous reconnaissait plus…

— Qui, nous?

— Son père, sa mère et moi. Il endurait le martyre dès que la mémoire lui revenait et il pleurait des heures en appelant sa femme de sa voix rauque, sa pauvre voix brisée. Si vous l'aviez écouté chanter, jadis! C'était merveilleux. Un des plus grands ténors du siècle, disait la presse européenne. J'avais découpé l'article paru après sa première apparition sur scène, à la Scala de Milan, dans *La Traviata*, de Verdi. C'est là-bas qu'il a connu sa future épouse. Elle était ballerine, en passe d'être nommée danseuse étoile. Une ravissante jeune fille.

— Italienne?

— Non, une Française, Blandine… Le mariage a été digne d'une famille princière. Il y avait tant de fleurs blanches et tant de lumières dans les jardins de notre villa, en Suisse! Un orchestre a joué toute la nuit et, eux, ils dansaient la valse. C'était si beau, sa robe en dentelle qui tournait, tournait! Depuis, Rodolphe écoute de la musique de ballet. Nous avons une installation moderne dans son théâtre. Un électrophone et des haut-parleurs. C'était pour ça, l'autre soir, *La Danse de la fée Dragée*, dans *Casse-Noisette*. Blandine avait dansé dans ce ballet, et aussi dans *Le Lac des cygnes*. Toujours Tchaïkovski.

Hermine approuva, bouleversée. Elle songeait à l'existence pleine de promesses de ce jeune couple amoureux et talentueux, brutalement détruite par un accident. Une femme adorée qui se noie avec son enfant! Rodolphe avait survécu, lui, mais qu'était-il vraiment, au fond, depuis la tragédie? Un homme brisé à l'esprit rongé par la souffrance et au cœur torturé. Elle se remémora alors leur première rencontre, dans le train, et les heures qu'ils avaient passées ensemble le long de la voie ferrée.

« J'étais en admiration ! Charmée ! pensa-t-elle. J'avais en face de moi quelqu'un de cultivé, de serviable et sensible. Il s'est confié, il m'a protégée. Les jours suivants, à Québec, nous avons discuté des heures de littérature, d'opéra et de musique. Nous avions bien des goûts en commun ; il me faisait rire aussi. C'était il y a un an seulement et jamais je n'aurais cru que je me trouvais en présence d'un fou. Je suis certaine qu'il était sain d'esprit, à l'époque. J'ai eu envie de l'embrasser, de sentir ses lèvres sur les miennes dans le taxi. »

Elle baissa la tête, car elle avait rougi. Rodolphe avait fait plus que la charmer, il l'avait presque séduite. Cependant, la semaine qui venait de s'écouler lui laissait une impression très différente. À plusieurs reprises, elle avait perçu l'extrême nervosité de celui qui se prétendait son impresario, et ses déclarations d'amour l'avaient mise mal à l'aise. Annie disait vrai : son cousin sombrait dans une sorte de folie obsessionnelle depuis qu'il avait pu l'approcher, la côtoyer.

— Il faudrait le faire soigner, déclara-t-elle à voix haute. Je vous en prie, Annie, agissez ! Vous êtes sa seule famille. Je ne vous dis pas ça uniquement dans le but d'être libre, mais pour votre bien à tous les deux. Sinon, que va-t-il se passer ? Jusqu'où ira son délire ?

— Mais je n'ai que lui ! Il me fait confiance ; je ne peux pas l'envoyer dans un asile.

— Réfléchissez bien quand même, implora Hermine. Il peut suivre un traitement sans être enfermé. Et, par pitié, rendez-moi un service.

— Lequel ?

— Ce livreur dont vous me parlez, vous pourriez lui remettre une lettre qu'il postera, un bref message pour ma mère. J'écrirai simplement que j'ai du retard ou que j'ai été souffrante, qu'elle n'a pas à s'inquiéter. Rien d'autre. Je ne supporte pas l'idée de la savoir dans le doute, dans la crainte qu'il me soit arrivé malheur.

— Non, jeune dame, non ! C'est impossible. Je ne trahirai pas Rodolphe. Et pourquoi je vous ferais des gentillesses, alors que vous refusez de lui donner un peu de joie ? Il voudrait vous entendre chanter, rien d'autre.

Hermine hésitait. Elle pouvait peut-être tenter quelque chose afin de sortir de cette situation extravagante. Ce n'était pas forcément la meilleure solution, de fuir Rodolphe ou de contrarier Annie.

— Ma gorge va un peu mieux, répliqua-t-elle. Je ne sais pas si c'est prudent de chanter, mais dites à Rodolphe que je serai sur la scène demain soir. Je veux bien danser avec lui une ou deux valses.

— Oh! Seigneur Dieu, merci! Ça, c'est gentil! Nous avons des disques de valses viennoises. Je m'occuperai de la musique. Un disque produit par mon cousin. Faites-vous belle, jeune dame. Très belle...

Ravie, la petite femme frappa des mains. Hermine retint un soupir. Elle avait tort d'espérer quoi que ce soit d'Annie. Plus elle la fréquentait, plus elle lui semblait un peu folle également.

«Une tare héréditaire! se résigna-t-elle. Jamais je ne pourrai leur échapper. Et Kiona ne vient pas me voir. J'ai beau l'appeler, penser à elle de toutes mes forces, on dirait que je n'existe plus pour elle.»

Sainte-Hedwidge, même jour, deux heures plus tard

Toshan coupa le moteur de sa moto dans la cour de la ferme des Lafleur. Il s'était auparavant arrêté sur la place du village afin de demander où habitait l'instituteur. Tout le trajet, il avait poussé son engin au maximum de sa vitesse en ressassant sa fureur, alimentée par les images qu'il inventait au gré de son délire jaloux: Hermine nue sous le corps d'un autre homme, sa chevelure répandue sur le drap, ses seins si beaux offerts à une bouche étrangère, son ventre, sa toison dorée, source de délice, calice précieux dont il était le maître en vertu des liens sacrés du mariage.

«Bon sang, je vais les tuer!» résolut-il en ôtant son casque.

Les lieux avaient un air d'abandon qui le dérouta. Une charrette pourrissait dans l'angle d'un bâtiment; un tas de fumier datant sûrement de plusieurs mois attirait des mouches en pagaille. Il n'y avait pas un bruit, les fenêtres de la maison étaient fermées.

— Qu'est-ce que je suis venu faire ici? s'interrogea-t-il à mi-voix. Lafleur ne doit plus mettre les pieds dans le coin.

Cela le ramena au calme. Impétueux et porté à l'action, il s'enflammait facilement. Outré par la vision de Kiona et ce qu'elle pouvait laisser supposer, il avait eu besoin d'agir, de bouger, pour ne pas rester victime des événements, pour les provoquer. Il avança vers la porte principale et frappa, certain cependant qu'il n'y avait plus personne.

— Oh! Lafleur? Ouvrez, c'est Toshan Delbeau.

Plus il observait la façade dont les planches étaient délavées par les intempéries, moins il pensait trouver là ses coupables. Néanmoins, il voulait au mieux obtenir des renseignements. Si par malheur Ovide était en voyage, il saurait avec qui Hermine profitait du « très beau lit ».

— Bon sang ! pesta-t-il en tambourinant comme un forcené.

Il crut deviner des pas à l'intérieur. L'instant d'après, Ovide lui ouvrait, échevelé, en gilet de corps et short de toile.

— Delbeau ! s'étonna l'instituteur. Je croyais bien avoir reconnu votre nom. Navré de vous recevoir dans cette tenue, je nettoie une pièce à l'arrière de la maison et il fait une chaleur affreuse. Dites, ça sent l'orage… Vous vous baladez en moto ?

Toshan le dévisageait avec une expression de fauve prêt à attaquer qui n'était pas engageante. Ovide en eut rapidement conscience.

— Eh ! Tout doux, Delbeau ! Qu'est-ce qui vous amène ?

— Où est ma femme ? hurla le Métis. Je vous préviens, ne faites pas le malin. Si elle est là, je la trouverai.

— On se calme, d'accord ? Je suis seul. Entrez donc, vous pourrez vérifier. Fouillez, retournez mon bazar si ça vous chante. Ensuite, vous m'expliquerez.

Le ton était ironique. Ovide Lafleur ne montrait aucune peur ni aucune gêne.

— Ma mère est décédée il y a un mois. Je fais du rangement. Je compte vendre la ferme.

Cela fit à Toshan l'effet d'une douche froide. Il se tenait immobile dans l'ancienne cuisine où flottait une odeur aigrelette qui le dégoûtait un peu.

— Je suis désolé, pour votre mère, dit-il. Je l'ignorais.

— Rien de plus normal, nous nous sommes croisés il y a un an et, depuis, je ne crois pas vous avoir revu. Bon, Toshan, si vous me disiez ce qui se passe ! Déjà, je peux vous certifier que votre femme n'est pas chez moi.

— Sortons ! Je préfère être au grand air.

Sur ces mots, Toshan retourna dans la cour et alluma une cigarette. Ovide accepta celle qu'il lui tendait.

— Hermine séjournait à Québec pour enregistrer un disque. Elle devait rentrer lundi à Val-Jalbert. Je comptais lui faire une surprise en la rejoignant au petit paradis avec nos filles, mais elle n'était pas arrivée. Aucune nouvelle, pas un coup de fil au maire du village, pas de télégramme. Depuis, rien. Ma femme a disparu.

L'instituteur accusa le coup. Il regarda attentivement Toshan sans perdre de temps à poser des questions inutiles.

— Je suppose que vous trouvez ça très inquiétant, dit-il. Madame et monsieur Chardin doivent être très angoissés. Enfin, comme vous. Mais pourquoi débouler chez moi avec un air de chien enragé ? Qu'est-ce que vous imaginiez, mon vieux ?

— Ne faites pas l'idiot, vous vous en doutez !

— Pas vraiment, Delbeau. Je résume : votre femme est à Québec, elle ne rentre pas au bercail à la date prévue et vous foncez ici me demander des comptes ! Mais entrez, allez-y, fouillez donc !

Toshan faillit céder et partir vérifier si Hermine n'était pas là, ne pouvait pas être là. Repris d'un ultime soupçon, il pensa que l'instituteur avait pu aménager une chambre digne de la jeune femme pour la recevoir et la séduire. Mais c'était ridicule. Après avoir écrasé son mégot d'un talon nerveux, il avoua ce qu'avait vu Kiona deux heures plus tôt.

— Ah ! Kiona ! s'exclama Ovide. La petite visionnaire du Lac-Saint-Jean ! Je croyais que c'était de l'histoire ancienne, ses pouvoirs et ses dons prodigieux. Mais cette enfant vous ferait tous marcher sur les mains et avaler des couleuvres. Je n'ai jamais mis en doute ce qu'elle aurait fait d'extraordinaire, par simple scepticisme. Cela peut exister, ou ça n'existe pas, je n'en sais rien. Je suis athée et plutôt enclin au matérialisme. Dans le cas présent, quand même, je penche pour un gros mensonge dans le but de se venger de Laurence.

— Non ! trancha Toshan. Kiona était sincère. Je l'ai senti à son regard et à sa voix ; elle-même semblait désemparée.

— Venez, rentrons ! Je vais vous servir un verre de cidre. Nous irons discuter dans mon ancien bureau.

Ovide eut un sourire nostalgique qui échappa à son visiteur. L'instituteur se remémorait ce lointain jour d'hiver où Hermine était venue là à cheval, désespérée par la mort de Simon Marois, seule et accablée sans le soutien de son mari, ce mari qui marchait près de lui maintenant, tourmenté, les traits tirés, et toujours diablement beau. Ses longs cheveux noirs, héritage de ses ancêtres montagnais, étaient attachés sur la nuque. Sa chemise entrouverte laissait voir un torse à la peau lisse, couleur de miel. C'était à cet homme-là, aux allures de seigneur sauvage, qu'il avait voulu voler Hermine. « Mais où est-elle ? » s'interrogea-t-il.

Toshan l'arrêta d'un geste et le dévisagea.

— Lafleur, franchement, croyez-vous une femme comme la mienne capable de me tromper ? Ne me ménagez pas, donnez-moi votre impression. Vous la connaissez un peu, même assez bien, d'après ce que j'ai cru comprendre. Pendant votre périple, quand vous cherchiez Kiona, vous a-t-elle parfois paru du genre à se laisser séduire ? A-t-elle été rieuse et légère ?

L'instituteur dut faire des efforts prodigieux pour demeurer impassible et présenter à ce grand jaloux une face neutre et hermétique.

« Si tu savais, mon vieux, que j'ai dû la rejeter, un soir, à l'auberge de Péribonka ! songea-t-il. Si tu savais comme elle était belle, désirable, ardente ! Si tu savais que j'ai cru devenir fou en la raisonnant, en brandissant des arguments que je maudissais. Et il y a pire. Dans l'écurie, là-bas, je l'ai tenue dans mes bras, toute nue, magnifique, une idole de chair laiteuse chaude et câline, d'une sensualité à damner un saint ! Oui, si tu savais… »

— Alors, votre avis ? répéta le Métis. D'homme à homme !

— Je réfléchissais ! Non, écoutez, voici mon opinion. Hermine est une femme fidèle, loyale, intègre et, surtout, elle vous aime de tout son être. Quant à la vision de Kiona, que signifie-t-elle ? Si vision il y a eu…

Les deux hommes eurent une longue conversation autour d'une bouteille de cidre, parmi des piles de livres, des caisses et des étagères vides. Assis sur un lit de camp, Toshan échafauda sa théorie.

— Hermine a eu un accident, elle est dans une clinique de luxe, amnésique peut-être. J'ai même appelé le Capitole, à Québec ; personne ne l'a vue ces derniers jours.

— Des cliniques où les infirmières acceptent un chat dans les chambres ? Non, mon vieux, trancha Ovide. Mais quelqu'un du milieu du spectacle a pu l'inviter et elle n'a pas pu prévenir sa mère.

— Mais qui ? Et pourquoi, dans ce cas, ne pas téléphoner ni écrire ?

— Enfin, elle n'a pas disparu depuis un mois, quand même ! De lundi à jeudi, il n'y a pas de quoi paniquer. Je parie qu'en rentrant à Val-Jalbert vous aurez des nouvelles. Profitez des dons de Kiona, suppliez-la de tenter à nouveau de la joindre. Avec un peu de chance, elle verra Hermine dans un train, en route vers sa famille.

Un grondement sourd les interrompit, suivi d'un violent coup de tonnerre dont l'écho se répercuta sur les vastes étendues de prairies et de forêts qui entouraient la ferme. La lumière déclina très vite, tandis qu'une averse torrentielle s'abattait sur les toits.

— La moto, je ferais bien de la mettre à l'abri. J'y vais! s'écria Toshan.

— L'écurie est vide. Je n'ai plus de cheval.

Ovide passa une main dans ses boucles châtain clair. D'évoquer ce lieu en le nommant suffisait à lui donner des frissons de volupté rétrospective. Il se demanda aussi, embarrassé, si Kiona pouvait voir des scènes du passé, des scènes très intimes. « J'espère que non! » se dit-il.

Ses pensées revinrent à Hermine. Il venait de prôner la logique, de minimiser sa disparition, mais, brusquement, il éprouva une peur intense à l'idée de ne plus la revoir vivante. Son amour pour elle était toujours aussi fort, aussi fervent. Malgré toutes ses résolutions, elle l'obsédait jour et nuit. Bientôt, il se posa les mêmes questions que Laura, Jocelyn et Toshan. « Où est-elle? Que fait-elle? Lui a-t-on fait du mal? »

La pluie se fit diluvienne. Des éclairs zébraient le ciel opaque à intervalles très rapprochés. Toshan réapparut, trempé de la tête aux pieds.

— Ovide, voulez-vous m'accompagner à Québec? demanda-t-il, haletant d'avoir couru sous l'orage. Si vous êtes libre… Je parle de votre travail. Vous commencez vos vacances, n'est-ce pas! J'aimerais vous avoir à mes côtés. Vous êtes modéré, plus raisonnable que moi. Vous m'éviterez peut-être de faire n'importe quoi.

— Je suis disponible. D'accord, je viendrai. Quand partez-vous?

— Demain. Votre voyage sera à mes frais, bien sûr.

Ils se serrèrent la main, aussi angoissés l'un que l'autre.

Maine, le lendemain, vendredi 27 juin 1947

Il était presque huit heures du soir. Hermine étudiait son reflet dans le miroir de la salle de bain. Elle avait revêtu une des robes achetées par Rodolphe, un modèle très romantique. Ses doigts effleurèrent le tissu satiné de l'ample jupe à plusieurs volants, puis le corsage qui moulait son buste et dévoilait ses épaules. Jamais encore elle n'avait porté une telle robe, une pure merveille en soie, couleur ivoire, incrustée d'une nuée de petits brillants.

— Vous êtes magnifique, jeune dame, affirma Annie qui avait servi de femme de chambre, car il fallait ajuster un système de petits crochets dans le dos.

— Merci de votre aide et du compliment. Mais je ne suis pas très à mon aise.

— Pourquoi se cacher quand on est si belle ! Je n'ai pas eu cette chance, moi. J'ai cessé de grandir vers neuf ans. Aucun homme ne m'a regardée, sauf pour se moquer de moi ou me traiter de naine. J'étais maigre, sans les formes que vous avez, vous… Mais parlons d'autre chose. Mettez le collier. Et vos cheveux, je voulais les friser au fer.

— Non, je préfère me coiffer seule.

Hermine regrettait déjà sa décision. De se montrer ainsi devant Rodolphe était un jeu qui pouvait s'avérer dangereux. Elle voulait se présenter à lui comme une diva éblouissante, afin de lui paraître intouchable et de pouvoir discuter avec lui assez longuement pour le ramener à la raison. Elle noua une partie de ses cheveux en chignon haut tout en laissant de longues mèches souples encadrer son cou et orner son décolleté. Assis au coin d'un petit meuble d'angle, le chat blanc ne la quittait pas des yeux. Il battait de la queue, un signe de nervosité.

— Faust est contrarié ; j'ai déserté mon lit. Ce paresseux n'apprécie pas de me voir debout.

— Il ne vous quitte plus, déplora Annie. Avant, il se couchait sur mes genoux dès que je m'asseyais. Les chats sont comme les hommes : ils aiment les belles choses.

— Je ne suis pas une chose, affirma Hermine. Ni vous, Annie. Quand je serai partie, Faust vous reviendra et Rodolphe aussi, sans doute. Pourquoi ne pas m'aider à m'enfuir ? Vous seriez débarrassée de moi !

— Cela le tuerait de vous perdre, répliqua la femme d'un ton affligé. Mon cousin a suffisamment souffert ; il a droit au bonheur. Vous êtes son idole, sa déesse !

— Selon vous, je devrais donc passer le reste de mes jours ici, ironisa la chanteuse. Annie, j'ai écrit la courte lettre dont je vous parlais hier. Tenez, vous pouvez lire. Je n'avais pas de papier.

Elle lui tendit une carte postale de Québec achetée au début de son séjour et qu'elle destinait à son amie Badette. Annie lut tout haut :

— *Mes chers parents, je suis désolée si je vous ai causé des inquiétudes. J'ai fait un voyage imprévu. Je reviens dès que possible. Tout va bien, Hermine.*

— Vous voyez, je tiens promesse. Il n'y a rien d'ambigu dans ce message.

— Même si je la remettais au livreur, votre carte n'arriverait pas chez vous avant une semaine.

— Ce serait déjà bien, observa Hermine. Bon, je vais à mon rendez-vous...

— Et moi, je dois m'occuper de la musique.

Hermine avait compris qu'il y avait un autre accès au théâtre que l'étroit couloir tapissé de rouge donnant dans sa chambre. Mais elle se demandait bien par où passerait Annie.

— Combien de temps vous faudra-t-il? se renseigna-t-elle d'un air ingénu.

— Oh! quelques minutes. Je descends dans la salle par le bureau de mon cousin... Et n'espérez rien, jeune dame. Je ne suis pas si bête, je verrouille la porte derrière moi. Vous êtes rusée, mais vous ne m'aurez pas comme ça. Autant vous le dire, les sous-sols de la maison sont truffés de couloirs, mais ils se rejoignent tous et pas un ne débouche à l'extérieur.

Dépitée d'avoir été devinée par celle qu'elle considérait comme un peu sotte, Hermine sortit de la salle de bain. Un instant plus tard, elle longeait le passage secret, illuminé par les lampes qui évoquaient des torches flamboyantes. Son cœur battait à se rompre et elle avait la bouche sèche. De ses mains gantées de dentelle ivoire, elle soulevait à peine sa jupe, gonflée par deux jupons de mousseline. C'était un geste machinal, digne des élégantes du Second Empire, qui resurgissait à cause de cette toilette féerique.

«J'ai peur, songeait-elle. Et j'ai tort d'avoir peur!» Ce rappel d'un couplet de l'opéra *Carmen*, chanté par Micaela, la pieuse fiancée du brigadier Don José, la fit sourire. «Mon Dieu, j'ai envie de chanter! Il ne faut pas, pas encore. Mais ce serait l'unique moyen de chasser l'angoisse terrible qui m'opprime depuis des jours.»

Elle s'étonnait d'avoir pu donner le change en faisant la malade, en gardant le lit, résignée et très docile en apparence. Au fond, elle avait suivi son instinct pour se défendre d'une éventuelle agression, pour avoir tout loisir de réfléchir au comportement de son ravisseur. Elle espérait lui faire comprendre qu'il ne pouvait plus la garder prisonnière.

«Je dois réussir!» se disait-elle.

Soudain, Hermine pressa le pas. Elle devait se trouver sur scène avant les premiers accords de valse. Vite, elle écarta les lourds rideaux de velours rouge et courut sur les planches en bois très clair. La salle scintillait sous les pampilles de cristal du grand lustre. Le décor était encore celui de *Faust*, mais elle s'en moquait. Sans même s'être échauffé la voix, elle chanta, le regard étincelant d'une joie étrange. C'était une libération, une extase infinie, intime, de retrouver la griserie de son art. Chaque mot vibrait au gré des notes et, de toute sa puissance vocale, avec une sensibilité exacerbée, elle incarnait Micaela perdue dans la nuit, bravant sa terreur par amour.

> *Je dis que rien ne m'épouvante,*
> *Je dis, hélas! que je réponds de moi;*
> *Mais j'ai beau faire la vaillante,*
> *Au fond du cœur, je meurs d'effroi!*
> *Seule en ce lieu sauvage,*
> *Toute seule j'ai peur,*
> *Mais j'ai tort d'avoir peur;*
> *Vous me donnerez du courage,*
> *Vous me protégerez, Seigneur!*

Elle se donnait entièrement au chant, atteignant des sommets de pureté et de limpidité. Ce cri du cœur, elle le dédiait à Toshan, à Dieu également qui n'oserait pas les séparer. Mais sa voix exceptionnelle vrillait le corps d'un autre homme, qui écoutait frissonnant, subjugué. Rodolphe Vonlanthen restait dissimulé au fond d'une loge. Il s'apprêtait à descendre sur la scène par un passage aménagé à cet effet quand Hermine lui était apparue dans sa merveilleuse robe ornée de brillants, avec sa chair laiteuse et sa chevelure d'or. Maintenant, il demeurait là, en proie à un indicible bonheur mêlé d'accablement. Il l'aimait comme un fou et redoutait de ne pas arriver à la faire sienne.

« Si seulement j'avais encore ma voix, j'aurais plus de chance de la conquérir! » déplorait-il.

Tant de grands airs du répertoire lyrique grondaient en lui, tempête invisible, destructrice, qui ravageait sa raison et sa volonté! Il ouvrit la bouche, puis y plaqua une main rageuse. Jamais plus il ne pourrait chanter, jamais il ne donnerait la réplique à l'exquise créature dont il distinguait la silhouette mouvante à travers ses larmes. « Mourir enfin! pensa-t-il. Mourir en emportant le son de sa voix, l'image de sa beauté... »

Sur la scène, Hermine s'était tue. Elle attendait, haletante. Dès que les haut-parleurs diffusèrent une valse jouée par un orchestre, elle scruta le fond de la salle. Mais Rodolphe Metzner la rejoignit par les coulisses exiguës qui couraient derrière les rideaux.

— Vous êtes là! balbutia-t-il.

Elle lui fit face, déconcertée. Elle constata aussitôt qu'il titubait et semblait mal en point, les yeux noyés de larmes. Cela suffit à Hermine pour comprendre qu'il était torturé.

— Oui, je suis là, dit-elle à voix basse. Vous souffrez?

Il acquiesça d'un signe de tête, incapable encore d'articuler un mot, puis, au prix d'un effort prodigieux, il se maîtrisa et lui tendit les bras.

— Dansons, Hermine. Comment vous remercier de m'accorder tant de bonheur? Un bonheur auquel se mêle une terrible douleur! Je vous ai écoutée, et j'aurais tellement voulu chanter avec vous! Mais dansons, vous dansez si bien!

Hermine aimait valser. Elle s'accorda quelques instants de répit afin de savourer la musique, le tourbillon léger dans lequel l'entraînait son cavalier.

«Il a pleuré, se disait-elle. J'ai vu des larmes.» Elle comprenait aisément son désespoir, et une poignante compassion la submergea. Un des plus grands ténors du siècle, selon les critiques, avait été privé d'un don divin, ce don unique et fabuleux dont elle connaissait la valeur.

— Ne soyez pas malheureux, dit-elle, je vous en prie. Nous valsons, loin de tout. Rodolphe, je vous pardonne.

— Vous me pardonnez de vous avoir enlevée, Hermine? Ma chérie, alors vous voulez bien m'aimer? Je voudrais tant que vous m'aimiez! soupira-t-il tristement. Ma belle idole! Je ne pouvais pas me résigner à vous perdre! La seule idée de vous savoir près de votre mari me rendait fou! Ici, vous m'appartenez un peu…

— Non, je suis désolée, je ne vous appartiens pas! dit-elle tout bas.

— Mais vous m'appartiendrez peut-être bientôt! répliqua-t-il.

Il contemplait ses seins dans leur écrin de soie, le modelé de ses épaules, sa bouche rose comme un fruit tentant, ses joues et son front, autant de trésors qu'il brûlait de posséder et de couvrir de baisers. Elle perçut l'éveil de son désir et s'empressa de le questionner.

— Rodolphe, comment avez-vous pu mettre au point un plan aussi insensé? Même si vous m'aimez! Je ne suis pas un jouet que l'on dérobe pour se l'approprier!

— Je vous en prie, ne dites plus rien. Seul compte l'instant présent ! Vous êtes là, tu es là, toi qui me ravis le cœur et l'âme. Tu m'offres enfin ta beauté, ta pureté. J'en suis comblé d'une joie infinie, au point que je pourrais mourir dans tes bras.

La réponse découragea Hermine. Sur l'air du *Beau Danube bleu*, de Strauss, elle s'enhardit, obstinée à le faire réagir, à l'arracher à son rêve d'amour, de folie.

— Vous étiez si gentil quand j'ai enregistré ce disque, rue Sainte-Anne. Pourquoi m'avoir trompée en prétendant que vous me considériez un peu comme votre fille ? C'est indigne de vous, Rodolphe, qui m'avez souvent affirmé être un gentleman ! Je vous en supplie, je resterai votre amie, mais ramenez-moi à Québec !

— Non, je ne peux pas ! C'est au-dessus de mes forces !

Sur ces mots, il voulut mettre fin à la danse, mais elle l'en dissuada d'un sourire amical.

— Pensez-y, Rodolphe ! Si vous me retenez contre mon gré, je finirai par vous mépriser, vous haïr ! Et je voudrais que vous admettiez vos torts. Cela me toucherait beaucoup. Mais je vous en prie, dansons encore. Je pourrais valser des heures.

Elle le sentait au supplice. Il se débattait avec sa conscience, partagé entre le souci de lui plaire, de conserver son estime et la passion qui grondait en lui, tandis qu'il tenait dans ses bras cette si belle jeune femme dont il subissait la douceur suave et le charme inouï.

— Peu importe si vous me haïssez ! lâcha-t-il enfin. Il n'y a que vous sur terre à mes yeux, vous êtes mon amour, ma femme. Tu es mon amour, petit rossignol ! S'il le faut, je te couperai les ailes !

Il la serra de plus près, penché sur elle, sur sa poitrine et sur ses lèvres. C'était un homme robuste à la haute stature. Hermine était à sa merci, elle le savait. Il tenta de l'embrasser sur la bouche.

— Non, Rodolphe, non ! clama-t-elle. Non, pas ça ! Je suis mariée à Toshan Delbeau et j'ai quatre enfants. Jamais je ne serai à vous, c'est tout à fait impossible. Mais, dans une autre vie que la mienne, peut-être que je vous aurais aimé. Nous pouvons rester amis, si vous recouvrez vos esprits, si vous acceptez d'être soigné, car il faut être perturbé pour agir comme vous l'avez fait.

Il la dévisagea. Ses yeux avaient une expression d'infini désespoir, de fureur aussi. Il la tenait contre lui, haletant.

— Un baiser, rien qu'un baiser! intima-t-il. Depuis un an, je désire tes lèvres encore plus que ton corps! Hermine, ma belle idole, ne me fuis pas, ne me repousse pas!

Tout à coup, il cacha sa tête au creux de son épaule dénudée. Elle perçut son haleine chaude sur sa peau et se raidit, affolée.

— Aime-moi cette nuit et, demain, tu pourras t'en aller! débita-t-il d'un ton exalté. Je pourrai mourir, ensuite, avec le souvenir de ta chair si douce, l'écho de ton plaisir de femme. Hermine, je n'en peux plus! Tu es si belle, extraordinairement belle! J'ai tant rêvé de toi, de te posséder, de t'écouter chanter chaque jour qui me reste à vivre! Rien que pour moi, ta voix d'or!

Elle essaya de lui échapper, mais il resserra encore son étreinte. Complètement tétanisée, elle avait envie de hurler de rage impuissante.

— Je vous en conjure! murmura-t-elle. Laissez-moi! J'ai lié ma vie à celle de Toshan, mon mari. Je l'aime! Je ne veux pas le trahir! Rodolphe, ayez pitié! Vous disiez ne pas vouloir me faire de mal…

— Ne prononce pas son nom! s'écria-t-il d'un timbre rauque. Toshan, toujours Toshan!

Metzner recula un peu sans la libérer. Le visage déformé par la haine, il la fixa d'un regard halluciné. Puis il la secoua, ses doigts crispés à hauteur de ses épaules.

— Pourquoi l'aimes-tu, lui? Pourquoi? Je t'offre ma fortune, une existence merveilleuse, des voyages dans le monde entier! Tu divorceras, tu deviendras ma femme, et jamais plus tu ne seras seule ni triste.

— Vous me faites mal! hurla-t-elle. Mon Dieu, Rodolphe, vous êtes fou à lier! Vous devriez avoir honte d'abuser de ma faiblesse, de me brutaliser! C'est facile, car je suis sans défense: personne ne viendra à mon secours, pas même votre pauvre cousine!

Saisie d'épouvante, elle éclata en sanglots. Metzner lâcha prise brusquement, au point qu'elle vacilla un peu.

— Pardon! bredouilla-t-il. Pardonnez-moi! Je ne voulais pas vous faire pleurer, surtout pas!

À sa grande surprise, il s'en alla au pas de course, sans même se retourner. Hermine resta sur la scène, anéantie, mais momentanément soulagée. Sans hâte, le cœur battant encore à se rompre, elle regagna la chambre rose. Le chat l'accueillit d'un ronronnement affectueux. Elle le caressa, puis elle s'assit devant la coiffeuse aux trois miroirs pivotants. Son reflet multiplié l'intrigua. Était-elle vraiment aussi belle, aussi désirable ? Sa famille, ses amis, son mari, ses enfants, son public la voyaient-ils ainsi ? Hébétée, épuisée, elle dénoua son chignon et se brossa les cheveux.

Val-Jalbert, même heure

Il y avait beaucoup de monde dans la cuisine du petit paradis. Joseph Marois et Andréa étaient venus soutenir Laura et Jocelyn, ainsi que Martin Cloutier, de passage au village sans son épouse, cette fois. Ovide Lafleur se trouvait là aussi, à côté d'un Toshan à la mine grave qui fumait cigarette sur cigarette. Les enfants, Laurence, Marie-Nuttah, Kiona et Louis se tenaient alignés, silencieux et préoccupés. Seule Mireille était assise, son tricot en cours sur les genoux. En tout, douze personnes au cœur lourd, angoissées et nerveuses.

— Comme ça, monsieur Delbeau, vous partez demain matin pour Québec ? Avec monsieur Lafleur ? observa Andréa Marois. Mon Dieu, je prierai pour vous de toute mon âme, comme je prie pour Hermine matin et soir. J'espère que vous la retrouverez vite.

— Je le souhaite aussi, ajouta Joseph Marois. Torrieux, j'comprends rien à cette affaire, moé ! Mimine, c'est un peu ma fille. Ça me fait mal de pas savoir ce qui lui est arrivé… Vous faites ben de partir là-bas, puisque la police d'icitte veut pas s'en occuper.

La veille, à son retour de Sainte-Hedwidge, Toshan était allé au poste de police de Roberval. Mais la disparition de sa femme ayant eu lieu de toute évidence à Québec, on lui avait dit ne rien pouvoir faire pour l'instant.

— Nous prenons le premier train, à cinq heures trente, indiqua le Métis. Je compte rencontrer cet homme, Metzner, qui voulait être son impresario. Il sait forcément quelque chose. J'aurais dû accompagner Hermine. Je m'en veux d'avoir refusé, tout ça pour jouer les chiens de garde sur mes terres.

— Papa, dit Laurence, il faudrait prévenir Madeleine et Mukki. Ils nous attendaient hier, jeudi. Ils vont finir par s'inquiéter.

— Et Constant qui était si heureux de revoir maman ! renchérit sa sœur d'une voix tremblante. Papa, elle n'est pas morte, dis ? Quelqu'un a pu l'enlever et l'assassiner…

— Allons, ma chérie, objecta Jocelyn, pas d'idées noires. Hermine nous sera rendue. Ton père va la trouver, n'est-ce pas, Toshan ? Je vais téléphoner à l'auberge de Péribonka pour voir si jamais quelqu'un peut transmettre un message à Madeleine.

— Non, pas la peine de les angoisser! trancha le Métis.

Chacune de ses paroles sonnait faux, car il pensait à une fugue amoureuse. Devant les agents, il avait aussi manqué de conviction à cause de son obsession jalouse.

Laura gardait son opinion pour elle. La vision de Kiona lui avait suffi; elle présumait un adultère. En se comportant en dévergondée, sa fille venait de briser tous ses projets à elle, du moins de les reléguer au second plan; plus rien n'avait d'importance depuis la disparition de la jeune femme.

— Et vous, Ovide, à quoi serez-vous utile à Québec? interrogea-t-elle d'un ton froid. Mon gendre décide de vous emmener, soit, il a ses raisons. Mais je trouve cela singulier.

— Toshan et moi sommes de grands amis maintenant! plaisanta l'instituteur. Il m'a prié de l'accompagner. À nous deux, nous serons peut-être plus efficaces.

Son trait d'humour n'eut aucun succès, surtout auprès de Laura qui le soupçonnait d'avoir été l'amant de sa fille.

— Faut pas trop blaguer! lança Joseph.

Kiona observait les uns et les autres. Elle était attristée. Les jumelles la boudaient depuis la vision du lit et du chat blanc. Louis n'osait plus l'approcher, de crainte de lui déplaire. La fillette avait passé la journée à cheval, sur les collines, sans prendre l'initiative de chercher à revoir Hermine. C'était de la peur, une peur proche de celle qu'éprouvait Toshan. Elle refusait de considérer sa demi-sœur comme une femme immorale et infidèle et préférait douter, garder la foi en sa demi-sœur chérie.

— Si vous voulez, je peux essayer encore une fois, dit-elle soudain. Essayer de savoir, enfin, vous comprenez…

Son ravissant visage révélait une vive angoisse. Sans un mot de plus, elle ôta son collier et la médaille d'Aliette. Jocelyn les prit avec délicatesse.

— Tu n'es pas obligée, Kiona, dit-il.

— Si, je crois que si…

Toshan la fixa d'un air effaré. Il semblait la supplier de mentir si cela s'avérait nécessaire. Elle lui dédia un regard attendri avant de se réfugier dans un angle de la pièce et de faire face au mur.

« Hermine, sois gentille ! implora-t-elle en silence. Laisse-moi passer, on dirait que quelque chose m'en empêche… Je ne sais pas où tu es, mais j'ai tellement besoin que tu me voies ! Et, si tu pouvais dire quelque chose, ce serait encore mieux. »

Elle ferma les yeux et se concentra en faisant appel à toute sa volonté. Elle invoqua Manitou, Jésus-Christ et sa mère Tala. Très vite, elle se sentit happée dans une autre dimension. Des lueurs rouges dansèrent derrière ses paupières closes et elle fut confrontée à un regard identique au sien, de larges prunelles d'ambre, perspicaces, mais un peu cruelles, presque menaçantes. C'était encore le chat blanc qui la fixait. La fillette ressentit un grand froid, et ses oreilles bourdonnèrent. Elle tressaillit, les jambes molles, ce qui arracha un bref cri d'angoisse à Laura. Enfin, Hermine lui apparut, vêtue d'une robe merveilleuse. Elle avait un collier de diamants au cou, les cheveux défaits, et se regardait dans un miroir.

— Mine, Mine ! tonitrua-t-elle.

Le chat bondit sur ses pattes avec un affreux miaulement. Son pelage blanc se dressait, comme électrisé. Dans le Maine, Hermine se retourna, affolée.

— Faust ! appela-t-elle. Faust ? Qu'est-ce que tu as ?

L'animal avait disparu. La jeune femme fit de nouveau face à son reflet, mais, dans son dos, elle aperçut Kiona durant une fraction de seconde à peine, dans sa salopette en toile beige, avec ses nattes rousses et sa chemisette à carreaux verts et blancs.

— Kiona ! s'écria-t-elle. Aide-moi, Kiona ! Ne pars pas, attends !

19

L'AMOUR EST UN OISEAU REBELLE

Le petit paradis, vendredi 27 juin 1947

— Hermine m'a vue, ça y est, s'écria Kiona en apostrophant vivement Toshan. Tu entends ça, elle m'a vue! Et elle m'a parlé: «Kiona! Aide-moi, Kiona!» Voilà ce qu'elle a dit. Oh! je suis si heureuse! Le chat est parti; il a eu peur. C'est une chance!

Pour ceux qui étaient accoutumés à ce genre de choses, ce fut un réel soulagement de savoir qu'au moins Hermine était toujours vivante, mais Martin Cloutier et Ovide avaient l'impression de plonger en plein fantastique. L'historien était désorienté. Ses doux yeux bleus pétillaient d'étonnement. Quant à l'instituteur, il cherchait bien en vain à associer les propos de Kiona à son sens de la logique.

— Le chat est parti? répéta Laura, interrogative. C'était le chat qui te dérangeait?

— Oui, peut-être, mais je ne sais pas du tout pourquoi. Les chats doivent avoir des pouvoirs, eux aussi. Mais Hermine appelle à l'aide. Donc, elle voudrait revenir ici.

— Évidemment! aboya Marie-Nuttah, la voix pleine de reproches. Maman nous aime. Elle ne va pas nous abandonner!

— Moi, j'étais certaine qu'elle avait de graves ennuis, certifia Laurence. Sinon, elle serait là, maman.

— Du calme, les filles! intervint Jocelyn. Il faut analyser la situation. Mon gendre, qu'en pensez-vous?

— Je cherche à comprendre! rétorqua-t-il, éberlué.

Kiona souffla alors quelques mots à l'oreille de Toshan, qui esquissa un faible sourire. Ensuite, elle raconta à tous, exaltée, comment était habillée Hermine.

— Une robe superbe! Je n'en ai jamais vu d'aussi belle. Toute brillante, avec une jupe immense, très large. Elle avait un collier magnifique. C'était dans la même chambre…

— Peut-être ben qu'elle joue dans un film, observa Mireille.

— Ça se pourrait, renchérit Martin Cloutier. Et elle n'aurait pas pu vous avertir. Dans le milieu du spectacle, ces choses-là se décident vite.

— Mais non, enfin! objecta Laura. Et même si c'était le cas, pourquoi demanderait-elle de l'aide à Kiona?

Ovide secoua la tête. Il continuait à croire que l'étrange fillette, proche de l'adolescence à présent, bernait toute sa famille.

— Désolé, ça ne tient pas debout, cette histoire, dit-il. J'ai beau y mettre toute ma bonne volonté, je ne peux pas gober un tel prodige. Kiona, regarde-moi. Tu nous tournes le dos, tu penses à Hermine et d'un coup, hop! tu la vois.

— Je vois beaucoup de choses, monsieur Lafleur, répliqua-t-elle en le toisant avec un air étrange. Je suis née comme ça, je n'y peux rien. Je ne choisis pas les images qui me viennent en tête. C'est dommage, il y en a dont je me passerais bien.

Elle parlait d'une voix changée, plus assurée, plus profonde. Les traits de son joli visage semblaient plus affirmés. Lafleur assistait à ce phénomène singulier dont d'autres avaient été témoins et en gardaient un souvenir pénible, un peu effrayant; dans ces moments-là, Kiona ressemblait à une femme mature, ou bien à une créature surnaturelle. Ovide en fut frappé. Gêné, il devina également le sous-entendu contenu dans les dernières paroles de Kiona.

«Elle sait tout! Elle a toujours su, constata-t-il. Cette fille lit en moi…»

L'instituteur proféra à voix basse un juron bien senti et sortit fumer une cigarette. Joseph et Andréa Marois en profitèrent pour prendre congé.

— Du courage, mes amis! dit l'ancien ouvrier. Et faites confiance à la petite, c'est Dieu qui nous l'a envoyée.

Martin Cloutier s'en alla avec eux. Le couple l'avait invité à souper.

— Que faire, Toshan? demanda Laura dès qu'ils furent en cercle restreint. À présent, je suis sûre que ma fille n'a pu ni écrire ni téléphoner. Dieu merci, nous savons qu'elle va bien, qu'elle est vivante. J'ai eu si peur! Je n'en dormais plus. Mais qu'est-ce qui se passe? Elle aurait été enlevée? C'est la seule piste possible.

Elle s'affala sur la première chaise venue en tremblant de tout son corps. Installée sur le siège voisin, Mireille lui prit la main pour la réconforter.

— Doux Jésus! soyez courageuse, madame!

— Je ne fais que ça, se lamenta Laura. Kiona, approche et dis-moi si tu ressens quelque chose d'autre. As-tu tenté de voir au-delà de cette maudite chambre? Tu avais bien déchiffré un nom de ville, sur une borne routière, en France! Et là, tu n'as pas un élément qui nous guiderait?

— Non, Laura, je suis désolée! Ah! si, j'ai cru entendre Hermine parler au chat. Je m'en souviens: «Faust! Faust! Qu'est-ce que tu as?»

— Faust? s'étonna Toshan. Bon sang, pourquoi appeler un chat ainsi?

— De mieux en mieux! railla Ovide, du seuil de la porte, par simple bravade.

— Oh! vous! fulmina Jocelyn. Le moindre détail peut nous aider, figurez-vous. Si mon gendre comptait sur vos lumières pour réfléchir, il s'est trompé de personne. *Faust*, c'est le premier opéra dans lequel notre fille a joué. Un grand rôle, celui de Marguerite... Nous restons dans le domaine de l'art lyrique. On ne baptise pas un chat Faust par hasard. Toshan, j'ai bien envie d'aller à Québec, moi aussi. Laura, au diable tes économies, nous devons retrouver Hermine.

— Et ton pauvre cœur malade! s'alarma-t-elle. Les docteurs t'ont déconseillé les émotions fortes et l'agitation.

— Je m'en fiche des docteurs! Je me sens en pleine forme. Je n'ai pas pu sauver Louis des griffes de ce vaurien de Tremblay, au début de la guerre. Toshan s'en est chargé. Sans lui, notre fiston ne serait plus là. Laisse-moi faire quelque chose pour notre fille. Je ne l'abandonnerai pas une seconde fois.

Kiona suivait la conversation avec intérêt. Louis lui apporta alors son collier d'amulettes, ainsi que la médaille et son pendentif. Elle refusa d'un signe de tête.

— Tu es gentil, mais je ne les remettrai pas tout de suite. Range-les dans le tiroir du buffet.

Elle eut un sourire ravissant qui la rendit encore plus belle. Son demi-frère sentit son cœur se serrer. Il l'aimait tant et depuis si longtemps! «Pourquoi est-ce ma sœur? pensa-t-il. Moé, j'veux pas d'autre fille qu'elle. Mais mon chum Albert, au collège, il dit qu'un frère et une sœur ne peuvent pas être des amoureux… »

En envisageant un avenir bien sombre à son idée, Louis sortit de la cuisine. Kiona se promit de le consoler quand elle en aurait l'occasion. Elle le plaignait. « Louis sera bien malheureux, plus tard. Il faudra pourtant qu'il se marie avec une autre que moi, même si je ne suis pas sa sœur du tout. Mais ça, je ne le lui dirai jamais, jamais… »

Tandis que les adultes discutaient du voyage à Québec, les jumelles se glissèrent dans le salon, plongé dans l'obscurité. C'était à présent la chambre de Mireille. L'air frais sentait l'eau de Cologne et la poudre de riz. Elles avaient fait signe à Kiona de les suivre.

— Qu'est-ce que tu as dit à papa, au creux de l'oreille? demanda Laurence. Si ça concerne maman, on a le droit de savoir.

— Surtout, ne mens pas, ajouta sa sœur sèchement.

— Je ferai ce que je veux! Vous êtes bêtes et méchantes depuis hier. Je croyais qu'on était comme des sœurs, que vous seriez toujours de mon côté, mais non! Tu as eu tort, Laurence, de m'arracher mon collier. Regarde mon cou! C'est encore rouge. Vous faites semblant de m'aimer quand vous avez besoin de moi, mais en vérité vous me méprisez un peu parce que je suis une bâtarde. C'est ça? Une Métisse! Une sorcière, aussi!

— Ne dis pas d'idioties, protesta Marie-Nuttah. Mais, souvent, tu es agaçante, surtout quand tu refuses de voir des choses. Tu as tellement de chance d'avoir ce don-là!

— Et on avait tellement peur pour maman! reprit Laurence. Je te demande pardon, Kiona. Tu es notre sœur, bien sûr. Ne sois pas fâchée!

— Je ne suis pas fâchée, en fait, mais j'ai eu beaucoup de chagrin, cette nuit, à cause de vous deux et d'Hermine.

— Nous, c'était la même chose, avoua Marie-Nuttah. On se disait que maman avait quitté papa pour un autre homme. Toi aussi, tu y pensais, Kiona?

— Oui! Maintenant, je sais que je me trompais. Mine aime toujours votre père et elle reviendra. Je l'ai dit à Toshan.

Les jumelles échangèrent un regard triomphant. Elles avaient cru que leur petit monde paisible s'écroulerait, que leurs parents se sépareraient.

— C'est bon, je vous pardonne, concéda Kiona. Je me sens si bien sans mes amulettes et la médaille d'Aliette Chardin! J'étais stupide de vouloir être une fille normale. Ça ne sert à rien de lutter contre le destin. Je perçois tant de choses invisibles!

Elle se tut, une expression de pur ravissement sur son beau visage. Des ondes mystérieuses la traversaient, l'univers tout entier lui était offert, et il lui suffirait de maîtriser ses pouvoirs pour capter le passé et l'avenir, les sentiments des uns et des autres. Sûr, elle pourrait avoir très peur, mais aussi être infiniment rassurée, comme c'était le cas en ce moment au sujet de sa demi-sœur bien-aimée. «Il y a beaucoup de souffrances et de larmes dans le lieu où elle se trouve, mais rien ne la menace, songeait-elle. Le chat la protège! Qui est ce chat? Faust...»

— Les filles, à table! clama Laura depuis la pièce voisine. Qu'est-ce que vous complotez encore? Monsieur Lafleur s'en va; il voudrait vous dire au revoir.

Laurence se précipita. Elle n'avait plus à s'inquiéter au sujet de sa mère; elle pouvait de nouveau laisser son cœur battre pour le séduisant instituteur.

— Mais vous deviez souper avec nous, m'sieur Ovide! se désola-t-elle.

— Finalement, je rentre chez moi, demoiselle. Monsieur Chardin, votre cher grand-père, part à ma place. Je n'ai donc aucune raison de rester ici. Je reprends le volant, comme on dit!

Elle avait l'air si déçue qu'il faillit la consoler d'une caresse sur la joue. Mais le geste aurait été déplacé. Ovide remarqua alors à quel point Laurence était jolie et surtout combien elle ressemblait à Hermine.

— Nous nous reverrons, dit-il tout bas. Donnez-moi des nouvelles. C'est entendu, Toshan? ajouta-t-il à voix haute. Vous me tenez au courant par télégramme ou en appelant l'épicerie de Sainte-Hedwidge.

— Je vous le promets. Bon retour.

Le Métis était irrité. Il aurait préféré la compagnie de Lafleur à celle de Jocelyn, d'autant plus qu'il se perdait en conjectures sur l'énigmatique disparition de sa femme. Elle avait pu partir de son plein gré, comme tendaient à le prouver les visions de Kiona, ou bien il s'agissait d'autre chose, mais quoi? Excédé, il s'accrochait cependant à ce que lui avait dit la fillette tout bas. Hermine l'aimait toujours. Il aurait été plus à l'aise pour en parler avec un homme de son âge qu'avec son beau-père. Mais Jocelyn en avait décidé autrement et, comme Laura assumait les frais de train et d'hôtel, Toshan s'était résigné.

Mireille avait préparé une salade de pommes de terre et de filets de hareng, une des recettes favorites de Laura. La gouvernante servit chacun en marmonnant des « Doux Jésus ! » Une fois attablée, elle déclara enfin :

— Il faudra m'envoyer un télégramme à moi aussi, monsieur, ou vous, Toshan, pour me dire quel jour vous ramenez notre Mimine, parce que, moé, je lui ferai une tarte à la farlouche, son dessert préféré.

Curieusement, cela les réconforta tous, comme si les paroles de leur brave Mireille étaient de bon augure et que, très bientôt, Hermine franchirait le seuil du petit paradis.

Maine, trois jours plus tard, mardi 1er juillet 1947

Après avoir aperçu le reflet de Kiona dans le miroir, Hermine s'était allongée sur son lit pour sangloter jusqu'à épuisement. Elle s'était crue assez forte pour surmonter toutes les épreuves qui se présenteraient, mais la vision fugitive de sa demi-sœur l'avait affaiblie, touchée en plein cœur. Kiona, c'était un peu le vent qui levait des vaguelettes sur le lac Saint-Jean, l'haleine fraîche et suave des forêts, la folle chanson de la Ouiatchouan. C'était aussi Toshan, Tala la louve, sa famille, son bonheur perdu.

Elle aurait été bien en peine d'expliquer la force des sentiments qui la liaient à cette enfant si singulière, si précieuse à ses yeux. Elle éprouvait pour elle un amour particulier. « Ma sœur, ma petite sœur adorée ! s'était-elle répétée en pleurant. Tu m'as retrouvée, Kiona. Merci ! Je pensais que tu ne te souciais plus de moi… »

Il lui était même arrivé d'avoir honte vis-à-vis de ses propres enfants, comme si elle les faisait passer après Kiona, ce qui était faux. Elle les adorait, les chérissait, mais de façon plus sereine, moins passionnelle.

L'apparition de la fillette avait tout fait basculer. Hermine renonçait à raisonner Rodolphe Metzner. Il s'était montré sous un jour inquiétant. La passion qu'il éprouvait à son égard le pousserait tôt ou tard à un acte de violence. Elle n'avait plus qu'une envie : s'enfuir. Une fois à court de larmes, au milieu de la nuit, elle avait exploré le théâtre, le salon, la cuisine, inspectant chaque fenêtre, chaque grille dorée et chaque serrure. La maison jouissait d'une installation électrique très moderne. Elle allumait au fur et à mesure des lampes magnifiques, des rampes d'éclairage, des veilleuses au verre coloré. Pieds nus et silencieuse, elle s'était même aventurée à l'étage, mais toutes les portes des chambres étaient fermées à clef, ainsi que celle conduisant aux combles. Le bas de sa robe bruissait au gré de ses pérégrinations comme un souffle ténu attaché à ses pas.

«Une cage dorée pour le rossignol!» avait-elle pensé à plusieurs reprises.

Infiniment lasse, découragée, Hermine s'était recouchée après avoir quitté sans aucun regret la splendide toilette de conte de fées. Le lendemain matin, la faim l'avait réveillée. «Je n'ai pas soupé, hier soir, s'était-elle souvenue. Mon Dieu, mais nous sommes samedi! Je suis déjà là depuis une semaine.»

Rodolphe lui avait pris son passeport, mais il avait laissé intact le contenu de son sac à main, parmi lequel elle gardait un petit agenda, du maquillage et les photographies de ses enfants. Le matin, avant la venue d'Annie qui apportait le plateau du déjeuner, elle traçait une croix sur la date du jour. Mais, ce samedi-là, la femme avait beaucoup tardé. À bout de patience, Hermine s'était levée et était montée se servir elle-même. Annie semblait l'attendre, attablée devant un bol de café.

— Je ne bougerai plus un petit doigt pour vous, avait-elle affirmé. Je ne suis pas une domestique.

— Quelle mouche vous pique?

— Vous êtes une perverse. Débrouillez-vous! Mon pauvre cousin s'est fait mal à cause de votre malveillance. Oui, hier soir, quand il a quitté le théâtre, Rodolphe s'est rué dans son bureau et, là, il a cassé un vase et un cadre. Enfin, il a brisé une vitre avec son poing. Seigneur Dieu! Par chance, dans son chagrin, il ne s'était pas enfermé à double tour. J'ai pu le soigner. Il saignait beaucoup. Vous avez fait du joli, avec vos valses et votre chanson! Maintenant, il dort et il va dormir longtemps, parce qu'il a pris de l'opium à cause de vous.

Hermine avait été abasourdie par la hargne dont elle faisait preuve. Mais cela l'avait décidée à tenter le tout pour le tout.

— Je vous en prie, Annie, aidez-moi à sortir d'ici. Je suis sûre qu'en vérité vous avez un double des clefs de la porte principale.

— Non, je ne les ai pas et c'est dommage, sinon je vous ficherais dehors. Nous cohabitons, mais je ne vous parlerai plus.

Annie Vonlanthen s'était tue, la mine renfrognée. Cela datait de trois jours et rien n'avait changé. Le temps s'était mis à la pluie ce mardi 1er juillet, et Hermine contemplait le parc d'une fenêtre du salon, ouverte sur des nuées de verdure et de roses pourpres ou blanches, scintillantes de perles d'eau. Le chat était assis sur le rebord de la croisée et épiait les oiseaux de son œil doré.

« Je n'ai pas revu Rodolphe depuis vendredi soir, se disait-elle. Même drogué, il n'a pas pu dormir autant. À quel moment prend-il ses repas ? Annie doit les lui porter dans son bureau… »

La solitude lui pesait, et elle devait faire appel à toute son énergie pour ne pas céder à la panique dès qu'elle pensait à Toshan et à ses parents. Elle était certaine qu'ils avaient alerté la police, qu'ils la recherchaient, morte ou vivante, mais elle se demandait par quel miracle on découvrirait cette luxueuse propriété, isolée et appartenant officiellement à la famille Vonlanthen.

— J'en ai assez ! protesta-t-elle à voix haute. Assez ! Je m'ennuie, je veux revoir mon mari et mes enfants.

Malgré ses récriminations, personne ne se manifesta, même pas Kiona. Hermine passa dans la cuisine pour se faire du thé. Après avoir eu un appétit normal, elle souffrait maintenant de vagues nausées, et la nourriture la dégoûtait. Là encore, l'odeur du café froid qui restait dans une casserole lui causa un haut-le-cœur.

— Tant pis, je ne prends rien, même pas de thé.

Elle demeura immobile quelques instants, en proie à un malaise indéfinissable. Puis, tout doucement, elle posa ses mains sur son ventre.

— Et si j'étais enceinte ! se demanda-t-elle. Je n'ai pas ce genre de désagréments d'habitude. Mais, quand j'attendais les jumelles, j'avais des haut-le-cœur ; au début de la grossesse, je ne pouvais rien avaler.

Elle ferma les yeux et se remémora les nuits de plaisir partagées avec Toshan le mois précédent, sans vraiment prendre de précautions. C'était le timide printemps canadien et les premières fleurs mauves dans la clairière, au bord de la Péribonka. Il pleuvait souvent, et ils s'accordaient de longues siestes coquines et voluptueuses.

« Si j'attends un enfant de mon amour, quel bonheur ! Mon Dieu, je dois absolument m'en aller. Même si je ne suis pas tout à fait sûre d'être enceinte, je vais l'annoncer à Rodolphe, et il n'osera pas me garder ici », songea-t-elle.

Un feulement la fit sursauter. Le chat blanc, tapi à l'entrée de la pièce, fixait le canapé du salon en fouettant l'air de la queue.

— Faust, tu m'as fait peur, fit-elle mine de le gronder. Qu'est-ce que tu vois ? Il n'y a rien !

Pourtant, elle crut percevoir un frêle appel, étouffé par le bruit ininterrompu de la pluie. Soudain, elle comprit.

— Kiona? C'est toi, petite sœur?

L'animal miaula plus fort. Cependant, il s'obstina à menacer l'être invisible dont la présence lui était insupportable. Hermine en resta muette de saisissement, sans entendre les supplications de Kiona qui l'interrogeait sur l'endroit où elle se trouvait.

Elle se décida trop tard à chasser Faust. Ce n'était plus la peine, la manifestation avait pris fin. Le gros chat blanc s'apaisa et vint se frotter à ses mollets.

— Toi, tu mérites bien ton nom, petit suppôt de Satan, lui dit-elle, certaine que sa sœur n'était plus là.

L'incident eut le mérite de pousser Hermine à réagir. Si Kiona tentait de lui apparaître, cela signifiait qu'on s'affolait à Val-Jalbert. Elle devait absolument s'enfuir ou obtenir sa liberté. Au début de l'après-midi, après avoir croisé Annie, toujours murée dans sa réprobation, elle frappa à la porte du bureau de son ravisseur.

— Rodolphe, ouvrez-moi! Je dois vous parler. Je vous en prie. Ça ne peut plus durer! Vous vous cachez dans ce bureau, et Annie refuse de m'adresser la parole. Rodolphe, je veux m'en aller d'ici. J'attends un bébé, un enfant de mon mari, de mon amour, de mon seul amour. Il ne va pas naître sous votre toit, loin de son père, de ses frères et de ses sœurs. Ayez pitié, laissez-moi partir. Je sais que vous avez mal agi, l'autre soir, et, sûrement, vous avez honte, mais je vous pardonne tout si je peux sortir d'ici!

Elle frappa encore, entêtée, incapable de maîtriser la colère désespérée qui la terrassait.

— Que dois-je faire pour vous obliger à répondre? Chanter? Alors, écoutez bien. Aujourd'hui, j'ai mis une robe d'été, une de mes robes, très simple, mais blanche, comme la longue chemise que porte Marguerite en prison avant d'être amenée à l'échafaud. La Marguerite de *Faust*! Puisque vous refusez de vous montrer, j'en appelle à Dieu et à ses anges comme elle, cette malheureuse victime d'un homme sans honneur.

Surexcitée, Hermine recula un peu et s'appuya au mur le plus proche. Elle prit une profonde inspiration, les mains jointes devant sa poitrine, et se mit à chanter, ivre de joie et de chagrin. C'était encore une fois un exercice périlleux. Elle n'avait pas travaillé le morceau auparavant, mais le Rossignol de Val-Jalbert en avait surpris beaucoup par la fermeté et la puissance de sa voix exceptionnelle. Celle-ci ne l'avait presque jamais trahie, hormis pendant l'enregistrement du disque. Et encore, elle avait seulement manqué de confiance en elle, pas de technique ni d'aisance.

Anges purs, anges radieux!
Portez mon âme au fond des cieux!
Dieu juste, à toi je m'abandonne!
Tu es bon, je viens à toi, pardonne
Anges purs, anges radieux!
Venez à moi du fond des cieux!

Ces anges, elle croyait les voir, auréolés de boucles blondes, avec des visages lumineux. Et elle chantait de tout son cœur, de toute son âme, poussant les notes, se jouant des aigus, entièrement livrée à son art, si talentueuse et si sincère dans sa prière que Rodolphe tourna la clef dans la serrure et entrouvrit la porte. Annie, elle, descendait l'escalier, bouche bée, stupéfaite.

Mais Hermine ne prêta pas attention à eux. Elle chantait toujours, accompagnée par une musique qu'elle était seule à entendre. Paupières closes, elle imaginait ses partenaires de scène, son amant, le docteur Faust, le sinistre Méphistophélès l'exhortant à se damner.

«Oh, cette voix! s'extasia Rodolphe silencieusement. Elle est d'une rare pureté, elle a la sonorité céleste du cristal... Le don ultime, sublimé par un art d'interprétation remarquable.»

Le morceau s'achevait. Des applaudissements firent s'ouvrir les yeux d'Hermine. Elle vit Rodolphe à ses côtés, en pull noir et pantalon de velours. Il avait une mine abominable, les cheveux ternes, les traits tirés, mais son regard vert lui parut amical, teinté d'une vive admiration. Cela lui parut un bon signe.

— Vous devez offrir votre immense talent au monde entier, décréta-t-il. Que vous deveniez une diva, c'était ce que je voulais pour vous. Une brillante carrière, la gloire! Pour vous, le Rossignol de Val-Jalbert!

Elle le dévisagea, intriguée. S'il prononçait ces mots-là, cela pouvait signifier qu'il était peut-être revenu à la raison.

— Rodolphe! s'écria Annie. Seigneur Dieu! mon cher cousin, comment te sens-tu?

D'un geste, il lui intima l'ordre de rester à l'écart. La femme se recroquevilla sur elle-même, mortifiée.

— Il n'est pas besoin d'une scène ni de décors pour les véritables artistes, ajouta-t-il en fixant Hermine. Vous venez de le prouver. J'ai cru voir le finale de *Faust*, le *Faust* de Gounod. Moi aussi, je voudrais chanter, chanter pour vous.

Il marcha jusqu'au milieu du salon aux riches tapisseries orientales et au mobilier sophistiqué. La pluie s'était calmée. Metzner respira le parfum délicat de la terre humide, une main posée sur l'appui de la fenêtre.

— Rapprochez-vous, ne craignez rien, dit-il à Hermine. Je connais tous les airs de tous les opéras, les airs composés pour les ténors. Mais ma voix s'est éteinte. J'ai tout essayé, l'éther comme Caruso, quand il chantait malgré une tumeur à la gorge, les cures dans les villes d'eaux, les remèdes de charlatan. Mais, pour vous, Hermine, je tiens à chanter malgré tout…

Bouleversée, elle le rejoignit. De son timbre rauque et feutré, il chanta un air de *La Tosca*.

Ô de beautés égales
Dissemblances fécondes
Brune est ma Floria
Maîtresse tant aimée
Et toi beauté qui m'est inconnue
Le Seigneur te fit blonde
Tes yeux d'azur sont pâles
Ses yeux noirs scintillent…
Et splendeurs triomphales
Je vous joins toutes deux en un acte de foi
Mais Tosca tout de même
C'est toi seule que j'aime
C'est toi seule que j'adore
ô Tosca… c'est toi!

C'était une interprétation en sourdine, murmurée, mais subtile et, sur certaines notes, Hermine remarqua un effort pathétique pour hausser le ton. Elle sut que ces instants d'une poignante tristesse, d'une extrême beauté aussi, resteraient gravés en elle.

– Je vous remercie, Rodolphe. Pourquoi vous priver du plaisir de chanter, même ainsi, tout bas ?

– Je ne m'en prive pas. Cette aria me fait songer à vous, à nous. Vous êtes cette beauté blonde aux yeux d'azur qui m'est inconnue… Mon épouse était brune aux yeux noirs comme Floria, la jalouse Tosca. Mais si douce, si tendre ! C'est elle seule que j'adore, que je dois adorer. Vous, Hermine, vous n'étiez qu'un très beau rêve que je faisais pour fuir le souvenir de Blandine. Je la rejoindrai un jour, bientôt, qui sait ? Adieu… Adieu, vous pouvez vous envoler, mon cher rossignol !

Il prit quelque chose dans sa poche de pantalon qu'il jeta aux pieds de sa cousine, puis, sans un regard pour les deux femmes abasourdies, il s'enferma à nouveau dans son bureau.

– Mais… c'est mon passeport ! s'écria Hermine.

Elle ramassa le document qui lui sembla bosselé. Deux clefs en tombèrent, heurtant le parquet avec un bruit sec.

– Il ne veut plus de vous, hoqueta Annie, défigurée par la douleur et une sorte de haine viscérale. Eh bien, partez donc ! Bouclez votre valise et sortez de chez nous. Il y a un village à quelques milles d'ici. Prenez à droite au bout de l'allée. Partez, je vous ai assez vue ! Vous êtes tout ce que je n'ai pas été, ce que j'aurais voulu être.

– Oui, je m'en vais. Mais il faut vous occuper de lui, le faire soigner. Il le mérite.

– Je m'en suis toujours occupée. S'il a perdu la tête, c'est à cause de vous.

Hermine renonça à discuter, apeurée par l'expression égarée d'Annie Vonlanthen. Elle dévala l'escalier, entra pour la dernière fois dans la chambre rose, enfila un gilet de fin lainage, prit son sac à main ainsi qu'un foulard et gravit les marches en toute hâte. Elle abandonnait sa valise qui l'encombrerait et qu'elle savait un peu lourde. « C'est peut-être trop beau, se disait-elle. Il va changer d'avis, il me reprendra les clefs au moment où je voudrai sortir. Vite, vite ! »

Mais Rodolphe demeura cloîtré. Devant la porte principale se tenait sa cousine.

– Donnez-moi ces clefs, dit-elle froidement. Je vous ouvre et je refermerai derrière vous.

— Non, je préfère le faire moi-même. Je n'ai pas confiance, vous allez encore me berner.

Annie haussa les épaules sans insister davantage. D'une main tremblante, Hermine put enfin franchir le seuil de l'imposante maison des Vonlanthen. Elle descendit les marches en marbre du perron et, à peine dans l'allée de sable rose, elle se mit à courir. La pureté de l'air l'enivrait, les mille senteurs des bois alentour lui donnaient des ailes.

— C'est fini ! Je suis libre ! Merci, mon Dieu, merci !

Elle arrivait au bout de l'allée quand une détonation lui parvint, significative et sinistre. Un coup de feu. Blafarde, soudain glacée, la chanteuse se retourna. Des cris stridents, horribles, s'élevèrent. Cela ne pouvait être que ceux d'Annie.

— Oh ! non, pas ça ! gémit-elle. Seigneur, j'aurais dû m'en douter. Il parlait de rejoindre sa femme, mais j'étais si heureuse, je n'ai pas compris ce qu'il comptait faire !

Prise de vertiges et nauséeuse, Hermine dut se retenir au tronc d'un sapin qui bordait la route. Dans un brouillard de larmes, elle vit, quelques minutes plus tard, une grosse voiture arriver à vive allure et freiner à sa hauteur. L'automobile portait une inscription qu'elle déchiffra sans bien comprendre. « La police ! Qui les a prévenus ? » se demanda-t-elle.

Un homme en uniforme bondit du véhicule et s'empressa de la soutenir.

— Madame ? Vous êtes madame Delbeau ? demanda-t-il dans un français hésitant, à l'accent américain pro-noncé. Nous avons reçu un appel de monsieur Vonlanthen. Il nous a dit qu'il vous avait libérée et qu'il allait mettre fin à ses jours.

— Je crois qu'il a mis sa menace à exécution. J'ai entendu un coup de feu. Il s'est supprimé, le pauvre malheureux ! Je vous en prie, monsieur, emmenez-moi loin d'ici. Je dois téléphoner à ma famille.

Elle répéta ces mots, mais en anglais. En alignant une série de « *yes, yes* », le policier chargea son collègue de la conduire au village voisin et de revenir aussitôt. Puis il commença à remonter l'allée. Un constat de suicide ne lui demanderait pas beaucoup de temps.

Par une des fenêtres, Annie Vonlanthen le regardait avancer. Son visage ingrat ruisselant de larmes, elle serrait le chat dans ses bras.

— On sera bien seuls, à présent, Faust... Mais on est habitués, n'est-ce pas ! Au moins, l'autre est partie. Sa belle Hermine ! Je le savais bien, moi, qu'elle ne l'aimerait jamais.

Val-Jalbert, même jour, même heure

Laura avait invité Andréa Marois à goûter. Il régnait une atmosphère si tendue entre les murs du petit paradis que la moindre visite offrait un peu d'apaisement.

— Cela ne vous ennuie pas, Andréa, que j'aie envoyé les enfants se promener ? Il pleut encore, mais ils sont mieux dehors qu'ici à tourner en rond. Votre Marie est raisonnable ; elle m'a promis de les surveiller.

— Vous avez bien fait, madame Laura, dit tout bas l'épouse de Joseph. Je me doute que ce n'est pas simple en ce moment, ni pour vous ni pour eux. Ce ne sont plus tout à fait des enfants et je n'ai pas peur qu'ils fassent des bêtises. À treize et quatorze ans, ils s'acheminent vers l'âge adulte, surtout les filles.

Elles étaient attablées dans la cuisine en compagnie de Mireille. Lunettes au bout du nez, la gouvernante triait des lentilles.

— Alors, rien de nouveau à Québec ? questionna Andréa. Quand je suis passée hier matin, vous deviez me raconter toutes les démarches qui ont été faites par votre mari et votre gendre. Mais Louis s'est coupé avec la scie et nous avons été interrompues.

— Les recherches n'ont donné aucun résultat, soupira Laura. Les employés du Château Frontenac ont confirmé que ma fille partait le matin, rentrait tôt le soir et se couchait après le dîner. Et c'est bien monsieur Metzner qui a récupéré sa valise le samedi soir. Hélas ! cet homme aurait quitté le Canada pour la Suisse. Toshan a pu rencontrer un des musiciens qui a travaillé pour Rodolphe Metzner. Le pianiste. Le disque a été enregistré. Ils auraient même fêté ça tous ensemble le samedi, précisément.

— Et comment il l'a trouvé, ce pianiste, votre gendre ? C'est grand, Québec !

— Grâce à Lizzie, une femme préposée à la régie au Capitole. Hermine me l'avait présentée. Vu son métier, elle connaît presque tous les musiciens de la ville. Bref, ce pianiste, très respectable, a communiqué à Toshan le numéro de téléphone du secrétaire de Metzner. Et c'est ce monsieur qui a dit à mon gendre que son patron était à Genève.

Ou ailleurs, puisque mon mari a appelé plusieurs fois sans obtenir de correspondant.

— Doux Jésus! Sans la petite Kiona, j'aurais plus d'espoir, moé, s'exalta Mireille.

— Elle a eu d'autres visions? s'écria l'épouse de Joseph.

Laura fit une grimace avant de lui répondre. Mireille servit du thé à Andréa et lui désigna du menton l'assiette garnie de biscuits.

— Non, merci, les préoccupations me coupent l'appétit. Alors, Kiona?

— Ma petite belle-fille prétend que notre Hermine séjourne dans une grande maison de gens riches. Ce sont ses mots. Elle rabâche son histoire de chat blanc qui l'empêcherait de parler à sa demi-sœur. Elle l'aurait vue ce matin, dans une cuisine luxueuse, occupée à faire chauffer de l'eau. Évidemment, cela me rassure. Je me répète que ma chérie est saine et sauve. Mais c'est tellement insensé que, très vite, je n'y croisplus.

— Vous oubliez de dire, madame, que monsieur Jocelyn a prévenu la police de Québec et que les agents ont fait ouvrir votre ancien appartement de la rue Sainte-Anne, hier après-midi, intervint la gouvernante sur un ton de reproche.

— J'allais le dire, Mireille. Tu es énervante, à la fin. Donc, la police a fouillé les lieux sans rien déceler d'anormal. Mon gendre téléphone régulièrement au maire, qui vient vite me transmettre les messages.

Rodée aux complexités de la vie conjugale depuis son mariage, Andréa Marois garda son opinion pour elle. Laura pouvait brandir ses angoisses de mère, évoquer un enlèvement, cela sentait l'adultère entre artistes, des gens extravagants connus pour avoir des mœurs légères. «Si Kiona dit vrai, Hermine a disparu avec un amant. Une jeune beauté comme elle qui se prépare une boisson chaude dans une belle maison, ça ne prête pas à confusion.»

Peu gâtée par la nature et dotée d'un corps aux formes plantureuses, l'ancienne enseignante était d'un tempérament sensuel. Joseph avait su la combler, mais, depuis qu'elle avait découvert le plaisir, il lui arrivait d'être troublée par un bel homme, de s'imaginer livrée à son étreinte. C'était là son secret, un secret bien caché. Elle se demandait souvent si les autres femmes s'autorisaient de tels fantasmes, ou si elles luttaient vaillamment contre la tentation, le cas échéant.

— Eh bien, ma chère, dit Laura, à quoi pensez-vous?

– Je priais pour votre famille, mentit Andréa, leregard voilé derrière ses verres épais. Quand j'ai répondu à l'annonce de votre cours privé, je ne me doutais pas que mon existence en serait changée à ce point. J'ai eu la joie d'éduquer vos petites-filles, votre fils et même les terribles rejetons d'Onésime Lapointe. Et ma chère Marie, que j'aime comme une enfant née de ma chair.

Mireille hocha la tête plusieurs fois, une de ses manies depuis l'incendie.

– C'était le bon temps, hein, madame, dit-elle d'une voix plaintive. Vous aviez de la fortune, toujours du monde et de la jeunesse à la maison, votre belle maison… C'est ben dommage, oui.

Des coups de klaxon en continu firent sursauter les trois femmes. Une portière claqua. Wellie Fortin, le chapeau de travers, entra sans frapper.

– Ah! madame Chardin, vite! J'ai pris la voiture pour vous conduire chez moi. Il y a votre fille au téléphone. Quand j'ai reconnu sa voix, qu'elle a dit son prénom, j'ai cru que j'allais tomber à la renverse. Venez vite, elle appelle des États-Unis!

Laura poussa un cri rauque, venu du tréfonds de ses entrailles de mère. Elle se rua dehors, sans un mot ni un regard pour Andréa et Mireille. Cinq minutes plus tard, elle entendait enfin la voix de sa fille.

– Maman! Oh! maman!

– Hermine, ma petite, mais où es-tu? Nous étions morts d'inquiétude! Est-ce que tu vas bien? Mais qu'est-ce qui s'est passé?

– C'est Rodolphe Metzner, ou plutôt Vonlanthen. Il m'a enlevée et retenue chez lui, dans le Maine. Mais ça va, maintenant, maman! Je vous expliquerai tout plus tard. J'appelle d'un poste de police. Et Toshan? Vous pouvez le prévenir?

– Ton mari est à Québec avec ton père. Ils te cherchent partout. Je vais leur envoyer un télégramme immédiatement pour leur annoncer la bonne nouvelle. J'ai tellement hâte de te serrer dans mes bras! Il faut que tu rentres, ma chérie, le plus vite possible.

– Mais oui, maman, bien sûr! Je te tiens au courant, c'est promis…

La communication était coupée. Laura avait la certitude que sa fille avait raccroché brusquement pour pleurer à son aise. Cela se sentait, même à distance.

– Alors? questionna Wellie Fortin.

— Elle m'a semblé très nerveuse; sa voix tremblait. J'avais vu juste : on l'avait enlevée. Je me disais aussi… Comment vous remercier, monsieur Wellie ? Tenez, je vous embrasse !

Laura se jeta au cou du maire, un peu embarrassé, mais assez content ; il admirait la belle madame Chardin depuis des années.

— Si je peux vous rendre d'autres services, n'hésitez pas !

— Puisque je suis là, je vais essayer de téléphoner à l'hôtel où mon mari et mon gendre sont descendus. Si je peux les rejoindre, cela m'évitera d'expédier un télégramme. Mon Dieu, quel bonheur, quel soulagement ! Ma fille chérie, elle nous est rendue !

Maine, même jour

Hermine venait de s'asseoir à l'arrière d'une voiture de police qui devait la reconduire au poste frontière entre l'État du Maine et le Canada, où un taxi mandaté par la police, québécoise celle-là, serait à sa disposition. Elle avait dû patienter plus de cinq heures, les nerfs à vif, sans cesse au bord des larmes.

Le shérif l'avait interrogée longuement afin de transmettre sa déposition à ses homologues québécois. On lui avait aussi confirmé le décès de Rodolphe Vonlanthen, qui s'était tiré une balle dans la bouche. Les policiers avaient pu récupérer sa valise, que la cousine de l'impresario leur avait remise sans discuter. Toutes ses affaires avaient été entassées en vrac dans sa malle, mais elle s'en moquait.

Comme elle maîtrisait l'anglais, Hermine avait saisi au vol certains commentaires et elle était bouleversée par la mort brutale de son ravisseur.

— Annie Vonlanthen n'a plus toute sa tête, avait dit un des policiers. Elle répétait que son cousin était parti pour la Suisse, que ce n'était pas son corps. Pauvre dame, seule dans cette grande maison…

« Oui, seule à tout jamais ! » avait pensé Hermine tandis que l'automobile démarrait.

Le paysage défilait derrière les vitres, verdoyant et frais, alternance de collines boisées et de vallons. Elle aurait pu se croire déjà au Québec. La voix vibrante de joie de sa mère résonnait encore dans son cœur. « Chère maman ! Quels tourments elle a dû endurer ! Papa aussi. Et Toshan ? Les enfants ? »

Elle se promettait de tous les étreindre, de les couvrir de baisers avant même de leur raconter les circonstances si singulières de son enlèvement. Cependant, une crainte l'obsédait : son mari croirait-il à son histoire ? Kiona avait essayé de la joindre, sûrement pour rassurer toute la famille. Mais là était le problème. « Je ne devais pas ressembler à une femme épouvantée, retenue contre son gré dans un endroit sinistre, songeait-elle. Si ma petite sœur s'est manifestée chaque fois où le chat prenait peur et feulait, j'avais tout d'une invitée traitée avec beaucoup d'égards. Quand j'ai crié à l'aide à Kiona, j'aurais dû dire autre chose, que j'étais dans le Maine, que Rodolphe m'avait enlevée. »

À cause de cette nouvelle source de tourment, Hermine ne put pas vraiment se réjouir. Les crises de jalousie dont était capable Toshan avaient toujours blessé sa sensibilité de femme, sa soif de sérénité et d'harmonie. Mais, au fond, le beau Métis avait-il vraiment tort de la soupçonner ? Elle se posa la question, les joues brûlantes et les mains glacées.

« Toshan suit son instinct. Il ne s'est pas trompé au sujet d'Ovide Lafleur et, même si je me suis toujours obstinée à nier, le fait est là, j'ai trahi mon mari. Je me suis donné bien des excuses, qu'il s'était engagé sans se soucier de mon chagrin, qu'il était prêt à sacrifier sa vie pour l'honneur en laissant des orphelins… Peut-être que j'en avais besoin, de ces excuses, afin de me cacher à moi-même que j'avais tout simplement désiré un autre homme ! »

Malade de remords, Hermine se mordilla les lèvres. Certes, ses relations avec Ovide n'avaient pas abouti à l'acte sexuel, mais elle ne se leurrait pas. C'était suffisant pour perdre son mari à jamais.

« Et j'ai recommencé à me laisser enjôler l'été dernier par Metzner, se souvint-elle. Pourtant, j'aime Toshan, je l'aime de tout mon être depuis mes quinze ans et je l'aimerai jusqu'à ma mort. Il est une partie de moi, mon âme sœur, mon amour. »

Elle n'arrêtait pas de s'agiter et de soupirer, si bien que son chauffeur l'observa dans le rétroviseur.

— Quelque chose ne va pas, madame ? s'enquit-il en anglais.

— Non, non, j'ai hâte de revoir ma famille. Je suis nerveuse, voilà tout.

— OK ! OK ! fit le policier.

Elle ferma les yeux en se contraignant au calme. Elle crut réentendre Rodolphe quand il chantait à mi-voix l'air de *La Tosca* : *Et toi, beauté qui m'est inconnue, le Seigneur te fit blonde…* De grosses larmes jaillirent de ses yeux et coulèrent sur ses joues. Elle se disait que ce singulier personnage, dévasté par l'opium et le désespoir, avait dû être naguère un très beau jeune homme, un ténor d'exception, et qu'elle aurait pu l'aimer si le destin les avait fait naître à la même époque et mis en présence l'un de l'autre. «Adieu, mon pauvre ami! Adieu!» Elle sanglota, exténuée, avant de sombrer dans un sommeil réparateur.

— Madame, nous sommes arrivés au poste frontière, annonça une voix au bout d'une heure.

— Oh! oui, merci! répondit Hermine, mal réveillée.

Elle lissa un pli de sa robe et prit son sac. Le policier lui ouvrit la portière, l'aida gentiment à sortir de la voiture et déposa sa valise près d'elle.

— Je crois qu'il y a quelqu'un pour vous, dit-il avec un sourire.

— Le taxi! remarqua-t-elle en se couvrant la tête de son foulard.

Il pleuvait de nouveau. Elle frissonna en regardant autour d'elle. Un homme se tenait à une soixantaine de mètres, en veste de cuir et chemise blanche. Il avait le teint chaud et cuivré, ainsi que des cheveux noirs.

— Toshan! hurla-t-elle. Toshan, mon amour!

Hermine se précipita vers lui. Il lui ouvrait les bras. Jamais encore elle n'avait éprouvé un tel sentiment d'adoration, de passion folle et entière pour celui qu'elle avait épousé adolescente. Elle avait faim de lui, de sa peau, de sa tendresse… C'était son refuge, son royaume, sa vie, même.

— Mine, oh! s'écria-t-il en la recevant contre lui. J'ai eu si peur de t'avoir perdue! Ma femme, ma petite femme coquillage! J'ai cru devenir fou.

Il l'étreignit à la briser, tandis qu'elle nichait son visage en larmes dans l'ouverture de son col, avide de poser sa bouche sur sa chair couleur de miel.

— Je sais tout ce qui s'est passé; la police me l'a expliqué, souffla-t-il à son oreille. C'est fini, tu es libre, tu es là avec moi.

— Pardon, mon amour, pardon de t'avoir fait souffrir, dit-elle à mi-voix. Je me suis laissé piéger bêtement, dans l'espoir de gagner de l'argent, et c'était pour toi, pour nous… Oh! si tu savais! Lui, il est mort, il s'est suicidé.

Maintenant blottie contre le cœur de son mari, elle pouvait pleurer à son aise. Et ce fut là, haletante, éperdue de bonheur, qu'elle prit conscience de la valeur de leur amour. Longtemps ils s'abandonneraient au désir qui les jetait l'un vers l'autre et ils auraient d'innombrables nuits, voluptueuses et douces, mais des liens plus profonds les unissaient, tissés au fil des années passées ensemble, des épreuves, des querelles et des réconciliations. Ils verraient grandir leurs enfants, en tendres complices de chaque instant, comme durant le bel hiver dernier au bord de la Péribonka.

— Ramène-moi chez nous, implora-t-elle. Au Lac-Saint-Jean. Mon pays, et celui de tes ancêtres montagnais.

Val-Jalbert, le lendemain, au coucher du soleil

Une folle agitation régnait à l'intérieur du petit paradis et dans le jardin entourant la maison. En robe noire et maquillée, Laura trépignait d'excitation, folle d'impatience.

— Vite, les jumelles, il faut des fleurs sur la table dehors. Sortons aussi la limonade. Mon Dieu! ils vont arriver d'une minute à l'autre.

— Grand-mère, j'allume les lanternes? questionna Marie-Nuttah.

— Pas déjà, la lumière du couchant est magnifique. Louis, mon trésor, aligne les verres, cela fera plus joli.

— Madame Laura, j'apporte le gâteau au chocolat! s'écria Andréa Marois en montant pesamment les marches du perron. Joseph est à la traîne avec Marie. Elle a cueilli les plus belles roses de la cour. Il faut montrer à votre fille à quel point nous avons tous eu peur et comme nous sommes soulagés et heureux de la revoir. Quand je pense qu'elle était prisonnière! Quelle abomination!

— Je ne vous le fais pas dire. Et merci pour le gâteau. Oh! je suis au paradis, c'est le cas de le dire… Chut! j'ai cru entendre un moteur au loin! Non, je me suis trompée… Monsieur Fortin tenait absolument à attendre nos voyageurs sur le quai de la gare. Ils ont pris un train à l'aube, ce matin.

— Dites, ça devait être bouleversant, les retrouvailles! s'exclama Andréa qui avait honte à présent d'avoir soupçonné Hermine.

— Ça oui! Joss m'a tout raconté hier soir; il a téléphoné chez Wellie, enfin chez monsieur le maire, qui est revenu me chercher. Figurez-vous que Toshan a pu accueillir Hermine à la frontière, et grâce à moi. J'ai eu la bonne idée d'appeler à l'hôtel, rue Saint-Jean, et là, le réceptionniste me dit que mon gendre était dans le hall, sous son nez. Toshan n'a pas hésité. Que ce soit en ville ou en pleine forêt, il agit à sa guise, il s'impose.

— Comment ça? s'étonna sa voisine.

— Eh bien, il s'est présenté à la police et, de fil en aiguille, il a pu prendre le taxi réquisitionné pour rapatrier notre fille. La pauvre, elle était sous le choc. Son ravisseur s'est tiré une balle dans la bouche.

— Doux Jésus! quelle horreur, madame! s'exclama Mireille, elle aussi pomponnée et agrémentée de rouge aux lèvres.

— C'était un malade mental, chuchota Laura comme si elle livrait un secret d'État. Vous imaginez un peu! Il l'avait droguée. Il a pu la transporter dans sa voiture et passer la frontière. Là-bas, dans le Maine, on le connaissait sous son vrai nom, Vonlanthen. Enfin, le cauchemar est fini. Ma petite Hermine s'est retrouvée à Québec où elle a dû faire une seconde déposition. Ensuite Toshan et elle sont rentrés à l'hôtel. Mon mari a pu la serrer sur son cœur. Il pleurait en me racontant la scène.

Andréa se détourna, prête à verser sa larme. Mireille la bouscula.

— Portez donc cette bouteille de caribou dehors, madame Marois. Je peux point galoper, avec mes pauvres jambes de vieille. Ah! j'ai ben de la misère, mais ben du bonheur aussi, parce que notre Mimine arrive. Et pas de chicane, c'est moé qui lui servirai la tarte à la farlouche!

— Ils arrivent! Ils arrivent, m'man! cria Louis à une des fenêtres. Viens vite!

Kiona guettait aussi, réfugiée dans l'écurie fraîche et sombre. Elle caressait son cheval, qui n'irait au pré qu'à la nuit tombée, de manière à ne pas être harcelé par les mouches. Dès qu'elle aperçut la voiture de Wellie Fortin, elle se rua à l'extérieur.

Jocelyn descendit le premier du véhicule, souriant, son chapeau à la main.

— Papa! s'écria Kiona.

Elle l'étreignit sans oser regarder Hermine qui, en robe blanche, foulait à nouveau le sol de Val-Jalbert. Déjà, Laurence et Marie-Nuttah monopolisaient l'attention de leur mère et émettaient de petits sanglots de joie.

— Mes chéries! Je suis là, bien là! répétait la jeune maman.

— Hermine! Mon Dieu! s'exclama Laura en attirant sa fille contre elle. Seigneur, comme tu es pâle, et comme tu as les yeux cernés!

— C'est bien normal, maman, je suis encore ébranlée par ce drame. Kiona, mais viens donc, ma petite sœur!

Hermine oublia sa détresse en l'enlaçant. Son front effleurait déjà son menton. Elles restèrent ainsi, étroitement liées, sous le regard attendri de Jocelyn.

— Mes filles! s'exclama-t-il. Enfin réunies!

Onésime approchait, ainsi que Joseph et Marie Marois. Pendant d'interminables minutes, ce ne furent qu'embrassades, cris joyeux, questions, soupirs et cajoleries. Enfin, on conduisit Hermine vers un fauteuil en osier où elle dut s'asseoir.

— Je ne suis pas malade, objecta-t-elle. Ciel, tous ces bouquets! C'est superbe! Et les gâteaux! Mireille, ma chère Mireille, tu m'as fait ma tarte préférée.

La gouvernante était trop ébranlée pour pouvoir parler. Elle donna un gros baiser à sa Mimine et but en douce un verre de caribou.

— Il faudra tout nous raconter, exigea Laura. N'est-ce pas, ma chérie? Et le disque! Il ne sera jamais en vente, si j'ai bien compris…

— Je ne crois pas, maman. Mais j'avais déposé le chèque de Metzner à la banque le vendredi, la veille de mon enlèvement. L'argent doit être sur mon compte. Une très grosse somme, à la mesure de sa folie.

Il lui rebutait d'évoquer Rodolphe. En mettant fin à ses jours, il avait effacé ses torts à ses yeux. Elle avait pris le temps d'y réfléchir et de décanter tout ça.

— Le désespoir l'avait gravement atteint, expliqua-t-elle d'une voix tendue. La perte de son épouse et de leur bébé, sa carrière brisée net… Mais, hier, le jour de son suicide, il avait retrouvé la raison. Une chose est sûre, j'étais bien traitée. Une captivité dorée, en somme. «C'était hier seulement, pensa-t-elle, surprise. À présent, je suis là, dans mon cher village abandonné, entourée de mes parents, de mes enfants et de mes amis. Oui, Rodolphe ne m'a pas fait beaucoup de mal. Disons qu'il n'a pas eu le temps de m'en faire. Même quand il s'est montré entreprenant, puis un peu brusque, il a su se dominer, et ensuite il devait le regretter. Au fond, il voulait me combler de bienfaits, de belles robes, de bijoux, en échange d'un peu d'amour. C'est peut-être mieux ainsi. Sans doute, aspirait-il à partir, parce qu'il n'avait plus d'autre choix… »

— Pourquoi tu pleures, maman? s'alarma Laurence.

— Je suis si heureuse d'être ici, avec vous tous!

Après la dégustation des pâtisseries et de la limonade, on but du thé à volonté. Marie-Nuttah et Louis allumèrent les lanternes qui attirèrent bientôt des nuées de frêles papillons blancs. Les voisins prirent congé et Hermine se décida à raconter en détail son étrange mésaventure. Quand elle eut terminé, Laurence s'écria :

— Tout ce que nous disait Kiona était donc vrai !

— Sauf que je ne comprenais pas tout. J'aurais dû sentir qu'Hermine avait été kidnappée, comme Louis il y a huit ans.

— L'énigme est enfin résolue, dit Toshan. Le chat blanc baptisé Faust, la chambre rose, la robe prodigieuse... Tu as fait ce que tu as pu, Kiona. Mais je parie que tu n'aimeras plus les chats à l'avenir. Toi qui en réclamais un...

— Faust n'était pas méchant, s'offusqua la fillette. Il me prenait pour un esprit errant. Les chats ont un peu les mêmes pouvoirs que moi. Ils voient l'invisible. J'en veux toujours un, tout noir. Nous serons très forts, tous les deux, pour voir les fantômes.

— Pitié, tais-toi, gémit Laura, tu me donnes la chair de poule.

Hermine se mit à rire. Parler l'avait délivrée du chagrin teinté de compassion qui l'écrasait lorsqu'elle songeait à Rodolphe Vonlanthen.

On parlerait encore longtemps, à Val-Jalbert et au bord de la Péribonka, de l'enlèvement du Rossignol des neiges, la belle Hermine Delbeau. La presse en ferait même des gros titres dès le lendemain.

Deux heures plus tard, Toshan put enfin tenir sa femme dans ses bras, loin de tout regard importun. Les amoureux n'éprouvaient pas le besoin de se livrer à des ébats charnels. Ils savouraient les instants de tendresse dont ils avaient tant rêvé durant leur séparation.

— Mukki, Madeleine, Akali, grand-mère ? questionna Hermine. Sont-ils au courant de ce qui m'est arrivé ? Constant doit me réclamer. Mon bébé...

— Un bébé de trois ans ! plaisanta Toshan en l'embrassant encore et encore. Oui, ils ont appris que tu avais disparu, ton père a fait passer le message par un ouvrier du chantier. Mais, là, ils doivent se morfondre. Je n'ai pas trouvé le moyen de les prévenir. À moins que... Hier, j'ai téléphoné à Ovide Lafleur pour lui annoncer que nous t'avions retrouvée. Il a pu avoir la bonne idée de se rendre là-bas. C'est un type bien !

– Un type bien ? C'est nouveau, ça !

– J'ai appris à le connaître, ces derniers jours, après être allé chez lui pour vérifier que tu n'étais pas sa maîtresse. Du coup, il m'a raisonné, puis soutenu.

Hermine réprima un soupir de soulagement.

– J'en suis ravie. Il était temps que vous sympathisiez. Mon Dieu, tu croyais vraiment me trouver dans les bras d'Ovide ? Toshan, tu ne changeras donc jamais. Enfin, peu importe. Nous allons partir très vite chez nous. Ce sera un peu triste pour mes parents, mais je veux être là-bas, sur nos terres de la Péribonka. Et je n'en bougerai pas pendant des mois, pendant neuf mois, je crois…

Le beau Métis se redressa. Il ralluma la petite lampe de chevet qui dispensait une clarté orangée et chaleureuse, et il scruta les traits de sa femme.

– Mine, tu es sérieuse ? Tu es enceinte ?

– De quatre semaines environ, avoua-t-elle, le regard brillant de fierté. J'ai omis volontairement ce détail, tout à l'heure, dans mon récit. J'ai crié à Metzner, à travers la porte, que j'attendais un enfant de l'homme que j'adorais, de mon seul amour. C'est peut-être ça qui l'a touché et il m'a libérée.

– Oh ! Hermine, si tu savais comme je suis heureux, comblé, le plus heureux des hommes !

Toshan souleva le drap et posa délicatement sa joue sur le ventre soyeux de sa femme.

– Bienvenue sur terre, petit ange ! chuchota-t-il.

Auberge de Péribonka, quatre jours plus tard, dimanche 6 juillet 1947

Finalement, Toshan et Hermine s'étaient attardés à Val-Jalbert. Comme le supposait le Métis, Ovide Lafleur avait pris la peine d'aller tranquilliser Madeleine, Mukki, Akali et grand-mère Odina. Il avait même offert un sucre d'orge au petit Constant de la part de sa maman. Sa mission accomplie, il avait téléphoné chez Wellie Fortin, promu messager de la famille Chardin. Cela ne déplaisait pas au maire, qui rendait volontiers visite à Laura.

En ce début d'après-midi, après être descendue du bateau qui faisait la navette entre Roberval et le quai de Péribonka, ce fut une joyeuse troupe qui s'attabla devant l'auberge, où le patron disposait quelques tables à la belle saison.

— Ah! le vent du lac! dit Hermine avec délectation. C'est un plaisir de faire halte ici. Et j'ai une faim de loup. Hélas! dès que je mange, j'ai la nausée. C'est le bébé.

Louis éclata de rire. Il était si content de passer l'été chez sa sœur qu'il en oubliait ses mauvaises blagues. En robes bleu ciel, les jumelles portaient des chapeaux de paille ornés d'un ruban.

— Que la vie est belle! s'exclamèrent-elles en chœur, selon leur habitude.

— Oui! Il vous reste deux mois et demi de liberté avant l'internat! rappela Toshan.

— Papa! Quel rabat-joie tu fais! s'insurgea Laurence.

Kiona sirotait son verre de soda américain. Vêtue d'une salopette neuve en jean et d'une chemisette vert pâle, elle avait coiffé ses longs cheveux roux en chignon, ce qui lui donnait un port de reine. Ses pensées allaient essentiellement à son cheval, Phébus. Onésime Lapointe le transportait à bord de son camion et elle n'était pas tranquille.

— Mine, pourquoi m'avez-vous empêchée de voyager avec Phébus et obligée à prendre le bateau?

— Parce qu'on ne peut pas se passer de toi un seul instant, petite sœur, plaisanta sa demi-sœur avec un doux sourire. Comme tu ne portes plus tes amulettes, on compte sur toi pour prévoir les orages, la neige et les caprices de Constant...

— Tu seras notre shaman, décréta Marie-Nuttah en pouffant. Kiona, le shaman du grand paradis!

— Ne te vexe pas surtout! s'inquiéta Hermine devant la mine sombre de la fillette. Nous sommes si heureux; il faut profiter de chaque instant. J'attends un bébé. Maman a joué en Bourse et je suis sûre qu'elle va vite être aussi riche qu'avant! Vous vous rendez compte? Elle va acheter la belle maison de Roberval que j'ai toujours admirée, enfant. On dirait un petit château à la mode québécoise.

— Je ne me vexe pas, dit Kiona avec un air de défi. Et, puisque c'est moi le shaman, vous feriez mieux de vous taire, tous!

— Pourquoi donc? bredouilla Louis.

— Chut! Écoutez, écoute, Mine! La radio.

Intriguée, Hermine tendit l'oreille. Elle crut deviner son nom, prononcé par un présentateur au timbre nasillard qui résonnait dans la salle de l'auberge pleine de clients. Cela ressemblait à une annonce. Tout de suite après, elle entendit de la musique, puis une voix cristalline, une voix sublime qui chantait *L'amour est un oiseau rebelle*, le grand air de *Carmen*. Le silence se fit parmi les bûcherons et ouvriers en train de déjeuner.

– Mais c'est moi! dit Hermine, rouge de confusion. Mon Dieu, qu'est-ce que ça signifie?

– Je suppose qu'ils passent ton disque à la radio! observa Toshan, très ému. Tu l'avais bien enregistré.

– Oui, en effet! Oh! mon Dieu! Alors, il a tenu parole! s'écria-t-elle en portant ses poings serrés à ses lèvres. Rodolphe Vonlanthen, il a produit les deux 78 tours quand même, ou bien son secrétaire s'en est occupé. Toshan! C'est fantastique, tellement extraordinaire!

Elle contempla l'eau bleue du lac où valsaient des vaguelettes argentées. Bouleversée par cette merveilleuse surprise, elle retint son souffle, émerveillée.

– Écoute encore, lui dit Toshan en la saisissant au poignet. On parle de toi.

« Et il y a fort à parier, chers auditrices et auditeurs, que dans bien des foyers de notre beau pays on écoutera ce disque, dont je rappelle le titre: Hermine Delbeau chante les grands airs d'opéra. Beaucoup de gens connaissent cette grande artiste, surnommée le Rossignol des neiges. À ceux qui ne la connaîtraient pas encore, je recommande d'aller vite magasiner et acheter ce précieux enregistrement. »

– C'est la gloire, madame! affirma le patron de l'auberge qui venait de sortir sur le quai. J'suis ben honoré de votre visite, même moé qui vous croise presque toute l'année.

Le brave homme jubilait de fierté. Kiona scruta Hermine, rose d'émotion. Les grands yeux bleus étaient un peu trop brillants de larmes contenues. Elle se promit de la protéger sa vie durant, comme si c'était elle l'aînée, du haut de ses treize ans. Elle se retourna vers l'immensité scintillante du lac Saint-Jean. Des goélands le survolaient. Des bateaux de croisière d'un blanc lumineux défilaient au loin. Mais Kiona regardait autre chose qu'elle était seule à voir, une silhouette évanescente dont le beau visage éclatant de jeunesse lui souriait. Et une voix venue d'un autre monde, une voix masculine aussi splendide et puissante que celle d'Hermine, chanta dans l'esprit de la fillette avec une ardeur éblouie, une extase proche du divin.

C'est toi seule que j'aime, c'est toi seule que j'adore!

L'instant d'après, un vent tiède balaya la vision. La sirène d'un bateau fit taire la voix.

— Kiona, appela Hermine qui s'était levée et se penchait sur sa demi-sœur, à quoi penses-tu? Et comment savais-tu que mon disque allait être diffusé à la radio juste aujourd'hui?

— Quelqu'un me l'a dit. Ne t'inquiète pas, Mine, tout ira bien désormais. Et ne sois pas triste, ton monsieur Rodolphe chantera toute l'éternité. Il a retrouvé sa voix, sa si belle voix.

C'était au bord du lac Saint-Jean, par un radieux après-midi de l'été 1947.

Sources bibliographiques

PROTEAU, Lorenzo. *La parlure québécoise,* Boucherville, Proteau, 1982, 230 p.

VIEN, Rossel. *Histoire de Roberval,* Chicoutimi, Les Éditions JCL, 2002, 370 p.

Le Ouiatchouan, le journal de Val-Jalbert.

Société historique du Saguenay. *Saguenayensia : La revue d'histoire du Saguenay–Lac-Saint-Jean,* numéros variés.

Remerciements

Je voudrais témoigner ici mon immense gratitude à tous mes amis du Québec, qui continuent fidèlement à m'aider dans mes recherches de documents, d'anecdotes et de photos.

Merci pour leurs précieux renseignements à Johanne et Martin Cloutier, dont l'amitié et la gentillesse me touchent beaucoup.

Sans le soutien de tous, aurais-je pu entrouvrir ces « portes du passé » ?

Le Lac-Saint-Jean est un peu devenu ma seconde patrie, celle du cœur. Je suis heureuse de lui rendre hommage au gré des lignes.

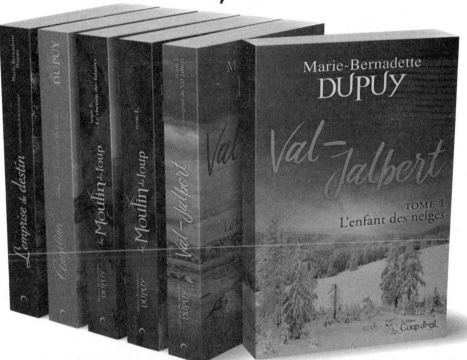

L'ESSENTIEL
DE LA LECTURE

Ā UN SEUL PRIX
9,95$